인간 문화의 겉과 속
3

인간 문화의 겉과 속 3

발 행 | 2024년 03월 20일
저 자 | 김용수
펴낸이 | 한건희
펴낸곳 | 주식회사 부크크
출판사등록 | 2014.07.15.(제2014-16호)
주 소 | 서울특별시 금천구 가산디지털1로 119 SK트윈타워 A동 305호
전 화 | (02) 1670-8316
이메일 | info@bookk.co.kr

ISBN | 979-11-410-7723-5

인간 문화의 겉과 속 3

김용수 지음

이 책 쓰면서

우리는 요즘 먹고 마시는 것, 음식 문화의 홍수 시대에 살고 있다. 2018년 기준, 한국인의 커피 소비량은 전 세계 평균의 2.7배에 달한다고 한다. 지금은 코로나19 여파로 수요가 더 가파르게 증가하고 있다.

성인 1인당 연간 커피 소비량이 353잔, 즉 하루 한 잔 꼴이다. 커피 전문점 매출 규모는 미국, 중국에 이어 세계 3위다. 최근에는 에스프레소(espresso) 원두도 선택해서 즐기는 맞춤형 고객 서비스까지 등장했다. 이제 마실 만큼 마셨는지, 더 스페셜(special)한 커피를 찾고 있다.[1] 음식에 대한 욕망은 커피에만 국한된 것이 아니다. 시중에 쏟아지는 수많은 음식 관련 서적들이 음식 예찬과 미감의 탐험을 위한 안내서로 바뀌고 있다. 방송 또한 예능은 말할 것도 없고, 각양각색의 이름으로 제작된 프로그램들이 우리의 미각을 자극하고 있다.

명언처럼 굳어진 '프렌치 파라독스(French paradox)'란 말도 음식의 쾌락에 기반해 나오지 않았는가. 이는 프랑스인들이 고지방을 많이 섭취하는데도 심장계통의 질환이 적고 건강하게 산다는 데서 나온 말이다. 이제 탐식은 더 이상 죄도, 부끄러움도 아니다. 탐식이 죄인 시대는 종말을 고했고, 미각적 쾌락은 인간이 누려야 할 최고의 선(善)인 시대에 살고 있다.[2]

그런데 재미있는 것은 탐식과 미식이 같은 말에서 나왔다는 사실이다. 구르망디즈(gourmandise)는 탐식, 미식, 식도락이라는 세 가지 다른 의미로 사용됐다. 한때 구르망디즈는 음식을 무조건 탐하는 부정적 의미로 쓰였고, 심지어 탐식은 간음을 낳는 죄로 여길 정도로 부도덕한 단어였다. 그러나 점차 이 단어는 맛의 진정한 의미를 찾고 즐긴다는 긍정적인 의미로 변화했다.

근대에 이르러 구르망디즈에서 착안한 용어 가스트로노미(gastronomie)라는 단어가 등장했다. 이 단어는 위(胃)를 의미하는 가스트로(gastro)와 규칙을 의미하는 노모스(nomos)가 결합해 만들어졌다. 미식가를 지칭한 가스트로노미는 잘 먹는 기술과 방법으로 도를 벗어나지 않고, 절제하며 먹는다는 뜻이다.

음식 그 자체는 선도 악도 아니지만, 그것을 대하는 인간의 태도에 따라 그 선악이 달라진다. 문제는 도를 벗어난 무절제와 과잉에 있다. 르네상스를 대표하는 작가 프랑수와 라블레((Rabelais, F.)의 대표작 '가르강튀아(Gargantua)'에 등장하는 핵심적 메시지는 과잉이었다. 그는 폭식, 폭음이라는 과잉이 역설적이게도 기

독교 중세 세계에 만연한 부조리임을 폭로했다.[3]

러시아 문호 톨스토이는 인간이 행하는 악 중에 **빼놓을** 수 없는 것이 과잉이라고 했다. 과잉이 왜 악일까. 과잉은 인간으로 하여금 본질에 접근하지 못하도록 가로막고, 본질이 무엇인지 알지 못하게 방해하기 때문이다. 게다가, 과잉은 본질을 다르게 보이도록 치장하는 속성까지 가지고 있다. 그래서 톨스토이는 과잉은 좋은 삶으로 인도하기보다는 우리를 쾌락으로 몰아넣는 거짓이자 악이라고 했다.

탐식을 인간의 내면적 삶과 관련해 처음 언급한 사람은 4세기 수도승 에바그리우스 폰티쿠스(Evagrius Ponticus, 345-399)이다. 그는 인간을 내적으로 타락시키는 8가지 악덕을 열거하면서, 첫 번째 자리에 탐식을 놓았다. 그는 과잉이 낳을 심각한 결과를 우려했다. 우리는 탐욕과 과잉을 부추기는 문화 속에 살고 있다. 탐욕과 과잉이 행복에 이르는 길이라고 속삭이고 있다. 더 많이 먹고, 더 맛있는 음식을 경험하는 것이 성공한 삶이고 행복이라고 생각한다. 그러나 우리는 알고 있다. 탐식과 과잉이 진실한 삶을 가로막는다는 것을.[4]

인간(人間)은 직립 보행을 하며, 사고와 언어 능력을 바탕으로 문명과 사회를 이루고 사는 고등 동물이다. 문화(文化)는 자연 상태에서 벗어나 삶을 풍요롭고 편리하고 아름답게 만들어 가고자 사회 구성원에 의해 습득, 공유, 전달이 되는 행동 양식이다. 이 책은 사람의 본성과 관계지어 사회 전체 구성원의 생활 양식과 행동 양식 및 그 기반이 되는 물질적, 정신적 소산과 관련이 있는 것을 누리는 인간 문화의 겉과 속을 들어야 보고자 한다.

〔꿀벌이 꿀통에 꿀을 모으고 있다〕

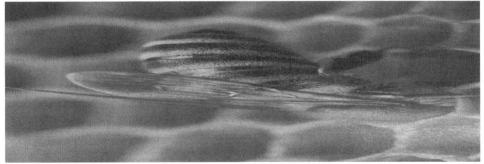

http://www.seniormaeil.com(2023. 02. 03, 안영선)

2024년 3월
海東 김용수 씀

차례

Ⅲ. 인간 문화의 속/204

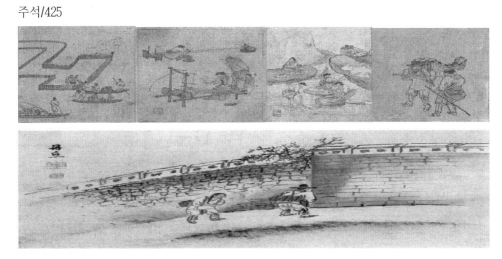

여유 있는 삶

'이것도 부족하고 저것도 부족하고' 하면서
불평 불만에 사로잡혀 있어서는 아무 일도 안됩니다.
결국은 이 세상에 왔다가 빈 손으로 갈 터인데
무엇이 그리 급한 걸까요?

우리가 급하게 서둔다고
지구가 더 빨리 도는 게 아닙니다.
천지가 왜 이렇게 오랫동안 사느냐 하면
천지는 때가 되면 정확하게 돌기 때문입니다.

사람들만 허겁지겁 움직입니다.
하루 세 끼 밥 잘 먹으면 됩니다.
잠잘 곳이 있고 할 일이 있으면 되는 것입니다.

요즘은 너무들 급하게 움직이고 있습니다.
이제 주위의 환경에 홀리지 않고
터벅터벅 걸어가면서 삶을 돌아보십시오.
그러면 여유가 생깁니다.

삶의 여유를 만드는 지혜는
바로 여러분에게 있습니다.

참된 인생의 삶이 되려면

I. 들어가는 글

인간(human being, 人間)의 고유한 특징으로는 영혼·사유·노동·유희·소비·도덕 등이 있다. 인간은 자연의 일부분이지만 인간의 본질은 영혼이다. 소피스트는 인간을 만물의 척도라 했으며, 플라톤은 감각적인 가상세계를 넘어서는 지적인 정신세계를 실재라고 본다. 아리스토텔레스도 인간이 이성을 지니므로 다른 존재보다 우월한 것으로 본다. 중세에는 인간을 신적 질서의 일부로 보았고, 종교개혁 이후 인간은 세계의 중심에서 주변으로 떨어져 방향과 안식처를 잃은 존재가 되었다. 카를 마르크스는 인간을 노동하는 존재로, 물질적 생산을 통해 세계를 만드는 존재로 보았다. 인간을 보편적인 존재로 보기를 거부하는 키에르케고르는 실존을 문제 삼는다. 막스 셸러는 인간의 '세계개방성'을 동물의 '환경에 구속됨'과 구별하여 인간의 지위를 정신에서 찾는다.

문화(文化, Culture)란 '자연 상태에서 벗어나 일정한 목적 또는 생활 이상을 실현하고자 사회 구성원에 의하여 습득, 공유, 전달되는 행동 양식이나 생활 양식의 과정 및 그 과정에서 이룩하여 낸 물질적·정신적 소득'을 통틀어 이르는 말이다. 의식주를 비롯하여 언어, 풍습, 종교, 학문, 예술, 제도 따위를 모두 포함한다.

도구의 사용과 더불어 인류의 고유한 특성으로 간주된다. 문화를 구성하는 요소에는 언어, 관념, 신앙, 관습, 규범, 제도, 기술, 예술, 의례 등이 있다. 문화의 존재와 활용은 인류 고유의 능력, 즉 상징적[5] 사고(언어의 상징화)의 능력에서 기인한다.

문화라는 용어는 라틴어의 'cultura'에서 파생된 'culture'를 번역한 말로 본래의 뜻은 '경작(耕作)'이나 '재배(栽培)'였는데, 나중에 교양, 예술 등의 뜻을 가지게 되었다. 다만 좁은 의미의 문화와 넓은 의미의 문화는 조금 다른데, 좁은 의미로는 교양과 발전된 의식 등을 의미하는 한편 넓은 의미로는 생활 양식 전반을 지칭하는 말이다. 반댓말은 natura. 경작되지 않은 상태를 의미하는 말로써 '자연(nature)'의 어원이다.

튀르키예와 시리아에서 일어난 지진의 피해가 시간이 지날수록 점점 커지고 있다. 연일 보도되는 뉴스 속에 참담함을 금할 수 없다. 아직 구조되지 못한 한 사람을 구하기 위해 달려가는 살아남은 자들의 마음은 얼마나 애가 탈까.

1755년 11월 1일, 포르투갈 리스본에서 대지진이 일어났다. 그날은 만성절이었고, 교회에는 많은 사람이 모여 있었다. 당시는 측정 도구가 없어 정확히 파악할 수 없으나 진도 약 8.5~9 정도의 엄청난 지진이 일어나 건물이 무너졌고 곧이어 해일이 몰려왔다. 순식간에 리스본은 폐허가 되었고, 약 3만~4만 명이 사망했다. 당시 포르투갈 전체 인구가 300만 명이었으니, 엄청난 숫자다. 유럽 전역이 충격에 휩싸였다. 당시는 신이 모든 것을 결정한다고 믿었던 시대였다. 신이 선한 자에게는 은총을, 죄를 지은 자에게는 벌을 내린다 믿었는데, 이 지진은 그 원리대로 설명할 수가 없었다.

리스본 대지진은 계몽주의의 시발점이라고 여겨진다. 신의 뜻으로 여기는 게 아니라 인간의 이성으로 생각하고 이해하고 판단하기 시작한 것이다. 대표적인 계몽주의자 볼테르(1694~1778)는 대지진에 대한 글을 여러 편 남겼는데, '리스본 대지진에 관한 시'에 그는 이렇게 적었다. "리스본은 폐허가 되었는데, 여기 파리에서 우리는 춤을 추네." 대지진에 무참히 스러져간 사람들을 똑바로 보기 시작한 '인간'이 생각해낸 것은 바로 극명하게 대비되는 운명에 대한 의문이었고, 인간으로서 져야 할 책임이 무엇인지에 대한 고뇌였다. 지진의 피해를 입은 자들은 신의 벌을 받은 것이 아니라 불가항력에 고통을 받은 자들이고, 그들을 구해내고 상처를 보듬어 줄 수 있는 것은 살아남은 자들의 몫이었다. 신이 아니라 인간이 해내야 하는 일이라는 사실을 깨달은 것이다.

계몽의 시대를 살아가고 있는 우리는 어떠한가. 속절없이 무너져 내리는 건물들에 신을 부르며 탄식하기는 하지만, 이제 우리는 지진이 신의 벌이 아니라는 것쯤은 모두 알고 있다. 리스본 대지진 이후 지진을 학문으로 연구했고, 지진이 생기는 이유와 그 크기를 측정하는 단위까지 만들었다. 그리고 이 엄청난 재앙을 딛고 일어서야 하는 것이 살아 있는 우리 모두의 몫이라는 것도 알고 있다.[6]

지진의 공포에 떠는 튀르키예와 시리아는 폐허가 되었는데, 여기 한국에서 우리는 춤을 추고 있다. 감당할 수 없는 폭우로 국토의 1/3이 잠긴 파키스탄은 폐허가 되었는데, 여기 한국에서 우리는 여전히 탄소배출 악당 국가로 살아가고 있다.

이제 신이 아니라 자연이 우리에게 내리는 벌이라고 생각하는 듯하다. 조금만 생각해도 알 수 있듯, 그렇지 않다. 리스본 대지진이 당대 사람들의 믿음과 생각을 바꿔 세계를 변화시켰듯, 우리는 비극적인 재앙 앞에서 우리의 생각을 반성적으로 살펴봐야 한다. 자연은 우리를 벌하지 않았고, 동시에 누군가만 누리라고 자신의 풍요를 베풀지도 않았다. 석유가 나는 나라가 세계 최고의 부자가 되는 일은 당연하지 않고, 가스가 나는 나라가 그것을 무기 삼아 전 세계를 위협하는 일은 부당하다.

I. 인간 문화의 겉

　현재의 사회과학, 특히 문화인류학계에서는 미개(未開)와 문명(文明: 高文化)을 가리지 않고, 모든 인류가 문화를 소유하며 인류만이 문화를 가진다고 본다. 여기에서 문화란 인류에서만 볼 수 있는 사유(思惟), 행동의 양식(생활방식) 중에서 유전에 의하는 것이 아니라 학습에 의해서 소속하는 사회(협동을 학습한 사람들의 집단)로부터 습득하고 전달받은 것 전체를 포괄하는 총칭이다. 또한 일정 공동체가 공유하여야 하기 때문에 지극히 개인적인 습성이나 선천적 요소 등은 문화의 범주에 포함되지 않는다. 다만 이러한 요인들도 생활 양식에 영향을 주어 문화로 발전할 가능성은 있다.

　인간이 자연을 변화시키는 두가지 행위를 기술과 예술이라 한다. 기술이란 인간이 생존을 위해 자연물을 변화시키는 행위이다. 반면 예술이란 인간이 심미적인 욕구를 만족시키기 위해 행하는 정신적인 활동이다. 문화는 기술과 예술이 어우러진 활동이다.

　인간이 문화를 전파하고 축적하기 위해 사용하는 수단 두가지가 존재한다. 바로 상징과 언어다. 인간은 사물의 본질과 상관없이 인위적인 의미를 부여한다. 이것을 상징이라 한다. 그리고 언어란 음성을 통해 의미를 전달하는 행위이다. 인간은 음성 신호에 여러 의미를 담아 복잡한 의미를 전달한다.

　인간은 좋은 문화와 나쁜 문화를 구분하기 위해 도덕, 종교, 예술, 심미, 경제, 물질(생존, 현실, 의식주) 등 다양한 기준을 사용한다. 이때의 기준을 가치라 부른다. 또한 특정 가치가 사회 전반에 퍼져 사회구성원들의 행동을 구속할 때, 그것을 (사회)규범이라 부른다.

　한 사회의 구성원들이 그들만의 고유한 문화를 공유하는 것. 그러므로 공통된 행동과 사고방식을 가진다. 예를 들자면 명절에 성묘하러 대규모 이동이 일어나는 것이다. 공유성은 예측할 수 있게 해준다. 프랑스인과 인사할 때는 볼에 뽀뽀할 것이라고 생각하게 되지만 한국인과 인사할 때는 허리를 굽혀서 인사할 것이라고 예측하는 것이 그 예라 보겠다.

　문화는 선천적인 것이 아니라 후천적으로 습득하는 특징이 있다. 이를 학습성이라고 하는데, 젓가락을 사용하는 법, 연필을 잡는 법 모두 후천적으로 익히는 문화이므로 학습성의 예가 되겠다. 일란성 쌍둥이라도 다른 사회에서 성장하면

서로 다른 생활양식을 갖게 되는 것이 그 예이다.

　문화는 전 세대로부터 물려받아서 다음 세대로 전달된다. 그 과정에서 새로운 지식, 기술이 축적되며 내용이 풍부해지고 더욱 발전하는 특징을 축적성이라고 한다. 문화는 형성되고 안착하더라도 후에 그 문화가 지속될 것이라는 보장을 할 수 없다. 이 특성을 변동성이라고 하는데, 없어지기도 하고 수정되기도 하고 새로운 문화가 탄생되기도 한다. 문화가 변동되는 원인은 새로운 문화 요소의 발명이나 발견, 가치관의 변화, 지식의 축적 등에 의해 변화한다.

　사회의 문화는 물질적 제도적 정신적 요소로 구성되어 있다. 각각의 요소들은 독립적인 성격을 가지고 있지만 밀접한 관련을 맺고 있다. 예를 들어서 인터넷이 발달하니, 쇼핑을 인터넷으로 하고 강의도 인터넷으로 보는 등 생활 양식이 바뀐다.

1. 수도권 중심주의라는 자충수

　중심에선 중심이 보이지 않는다. 중심을 보려면 중심에서 벗어나야 한다. 과도한 중심 집착증은 탈중심을 막아 기형화를 촉진한다. 우리나라의 수도권 중심주의가 그렇다. 전국의 절반이 넘는 수도권의 지역내총생산(GRDP)은 절반이 넘는 인구를 수도권으로 불러들였다. 수도권 인구 집중은 인구 감소를 야기한다. 지난해 수도권의 합계출산율은 0.78명으로 전국 평균(0.84명)을 밑돈다. 감사원은 지난 8월 "2117년 229개 시·군·구 중 8곳만 살아남는다"며 우리나라에 100년 시한부 판정을 내렸다. 국가 소멸 경고령이 발령됐는데도 수도권 집중에는 계속 가속도가 붙는다. 그 배후에는 견고한 수도권 중심주의가 버티고 있다.

　'이건희 미술관'을 수도권에 두려는 황희 문화체육관광부 장관이 대표적인 사례다. 그는 "수도권은 많이 볼 수 있는 접근성이 있는데, 미술관을 지방에 둘 경우 '빌바오 효과'가 나타나지 않는다"고 했다. 쇠락한 스페인의 소도시 빌바오는 구겐하임 미술관이 들어서면서 세계적인 관광 명소로 거듭났다. 매년 관광객이 인구의 2배가 넘는 100만명에 달한다. 빌바오는 문화자원 분산을 통한 지방 회생 가능성도 보여준다. 그런 효과를 대한민국의 지방에서는 기대할 수 없다니, 이보다 더한 수도권 중심주의가 있을까 싶다. 현재 박물관·미술관·공연장 등 국립문화시설의 48%가 수도권에 집중돼 있다. 황 장관의 논리대로라면 수도권과 비수도권의 문화 양극화는 심화될 수밖에 없다.

국토교통부의 마인드 또한 마찬가지다. 국토부는 지난 8월 국내 주요 교통거점을 지역 랜드마크로 만드는 계획을 발표했다. 교통, 도시, 건축 등 다양한 분야의 전문가들이 참여하는 환승센터사업 총괄계획단을 꾸려 미국의 세일즈포스 트랜짓센터나 스위스의 아라우역 같은 유명 랜드마크를 조성한다는 것이다. 그런데 서울 양재, 경기 수원, 인천 송도 등 시범사업지 9곳이 모두 수도권에 있다. 비수도권에는 환승센터가 필요하지만, 랜드마크 환승센터는 불필요하다는 것인가.

가덕신공항 반대 논리도 그 연장 선상에 있다. 부산·울산·경남(부울경) 지역민의 편의는 고려하지 않는다. 129명의 사망자가 발생한 김해공항의 치명적인 안전 결함이나, 항만과 연계한 24시간 복합물류가 불가능한 김해공항의 기능 한계에는 별 관심이 없다. 부울경 화주들의 인천공항 왕래비용이 연간 7000억원에 달하는 것이나, 부산항과 인천공항 간 화물통관에 인천공항(연평균 3.06시간)의 3배나 되는 9.35시간이 소요되는 건 지역의 사정일 뿐이다.

국가 정책을 시행하는 국책은행도 예외가 아니다. 2017년부터 올해 8월까지 기업은행이 투자한 벤처기업 231곳 중 80%(185곳)가 수도권에 있다. 특히 기업은행은 실질적 투자라 할 수 있는 보통주 투자를 비수도권 벤처기업에는 한 건도 하지 않았다. 같은 기간 산업은행의 수도권 벤처기업에 대한 투자 비중도 75%(184곳)에 달한다. 국책은행의 이런 행태에는 정부의 미약한 균형발전 의지가 반영된 것으로 보인다.

수도권 중심주의는 "활주로에서 고추를 말리게 될지도 모른다"는 조롱으로도 표출된다. 일부 언론은 "수도권을 집중 개발하고 비수도권은 청정 전원지역으로 유도하는 등의 중장기 대책이 필요하다"며 수도권과 비수도권을 아예 도시와 농촌 구도로 파악한다. 수도권 중심주의는 비수도권을 소멸 위기로 몰아간다. 결국 그 죽음의 부메랑은 수도권으로 돌아온다. 수도권마저 삼키는 공멸의 자충수가 된다. 이는 세계 보편적 현상이다. 일본도 지역인구의 도쿄권 유입으로 2040년 896개의 기초지자체가 소멸하고, 장기적으로 도쿄권 인구도 줄어 국가 소멸 위기에 직면할 것이라고 '마스다 보고서'에서 전망한 바 있다. 그러나 수도권은 이런 보편적 이치를 외면한다. 죽음에 이르는 병이다.[7)8)]

2. "그래도 인권위" …인권이 기댈 제도적 언덕

2001년 11월25일 국가인권위원회가 출범했다. 진정 접수 첫날인 26일부터 인권위에는 진정을 제기하려는 시민들이 밀려들었다. '제1호' 사건은 장애가 있다는 이유로 보건소장 임명에서 배제된 이희원씨에 대한 차별 진정이었다. 제자인 이씨를 대신해 진정서를 제출한 김용익 서울대학교 의과대학 교수(현 국민건강보험공단 이사장)는 당일 오전 6시30분에 진정을 넣었다. 인권위가 설립 첫해 36일만에 803건의 진정이 접수됐다.

인권을 향한 시민의 열망은 뜨거웠지만 인권위 내부 분위기는 어수선했다. 인권위원 11명과 인권위설립준비기획단 직원 27명으로 꾸려진 소규모 인력으로 업무가 시작됐다. 당시 행정자치부(현 행정안전부)는 '작은 정부'를 내걸며 인권위의 인력지원 요청을 받아들이지 않았다. 법무부 산하 특수법인 형태로 '국민인권위원회'를 설치하려고 했다가 시민사회의 거센 반발에 직면하기도 했다. 우여곡절 끝에 인권위가 문을 열었지만 인권 침해를 조사할 권한도, 인력도 턱없이 부족했다.

2001년 11월26일 인권위 진정 접수 첫날 상담을 하러 온 민원인이 눈물을 흘리고 있다(인권위 제공)

가. "인권위에서 나왔다" …경찰 방패에 찍힌 직원

2001년부터 2020년까지 접수된 경찰 관련 진정사건은 2만2406건으로 총 접수건수(11만4628건)의 19.5%에 달한다. 인권위 출범 초기 경찰 관련 사건은 주로 '물리적 폭력'에 따른 인권 침해였다.

2002년 7월 주한미군 장갑차에 치여 사망한 두 중학생 신효순·심미선양의 49재 집회가 서울 중구 대한문 앞에서 열렸다. 새내기 인권 조사관이었던 신홍주씨

(55)도 집회 현장에 있었다. 집회는 격렬했다. 저지선을 뚫으려는 참가자들과 방어하는 경찰이 충돌했다. 경찰은 방패로 집회 참가자들을 폭행했다. 이를 말리던 신씨도 경찰 방패에 머리를 찍혔다. 신씨는 거듭 '인권위에서 나왔다'고 신분을 밝혔지만 경찰은 아랑곳하지 않았다. "맞고 나니까 정신 없더군요. 저를 때린 경찰은 순식간에 뒤로 빠졌어요. 찾을 수도 없었습니다."

3년 뒤인 2005년 11월, 쌀 수입 개방에 반대하는 농민들이 서울에서 대규모 시위를 벌였다. 경찰은 강경 진압으로 맞섰고, 농민 2명이 숨졌다. 전국농민회총연맹은 인권위에 진정을 제기했고, 인권위는 조사 끝에 두 농민의 사망 원인이 경찰의 과잉진압 때문이라고 결론내렸다. 경찰청장은 사퇴했고 노무현 대통령은 대국민 사과문을 발표했다.

수사 과정에서도 폭력은 빈번히 발생했다. 2010년 6월 경찰관이 범행을 자백하라며 피의자 입에 재갈을 물리고 스카치테이프로 얼굴을 감은 후 폭행했다는 진정이 접수됐다. '양천경찰서 고문 사건'이었다. 인권위는 경찰관 5명을 검찰에 고발 및 수사의뢰하고 경찰청장에게 재발 방지대책을 마련하라고 권고했다.

검찰도 별반 다르지 않았다. 2002년 10월26일 서울지검에서 수사받던 피의자가 고문과 가혹행위로 숨지는 사건이 발생했다. 인권위는 직권조사를 벌여 피의자를 죽음에 이르게 한 고문과 가혹행위가 있었던 사실을 확인했다. 그 여파로 검찰총장과 법무부 장관이 사퇴했고, 서울지검 강력부 조사실은 폐쇄됐다. 인권위는 검찰 수사관 10명을 검찰에 고발하고 책임자들에 대한 수사를 의뢰했다. 그때까지 관행적으로 이뤄지던 긴급체포 제도도 개선하라고 권고했다.

매년 인권위에 접수되는 검찰 관련 진정사건은 평균 200여건이다. 인권위 창립이후 작년까지 접수된 검찰 관련 진정사건은 3286건으로 전체 접수 사건의 2.9%에 달한다. '불리한 진술 강요, 심야·장시간 조사, 편파·부당수사'(1069건, 32.7%)와 '폭언·욕설 등 인격권 침해'(629건, 19.1%)가 절반 이상을 차지한다.

인권에 대한 인식과 제도가 개선되면서 경찰과 검찰의 물리적 폭력은 전보다 감소했다. 특히 경찰의 경우 인권 침해 진정의 30% 이상을 차지하던 물리적 폭력 사건 비중이 지난해에는 18% 수준으로 줄었다.

최근에는 수사 절차 위반 사건이 증가하는 추세다. 수사기관의 인권 침해 사건을 담당해온 인권위 관계자는 "고문이나 감금, 폭행과 같은 극단적인 형태의 인권 침해는 줄었지만 수사 과정에서의 내밀한 인권 침해가 계속되고 있다"며 "공권력의 폭력은 잡초와 같다. 뿌리를 뽑은 듯 보여도 없어진 것은 아니다. 늘 감시하고 통제할 필요가 있다"고 말했다.

2005년 12월19일 인권위가 농민시위 사망 사건에 대한 현장 검증을 벌이고 있다(인권위 제공)

나. "이라크 전쟁 반대" …인권위가 밝힌 소신

인권위가 국가기관의 인권 침해로부터 시민을 보호하려면 독립적인 지위에 있어야 한다. 정부 정책은 언제든지 평화·인권·반전을 고수하는 인권위의 대원칙과 충돌할 수 있기 때문이다. 정부에 종속된 인권위는 온전히 제 목소리를 낼 수 없다.

2003년 3월26일 인권위는 미국이 주도한 이라크 전쟁에 반대 의견을 표명했다. 인권위는 "우리는 이라크 국민의 생명과 안전을 위협하는 전쟁에 반대한다. 우리는 이라크의 정치·사회적 문제가 군사력이 아닌 평화적 방법으로 해결되기를 희망한다"고 밝혔다. 정부의 공식적인 입장과 반대되는 목소리를 낸 것이다. 노무현 당시 대통령은 국가원수 자격으로 이라크 전쟁에 대한 지지 의사를 밝힌 터였다.

정치권에서는 여야가 한목소리로 인권위를 비난했다. 한국군 파병동의안이 국회에 제출된 상황에서 인권위가 부적절한 의견 표명을 했다는 것이다. 일부 청와대 인사들도 "어떻게 사전에 언질조차 주지 않을 수 있느냐"며 인권위에 섭섭함을 토로했다.

그러나 노 대통령은 인권위에 힘을 실어줬다. 인권위 입장 표명 다음날 노 대통령은 청와대 수석보좌관회의에서 "인권위는 바로 이런 일을 하라고 만든 곳"이라며 "인권위의 의견 표명은 인권위 고유 업무"라고 했다. 그해 12월 열린 세계인권선언 제55주년 기념식에서는 "인권위의 주장과 정부의 주장이 부닥치는 것은 민주주의의 당연한 현상"이라며 거듭 인권위의 독립성을 강조했다.

이후에도 인권위는 여러 사안에서 정부와 다른 의견을 냈다. 정부가 막대한 예산을 들여 만든 교육행정정보시스템(NEIS)에 인권 침해 소지가 있다며 도입 반대 의견을 표명했다. 국가보안법 폐지와 양심적 병역거부자 인정, 한미FTA(자유무역협정) 반대 집회 개최와 관련해서도 정부 방침에 반기를 들었다.

인권위의 최대 치적으로 꼽히는 사형제 폐지 권고도 이 시기에 나왔다. 2006년 전국 법학교수 1191명을 대상으로 진행한 설문 조사 결과, 응답자들은 가장 잘한 일로 '사형제 폐지 권고(17.4%)'를 꼽았다. 인권위는 2003년 인권 현안 10대 과제 중 하나로 사형제 폐지를 선정한 후 2005년 사형제 폐지 의견 표명을 시작으로 최근까지 일관되게 사형제 폐지를 주장하고 있다.

2005년 7월28일 인권위의 화성 외국인보호소 현장 조사(인권위 제공)

다. 보복성 조직개편…목소리 사라진 인권위

정권이 바뀐 뒤 인권위의 독립성은 흔들리기 시작했다. 장애인차별금지법 제정 이듬해인 2008년 인권위에 '장애로 인한 차별' 진정이 2배 이상 늘었다. 업무량은 늘었지만 행정안전부는 '인권위가 다른 기관에 비해서 조직과 인력을 과다하게 운영하고 있다'며 인력 감축을 요구했다.

인권위에 대한 정부의 '보복성 조직개편'이라는 비판이 나왔다. 2008년 6월 '미국산 쇠고기 수입 반대 촛불집회'에서 인권위는 경찰의 과잉진압으로 인권 침해가 발생했다고 보고 책임자 징계를 권고했다. 이명박 정부는 정권 초기 국정 운영에 큰 타격을 준 집회에 인권위가 힘을 실어준 것으로 받아들였다.

장애인차별금지법 시행 1주년을 맞아 '모든 공공건물에 장애인 편의시설 설치' 의무가 발효되기 11일 전인 2009년 3월30일, 인권위 조직 축소안이 국무회의를 통과했다. 인권위 직원들 중 정규직 공무원이 아닌 별정·계약직 39명이 해고됐다.

2011년 인권위는 출범 10주년을 쓸쓸하게 맞았다. 서울 중구 한국프레스센터에서 열린 '국가인권위원회 설립 10주년' 기념식에서 "현병철(위원장) 사퇴하라" 라는 구호가 들려왔다. 이후 굵직한 인권 이슈가 발생해도 제대로 된 역할을 하지 못한다는 비판이 제기됐다.

박근혜 정부 몰락의 단초가 된 '세월호 참사' 도 예외는 아니였다. 진도 팽목항에서의 유가족 인권 침해 논란, 경찰의 유족 사찰 논란, 참사 피해자 가족의 단식농성과 세월호참사특별법 이슈에 대해 인권위는 직권조사나 정책권고 등의 조치를 취하지 않았다. 이렇다 할 의견 표명도 없었다. 2015년 세월호 참사 1주기 추모집회 후 참여연대는 "(경찰이) 추모하는 시민들과 유족들에게 캡사이신을 뿌리고 물대포를 직사하고 무작위 연행을 서슴지 않고 있다. 이 나라에서 민주주의와 인권이 사라지고 있다" 는 입장문을 냈다. 이에 대해서도 인권위는 어떤 의견도 내놓지 않았다.

장애인차별철폐연대와 국가인권위바로세우기긴급행동 소속 회원들이 2012년 7월23일 서울 중구 무교로 국가인권위원회 앞에서 집회를 열고 현병철 인권위원장 연임 철회를 요구하고 있다(김영민 기자)

라. 인권위 부활과 '미투 운동'

2017년 문재인 대통령이 취임하면서 인권위는 다시 전환점을 맞았다. 문 대통령은 취임 직후 인권위 위상을 강화하라고 지시했다. 문 대통령은 이명박·박근혜 정부 시절 제대로 이뤄지지 않은 인권위원장의 청와대 특별보고를 정례적으로 실시하도록 했다. 또 각 정부부처의 인권위 권고 수용 상황을 점검하고 수용률을 제고하도록 했다.

2017년 10월 사회관계망서비스(SNS)를 중심으로 '미투(#MeToo)' 운동이 확산하면서 성차별 관련 진정이 눈에 띄게 늘었다. 성희롱 진정사건은 2010년 초반만 해도 200건을 살짝 웃도는 수준이었지만 2017년 299건으로 늘었다. 그러나 인권위 축소는 정권교체 이후에도 영향을 미쳤다. 미투가 확산하는 상황인데도 젠더 이슈는 차별조사과에서 군 인권 문제 등 다른 이슈들과 뭉뚱그려져 처리됐다.

2018년 7월이 돼서야 성차별시정팀이 신설됐다. 젠더 이슈가 독립된 영역으로 분리된 것이다. 최혜령 성차별시정팀장은 "인권위 권한 강화와 미투 이후 진정 건수가 30~40% 가량 늘어났는데 조사할 수 있는 인원은 그대로여서 접수된 진정이 적체돼 있었다"며 "소규모로 시작한 성차별시정팀이 정상화되는 데까지 시간이 꽤 걸렸다"고 말했다.

인권을 중시하는 문재인 정부 출범은 인권위에 기회이자 위기였다. 2017년 6월 전국공무원노조 국가인권위원회지부 주최로 열린 '국가인권위원회, 어디서부터 다시 시작할 것인가' 토론회에서 홍성수 숙명여대 법학부 교수는 "정권교체로 국가가 '정상화' 하는 것이 단기적으로 인권위에 유리하지만 중장기적으로는 불리하다. 다른 국가기구가 정상화할수록 인권위가 매을 '틈새'가 작아지고 그 틈새를 정교하게 파고들지 않으면 인권위는 무용한 조직으로 전락할 수 있다"고 말했다.

문재인 정부 출범 이후 반짝했던 인권위 영향력은 시간이 지나며 다시 주춤하는 모양새다. 2017년 크게 늘었던 진정 건수는 다시 이전과 비슷한, 혹은 낮은 수준으로 돌아갔다. 인권위 관계자는 "청와대가 인력과 예산을 보강하고 권한도 줬으면 좋았을 텐데, 내부적으로 준비가 안 된 상태에서 기대치만 높아지면서 인권위가 그 기대치를 감당할 역량이 안 됐다"고 말했다.

2019년 11월 13일 국가인권위원회 앞에서 '성소수자 가족구성권 보장을 위한 네트워크' 회원들이 '동성혼, 파트너십 권리를 위한 성소수자 집단진정 기자회견'을 하고 있다(이준헌 기자)

마. 감염병과 개인정보…새 인권 담론의 등장

민주주의 발전으로 시민들의 인권의식도 성숙해졌다. 시민들은 환경·정보기술

(IT)·개인정보 등 새로운 분야도 인권의 관점에서 바라보기 시작했다. 코로나19 국면에서 시민들은 방역만큼이나 개인정보의 가치를 중시했다. 확진 환자의 상세한 동선이 공개되자 정부의 방역 지침이 인권을 침해한다는 비판이 제기됐다. 방역과 인권이 충돌하자 인권위는 정부가 균형을 잡을 수 있도록 가이드라인을 제시했다.

지난해 3월 인권위원장은 "코로나19 확진 환자 개인별로 필요 이상의 사생활 정보가 구체적으로 공개되다 보니 환자들의 내밀한 사생활이 원치 않게 노출되는 인권 침해 사례가 나타나고 있다"는 성명을 냈다. 올해 10월에는 코로나19 확진 뒤 이태원 클럽 방문 사실이 공개된 남성에 대해 "인격권과 명예권, 사생활의 비밀과 자유가 침해됐다"며 방역을 이유로 행해진 인권 침해에 대해 재차 우려의 뜻을 밝혔다.

지난 20년 간 인권위는 전진과 후퇴를 반복했다. 조효제 성공회대 사회과학부 교수는 "인권위의 지난 20년은 여러 우여곡절과 부족한 점이 있었지만 그럼에도 인권위가 있어 한국의 인권 담론이 이 정도로 발전할 수 있었다고 생각한다"면서 "인권이 기댈 수 있는 중요한 제도적 언덕이 생긴 점에 대해서는 적극적인 평가에 인색할 필요가 없다고 본다"고 말했다. 홍성수 교수는 "2021년 현재의 관점에서 본다면, 과거의 전통적인 인권 의제들이 여전히 의미가 있는 동시에 새로운 의제들이 많이 생겨났다"면서 "인권위가 예전과 비교해 안정화됐지만, (국가보안법이나 이라크 파병 등에 반대하던) 예전만큼의 패기가 과연 있는가 하는 생각은 든다"고 말했다.[9]

3. 60플러스 위한 소소한 작당

미세먼지 가득했던 11월 어느 주말. 반경 5㎞ 안에 모여 살게 된 덕분에 주말 브런치가 일상이 된 친구들과 여느 때와 다름없이 만났다. 날씨 탓이었을까? 이번 대화는 조금 무겁다. '퇴직, 60 이후 뭘 하고 살까?' 노후준비라는 게 정해진 시기가 있는 건 아니지만, 보통 정년 5년 전부터가 적기라고들 하니 딱 우리가 거기에 해당된 거다. 주된 일자리 퇴직이 평균 49.3세(통계청)인 것을 감안하면 아직까지 현역에서 일하고 있는 우리는 운이 좋다.

하지만 한 해가 다르게 정신적·체력적 한계에 부닥치며 크고 작은 스트레스로 만성질환을 하나씩 달고 산다. 젊은 직원들과 소통의 어려움도 이슈였는데, 최근

사내게시판에 50대 팀장급들을 향한 독설 가득한 글이 쏟아져 충격을 받았다는 친구의 말에, 잠시 무거운 침묵이 흘렀다. 그때 한 친구가 씩씩하게 자기는 운전을 잘하고 좋아하니 조금 일찍 퇴직해서 대리기사로 돈을 벌고 남는 시간에는 전국 곳곳을 여행하겠노라고 했다. 이어 다른 친구는 서울 근교에서 북스테이를 하며, 통번역 프리랜서 일을 하고 싶다고 한다. 집으로 오는 길, 나의 퇴직, 60플러스에 대해 생각했다.

내 친구들처럼 자기가 뭘 좋아하고 잘하는지 분명한 사람은 그나마 괜찮은데 나를 포함해 대다수는 애매모호한 경우가 많다. 그래서 막연하게나마 머릿속에 가지고 있던 생각들을 이제는 미루지 말고 실천해 봐야 한다.

예를 들어 나는 얼마 전부터 작가로 데뷔한 절친과 50대 일하는 여성으로 살아가는 일상을 교환일기 형식으로 써보자고 작당만 해 왔는데 새해 첫 도전으로 해보는 거다. 이런 소소한 실천과 경험이 쌓여야 나의 잠재된 욕망과 가능성을 확인할 수 있고, 이런 과정을 통해 자연스럽게 N잡러로서의 변모도 구체화되지 않을까?

코로나19라는 긴 재난을 겪으며 집에 대한 생각도 많이 변했다. 격리와 고립이 반복된 상황이 올지라도 최소한의 햇살과 바람, 한 줌의 흙을 느낄 수 있는 주거 공간에 대한 욕망이 강해졌다.

최근 서울 도심에 사는 친구도 아들이 독립한 후, 대출로 마련한 40평대 아파트를 처분하고 조용한 외곽으로 옮겼다. 몸과 마음이 따로 노는 나는 체질상 귀촌, 전원주택 같은 건 별로 꿈꿔본 적도 없지만, 고층 아파트 숲에서 노년을 보내고 싶지는 않다. 지금부터라도 도심 속 테라스, 또는 작은 마당이 있는 아담한 집을 알아봐야겠다.

그리고 지금처럼 친구들과 인근에 살면서 소소한 작당을 계속하며 단단한 일상을 만들고 싶다. 이 모든 걸 뒷받침하는 건 역시나 체력일 테니, 60플러스를 위한 몸을 공들여 만들어봐야 한다. 쏟아지는 건강 정보와 영양제에 의존하지 않고, 나에게 맞는 운동과 루틴을 만들 것이다.

부지런히 글을 쓰고 있는 지금, 친구에게 문자 한 통이 왔다. "네 인생에 첫 번째는 뭐야? 다시 태어나면 어떤 사람이 되고 싶어?" 아! 이런 질문을 놓치고 있었구나. 이런 질문과 마주해야 진짜 두 번째 인생을 구체화할 수 있을 거 같다. 안 그러면 첫 번째와 뭐가 그리 다를까? 살던 방식에서 조금 덜어내는 수준이겠지. 다시 원점에서 생각을 해 봐야겠다. 늘 질문을 던져주는 친구가 있어 참 다행이다. 좋은 친구를 곁에 두는 것이 첫 번째 노후준비일지도.[10]

4. 과학과 예술은 하나

예술은 그 기원을 찾기 위해서 역사를 거슬러 올라가야 할 정도로 오랜 기간 인류와 함께 해왔다. 초기 예술은 동굴 벽에 색깔 있는 흙으로 들소, 사슴, 말 등 사냥감을 그린 데에서 시작하였고, 이후 그 대상은 점차 확장되었다. 인물을 그리는 초상화, 사물을 그리는 정물화에 이어 자연을 그리는 풍경화가 탄생한 것은 지극히 자연스러운 현상이었다. 16세기까지 서양에서 풍경은 주로 인물화나 종교화의 배경으로 그려졌으나 17세기 들어 네덜란드의 화가 렘브란트 반 레인이 본격적으로 풍경이 주인공인 풍경화를 그리기 시작하였다. 동양에서는 서양보다 1000년 이상 앞선 중국 남북조 시대부터 산수화라 불리는 풍경화가 주류를 이루었다. 동양은 예로부터 철학적으로나 종교적으로 자연에 대한 관심이 많았기 때문이다.

이탈리아의 예술가이자 과학자 레오나르도 다빈치는 인류 역사에서 예술과 과학 두 분야에 위대한 업적을 남겼다.

세상의 다양한 풍경은 화가들의 눈길을 사로잡았다. 과학자들이 호기심으로 자연을 탐구하고 원리를 파헤쳤듯이 화가들 역시 자연의 모습을 세심히 관찰하고 캔버스로 옮겼다. 이처럼 예술가와 과학자는 각자 자신만의 관점으로 자연이라는 대상을 바라보고 이해하며 해석하기 시작하였다. 흔히 예술은 감성을 대표하는 영역이고 과학은 이성을 대표하는 영역이며, 이 둘은 교집합이 거의 없는 이질적인 분야라 여긴다. 하지만 일반적인 생각과 달리 예술과 과학은 깊은 관계를 맺고 있다. 예술이라는 말의 어원부터가 그렇다. 예술을 뜻하는 'art'는 라틴어의 'ars'에서, 'ars'는 희랍어 'techne'에서 유래했는데, 'techne'는 오늘날 과학 기술을 뜻하는 'technic'의 어원이기도 하다. 즉 예술과 과학 기술은 한 뿌리에서 뻗어 나온 셈이다.

또한 예술과 과학은 또 다른 공통분모를 가지고 있는데, 바로 관찰력과 창의력이다. 이 둘은 모두 자연을 애정 어린 시선으로 '관찰'하고 이를 통해 기존에 존재하지 않는 것을 창조하는 '창의'를 필요로 한다. 현대의 과학자들은 예술가의 작품을 정량적으로 분석하기도 하며, 예술가들은 미디어 아트 같은 과학 기술을 응용한 작품도 활발히 제작하고 있다. 1981년 노벨 화학상을 받은 로알드 호프만은 '화학자는 만들어질 분자를 선택하며, 분자를 합성하는 일은 예술과 별반 다르지 않다'라고 말하였다. 이처럼 자연을 대상으로 한 예술과 과학은 끊임없이 영향을 주고받으며 발전하고 있다.

인류 역사에서 예술과 과학 두 분야에 위대한 업적을 남긴 인물은 이탈리아의 예술가이자 과학자 레오나르도 다빈치다. 그는 회화와 조각은 물론 건축, 물리학, 지질학, 해부학, 수학, 심지어 철학과 시, 작곡, 육상에 이르기까지 다양한 분야에 재능을 가지고 있었다.

다빈치는 예술 분야에서 불세출의 작품을 남겼다. '모나리자'는 전 세계에서 가장 유명한 미술품이자 가치 있는 미술품으로 인정받고 있으며, '최후의 만찬'은 세계문화유산으로 지정되었다. 다빈치는 비행기와 헬리콥터를 고안하고 콘택트렌즈의 개념을 제안하는 등 발명가이자 엔지니어로서 과학 분야에도 뚜렷한 업적을 남겼다.

다빈치는 뛰어난 그림 실력을 바탕으로 수많은 과학적 아이디어를 자세히 스케치하여 기록으로 남겼다. 72쪽 분량의 자필 노트 〈코덱스 레스터(Codex Leicester)〉는 1994년 크리스티 경매에서 마이크로소프트의 창업주 빌 게이츠에게 3080만 달러(약 340억 원)에 낙찰되어 화제가 되기도 하였다. 이처럼 예술과 과학의 다방면에 걸쳐 다빈치가 남긴 위대한 유산은 현대 문명의 기초가 되었고, 결국 예술과 과학은 분리해서는 안 되고, 분리할 수도 없는 영역임을 여실히 보여준다.[11]

5. 알렌 골짜기(AllenDale)

오랜 역사의 흔적이 스며 있는 종가의 고택이나 외국인이 살았던 근대 건축물을 접할 때면 건물의 구조와 이력만이 아니라 그 공간에서 살았던 인물들의 궤적이 궁금해진다. 그런 사례 중에 개항기 인천 숭의동에 자리했던 알렌별장과 서울 행촌동에 남아 있는 일제강점기 건축 딜쿠샤(Dilkusha)를 들 수 있다. 전자는 현재 터로 남아 있지 않지만 다양한 이력을, 후자는 건물과 함께 의미 있는 역사를 전해주고 있다. 당시를 체험할 수 없었던 현재로서는 소중한 역사적 근거 자료라 할 것이다.

1901년 한국을 방문한 버튼 홈스(Burton Holmes)는 서울의 여러 모습을 촬영해 고종에게 보여 준, 한국에서 최초로 영화를 상영한 사람이자 또한 최초로 영화를 촬영한 사람으로 알려졌다. 그는 전 세계를 돌아다니며 영화를 촬영하고 이를 바탕으로 여행기를 쓰면서 강연을 했다. 그의 여행기에 보이는 인천 관련 사진 중 지금의 숭의동 107번지 일대를 찍은 사진이 있다. 연기를 뿜으며 경인철도를 달리는 열차, 멀리 허허벌판과 구릉 위에 서 있는 알렌별장 전경이 그것이다.

알렌이 한국에 왔던 1884년 조선에서는 갑신정변이 발생했는데, 이때 부상당한 민영익을 고친 것이 인연이 돼 알렌은 고종 황제의 두터운 신임을 얻게 됐다. 이후 왕실의사 겸 고종 황제의 정치고문이 됐다. 고종은 고마움의 표시로 서울 재동에 있는 개화파 홍영식의 집을 주고, 1885년 4월 10일 우리나라 최초의 서양식 병원 제중원을 설립하게 했다.

알렌의 한국에서의 외교 및 정치활동은 1890년 미국 공사관 서기관이 됐을 때부터라고 할 수 있다. 당시는 열강들의 이권쟁탈전이 벌어지던 시기였는데, 알렌은 고종 황제의 신임이 두터워 미국인들이 이권사업을 따는 데 유리했다. 운산광산 채굴권(1895), 경인철도 부설권(1896) 및 전차·전등 등에 관한 전력회사의 설치권(1897)을 미국에 넘겨주는 역할을 했다. 알렌은 22년간 한국에 머무르다가 1905년 조선을 떠나 고향인 오하이오주 톨레도에 정착, 향년 74세로 타계했다.

숭의동에 알렌별장이 왜, 언제 세워졌는지에 대해서는 정확히 나타나 있지 않지만 정황상 경인철도가 부설되는 1897년 전후로 추측된다. 더구나 별장 건축 비용 문제에서도 미국의 외교관 신분이었던 알렌은 주변 사업가의 주식을 단 한 주도 소유할 수 없었음에도 고향인 톨레도의 회사 두 곳에 투자했던 점 등에서 각종 이권사업을 알선해 준 것에 대한 반대급부가 있었던 것으로 보이며, 이런 것이 알렌별장을 건축하는 비용으로 사용됐으리라 추측된다.

알렌별장은 현재 전도관 자리, 창영동 쇠뿔고개로 불리는 곳에 세워졌는데, 경인철도가 이 별장 앞을 경유해 지나갔고 그를 위해 우각리역이 조성됐다고 전해진다. 그런 까닭인지는 몰라도 사람들은 이 지역을 '알렌 골짜기(Allendale)'라고 불렀다.

별장은 흰색 2층 서양식 건물로 한 모퉁이를 둥근 탑으로 쌓아 올린 작은 돔 형식이었는데 '공사집', '의사집', '이명구(이완용 조카) 별장', '서병의(서상집의 아들) 별장' 등으로 불리면서 소유주가 바뀌어 갔고, 뒤에는 이순희의 계명학원이 있다가 1956년 인천전도관이 지어졌다. 한때 인천을 휩쓸었던 이 교회는 계파 갈등으로 연일 신문에 오르내리기도 했는데 숱한 어려움을 겪으면서도 1978년까지 무려 20여 년간이나 이 자리에 있었다. 인천전도관이 떠난 후 잠깐 공장이 들어서기도 했으나, 이곳에 마지막까지 자리했던 것도 교회당이었다. 최근에는 전도관구역 주택재개발 정비사업이 진행되고 있어 이 터에 얽힌 역사적 이야기들이 일시에 사라질까 안타까운 마음이다.

이와 대비되는 사례가 서울 행촌동에 현존하는 건축물 '딜쿠샤(Dilkusha)'이다. 미국의 기업인이자 언론인으로 3·1운동을 세계에 알렸던 앨버트 테일러 부부가 살았던 집이다. 힌두어로 '이상향' 혹은 '행복한 마음, 기쁨'을 의미하는 이름이 새겨진 이 저택은 1924년 건축돼 1942년 일제에 의해 부부가 추방될 때까지 거주했던 공간이다.

이후 여러 사람의 소유로 바뀌었다가 한국전쟁 때는 피난민들의 거처로 개조됐고, 2005년 발견 당시 12가구가 살고 있었다. 2017년 서울시 등록문화재 제687호로 등록되면서 복원공사를 거쳐 2021년 전시관으로 개관돼 자칫 사라질 뻔했던 문화유산이 재탄생할 수 있었다.

재개발사업이 진행되고 있는 알렌별장 터, 발견 당시 무려 12가구가 살고 있었던 딜쿠샤 저택의 문화유산으로의 재탄생을 보면서 도시재생이 화두인 지금, 재생의 본질이 '개발'보다는 '치유'의 관점에서 진행돼야 함을 절실히 느끼게 된다.[12]

〔일본조계지 일본가옥 재현한 2022년 인천 중구청 인근 개항장거리 풍경〕

　　20세기에 들어서면 제물포 항구에는 3개의 영사관, 2개의 극장, 7개의 은행, 다수의 목욕탕, 수 개의 교회당이 있었고, 또한 수 개의 호텔이 있어 여행객들은 이곳에서 편안히 쉴 수 있는 공간으로 탈바꿈하였다. 제물포는 찌는 듯한 여름 동안 청명하고 시원해서 여름휴가를 보내기 위해 적당한 곳으로 일반에게 알려져 있다. 영국인 존스톤의 별장이 여름 휴가용으로 건축되었고 미국 외교관이자 선구자인 알렌(H.N. Allen)의 저택이 랜드마크의 하나로서 "알렌골짜기"(Allendale)에 세워졌다(인천해양뉴스, http://www.incheon-oceannews.com)

6. 너는 우리와 달라

나이 들면서 깨닫는 것이 여러 가지겠지만, 그중에서도 민망한 일은 스스로 취향이라고 여겼던 그 '탁월한' 선택들이 사실은 '젊음'에 기댄 것이었다는 것이다. 이를테면 여행에 관한 것이 거의 그렇다. 나는 여행에서 대체로 다음의 세 가지를 따르려고 했다. 1. 최대한 멀리 가되 그 나라 국적기를 이용한다. 2. 관광객(나도 관광객이었는데)이 가지 않는 곳 위주로 동선을 짠다. 3. 도시 간 이동은 야간 버스나 기차를 이용한다.

음, 아무래도 그건 취향이라기보다는 단지 젊어서 그런 것이었다. 휴가철이면 탈출해야 한다는 충동에 사로잡혀 어딘가로 떠난다든가, 패키지여행에 대한 조롱을 서슴지 않았다든가 하는 것 전부 말이다.

중년이 된 지금은 말이 통하고 비빔밥을 주는 국적기를 선호한다. 장거리 유럽여행보다 "가까운 일본이 최고"라는 부모님의 일리 있는 취향에도 격하게 공감한다. 하다못해 부모님과 함께 떠나는 가족여행을 고민하는 이들에게는 흉봤던 패키지여행을 가라고 떠민다.

음식이라고 예외는 아니다. 대학 때까지만 해도 하루가 멀다하고 마신 음료는 콜라였다. 엄마가 좋아하는 환타는 별로였다. 내가 꽤 어릴 때부터 엄마는 수박화채에도 환타를 넣곤 했다. "이래야 화채가 맛있고 색도 예쁘다." 언젠가부터 나는 코가 쩡한 콜라 대신 밋밋한 환타를 고른다. 예전에는 손도 대지 않았던 나물을 좋아하고, 김치찌개보다는 된장찌개가 더 좋다.

가. 취향, 구별짓기 넘어 배제로 이어져

취향은 이처럼 얼마나 제멋대로인지. 그래서 뭐 어쩌라는 거냐고? 지금까지 그래왔고, 분명하다고 생각하는 당신의 그 으스대는 취향도 나중에는 비웃는 대상이 될지도 모른다는 얘기다. '요즘 사람'들이야 상관없지만, 중장년은 유행에 뒤떨어진 취향을 섣불리 드러냈다가는 한물간 사람 취급을 받는 수모를 겪을 수도 있다.

그런데 내 의지와 상관없이 드러나는 것도, 의식적으로 드러내는 것도 취향이다. 말할 것도 없이 같은 취향의 사람에게 우리는 쉽게 동질감을 느낀다. 영화 〈비포 선라이즈〉에서 제시(에단 호크)와 셀린(줄리 델피)이 기차에서 만나 사랑에 빠지게 된 것도 알고보면 그들이 읽고 있는 책 때문이다. 두 사람은 책 이야기를 주고받다 서로의 '괜찮은' 취향을 알아채고 호감을 갖는다.

  그렇다고 취향이 사람들을 묶어주기만 하는 건 아니다. 갈라놓기도 한다. 프랑스 사회학자 피에르 부르디외는 '아비투스(Habitus)'라는 개념을 통해 취향에 계급적인 의미를 부여했다. 취향은 그 사람의 계층 및 사회적 지위의 결과이자 표현이라는 것이다. 아비투스는 사회문화적 환경에 의해 결정되는 제2의 본성, 즉 타인과 나를 구별 짓는 취향, 습관 등을 말한다. 결국 취향은 개인 차이로 용인되는 듯하지만, 그 밖에 있는 사람들과 자신을 분리하면서 '구별짓기'를 정당화해간다는 것이다. 아비투스 습득 과정에서 개인의 노력을 무시할 순 없지만 '나'보다 '우리'라는 정체성이 강한 한국 사회에서 그의 주장을 부정하기는 어렵다.

  우리도 살아가면서 많은 구별짓기를 경험하고 있지 않은가. 가볍게는 입맛 취향 대결을 보라. 탕수육 소스를 놓고 '부먹(부어 먹기), 찍먹(찍어 먹기)'으로 시작된 논쟁은 '민초(민트와 초콜릿) 대 반민초' '물복(물렁한 복숭아), 딱복(딱딱한 복숭아)'으로까지 이어졌다. 옳고 그름을 따질 수 없는 입맛 논쟁은 '취향 존중'으로 웃어 넘기면 그만이겠지만, 취향에 가치 판단이나 집단의 정체성이 들어가면 불협화음이 커진다. 상대방에게 취향을 강요하거나, 편을 나눠 상대를 헐뜯는 사회 현상은 중요한 정치적 선택을 해야 하는 선거에서 극명하게 드러난다.

나. 취향 편히 드러낼 '사다리'가 필요

  이때 '취향'은 부르디외의 주장처럼, '계급'의 지표로 기능한다. 성별, 인종, 민족, 출신 지역 등 자신이 속한 공동체의 입장을 다른 어떤 것보다 우선시하며 충돌하는 것이다. 달리 말해 '너는 우리와 달라'라는 배제의 선언이기도 하다. 이번 대선에서는 정치권이 불붙인 성차별이 민심을 갈랐다고 한다. 집단 정체성이 상충하면서 누가 특권을 덜 가지고 있는지, 더 아픈지를 겨루는 제로섬 경쟁을 했다고 해야 할까. 이 과정에서 서로에 대한 검열은 더 엄격해졌다.

  선거는 끝났다. 사회 갈등이 더 확대되기 전에 이를 바로잡는 것이 새 정부가 할 일이다. 우리에게는 서로 독기를 내뿜지 않고도 자신의 취향과 정체성을 드러낼 수 있는 사회로 올라갈 수 있는 사다리가 필요하다.[13]

7. 100년을 잇는 어린이날의 약속

오는 5월5일 어린이날은 제정 100주년을 맞는다. 1922년 소파 방정환 선생이 어린이날을 선포한 이후 일제강점기 말에 중단되었다가 해방 후인 1946년 '어린이날' 행사가 다시 시작되었다. 1973년부터는 '어린이날'을 법정기념일로 제정하여 지키고 있다. 어린이의 인격을 소중히 여기고 어린이의 행복을 도모하기 위해 제정된 날이 100년째 이어지고 있다는 것 자체가 매우 특별한 의미를 가진다. 동시에 그만큼 우리 사회에서 '어린이'는 여전히 소수이며, 약자라는 방증이기도 하다.

100년 전 방정환 선생은 아동을 하나의 인격체로 보아야 한다는 취지에서 '어린이'라는 용어를 처음 사용했다. 표준국어대사전에는 어린이는 어린아이를 대접하거나 격식을 갖추어 이르는 용어라고 설명하고 있다. 이처럼 '어린이'에는 존중이 내포돼 있는데, 우리는 '어린이'라는 용어를 제대로 사용하고 있는지 돌아볼 필요가 있다.

최근 미디어에서 '~린이'라는 용어를 부정적으로 사용하는 모습을 자주 볼 수 있다. 요리, 주식, 골프를 잘 못하는 사람을 각각 '요린이' '주린이' '골린이'로 표현하곤 한다. 특정 단어와 '~린이'를 결합하여 어떤 영역의 초보자 또는 미숙한 사람을 의미하는 용어로 사용하고 있는 것이다. 전문가들은 '~린이'라는 잘못된 용어 사용으로 어린이가 미성숙하고 불완전한 존재로 보는 시각이 일반화될 수 있으며, 어린이에 대한 차별이 강화될 우려가 있다고 말한다.

더욱이 문제가 되는 것은 어린이들이 '~린이'와 같은 용어를 접할 경우 자신이 나약한 존재라는 부정적인 자아상을 갖게 될 수 있다는 점이다. 지난해 굿네이버스에서 진행한 '미디어 속 아동 다시보기' 캠페인에 참여한 아동들은 '~린이'와 같은 용어를 들을 때 '좋은 뜻으로 쓰는 것 같진 않다' '어린이를 무시하거나 놀리는 기분이 든다' '기분이 나쁘고 속상하다'라고 답했다. '~린이'를 대신할 수 있는 단어를 묻는 질문에는 '초보' '처음 하는 사람'이라고 말하면서, 언어 사용 시 어린이의 입장에서 생각해 달라고 요청하기도 했다.

굿네이버스는 어린이들의 목소리와 제보받은 아동권리 침해 미디어 사례를 토대로 미디어 내 아동보호를 위한 정책 제언 활동을 활발히 펼치고 있다. 미디어 제작자 대상 아동권리교육 강화, 미디어 속 아동권리 보호를 위한 연구 및 캠페인 확대 등을 골자로 한 요구서를 보건복지부와 여성가족부, 방송통신심의위원회에 전달하기도 했다. 이러한 움직임에 더해 올해는 어린이날을 기념해 아동권리

감수성 증진을 위한 '100년을 잇는 약속' 캠페인을 진행한다. 100년 전 어린이날의 약속을 기억하며 오늘을 살아가는 아이들에게 필요한 새로운 약속을 만들자는 취지다. 1923년에 세계 최초로 발표된 우리나라의 '어린이 선언'에는 '우리들의 희망은 오직 한 가지, 어린이를 잘 키우는 데 있을 뿐입니다. 다 같이 내일을 살리기 위하여 이 몇 가지를 실행합시다'라는 서두를 시작으로 일곱 가지 약속이 제시됐다. 첫째, 어린이는 어른보다 더 새로운 사람입니다. 둘째, 어린이를 어른보다 더 높게 대접하십시오. 셋째, 어린이를 결코 억박지르지 마십시오. 넷째, 어린이의 생활을 항상 즐겁게 해주십시오. 다섯째, 어린이는 항상 칭찬해가며 기르십시오. 여섯째, 어린이의 몸을 자주 주의해 보십시오. 일곱째, 어린이에게 책을 자주 읽히십시오.

어린이날 제정 100년을 맞는 지금, 어린이가 아름답고 슬기로우며 씩씩하게 자라기를 바랐던 그 약속이 잘 지켜지고 있는지 돌아보고 이 시대를 살아가는 아이들을 위해 새롭게 더할 약속은 무엇인지 생각해 보고 실천하는 계기가 되길 바란다.

100년 전, '어린이를 내려다보지 마시고 쳐다보아 주시오'라는 외침은 현재를 살고 있는 우리에게도 큰 울림으로 다가온다. '어린이'를 독립된 인격체로 존중하고 있는지, 아이들을 위해 필요한 것은 무엇인지 점검하는 것이야말로 '어린이가 행복한 대한민국'을 만드는 첫걸음이라는 것을 잊지 말아야 할 것이다.[14]

100년을 잇는 약속 캠페인 포스터(사진=굿네이버스)

굿네이버스가 어린이날 100주년을 기념해 아동권리 증진을 위한 대한민국 아동 행복 프로젝트의 일환으로 '100년을 잇는 약속' 캠페인을 진행한다.[15]

8. 100년이 지난 지금도 유효한 과제, '어린이 존중'

"어린이날만큼은 부모님이 착해지고 잘해줘요." "매일매일 어린이날이었으면 좋겠어요." 어린이들이 어린이날을 손꼽아 기다리는 여러 이유가 있겠지만 이날만큼은 아이들 스스로 주인공이라고 느끼기에 더 기다리는 것 아닐까 생각해 본다.

올해 5월5일은 어린이날 100주년이 되는 해이다. 1923년 소파 방정환 선생을 중심으로 색동회가 만들어졌고 5월1일 어린이날 기념행사가 전국에서 열렸다. 어린이날이 5일로 바뀐 것은 광복 이듬해인 1946년이며, 1970년 관공서의 공휴일에 관한 규정에 따라 어린이날은 법정공휴일로 지정되었다. 그동안 우리 곁에 있는 어린이들의 존재는 어떻게 달라졌을까.

40대 부모세대가 학교 다닐 당시 교실에서의 체벌과 폭언은 흔했다. 누구와 사는지, 집은 자가인지 전세인지, 부모의 학벌과 직업까지 선생님은 아무렇지도 않게 물었고 손까지 들어 그 숫자를 세었다. 학교에 납부해야 할 회비를 내지 않으면 연체 사실을 대놓고 친구들 앞에서 알렸고 체벌 도구를 들고 다니며 학생들의 공포심을 자극했다. 지금 나의 자녀들이 학교에서 이런 일들을 겪는다고 생각하면 정말 아찔하다.

집에서의 모습들은 어떨까. 아이들은 부모를 선택하지 못한다. 태어난 운명에 맡겨야 한다. 아이를 존중해주는 부모를 만나면 행복하지만 반대가 될 경우 아이의 행복은 불행으로 바뀐다. 부모는 여전히 자녀 훈육이라는 이름으로 아이를 학대한다. 2020년 통계를 살펴보면 부모에 의한 아동학대가 82%, 학대로 인한 아동 사망도 43명에 이른다. 작년 민법 제915조 '징계권' 조항의 삭제로 아동에 대한 모든 체벌이 금지되었고 부모의 양육 형태도 시대에 따라 변화되고 있지만, 아동들이 독립된 인격체로 어른들과 똑같은 권리를 누리고 있는가라고 물으면 '그렇다'라고 우리 어른들은 당당하게 대답하지 못한다.

대부분의 어른들은 아동을 어리다고 생각해 아동 당사자의 문제임에도 의사결정을 해야 할 때 아동에게는 참여권을 주지 않는다. 여기에다 치열한 경쟁과 공부로 인해 충분한 휴식과 놀 권리 보장도 녹록하지 않다. 특히 코로나19가 지속되면서 놀 권리와 아동 참여는 더 힘들어지고, 디지털 기술이 아동의 삶에 깊숙이 자리 잡았지만 온라인 세상 그 어디에도 아동권리, 아동보호, 아동소외에 대한 사회적 관심은 없다.

초록우산어린이재단에서는 어린이날 100주년을 맞아 아동과 어른들이 많이 사용하는 단어 잼민이, 급식충, 초딩, 부린이, 헬린이, 주린이 등과 관련해 아동들의 의견을 물었다. 어린이를 비하하는 단어로 잼민이(70.2%), 급식충(65.8%), 초딩(51.0%)이 가장 많은 표를 받았으며, 어른들 사이에서 초보, 서툴다는 의미로 사용하는 골린이(15.4%), 헬린이(15.0%), 발린이(14.8%), 등린이(12.4%), 부린이(11.2%) 등도 어린이를 비하하는 단어로 받아들였다. 어린이는 미숙하고 서툰 존재가 아님에도 우리 어른들은 아무렇지 않게 이 단어를 사용하고 있는 것이다.

1923년 5월1일 전국적으로 열린 첫 어린이날 기념행사에서 '어른들에게 드리는 글'이 배포되었고, 소파 방정환 선생은 "어린이에게 경어를 쓰시되 늘 부드럽게 하여 주시오"라고 당부했다. 독립된 인격체로서 어린이를 존중해 줄 것을 부탁한 것이다.

100주년을 기념해 아동들을 대상으로 우리 사회에 하고 싶은 말을 묻는 질문에 '어린이를 존중' '다양한 꿈을 펼칠 수 있는 무대' '비교 금지' 등이 나왔다고 한다. 우리 아동들의 권리와 꿈이 실현될 수 있는 자리가 많이 만들어져 매년 어른들에게 당부하는 아동들의 메시지가 다양해지기를 기대한다.16)

소파 방정환이 1923년 발표했던 '소년운동의 기초 선언' 중 한 문장을 떠올렸다. 지금도 유효한 100년 전 선언, "다시 어린이를 높이자"

"어린이 그들이 고요히 배우고 즐거이 놀기에 족한 각양의 가정 또는 사회적 시설을 행하게 하라." 100년 전 선언인데 2022년에도 유효하다. 모두 알다시피 방정환은 '어린이'라는 말을 처음 만들었다. 아이를 어른보다 미숙한 존재, 부모에게 종속된 존재로 보던 시선을 뒤집어 어린이를 높이자고 선언한 것이다.

1922년 첫 어린이날 행사는 세계 노동자의 날에 열렸다. 방정환과 천도교소년회가 어린이의 인권을 높이는 일을 노동해방, 더 나아가 인간해방과 같은 차원으로 여긴 까닭일 것이다.17)

2020년 12월4일 온라인 라이브 방송으로 진행된 '기찻길옆 작은학교 활동 발표회'

9. 어린이가 행복한 나라

2022년은 공식적으로 어린이날 선포 100주년을 맞는 해이다. 1919년의 3·1독립운동을 계기로 어린이의 민족정신을 고취하고자 1922년 5월 1일, 소파 방정환 선생(1899~1931)과 그의 보성전문학교 5년 선배인 소춘 김기전(1894~1948)을 중심으로 한 천도교소년회가 이날을 어린이날로 정한다고 선포했다. 이것이 실질적인 어린이날의 효시이며, 1945년 광복 이후 5월 5일로 정하고 지금에 이르렀다.

1923년 5월 1일 첫 공식적인 어린이날 행사에서 어린이 운동 첫 선언이 발표됐다. "어린이를 재래의 윤리적 압박에서 해방하여 인격적 대우를 하자" "어린이를 재래의 경제적 압박으로부터 해방하여 만 14세 이하의 그들에게 어떤 유무상의 노동을 시키지 말자" "어린이 그들이 고요히 배우고 즐거이 놀기에 족한 각양의 가정 또는 사회적 시설을 행하게 하여라"는 것이다. 또한 당일 '어른들에게 드리는 글'이 배포되었는데 "어린이에게 경어를 쓰시되 늘 부드럽게 하여 주시오" 등을 당부했다. 독립된 인격체로서 어린이에 대한 존중을 부탁한 것이다. 첫 번째 어린이날의 구호는 "씩씩하고 참된 소년이 됩시다. 그리고 늘 서로 사랑하며 도와갑시다"였다. 어린이날 선언문은 1924년 발표된 '제네바 국제어린이 헌장'보다도 앞서는 세계 최초 어린이 인권선언이라 할 수 있다.

아동을 권리의 주체로 여기고 소중히 지켜가야 한다는 강한 의지가 지금도 느껴진다. 100년이 지난 지금 우리나라는 눈부신 경제발전을 이루어 1인당 GDP(국내총생산)가 4만 달러를 넘어 5만 달러를 목표로 하는 세계 상위권에 올랐다. 그러나 지금 우리 아이들은 과연 존중받고 행복한 삶을 살고 있을까.

지난해 제12차 한국어린이 청소년 행복지수 국제비교연구 조사 결과에 의하면 '주관적 행복지수' 표준점수는 79.50점, 경제협력개발기구(OECD) 22개국 중 최하위이며, 세부 지표 중 주관적 건강·삶의 만족도 역시 OECD 국가 중 꼴찌로 2년 전과 대비해도 감소 추세다. 돈, 성적 향상이 중요하다고 답할수록 행복하다는 응답률이 낮았다. 청소년 자살률 또한 OECD 평균보다 1.4배 높다고 한다(2016년 통계). 모든 것이 100년 전보다 풍부해졌지만 무엇이 우리 아이들 스스로 행복하지 않다고 생각하게 만드는 것일까.

교육재정의 꾸준한 확대에도 학생들의 방과후 사교육 참여율은 주 3시간40분으로 OECD 국가 평균인 40분의 약 6배에 달하고, 월평균 사교육비는 36만7000원으로 전년도보다 20% 넘게 증가, 지난해 사교육비 총액이 코로나에도 불구하고 약 23조 원을 넘어 역대 최대치를 기록했다. 특히 초등학교 사교육 비율과 비용 모두 큰 폭으로 상승해 코로나 첫해보다 40%가량 증가했다. 어린이의 많은 시간이 놀이가 아닌 무언가를 배우기 위해 다니는 학원에 할애되는 것을 알 수 있다.

그뿐 아니다. 지난 15년간 발생한 아동학대 사건 중 80% 이상이 가정 내에서 발생했다. 부모가 주 학대 행위자이며, 재학대율도 부모(95.1%)가 절대적으로 높은 것으로 나타났다(보건복지부 2020). 다른 나라에서는 가정 내 학대 비율이 이렇게 높지 않다. 한국의 부모들이 직장에서, 또는 육아로 스트레스가 그만큼 높은 것이 요인이라 말해진다. 결국 어른도 아이도 행복하지 않은 세상이 돼가고 있다.

세계 행복자료를 바탕으로 발표된 내용을 보면 행복감이 높은 나라일수록 출산율이 높다. 대한민국의 합계출산율은 작년 0.81명으로 최저점을 찍어 다소 참담함마저 느낀다. 최빈국에서 단기간에 선진국으로 성장했으나 삶의 가치관 형성이 함께 성장하지 못하고 부모는 직장에서, 아이는 학교와 학원에서 항상 경쟁하고 긴장 속에서 스스로 행복하다고 느끼지 못하고 있다. 물론 행복이라는 것은 포괄적으로 점수를 매기거나 평가하기는 어려울 것이다. 그러나 스스로 자신에게 만족하고 자신을 아낄 수 있는 마음, 타인을 존중하고 존중받을 수 있는 상호존중 가능한 가치관이 기본적 요소로 자리 잡아야 하지 않을까.

어린이를 인격으로 예우하고 즐겁게 놀 수 있는 환경을 만들어야 한다는 방정환 선생의 메시지는 100년이 지난 지금도 유효하고 우리 사회의 과제로 남아있다. 지금의 어린이는 미래의 어른이다. 스스로 행복을 못 느끼고 성장한 어린이는 다음 세대에 본보기가 될 수 없을 것이다. 곧 다가올 어린이날 100주년을 맞아 어린이가 행복해질 수 있는 어른의 가치관 변화를 선물로 준비하는 것이 어떨까 싶다.[18]

10. 텅텅 비고 허허벌판…공공기관뿐인 도시에 '정착'할 삶은 없다-기울어진 균형발전-

광주·전남의 혁신도시인 나주 시내 상가들이 텅 빈 채 썰렁한 모습을 보이고 있다(왼쪽). 나주 혁신도시의 산학연 클러스터가 미착공 상태로 남아 있다(김태희 기자)

"혁신도시는 하나의 큰 산업단지예요. 근무시간엔 조용했다가 점심시간, 퇴근 시간에만 붐비는 모습이 똑같잖아요."

전남 나주시에 위치한 광주·전남 공동혁신도시의 한 공공기관에서 일하는 강민우씨(40·가명)는 직원들끼리 혁신도시를 공장이 밀집한 '산업단지'에 비유한다고 말했다. 그는 혁신도시가 공공기관 중심으로만 돌아가다보니 발전도 더디다고 했다. 강씨는 2014년 기관 이전과 함께 내려와 3년간 생활하다가 인사발령을 요청해 수도권으로 근무지를 옮기기도 했다. 지난해부터는 다시 혁신도시로 내려와 근무 중이다.

첫 발령 당시 강씨는 배우자와 두 자녀 등 온 가족이 나주에 왔지만 지금은 홀로 거주하며 주말부부로 지내고 있다. "처음엔 정착하는 것까지도 고민했지만, 3년 살아보니 도저히 안 되겠더라고요. 교통·문화·쇼핑 같은 모든 생활여건이 몇년째 그대로예요. 서울과 비교하게 되다보니 인프라가 계속 뒤떨어지는 거 같고요."

광주·전남 공동혁신도시는 인구 5만명으로 계획된 도시다. 현재 인구는 당초 계획의 78% 수준인 3만9000여명이다. 이곳은 도시의 자족 기능을 확보하기 위한 산학연 클러스터 용지나 공원용지, 도로, 주차장, 광장 등 도시지원용지 면적은 전체 혁신도시 중 가장 넓은 수준으로 계획됐다. 하지만 지난달 7일 기자가 찾아간 광주·전남 공동혁신도시는 강씨 말처럼 '자족형 도시'의 모습과는 거리가 있었다. 평일 오전 11시였지만 거리는 사람과 자동차의 모습을 보기 어려울 정도로 한산했다. 점심시간에는 3~4명씩 조를 지어 나온 공공기관 직원들이 거리와 식당, 카페를 채웠다. 공공기관 유니폼과 명찰을 착용하지 않은 사람의 모습을 보기 어려웠다. 점심시간이 지나자 거리는 언제 그랬냐는 듯 다시 고요해졌다.

인근에서 식당을 하는 김상진씨(가명)는 혁신도시를 "항아리 같다"고 말했다. "상권에서 가져갈 수 있는 몫이 항아리에 담아둔 것처럼 딱 정해져 있어요. 식당에 오는 사람들은 몇년째 공공기관 직원들뿐이니까 상권이 커질 수 없죠. 외부 사람들이 와야 하는데 그런 게 없어요."

전국 혁신도시는 모두 비슷한 문제를 겪고 있다. 인프라 구축은 제자리걸음이고 도시의 성장은 멈춰 있다. 혁신도시가 크면서 부족한 부분을 채울 것이라는 기대가 있었지만 현실이 되진 못했다.

가. 여전히 수도권에 가야 하는 이유 '인프라'

혁신도시 중 '그나마 성공했다'는 평가를 받는 곳은 부산이다. 부산혁신도시는 인구 335만명의 대도시인 부산의 중심부에 조성됐다. 따로 인프라를 만들 필요 없이 기존 대도시의 것들을 그대로 누릴 수 있었다. 애초에 다른 도시들처럼 인프라 부족을 고민할 필요가 없는 것이다.

홍정민씨(48·가명)는 다니는 공공기관이 부산으로 이전하기 전 서울과 경기 성남시 분당에서 살았다. 2014년부터 배우자, 초등학교 6학년·중학교 3학년 등 두 자녀와 함께 부산에 내려와 정착했다. 그는 "필요한 건 다 있기 때문에 지금 생활에 만족한다"고 밝혔다.

"수도권은 교통체증부터 시작해 어딜 가나 사람이 많아 불편하잖아요. 반면 여기는 비교적 여유롭거든요. 바다가 있으니 아이들과 놀러 다니기에도 좋고 지하철, 백화점까지 모두 잘 갖춰져 있어요. 서울을 가야 할 필요는 굳이 못 느낍니다."

부산혁신도시에 대한 긍정 평가는 이전 공공기관 직원들의 이주율로도 나타난다. 2020년 6월 기준 전국 10개 혁신도시의 평균 가족동반이주율은 65.3%인데, 부산혁신도시의 가족동반이주율은 77.5%다. 바다를 건너야 하는 제주혁신도시(81.5%)를 제외하면 전국 혁신도시 중 가장 높은 수치다.

반면 부산을 제외한 대다수 혁신도시에 거주하는 이들의 만족도는 그다지 높지 않았다. 허허벌판의 논밭을 매입해 조성한 도시가 많다보니 인프라 부족에 시달리고 있는 탓이다. 주변 도시와의 접근성도 떨어진다.

충북혁신도시에 사는 신은미씨(46·가명)는 주말만 되면 서울이나 수도권 도시로 간다. 신씨는 문화생활과 쇼핑을 즐기는 데 많은 시간과 돈을 투자하는데 지금 살고 있는 혁신도시에는 이런 것들이 없다고 했다. "혁신도시에서 8년 가까이 살았지만 매력을 느낄 만한 부분이 없어요. 공공기관 이전 때문에 억지로 내려와 혼자 살고 있는데, 직장만 아니면 당장이라도 수도권으로 이사갔을 거예요."

'교육 문제'는 공공기관 직원들이 혁신도시를 떠나는 가장 큰 이유다. 나주의 강민우씨는 "주변 동료들을 보면 자녀가 중학생만 되면 전부 주말부부로 살고 있다"고 했다. 부산 생활에 만족하고 있는 홍정민씨조차도 "자녀 입시를 위해 내년에는 수도권으로 이사해야 하는지 심각하게 고민하고 있다"고 말했다.

이민원 광주대 교수는 혁신도시 조성사업을 "나무만 심어두고 숲이 되길 바란 것과 같다"고 평가했다. 공공기관을 이전하면 민간기업이 자연적으로 따라갈 것으로 '자신한 채' 정부가 사후관리를 하지 않은 것이 실패의 이유였다는 분석이다.

"혁신도시의 목적은 공공기관을 시작으로 연구소와 대학, 기업을 유치하는 것이었는데 제대로 이뤄지지 않았어요. 공모를 마친 이후의 도시 성장을 위해 고민하는 사람이 없으니까 도시가 성장하지 않은 겁니다. 지역공모 방식으로 이뤄진 혁신도시의 근본적인 한계예요. 중앙정부든 지방정부든 혁신도시는 이미 끝난 사업이라는 생각에 손을 뗀 거죠."

미분양·미착공 늪에 빠진 혁신도시 산학연 클러스터는 이런 문제를 여실히 보여준다. 광주·전남 공동혁신도시의 산학연 클러스터 부지 분양률은 올해 4월 기준 94%다. 대부분 분양이 완료된 상태지만 막상 현장에 가보면 텅 빈 부지가 많다. 분양률과 별개로 착공률은 44%로 절반 이하이기 때문이다. 한 공인중개사는 "공공기관으로 먹고사는 도시인데 어떤 기업이 들어오겠느냐"면서 "처음에만 기업들이 좀 따라왔지 이제는 온다고 하는 곳도 없다. 지역경제가 엉망"이라고 말했다.

혁신도시는 한때 수도권 인구 집중을 늦추는 효과를 내기도 했다. 국내 인구는 2012년까지 수도권으로 유입됐지만, 2013년부터 2015년까지는 반대로 수도권에서 지방으로 인구가 순유출됐다. 이 기간은 공공기관이 혁신도시로 집중 이전되던 시기다. 실제 수도권의 순유출 인구인 5만8445명은 공공기관 이전 인원인 5만1700

명과 비슷한 규모다. 그러나 국내 인구는 공공기관 이전이 마무리된 2016년 이후 부터 다시 수도권으로 집중되고 있다. 김윤덕 더불어민주당 의원실을 통해 국토교통부에서 제공받은 자료에 따르면 수도권에서 전국 혁신도시로 유입되는 인구는 2016년 9406명에서 2017년 5775명, 2018년 4099명, 2019년 2115명으로 꾸준히 줄어드는 추세다. 2020년 들어서는 역전 현상이 나타나 1028명이 혁신도시에서 수도권으로 순이동했다.

기존 공공기관 부지가 아파트·주상복합 등으로 개발되면서 오히려 수도권 인구 증가 효과가 발생했다는 분석도 나온다. 감사원 자료에 따르면 공공기관 이전의 승인인원은 6500명이지만, 13개 공공기관 이전 소유 부지의 개발로 인한 인구 발생은 약 13만명으로 추정됐다.

특히 한전의 경우 2012~2019년 민간기업 73개가 혁신도시로 이전해 전체 고용 인원은 1135명 수준인 반면 서울 강남구 기존 한전 부지가 민간 개발돼 향후 준공 시점인 2026년의 해당 상주인구는 2만3813명으로 추산됐다. 감사원조차 "이전된 공공기관 기존 부지에 대한 사후관리가 부족했다"고 시인했을 정도다. 이로 인해 지방 인구의 수도권 집중은 또다시 계속되고 있는 것이다.

게다가 혁신도시는 주변의 인구를 흡수하는 블랙홀이 되고 있다. 국토교통부에 따르면 2016~2020년 혁신도시가 위치한 광역지자체의 다른 도시에서 혁신도시로 이동한 순이동자는 전체 순이동자 대비 50.5%에 달한다. 지역별로는 경남 68.8%, 경북 55.6%, 강원 53.9%, 전북 48.5%, 대구 40.2% 등으로 나타났다. 정준호 강원대 교수는 "혁신도시 인프라가 지방 다른 소도시에 비해서는 상대적으로 좋은 편이다보니 기존 구도심 인구를 흡수하는 현상이 나타난다"고 했다.

전문가들은 공공기관 이전에 따른 기업 이전, 인구 증가의 선순환 구조를 만들려면 집적 이익을 고려해야 한다고 지적했다. 11개 시·도가 공공기관을 나눠먹기식으로 가져갔기 때문에 그나마 누릴 수 있었던 효과도 얻지 못했다는 것이다. 마강래 중앙대 교수는 "지역 성장의 거점을 만든다는 시도는 좋았지만 지자체별 나눠주기식 배정, 입지 선정의 한계 등으로 인해 혁신도시는 거대한 택지개발에 그쳤다"고 말했다.

강현수 국토연구원장도 "혁신은 대학이나 민간기업에서 하는 것이지, 공공기관만으로는 안 된다"고 밝혔다.

근본적인 대책 마련이 필요하다는 지적이 나온다. 이민원 교수는 "공공기관은 도시 성장의 동력이 될 수 없다"면서 "도시 성장을 위해서는 연구기관과 대학, 기업을 어떻게 만들지를 이제부터라도 함께 고민해야 한다"고 말했다.

나. 기혼 직원 절반, 여전히 수도권에 본거주지…유치 기업도 다수가 '영세'

혁신도시가 탄생한 지 올해로 10년이 됐다. 노무현 정부는 2005년 공공기관 지방이전을 통해 균형발전을 도모하겠다는 구상을 최종 확정했다. 2014년부터 공공기관 이전을 시작해 전국 11개 시·도에 10개 혁신도시가 만들어졌다. 수도권 소재 공공기관 중 지방으로 이전한 기업은 153개에 달한다.

10조원에 달하는 사업비를 투입해 조성한 혁신도시는 추진 당시 계획했던 인구를 대체로 달성했다. 혁신도시의 전체 인구는 지난해 6월 말 기준 22만9401명으로 계획인구 26만7000명의 85.6%에 도달했다. 이는 2017년 대비 5만5124명, 2020년 대비 1만5584명 증가한 것이다.

그러나 공공기관 직원들의 가족 이주율과 민간기업 입주율 등은 기대에 못 미친다. 지난해 6월 기준 혁신도시 이전 공공기관 직원들의 가족동반 이주율은 66.5%에 그치고 있다. 기혼자만 따로 떼놓고 보면 이 수치는 53.7%로 떨어진다. 전체 직원 중 절반은 여전히 수도권에 본래 거주지를 둔 채 홀로 내려와 생활하고 있다는 의미다.

공공기관 이전과 함께 혁시도시에 내려온 민간기업들도 많지 않다. 감사원이 10개 혁신도시 내 민간기업 입주 현황을 분석한 결과를 보면, 혁신도시에는 2019년 12월 기준 총 1425개 기업이 입주해 있다. 입주기업의 이전 소재지는 수도권 224개(15.7%), 타 시·도 93개(6.5%), 동일 시·도 1009개(70.8%)였다.

입주기업의 규모(고용규모 기준)를 살펴보면 5인 미만 기업 57%(810개), 5~9인 미만 기업 20%(287개) 등 10인 미만 기업이 77%가량을 차지했다. 수도권 기업의 지방이전 효과를 불러오지 못했을 뿐만 아니라, 대다수는 지역경제에 미치는 영향이 작은 영세 업체를 유치하는 데 그친 것이다.

혁신도시와 비슷한 시기에 탄생한 '기업도시'는 상황이 더 심각하다. 당시 정부는 민간 기업 주도로 특화 산업을 도시에 육성해 자급자족형 복합 기능도시를 만들겠다는 목표 아래 전국 6개 지역을 '기업도시 시범지역'으로 선정했다.

영암·해남기업도시와 태안기업도시는 사업비를 제대로 조달하지 못해 지금까지도 추진 단계에 머물러 있다. 무안기업도시와 무주기업도시는 아예 사업이 백지화됐다.

실제 도시 조성까지 이어진 것은 원주기업도시와 충주기업도시 단 2곳에 그쳤다. 원주기업도시의 경우 저조한 지식산업용지 입주율로 어려움을 겪는 등 외부 인구 유입에는 실패했다.[19]

11. 보채다고 쌀이 밥이 되나요

　모내기철이 다가온다. 뭣 모르고 첫 손모내기를 했던 그해가 떠오른다. 4월 어느 우박이 떨어지던 날 몇 명의 일꾼들이 줄을 맞춰서서 나란히 모를 심었다. 가뜩이나 질퍽한 논바닥에 비가 내려 발이 빠지고 온몸이 다 젖어도 피부와 마음은 마냥 즐겁기만 했다. 그때부터였다. 쌀이 한 톨 한 톨 소중해진 게. 밥을 맛있게 잘 지어 보자 마음먹은 게.

　밥을 잘 짓는 일만큼 쉬워 보이지만 어려운 게 없다. 밥맛에 영향을 주는 요인들은 다양하다. 일단 쌀은 '품종과 산지, 재배 방법, 건조와 저장, 도정, 농약, 수확과 탈곡' 순으로 영향을 받는다. 우리는 쌀 봉지에 새겨진 '품질 표시 사항'을 기준으로 품종, 산지, 생산 연도, 도정일, 등급과 단백질 함량 등을 확인할 수 있다.

김하늘 라이스앤컴퍼니 대표

　등급은 깨지거나 금이 가지 않은 온전한 쌀 낱알, 즉 '완전미'가 많이 포함돼 있을수록 높은 등급으로 표기돼 구입 시 참고할 수는 있다. 하지만 이는 쌀을 관리하는 정미소나 종합미곡처리장(RPC)마다 기준이 다르기 때문에 절대적인 기준이라고 볼 수 없다. 그리고 단백질 함유량이 높을수록 밥맛이 부드러워 높은 성적으로 평가되지만, '성적'이 아닌 품종의 특성, 즉 '감상'으로 여기는 것이 좋다.

　그런고로 결국 생산 환경적 요인을 제외하고, 소비자가 선택할 수 있는 요소는 품종과 도정 일자 정도로 추려진다. 우리가 할 수 있는 것은 마구잡이로 섞인 혼합미가 아닌 싱글오리진(Single Origin), 즉 단일품종의 쌀을 도정 일자 기준으로 2주 내에 모두 다 먹을 수 있는 만큼 사서 밥을 잘 짓는 것이다.

　그다음 이제 밥을 지을 차례다. 주 재료를 잘 골랐으니 이제 밥맛은 우리 손에 달렸다. 쌀 불림, 쌀 씻기, 밥솥의 종류, 밥 짓는 물, 취반(炊飯), 뜸들이고 섞기, 담기 등에 영향을 받는다. 일본에서 스시를 배우고 온 어느 셰프는 초밥용 밥 '샤리'를 위해 하루 반나절씩 1년 넘도록 쌀 씻는 법을 배우고 익혔다고 했다. 그는 첫 물은 가장 깨끗한 물로 빨리 헹구어 버리며 이때 물은 경수, 연수, 알칼리수 등을 골라 쓰는데, '탄산수'로 헹구고 지은 밥맛이 가장 좋았다고 일렀다.

잘 헹궜으니 말간 물이 나올 때까지 쌀알이 부서지도록 살살 씻어야 밥맛이 무너지지 않는다. 당연한 이야기지만, 서너 번 대충 씻으라고 학습된 우리에겐 쌀을 씻는 일이 지루하게 느껴질지라도 묘수는 없다. 어떤 감으로 씻어야 할지 아리송하다면 손으로 머리카락을 린스하듯 씻거나 쌀 씻는 도구를 사용할 것.

맑게 씻은 쌀을 채반에 받쳐 물기를 제거한 뒤 30분 정도 불린다. 불리는 과정은 수분 흡수율을 높이는 데 목적이 있으므로 요리 용도에 맞게 물에 불리는 시간을 줄이거나 늘리고 수분을 제거한 뒤 저온 숙성시키기도 한다. 이제 밥솥을 골라 불린 쌀과 적정량의 물을 계량해 넣고 밥을 지을 차례다. 가마솥부터 냄비까지 다양한 밥솥은 열전도율과 압력에 따른 차이가 있다. 용도와 취향껏 골라 쓰면 된다.

이제 마지막 뜸을 들일 차례. 뜸은 밥알에 잔열이 고루 전달돼 남은 수분을 줄이고 윤기를 만드는 데 목적이 있는데, 이를 밥하기의 화룡점정이라 할 수 있다. 아무리 쌀을 잘 골라 씻고 불리고 그저 익힌다 해도 뜸을 들이지 않으면 맛있는 밥을 먹기 어렵다는 말이다. 순차대로 기다리면 따끈따끈 쌀알이 살아 있는 맛있는 밥 한 공기를 누릴 수 있을 텐데, 급하게 서둘러 봤자 설익은 밥을 먹을 수밖에 없지 않은가. 쌀을 기르고 나르고 고르고 다루고 먹기까지 무엇이든 모든 것엔 순서가 있고 그 과정에는 이유가 있다. 쌀 한 톨 한 톨이 소중한 줄 알아야 보다 맛있는 밥을 지을 수 있다. 아무리 배가 고파도, 보챈다고 쌀이 밥이 되진 않는다.[20]

12. 어린이의 마음에서 언어가 터진다, 번진다…나를 찾는 그 길이 환하다

어린이는 어린아이를 대접하거나 격식을 갖추어 이르는 말을 가리키는 교육용 어이다.

〈단어의 여왕〉에서 아빠와 함께 고시원에 몰래 사는 주인공은 시에서 아름다움을 느낀다(비룡소 제공)

가. 어린이의 말과 글

어른 시인이 쓴 동시와 구별되는 '어린이 시'

어린이의 글에는 감정과 생각이 생생하게 드러나 자신이 처한 현실이 어떠하든 마음속에서 길어 올린 단어를 통해 성장하는 아이들 아동문학도 결국 그러한 어린이의 언어를 찾아가는 과정 아윤이가 늑목을 도전한다 근데 너무 무서워서 다리가 추운 거처럼 덜덜 떨었다 아윤아 무서우면 내려와('오늘 아침 늑목')

〈오이는 다시 오이꽃이 되고 싶어 할까?〉(삶말·2020)에 실린 1학년 문현주 어린이의 시다. 친구들처럼 늑목 위에 올라가 놀고 싶어서 용기를 내보는 아윤이의 마음과, 아윤이의 도전을 응원하면서도 마음까지 살피는 어린이 화자의 시선이 반짝인다. "도전만으로 훌륭해, 이번에 반드시 성공하지 않아도 괜찮아"라고 다독이는 말은 어쩌면 친구에게만이 아니라 자신에게 해주고 싶은 말일 수도 있겠다. 애써 언어의 깊이와 아름다움을 찾지 않아도 순간 밀려오는 마음들에, 이게 바로 문학이지 달리 문학이란 문턱을 만들고 가를 필요가 있을까 싶다.

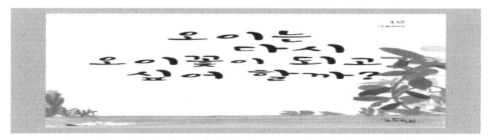

오이는 다시 오이꽃이 되고 싶어 할까? 전국초등국어교과모임 글보라 엮음 | 삶말 | 2020

어린이도 시를 쓴다. 시는 대개 짧으니까, 긴 글을 쓰기 어려워하는 어린이들이 자기 감정과 생각을 담아내는 좋은 그릇이 된다. 어린이가 쓴 시는 대개 '어린이시'라고 부르며 어른 시인이 쓰는 '동시'와 구별한다. 어른 작가가 쓰는 동시가 물론 문학예술로서 정제된 형식을 지니지만 어린이시는 또 다른 울림을 준다.

어린이시에는 어린이의 가슴에서 곧바로 터지고 번지며 자기 존재를 거침없이 드러내는 언어가 꿈틀댄다. 나는 틈틈이 어린이시집을 읽을 때마다 늘 새로운 어린이를 발견하고, 찬탄한다. 그리고는 어른인 내가 어린이에 대해 말하고 쓰는 일에 기분 좋게 겸손해진다.

어린이시를 비롯해 일기, 편지 등 어린이의 글에는 그들의 감정과 생각이 생생하게 숨 쉬므로 동화에서도 이를 종종 이용한다. 시, 일기, 편지 형식을 가져와 어린이 인물의 마음을 투명하게 보여주는 것이다. 이러한 문학적 장치에서는 어린이가 글을 쓴다는 행위가 어린이의 삶을 어떻게 만들어가는지도 엿볼 수 있다.

나. 단어에는 빛이 있다

〈단어의 여왕〉(신소영·비룡소·2022)의 여성 어린이 주인공은 어느 날 갑자기 아빠와 함께 고시원으로 이사를 가야 하게 됐다. 1인실 고시원에서 몰래 살아야 하는 형편이니 유일한 친구인 반려견과도 잠시 헤어져야 한다. 고단한 현실에서 한 줄기 빛이 되어주는 건 시다.

국어 시간에 읽은 시를 아름답게 느끼고, "단어에는 빛이 있다"(〈단어의 여왕〉 10쪽)는 사실을 발견한 어린이는 단어를 하나씩 모아간다. 그 단어들은 반딧불이처럼 아주 작게 깜빡이면서도 꺼지지 않는 빛으로 어린이의 앞길을 조금씩 밝혀준다.

전철로 열 두 정거장인 '고시원에서 학교까지' 먼 길은, '푸름역에서 고란역까지'라는 역 이름에서 '푸른 고라니'의 길이 된다. 돈과 빵이 없는 어린이에게 단어가, 길고 외로운 길에 푸른 숨을 불어넣어준다. 낮은 침대와 책상 말고는 앉을 자리 없이 좁은 방에서 왈칵 눈물이 나오려 할 때는 '고요'라는 단어를 떠올린다. "이 단어는 빛이 난다. 겁을 없애주는 빛, 슬픔을 만들지 않는 빛, 무엇보다 이곳에서 들키지 않고 살 수 있는 빛!"(〈단어의 여왕〉 37쪽) 부동산 중개업소 유리창의 전단에 적힌 '숫자 0'들을 보고는 '0과 집'이라는 제목의 시를 쓰며 새 집에 대한 소망을 담아내기도 한다.

단어의 여왕 신소영 글 | 모예진 그림 | 비룡소 | 20220

　나에게 0으로 집을 지으라고 하면 동그란 지붕을 얹을 거야 눈이 내려서 쌓이면 동그란 모자를 쓴 것 같겠지? 나에게 0으로 집을 지으라고 하면 동그란 창문을 달 거야 동그랗게 들어오는 햇빛 손님을 맞이해야지 나에게 0으로 집을 지으라고 하면 동그란 벽거울 뒤에 동그란 그림자 통로를 만들 거야 강아지와 놀 때 그 속으로 들어가야지 나에게 0으로 집을 지으라고 하면 그 다락방엔 비밀을 넣어둬야지 단어의 비밀을 (〈단어의 여왕〉 52~53쪽)

　〈단어의 여왕〉은 어린이를 자기 왕국의 주인으로 만들어주는 언어의 빛을 말한다. 고통스러운 현실에 휩쓸려버리지 않은 채 여전한 자신으로 현실을 통과하며 새로운 자신으로 서는 데 언어가 힘이 될 수 있다고 말이다. 글은 일용할 양식이 되지는 못하지만 분명 글을 쓰는 사람과 읽는 사람의 세계를 조금씩 혹은 송두리째 변화시킨다. 창작 작업으로 이를 경험한 작가들은 어린이가 글을 쓰는 이야기들로 어린이의 삶을 변화시키는 언어의 힘을 말하고 있다.

Love That Dog: 아주 특별한 시 수업 샤론 크리치 지음 | 신현림 옮김 | 로트라우트 S 베르너
그림 | 비룡소 | 2009

　〈Love That Dog: 아주 특별한 시 수업〉(샤론 크리치 · 비룡소 · 2009)은 어린이 주인공이 쓴 여러 편의 시로 엮은 책이다. 시 수업에서 읽은 로버트 프로스트의 '눈 오는 저녁 숲에 서서(Stopping by Woods on a Snowy Evening)', 윌리엄 블레이크의 '타이거(The Tiger)', 윌리엄 카를로스 윌리엄스의 '빨간 외바퀴 손수레(The Red Wheelbarrow)' 등이 인용되고, 이 시를 변형시키거나 시의 감상을

정리한 어린이시가 이어진다. 어린이의 시에는 종종 개가 등장하는데, 어린이는 사랑하는 반려견을 교통사고로 잃은 이야기를 시 수업이 끝날 무렵 비로소 시로 쓸 수 있었다. 그렇게 슬픔이 온전히 언어가 된 후 마지막으로 '그 개를 사랑한다(Love That Dog)' 는 제목의 시를 쓴다.

그 개를 사랑한다. 새가 하늘을 나는 것을 사랑하듯이 그 개를 사랑한다고 말했다 (〈아주 특별한 시 수업〉 93쪽)

시를 쓰며 상실의 슬픔을 정면으로 마주하고, 새로운 한 걸음을 내딛는다.

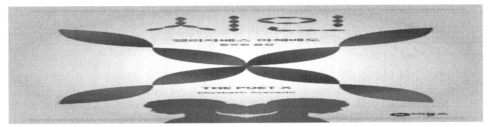

시인 X 엘리자베스 아체베도 지음 | 황유원 옮김 | 비룡소 | 2020

다. 온전한 자신으로 만들어주는 힘

〈시인 XX(엘리자베스 아체베도·비룡소·2020)는 여성 청소년이 화자인 연작시들로 시를 쓰는 행위를 통해 자아 정체성을 찾아가는 과정을 보여준다. 주인공인 시오마라의 시들은 독립된 한 편의 시이면서도 한 편의 소설처럼 이야기가 연결되고 진행된다. 시뿐만 아니라 글쓰기 과제물, 친구와의 대화, 휴대폰 문자 메시지 등 일상의 다양한 텍스트까지 모두 시로 엮어내면서 여성 청소년의 삶이 생생하게 재현된다. '시 소설' 이라 부를 만한 독특한 형식은 소설과 시를 동시에 읽는 듯한 특별한 독서 체험을 선물한다. 책 시작부터 끝까지 이야기가 흐르는데 이 이야기를 자기 고백 장르인 시로 솔직하게 들려주니, 시오마라가 정말로 내가 잘 아는 친구처럼 느껴진다.

10대 소녀의 일상 고백이라 해서 따뜻하거나 상큼한 이야기를 떠올렸다면 그건 편견이다. 소녀의 일상은 전쟁터다. 도미니카계 미국인인 시오마라는 독실한 가톨릭 신앙을 고수하는 가정에서 이중의 억압을 겪는다. 시대와 동떨어진 종교 제도와 교리, 남자친구와의 만남이나 성적인 자유를 제한하는 어머니, 어느 장소에서든 온갖 형태로 일어나는 성추행……. 제각각으로 다가오는 폭력은 하나로 수렴된다. 여성 청소년의 자유와 꿈, 그리고 신체에 대한 억압.

시오마라는 자신을 옭아매는 모든 현실을 비밀노트에다 시로 쓴다. 그의 이름

시오마라(Xiomara)가 '전쟁에 뛰어들 준비가 되어 있는 자' 이듯 자신의 자유와 권리를 찾기 위한 전쟁을 벌인다. 시 쓰기는 전투 의지를 확인시키는 동시에 전장에서 실질적인 무기가 된다. 쓰는 행위를 통해 시오마라는 자신에 대한 신뢰와 용기를 얻고, 그 힘으로 자신만의 성장을 밀고 나간다. 엄마가 비밀노트를 발견하고는 불태워버리자 "다시는 절대 한 편의 시도 쓰지 않을 것이다. 누군가가 내 마음을 전부 들여다보고 망가뜨리게 하지 않을 것이다"(〈시인 X〉 426쪽)라고 다짐하기도 했지만, 결국 시 경연 대회인 '포에트리 슬램(Poetry Slam)'에 참여해 자기 삶을 담은 언어를 거침없이 드러낸다. '과제물 초고'는 매번 비밀노트에 남겨두고 늘 다른 '과제물 완성본'을 제출했던 시오마라의 글쓰기는 시 경연대회 이후 드디어 하나가 된다. 시인인 소녀에게 자신을 가두고 숨기는 비밀노트는 더 이상 필요하지 않다.

'시인 X'는 이름 시오마라(Xiomara)의 첫 글자이자, 여성 청소년에게 가해지는 폭력과 억압에 대한 거부이자, 누구든 X의 자리에 올 수 있다고 독자에게 건네는 초대이다. "말에는 사람들을 온전히 자기 자신으로 만들어주는 힘이 있다"(〈시인 X〉 470쪽)는 사실을 앞서 경험한 자가 외치는 전언이기도 하다. 글을 쓰는 행위에는, 껍데기는 가고 진짜만 남게 하는 무언가가 있다. 글쓰기에서 저마다 진짜 마음과 진짜 생각을 찾을 수 있다. 세계를 새롭게 감각하고 사유하면서 만들어낸 자신만의 세계에서 자유롭고 당당할 수 있다. 시험을 치르기 위해 시를 공부하면서는 알기 힘든, 시의 진짜 의미다.

헨쇼 선생님께 비벌리 클리어리 지음 | 선우미정 옮김 | 보림 | 2009

라. 언어의 간격 사이로 비치는 어린이의 마음

〈헨쇼 선생님께〉(비벌리 클리어리・보림・2009)는 어린이 주인공 리가 동화작가 보이드 헨쇼와 팬레터를 주고받으며 작가의 권유로 일기를 쓰기 시작하고, 글쓰기를 통해 조금씩 성장하는 과정을 따뜻하게 그린다. 처음에 리는 일기 쓰기를 어려워하다가 "선생님 말대로 제 일기를 누군가한테 보내는 편지라 생각하고 써 보려 해요. (…) 선생님한테 보내는 편지처럼 쓰게 될 것 같아요"(〈헨쇼 선생님께〉 44쪽)라고 결심하며 일기를 써 나간다.

리가 쓰는 편지와 일기가 줄곧 교차되면서, 두 글의 간극 사이에 비치는 리의 마음은 독자에게 증폭된다. 리가 헨쇼 선생님에게 보내는 편지나, 혼자 쓰는 일기 나 모두 똑같이 '헨쇼 선생님께'로 시작하지만 두 글의 내용은 전혀 다르다. 편지에는 부모님 이혼 후 만나지 못한 아빠를 그리워하는 마음을 "제 생각에 아 빠는 저한테 관심이 별로 없는 것 같아요. 전화한다고 해 놓고 아직 안 했거든 요"(〈헨쇼 선생님께〉 63쪽)라고만 알린다. 반면 일기에서는 지난해 세 가족이 함 께 보낸 크리스마스에 '신발 한 짝'이란 제목의 우스꽝스러운 시를 각자 지어 부르던 기억을 세세하게 떠올린다. 그러고는 지난 크리스마스를 엄마가 기억할지 궁금해한다.

간결하고 공식적인 편지와 꾸밈없는 마음을 담은 일기의 대비로, 부모님이 이 혼하기 전 행복했던 순간을 그리워하며 재결합을 기대하는 리의 마음은 더욱 애 틋해 보인다. 어른이 안다고 자부하는 어린이의 마음이란 고작 '편지' 수준에 불과하지 않은지, '일기'의 저 깊은 마음들을 만나려면 어떡해야 하는지도 생 각하게 된다. 동화에서 어린이의 시나 일기는 어른 독자를 선뜻 어린이 마음 한 가운데로 초대하면서 한편으로 계속 질문하는 것 같다. 당신은 과연 어린이를 얼 마나 잘 알고 있나요.

리는 '어린이 작품집'의 응모글로 밀랍인간이 녹아 사라지는 소설이나 수천 km를 이동해 겨울을 나는 모나크 나비에 대한 시를 쓰려다, 아빠가 운전하는 트 럭을 타고 양조장에 따라 갔던 어느 하루 이야기를 쓴다. 자기 마음에 가장 중요 하게 자리한 아빠에 대해 결국 쓸 수 있던 건 헨쇼 선생님과의 편지와 일기가 이 끌어낸 길이다. 다른 사람을 흉내 내지 말고 오직 자신의 세계를 발견하고, 해석 하고, 재구성하는 일, 그게 바로 글쓰기라는 사실을 직접 글을 써보며 깨달았을 듯하다.

앞서 살핀 작품 모두 자신의 언어를 찾는 일로 진정한 자신을 찾을 수 있다고 말한다. 자신의 언어를 필요로 하는 어린이와 청소년에게 그 첫걸음을 보여주면 서 도와준다. 결국 아동문학이란 이처럼 어린이의 언어를 찾아가고, 찾아주는 과 정이다. 그것이야말로 아동문학이 할 수 있고, 해야 하는 가장 처음이자 마지막 일일 거라 믿는다.[21][22]

13. 활동가의 첫 월급봉투

나에게도 다양한 첫 월급이 있었다. 첫 아르바이트비로 받은 현금 10만원이 담긴 소박한 봉투도 있었고 통장에 찍힌 숫자를 보면 괜히 웃음이 나던 회사원 시절의 첫 월급도 있었다. 그중에 가장 기억에 남는 첫 월급은 시민사회로 발을 들인 뒤 받은 첫 활동비였다. 작은 풀뿌리단체에서 일했던 터라 단체의 재정으로는 도저히 인건비를 줄 수 없었지만 우연히 만난 이 단체가 너무 좋았고 내가 배우고 익혀 가진 것들을 잘 쓸 수 있는 곳이어서, 함께하는 것만으로도 배울 수 있는 점이 많아서 그렇게 그냥 합류한 터였다. 돈을 벌겠다고 뛰어든 일은 아니었지만 그럼에도 한국여성재단이 '풀뿌리활동가 지원사업'을 통해 인건비를 지원해주었을 때 몹시 기뻤다. 경제적으로 숨통이 트인 느낌도 좋았지만 더 큰 기쁨은 내가 지금 잘하고 있고, 내가 하는 일이 사회에 보탬이 되는 일이 맞다는 그 응원이었다. 그 지지 덕분에 나도 10년째 활동을 계속할 수 있었다.

우리 마을에 있는 '생각나무 BB센터'의 안순화 활동가는 이주여성과 그 자녀들을 위한 프로그램을 진행한다. 이주여성의 한국 정착과 생활을 돕고, 다문화가정의 2세들에게 엄마의 모국어와 문화를 접하게 함으로써 가족 간의 소통을 돕고, 시민들에게 다른 나라의 문화와 전통을 소개하는 행사를 기획하는 등 엄청난 일들을 16년간이나 해오셨는데 그간 월급을 받아본 적이 없다고 하셨다. 16년이란 시간에 대해 감조차 오지 않는다. 얼마나 많은 고민과 어려움이 있으셨을까. 서울시에서 수여한 자원봉사대상을 비롯해 곳곳에서 다양한 상을 받으신 걸로 아는데, 그 왕성한 활동의 가치와 필요성엔 공감하지만 활동비 문제에 대해서만은 모두가 눈을 감은 셈이다. 이분의 활동으로 이주민과 다문화에 대한 사회의 인식이 달라지는 좋은 성과가 있었다면 이 활동을 계속하실 수 있도록 응원이 필요하다. 그것도 적극적이고 격렬하게.

단체나 어느 개인이 풀긴 어려워도 마을은 나서볼 만하다. 그래서 '활동가 생애 첫 월급봉투'라는 행사가 열렸다. 웹자보를 뿌리고, 후원금을 받고, 당일에 쓸 음식도 기부받았다. 별로 넓지도 않은 사무실에서 누구는 칵테일을 만들고, 누구는 캘리그래피 엽서를 만들고, 누구는 공연을 준비하는데, 또 다른 누구는 옆에서 주먹밥을 뭉치는 이 현장은 솔직히 아수라장이 따로 없었다. 좁은 테이블 사이로 뜨거운 프라이팬이 오가고, 통성명과 합석이 자연스러운 정신없는 와중에도 묘하게 질서가 잡혀서 누군가는 안 보이는 곳에서 조용히 설거지를 하고, 또 누군가는 모금함에 봉투를 넣고, 밥을 먹던 사람들이 새로운 사람들을 위해 다시

프라이팬을 잡는 순환이 이루어졌다. 그 와중에 안순화 활동가님을 향한 애정과 응원의 말들이 테이블마다 쌓여갔다. 무알코올칵테일에 취한 걸까. 모두가 돈도 내고, 집 안 냉장고도 털어오고, 일도 했는데 웃음이 떠나질 않았다.

그날 저녁 그렇게 첫 월급봉투를 받으신 안순화 선생님이 많이 우셨다. 고작 하루 동안 모금한 그 금액을 선생님의 16년 활동과 감히 연결지을 수 없겠지만 마을이 나서서 그분의 활동을 기억하고 응원하고 연대하는 자리였음이 충분히 전달되었으리라 믿는다. 수고하셨고 감사했고 존경한다는 인사가 100번쯤 들려왔다. 마을이었다. 마을다운 날이었다.[23]

14. 나는 너보다 더 힘들어야 한다

내가 결혼하기 전, 그는 결혼해 봐야 진짜 힘든 삶이 시작된다고 했다. 내가 결혼을 하자, 그는 애가 있어야지 진정한 고생이라고 했다. 내게 아이가 생기자, 그는 하나일 땐 어떻게든 살겠는데 둘이니 장난 아니라면서 하나면 행복한 줄 알아야 한다고 했다. 내게 또 아이가 생기자, 그는 딸은 생각보다 손이 안 간다면서 연년생 아들 둘 키우니 죽겠다고 했다. 내가 월세 살 때, 그는 2년마다 전세금 오르는 거에 비하면 월세는 큰 부담 아니라고 했다. 내가 전세 살 때는, 전세는 자기 돈 돌려받기라도 하지 은행 대출 잔뜩 받아 이자는 꼬박꼬박 내는데 집값이 오르지 않으면 얼마나 초조한지 아냐고 했다.

몇 년마다 만나는 그는 자신이 조직 안에서 겪는 갈등을 말하기 바빴다. 나는 그래도 상대를 포기하지 말라고 넌지시 반응한다. 그때마다 그는 이랬다. 서른 살일 때는, 나이 서른 먹고 사람이 쉽게 변하냐면서 자신만의 가치관이 있다고 했다. 서른아홉 살이 되었을 때는 곧 마흔인데 줏대 없이 일희일비하는 거 아니라면서 소신대로 살겠다고 했다. 사십대 중반이 넘어가니, 나이 오십이 다 된 사람에게 조언 말라면서 화를 냈다. 그렇게 살아놓고 "앞으로는 간섭받지 않고 살겠다!" 라고 선언한다.

중소기업에서 일하던 그는 대기업에서 돈 많이 받는 사람이 어떻게 같은 노동자냐고 했다. 대기업으로 이직해서는 실적 고민도 없이 그냥 시키는 대로 일했던 과거가 편했다면서 지금은 피가 마른다고 했다. 경기도에서 광역버스로 출근할 때는 겨울철 퇴근시간에 사당역에서 버스 기다려 보지 않았다면 인생을 논하지 말라고 했고, 서울 외곽으로 이사와 지하철을 이용할 때는 지옥철 타본 사람만 월급쟁이의 비애를 안다고 했다. 프리랜서가 된 그는, 출근해서 어떻게든 버티면 월급 따박따박 나오는 사람이 무슨 고민이냐고 했다. 직원 몇 명을 둔 사장님이 되어서는, 살아보니 가장 큰 공포는 직원들 월급날이 다가올 때 느낀다면서 자기 사업 안 해 본 평범한 사람은 평생 알 수 없는 삶의 무게라 했다. 직원이 투덜거리면 이렇게 나무란다. "나라라도 구해?"

"나보다 더 힘드냐", 그는 항상 이렇게 말을 시작하고 타인의 하소연을 단칼에 끊는다. "나도 힘든데, 더 힘들어 보이네"라는 말 한마디를 하지 못하고 개개인의 삶을 꼭 수직으로 비교해 상대의 고충을 징징거림으로 규정하고 무안을 준다. 자신이 전혀 모르는 경험을 들을 때, 그러니까 도무지 끼어들 수준이 아닌 판에서는 곧잘 이런다. "사람 사는 거 다 비슷해, 긍정적으로 생각해." 그리고 뒤돌아서는 '저 인간 너무 피곤하다'라고 수군댄다. 자기계발서를 보면, 공감능력 없는 사람은 절대로 잘 살지 못한다는데 항상 자신이 중심인 그는 잘 산다. 아니, 못 사는 줄 모른다.

당신은 어떤 그인가. 물론 나도 그다. 초등학생인 둘째가 월요일은 학교 가기 싫다고 하니, 나는 고작 열 살이면서 뭐가 힘드냐는 투의 말투를 숨기지 못한다. 푸념하는 둘째에게 그 시절이 좋은 거라며 짜증 내는 중학생 첫째에게 나는, 앞으로 고생할 일이 차고도 넘쳤으니 까불지 말라는 표정을 드러낸다. 나라고 한국인에게 박힌 '나보다 더 힘드냐' 유전자가 없겠는가.[24]

15. 김종철은 이렇게 말했다

25일은 '녹색평론'을 창간한 김종철 선생의 3번째 기일이었다. 마침 요즘 방사능 오염수 투기 논란이 뜨거울 때라 일본 후쿠시마 핵발전소 사고 후에 선생이 쓴 글들을 다시 찾아보았다. "정부와 핵산업 관련자들은 언제나 방사능 피해를 축소하고 은폐한다. …방사성 물질이 대기와 바닷물에서 희석되면 아무 걱정할 것 없다는 설명은 과학적이라기보다 다분히 정치적"이다. 오염수 논쟁에 빠짐없이 등장하는 '과학적'이란 말이 '정치적'으로 들리는 건 일본과 한국 정부에 대한 불신 탓이다. 자연의 질서와 현상은 '객관적'이지만 그것을 탐구하는 과학은 객관적일 수 없는 사람과 기관이 수행한다. 과학적 검증에 신뢰가 중요한 까닭이다.

문제의 당사자인 일본 정부나 핵발전 진흥본부 격인 국제원자력기구(IAEA)는 애초에 객관적인 과학적 검증을 할 자격이 없다. 윤석열 정부는 그동안 오염수 문제를 방관해 오더니 갑자기 일본에 허수아비 '시찰단'을 보냈다. 그리고 이제는 오염수에 대한 의문과 비판을 괴담과 선동으로 몰면서 정작 국민의 불신을 키운 것은 자기들이라는 사실은 외면한다. 이 현안에 비판적인 과학자와 예상되는 직접 피해자가 참여하지 않는 '그들만의 검증'은 결코 신뢰를 얻을 수 없고, 의혹과 불안은 커질 뿐이다.

사고 초기에 "대기와 해양으로 방출된 방사성 물질도 엄청난 것이지만, 앞으로도 기약 없이 이 상황이 계속될 것을 생각하면 전율을 느끼지 않을 수 없다. 본의는 아니겠지만, 지금 일본은 세계를 향하여 테러를 자행하고" 있다. 이미 엄청난 양의 방사성 물질이 바다로 들어갔다면 이제라도 더 이상의 오염을 막는 데 최선을 다하는 것이 정상 국가가 할 일이다. 사람과 뭇 생명의 안전이 달린 바다는 과학적 검증을 할 게 아니라 최대한 안전하게 지켜야 한다. 오염수가 안전한지 논쟁할 게 아니라 무엇이 가장 안전한 처리 방법인지 물어야 한다. 더 안전한 대안이 있는데도 비용이 저렴하다고 바다 투기를 강행하는 것은 세계를 향한 또 한 번의, 이번에는 의도적인, 테러다.

가. "오염수, 과학 넘어 윤리적 문제"

"독일이… 부러운 것은 원전 문제를 단지 안전성 문제만 아니라 윤리적 문제로 보는 자세입니다." 설혹 오염수가 '과학적'으로 안전하다고 해도, 놓쳐서는 안 될 '윤리적'인 문제가 있다. 과학적으로 안전하다고 개인의 쓰레기를 공유지에 버리는 행위는 결코 정당화될 수 없다. 더욱이 한국과 일본의 어민은 오염수 투기로 자신들의 생업인 어업이 끝장나리라는 두려움에 휩싸여 있다. 검증 결과만 괜찮다면 수많은 소중한 삶의 터전을 함부로 해도 된다는 발상은 과학의 이름으로 자행하는 국가 폭력이다.

다시 읽어본 선생의 글들은 10년 이상 지났지만, 오늘도 시의성이 떨어지지 않는다. 문제의 근본에 천착한 덕분일 것이다. 선생은 근대문명 자체가 "희생의 시스템"이라며 "약자를 희생시키는 구조적인 악행"을 자행하는 사회 구조와 생활양식의 근본적 변화를 주장했다. 핵발전은 "생명과 평화와 민주주의 원리를 원천적으로 부정하는, 가장 광포한 폭력의 기술"이며 "단기적 이윤 추구 외에 아무것도 돌아보지 않는 자본의 논리와 자기팽창 욕망에 사로잡힌 국가의 논리, 그리고 근대적 과학기술의 결합에 의해 태어난 끔찍한 요괴"다. 그래서 탈핵운동은 단순한 에너지 전환을 넘어 "자본주의의 논리에 갇혀 있는 생활방식을 근본적으로 바꾸는 전환점"이 돼 기후운동과 함께 세계를 파국으로 몰아가는 자본의 폭주를 막는 대안의 길을 열어야 한다.

환경도, 복지도, 교육도 모두 시장과 산업으로 몰아세우며 자유를 빙자해 효율과 이윤만을 중시하는 윤석열 정부의 등장으로 그동안 힘들게 일구었던 소중한 것들이 빠르게 퇴행하고 있다. 이 참담하고 당혹스러운 현실을 보며 '녹색평론' 창간사에서 김종철 선생이 던졌던 물음을 다시 생각한다. "우리에게 희망이 있는가?" 희망은 누가 주는 것이 아니라 스스로 일깨우는 것이다. 희망은 인간 내면에 깊이 새겨진 새로움을 향한 역동이기에 우리가 희망을 물으면 희망이 생겨난다. 다만 길을 찾기 어려운 현실이라, 우리가 함께할 때만 희망을 묻는 용기를 얻을 수 있다. 그동안 '녹색평론'이 해왔던 역할도 바로 여기에 있지 않았을까.

나. 함께 희망을 물으면 변화의 물결

쓰레기가 넘쳐나는 세상에 이제는 방사능 오염수까지 쏟아질 판이다. 그래도 해야 할 일에 최선을 다하는 게 삶의 도리다. 그런다고 세상이 변할까, 주저할 것도 없다. 해야 할 것이라면 가능성을 묻지 말고 그냥 하는 것이 맞다. 그렇게 할 때, 반드시 함께하는 사람들이 생겨난다. 그렇게 함께 희망을 물으면 잔잔하지만 힘찬 변화의 물결이 일어난다. 선생이 '녹색평론'으로 보여주고 떠난 것도 이런 세상의 이치가 아닐까. 김종철 선생의 영원한 안식, 그리고 최근 계간지로 돌아온 '녹색평론'과 새로 시작하는 '김종철연구소'의 건승을 빈다.

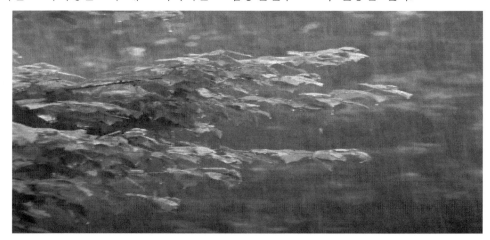

16. 오염수 방류, 우리가 들어야 할 목소리

지난가을 진도에서 배를 타고 들어가는 섬에서 전복을 양식하는 어민들을 만났다. 한 어민이 지속 가능한 어업을 함께 고민해보자는 생태전문가에게 물었다. "그래 봐야, 일본이 후쿠시마 방사능 오염수를 방류해버리면 도시 사람들은 수산물 안 사 먹을 거고, 그러면 다 망하는 건데 이게 다 무슨 소용이죠?" 이 질문에 대한 전문가의 답변은 "후쿠시마 방사능 오염수 때문에 수산물을 못 먹을 정도면, 우리 바다에서 나오는 거 다 못 먹는다고 봐야 합니다. 걱정하실 정도는 아닙니다." 어민의 얼굴빛은 밝아지지 않았고, 전문가는 과도한 우려라면서 계속 답답해했다.

짧은 대화였지만, 여기에는 현재 진행되고 있는 후쿠시마 원전 오염수 방류와 관련해 시민들과 어업인들, 전문가들이 느끼는 '불안'이 잘 요약돼 있다. 2021년 4월 일본 정부가 공식적으로 원전 오염수 방류 결정을 내린 이후 나라 안팎의 거센 반대에도 불구하고 후쿠시마 제1 원전의 오염수 해양 방류 설비는 지난 12일 시운전에 들어갔다. 그 이후 시민들의 불안감이 증폭됐고, 수산물과 소금 등 먹거리에 대한 우려도 급격하게 커졌다. 건어물과 천일염을 사재기하는 시민들이 많아지면서 품절·품귀 현상마저 일고 있다. 이에 대한 과학자들의 의견은 대체로 "시민들의 불안이 과장돼 있다"는 것이다. 다핵종제거설비(ALPS)로 오염수를 처리하면 자연적으로 피폭되는 방사선량과 비교해도 미미한 수준이기에 위험하지 않다고 판단하는 것이다. ALPS로 제거할 수 없는 삼중수소를 포함한다고 해도 기준치의 40분의 1 수준에 불과하다고 주장한다.

아이러니한 것은 안전성을 주장하는 근거 중 하나가 오염수 방류가 이번이 처음이 아니라는 사실이다. 후쿠시마 원전 사고 직후인 2011년 4월 이미 일본 정부는 고농도 방사성 물질이 섞인 오염수를 보관하기 위해 상대적으로 저농도인 오염수를 바다로 대량 방출했다. 당시 방출한 방사성 물질은 이번 방류 양보다 훨씬 많으며, 세슘이 가장 많이 포함됐다. 그러나 아직까지 한국 인근 해역에서 유의미한 변화가 없고, 이번 방류의 영향은 그보다도 작을 것이라는 주장이다.

하지만 인근 국가를 포함해 일본 내에서도 반대의 목소리가 높다. 일본의 어민 단체인 어업협동조합연합회에서도 오염수 방류를 지속적으로 강하게 반대하고 있으며, 시민단체들 역시 방류 외에 다른 방법을 찾아야 한다면서 연일 반대 집회를 열고 있다.

한국에서는 반대의 목소리가 더 높다. 환경운동연합이 지난 5월 실시한 조사에 따르면 시민들의 85.4%가 방류를 반대하고 있다. 지난 4월 소비자시민모임이 실시한 설문조사 결과에 따르면 응답자의 92.4%가 '방사능 오염수 해양 방출이 시작되면 수산물 소비를 줄일 것'이라고 밝혔다. 국내 최대의 수산물 생산지인 전남 지역 어민들의 불안감은 더욱 높아 시위를 벌이면서 보상 요구를 준비 중이다.

과학자들과 시민들의 의견은 서로 모순되는 듯하다. 하지만 하나의 공통점은 오염수 방류 자체의 불안감을 중심으로, 근거가 있느냐 없느냐에 그치고 있다는 것이다. 그런데 방류수와 삼중수소가 그렇게 위험하다면 월성 1호기의 오염수 누수 문제와 삼중수소를 포함한 오염수의 바다 방류 문제에 대해 진실을 규명하고, 대책을 요구하는 목소리는 왜 그리 약한 것일까. 월성 원전 인근에서 위험을 감수하고 살아온 주민들의 고통에 대해 관심을 가진 적이 있는가. 이주를 요구하는 주민들의 투쟁에 대해서도 연대의 움직임은 크지 않다.

후쿠시마 지역에 대해서도 오염수 방류를 반대만 할 뿐 오염수를 서둘러 방류하고 재난의 종결을 선언하는 방법 말고 지역이 어떻게 미래를 만들어갈 수 있을까에 대해 생각해 본 적이 있는가. 그에 앞서 후쿠시마 주민들은 원전 사고 후 방사능의 위험과 그에 대한 불안을 겪으면서 지금까지 어떻게 살아왔는지를 궁금해 본 적이 있는가. 또한 소비자들의 불안이 커지는 가운데 바다를 생업의 장(場)으로 삼을 수밖에 없는 일본과 한국의 어민들 입장에 대해 생각해 본 적은 있는가.

실제로 원전 오염수 방류만 놓고 본다면 결론은 분명하다. 1993년 런던의정서는 저준위 방사성 물질을 포함한 모든 방사성 폐기물의 해양 투기를 금지하고 있다. 따라서 안전하다고 해서 배출을 해도 된다는 논리는 성립하지 않는다. 하지만 지금 이 순간에도 가동되고 있는 수많은 원전이 있고, 바다로 흘러드는 오염수도 후쿠시마 방류수만 있는 게 아니다. 원전을 불안해하지만 우리의 삶은 원전이 만들어내는 전기에 의존하고 있다. 그렇다면 우리의 질문도 단지 일본 정부를 규탄하고 오염수 방류를 반대하는 그 이상이어야 하지 않을까.[25]

17. '안심'을 처방하기

진료실에서 환자분들이 "아, 이런 설명을 들으니 안심이에요"라고 말씀하실 때가 있다. 설명하기 힘든 증상으로 인해 막연한 불안감이 스칠 때, 잘 설명하여 안심하시도록 하는 것은 주치의의 역할이다. 어찌 보면 1차 의료 주치의의 핵심적인 역할이기도 하다.

그런데 이 '안심'이 생각보다 쉽지 않다. 그런 건 아무것도 아니라거나, 쓸데없는 걱정이라는 말만으로는 안심이 되지 않는다. 우선은 위중한 질환의 잘 알려지지 않은 증상일 가능성을 배제할 수 있을 만큼 충분한 의학 지식이 있어야 한다. 그리고 환자뿐만 아니라 주치의인 나 스스로도 납득할 수 있을 만한 훌륭한 설명 모델을 만들어내야 한다. 명확한 처치나 약이 없기 때문에 더 어렵다. 그래서 우리 1차 의료 주치의들끼리는 이것을 두고 '안심을 처방한다'고도 한다.

안심을 처방하기 위해서는 적절한 비유가 필요할 때가 많다. 총콜레스테롤이 너무 높은 것에 대해 걱정하시는 분의 건강검진 결과지를 상담하고 있을 때였다. 나는 HDL 콜레스테롤(고밀도지단백)이 높아서 총콜레스테롤까지 높아진 것이니 걱정하지 않아도 된다고 설명드렸다. HDL 콜레스테롤은 높을수록 좋은 것이라고. 그분은 어떻게 콜레스테롤인데 높을수록 좋을 수가 있냐며, 총콜레스테롤이 높은 것이 영 불안하다 하셨다. 내 진료실 책상 위에 놓인 혈관의 모형을 가리키며, 이렇게 혈관에 기름때가 끼는 것이 무섭다고 하셨다.

기름때를 제거하려면 비누를 써야 하죠? 비누를 만들 때 기름이 많이 들어간답니다. 폐식용유를 모아 빨랫비누를 만든다는 것을 들어보신 적 있지요? 기름때를 제거하는 비누를 만드는 데도 기름이 꼭 들어가야 한다는 거죠. HDL 콜레스테롤도 비누에 들어가는 기름 같은 거라고 생각하시면 됩니다. 설명을 들으신 후에야 그분의 걱정은 잠재워졌다.

한번은 소변에 거품이 많이 나와서 걱정이 된다는 분이 오셨다. 우선 가장 간단한 소변검사인 스틱검사를 해보았지만 깨끗했다. 미세한 단백뇨는 일반적인 스틱검사에서 검출되지 않을 수도 있어서 단백뇨에 대한 좀 더 정밀한 검사까지 해보았지만 모두 정상이었다. 게다가 이분은 당뇨나 고혈압, 신장질환이 따로 없으신 상태였기에 소변검사 결과를 잘 설명해드리고 걱정할 것이 없다고 말씀드렸다. 하지만 이분의 불안이 잠재워지지 않았다.

맥주 따르는 것 보신 적 있으시지요? 똑같은 맥주라도 따르는 속도에 따라서 거품이 많이 나기도 하고 그렇지 않기도 하죠. 소변도 같은 성분이라도 누는 속도나 떨어지는 높이, 기온에 따라서 거품이 많이 나오는 것처럼 보이는 때가 있을 수 있어요. 물론 성분의 차이도 있겠지만, 문제가 될 만한 성분이 없어도 거품은 생길 수 있어요.

그분은 소변을 눈 후 변기에 거품이 보이길래 지레 걱정이 되어, 염증을 씻어내야겠다는 생각으로 소변을 일부러 힘줘서 세게 배출했다고 한다. 그러니 거품이 점점 더 많이 생겼던 것이다. 나는 소변을 너무 힘주어 누지 않으시도록 말씀 드렸다. 방광을 빠르고 세게 수축시키다간 자칫 신장으로 소변이 역류할 수도 있으니까.

하지만 안심을 제대로 처방하는 건 이런 설명만으로는 부족하다. 환자분의 상황을 이해하는 것이 필요한 경우들이 많다. 왜 하필 오늘 이 걱정이 시작된 것인지. 지인에게 갑자기 뇌졸중이 생겼다거나 콜레스테롤과 관상동맥질환에 대한 TV 프로그램 같은 것을 보셨을 수도 있다. 지인의 신장기능 저하에 대한 소식을 들었거나, 가족 중 누군가가 신장 투석을 받기 시작하셨을 수도 있다.

환자분들의 불안이 시작된 상황을 이해하는 것이 안심을 처방하는 첫번째 단계이다. 불필요한 검사나 처방을 줄여 의료비의 낭비를 막는 데도 필요하지만, 매일의 일상을 영위하기 위해서도 그렇다.[26]

18. 시름에 겨운 강사들…오로지 아프기만 할 수 있기를

아플 때 다른 걱정 없이 아플 수만 있어도 축복이다. 한 20대 화장품 판매원이 심각한 어지럼증을 겪으면서도 사업주로부터 병가를 승인받지 못해 출근을 계속하다가 뇌출혈로 쓰러져 사망했다. 두 달 전부터 입원치료가 필요하다는 의사의 강력한 권고가 있었으며, 머리와 다리가 너무 아파 서 있기도 힘들다고 호소할 지경이었는데도 휴가를 사용할 수 없었다고 한다(경향신문 6월5일자 '청년 목숨 앗아간 '아파도 출근''). 생계 걱정과 실업 불안은 죽음을 넘나들 때까지 그를 괴롭혔을 것이다.

그가 인력파견업체 소속의 불안정 노동자 신분이 아니었다면 끔찍한 불행을 피할 수 있었을지도 모른다. 정규직의 59.8%는 팬데믹 상황에서 코로나 감염으로 유급병가를 사용할 수 있었지만, 비정규직은 26.9%만 사용할 수 있었다고 한다(경향신문 5월21일자 '비정규직 27%만 코로나19 확진 때 유급휴가'). 아프면 쉴 권리가 비정규직에겐 정규직의 절반만큼만 허용돼 있는 것이다. 국제노동기구

(ILO)가 아프면 쉴 권리를 보장하기 위해 상병수당을 권고한 해가 1952년임을 상기하면, 우리나라의 노동자 특히 비정규직이 겪는 재앙이 얼마나 시대와 부합하지 않는 일인지 알 수 있다.

대학 강사에게는 병가라는 제도가 아예 없다. 학생이 질병으로 결석하면 출석이 인정되지만, 강사가 휴강을 하면 반드시 보강을 해야 한다. 주말에 보강을 하면 학생들의 원성을 사게 되고 평일에는 다른 수업을 고려해야 하므로 보강시간을 확보하기가 쉽지 않다. 결국 어지간한 통증은 참고 강단에 설 수밖에 없다. 하루이틀 앓고 일어설 수 있는 질병이라면 어떻게든 수습해 보겠지만, 1~2주 이상 병상 신세를 지게 된다면 수습이 불가능하다.

이 때문에 대학 강사들은 학기 중간에 상당 기간 치료가 필요한 질병을 앓게 되면 대개 사직을 한다. 사직 후 대학에서 대체강사를 긴급 채용해 잔여 수업을 이어나가게 하는 방법 말고는 제도적 해결 방법이 없다. 출산을 앞둔 강사도 대부분 직전 학기에 사직한다. 근로기준법에 출산휴가가 의무조항으로 명시돼 있어도 대학에는 제대로 활용할 여건이 갖춰져 있지 않기 때문에 학과장과 대학본부의 따가운 눈총에 시달리다 출산을 하니 경력단절을 선택하는 것이다.

하물며 제도 자체가 없는 병가를 써야만 하는 상황이 강사에게 닥치면, 대학과 학생의 피해를 최소화하기 위해 너무도 당연한 일처럼 홀로 불행을 짊어지고 강단을 떠난다. 아무도 드러내놓고 강요하지 않는 것 같지만 제도를 만들지 않은 대학과 사회가 부작위에 의한 강요를 하는 것이다. 아픈 강사는 생계가 바닥나는 고민과 경력이 단절되는 불안을 끌어안은 몸으로 아프기까지 한 실업자의 처지로 밀려날 수밖에 없다.

정규직·비정규직을 불문하고 모든 노동자에게 유급병가가 적용되어야 한다. 당연히 대학 강사에게도 유급병가 제도가 도입되어야 한다. 건강권은 인권의 기본 전제이다. 불가침의 인권에 관해 국가의 보장 의무를 명시한 헌법 10조를 위반하고 있는 잘못된 현실은 이제라도 바로잡아야 한다. 코로나 팬데믹을 겪으면서 보완되지 못한 제도로 인해 엔데믹 상황에서도 끝없이 고통받는 상태에서 탈피해야 한다.

강의 시수에만 의존하고 있는 현행 강사료 계산 방식에서 상병수당을 어느 정도로 책정해야 할지, 학술생태계가 붕괴돼 가는 현실에서 긴급 대체강사를 어떻게 확보해야 할지 등 논의해야 할 일이 적지 않을 것이다. 적극적으로 중지를 모으고 합의를 이끌어내야 한다.

지금도 시름에 겨운 강사들이 아픈 몸을 끌고 강단에서 비틀거리고 있다. 시름은 사회가 젊어지고 아픈 사람은 오로지 아프기만 할 수 있기를, 치료에만 집중할 수 있기를 바란다. 그런 세상이 되도록 관련 제도 정비를 촉구한다.[27]

19. 쉼의 어려움

과로와 더위, 신경 쓸 일들로 몸 컨디션이 나빴던 한 주였다. 이럴 때 듣게 되는 말은 '쉬엄쉬엄 일해'인데 나는 이 말이 여전히 무슨 뜻인지 감이 안 온다. 형용모순 같기도 하다. 그렇다고 뭐, 나만 힘든가? 한국에서 일하며 먹고사는 것은 일반적으로 그리고 객관적으로 봐도 상당히 피곤한 일이다.

다만 저마다의 개별적인 특수성은 있을 것이다. 스스로를 돌이켜보면 나를 내과 수액실로 보내는 결정적 원인은 바닥을 칠 때까지 에너지를 소진시키는 습성이다. 배터리로 비유해서 한가득 에너지가 채워진 상태를 100%라고 해보자. 배터리가 20% 정도 남았을 때 잠시 멈추고 충전을 한 후 다시 달리면 바람직할 것이다. 아슬아슬하게 0% 앞에서 멈춰도 그 역시 감당 가능하다. 그 지점에서 다시 한가득 에너지를 채운 후 달리면 되니까. 한데 일하는 동안에 남아 있는 에너지 정도를 가늠하지 못해 멈추면 좋을 타이밍을 놓치고, 그러는 와중에 일에 몰입하니 더한 일 욕심을 부리고, 타의에 의해 통제할 수 없는 변수가 생기기라도 하면 에너지는 0%에서 -40% 지점으로 훅 떨어진다. 그때는 이미 피로가 극심해서 일할 수 없어 강제로 쉴 수밖에 없다. 아니, 몸이 아파야 비로소 아무 생각 없이 쉬게 되는 것이다.

이 고질적 습성으로 고생하고 있음에도 에너지를 바닥까지 소진시키려는 충동을 참는 일은 결코 쉽지가 않다. 몰아치기 대신 모든 일을 조금씩 천천히 하고 조금이라도 피로를 느끼면 일을 멈추는 것이 왜 그토록 어려운가. 그것은 성격과 관련이 있기 때문이다. 나는 성격이 조급하고 통제욕구가 강하다. 그렇기 때문에 우선 내가 완전히 통제할 수 없는 일, 타인·타 조직과 얽힌 일들을 어서 빨리 초스피드로 해치워버리고 싶어 한다. 그래야 기분이 개운하다. 나중으로 미룬다?

마음이 부대껴서 견디질 못한다. 그러고서 '원래 내 일'에 착수하는데, 중간에 끼어든 다른 일들로 에너지가 소진되었다면 내 일을 미루거나 잠시 쉬어가도 될 터.

한데 어쩐지 내 일이 우선순위에서 밀리는 것이 싫다. 어느 정도 원스케줄대로, 제 페이스를 유지해줘야 직성이 풀리는 것이다. 하지 않았다고 해서, 천천히 한다고 해서, 뭐라고 나무라는 사람도 없고 쫓아오는 사람도 없는데 말이다. '해야 한다'고 나를 몰아세워오던 습성이 한편으로는 동력이 되어 그간의 성과를 만들어준 부분도 있었으니 몸에 지독하게 박힐 만도 하다. 그러나 정신이 육체를 지배하던 관계가 영원하기는 힘들 것이다.

쉬는 것을 어려워하는 기저에는 불안증도 한몫을 한다. 쉬거나 노는 것에 소질이 없는 사람들은 대개 가만히 있으면 불안감을 느낀다. 삶이 공허하게 느껴지고 애써 외면하던 본질적 고민들이 불쑥 튀어 오른다. 사실 지금 같은 세상에서 불안하지 않기가 더 어렵지 않은가. 할 수 있는 거라고는 인정하되 바라보는 방식을 바꿔볼 뿐. 요 며칠도 걱정거리가 몇 가지 있어 신경 쓰고, 순간순간 미쳐버릴 것 같고, 눈을 감고 있어도 불안해서 힘겨워하다가 문득 동네 카페 '사직동 그 가게'의 대문 팻말에 쓰인 티베트 속담, '걱정을 해서 걱정이 없어질 것 같으면 걱정할 일도 없겠네'가 떠올랐다. 팽팽한 기타 줄처럼 신경이 날이 서면 이 티베트 속담을 만트라처럼 외우며 심호흡을 반복한다.

쉬는 방법과 마음의 평화를 찾는 방법은 결코 외부에서 먼저 주어지지 않는다. 스스로 배우고 부단히 훈련할 수밖에. 변수가 끼어들 틈을 유연하게 마련하며 20% 정도의 에너지는 항시 비축해둘 것. 조급하고 불안한 성정을 자각하고 내가 모든 상황을 통제해야 한다는 생각을 비울 것. 아무래도 몸과 마음이 '힘이 들지' 않게 하려면 '힘을 빼는' 연습을 해야 할 것 같다. 쉬는 걸 잘 못하는 나를 두고 한 동생이 한심해하며 "언니는 지옥에 가면 지옥불에서 영원히 쉬는 벌을 받게 될 것"이라고 예언했다. 영원히 쉰다니, 아직은 상상조차 끔찍하지만.[26]

20. 함께 살기 위해 필요한 것

　　일본이 다핵종제거설비인 알프스(ALPS)를 통과한 물을 30여년에 걸쳐 태평양에 방류하겠다고 밝히는 시점이 다가온다. 국내에선 때아닌 논쟁이 활발하다. 어떤 이들은 그 물을 처리수라 부르며 인체에 무해하다고 말한다. 국정 고위 책임자들과 원자력 연구자들 가운데는 그 물을 몇 리터라도 마실 수 있다고 장담한다. 그들은 그 물을 원전 오염수라고 부르는 이들이 '괴담'을 퍼뜨리고 있다고 매도한다.

　　환경운동가들과 의사들은 아직 한 번도 경험해 보지 못한 현실이기에 신중해야 한다고 경고한다. 원전에서 나오는 방사선 동위원소 세슘-137은 반감기가 무려 37년이고, 세슘은 해양생물 속에 농축돼 그것을 섭취하는 사람에게 치명적인 결과를 초래할 수도 있다는 것이다. 생식 기능이 떨어지고 기형이 발생할 가능성이 높아질 수밖에 없다.

　　정부도 이런 위험성을 인지하고, 우리 해역과 수산물에 대한 안전관리 강화를 위해 총 177억원 규모의 예비비를 추가 편성했다고 밝혔다. 어민들과 상인들은 해산물 소비가 줄어들지 않을까 염려하고 있다.

　　미묘한 불안감이 우리 삶에 스며들고 있다. 제 아무리 보짱이 굳은 사람이라 해도 불안감조차 물리치기는 쉽지 않다. 소금을 사재기하는 이들도 생기고, 차량을 이용해 소금을 훔치다가 붙잡힌 이도 있다. 아이들의 건강 문제에 예민한 학부모들은 다량의 김을 확보하려 동분서주한다는 소문도 있다.

　　원전 오염수 못지않게 심각한 것이 있다. 거리에 나부끼는 플래카드에 적힌 내용들이다. 대상을 특정하지 않는 분열적 정보가 기관총처럼 우리 가슴을 저격한다. 정당들이 내건 것이든 시민단체가 내건 것이든 부정적인 표현 일색이다. 대립적이고 분열적인 제로섬 사고를 강요하는 정치적 구호를 보며 후련함을 느끼는 사람이 더러 있을지 모르겠지만 국민 대다수는 그런 언어를 폭력으로 경험한다. 그런 텍스트를 접하며 마음이 따뜻해지고 맑아지고 넓어지는 경우는 거의 없다. 다른 이들의 존재를 부정하기 위해 동원되는 수사가 우리 시대의 망탈리테를 만든다면 얼마나 두려운 일인가.

　　고대 그리스 철학자인 이소크라테스는 "진정한 설득은 그럴듯한 말에서 나오지 않는다. 말을 통해 전해지는, 그리고 그 생각을 올곧게 만들어주는 품성에서 나온다"고 말했다. 정치인들의 말을 사람들이 좀처럼 신뢰하지 못하는 것은 뚝별스러운 그들의 언행 속에서 품성이 느껴지지 않기 때문 아닐까? 한나 아렌트는 정치란 '함께-함의 형식을 탐구하고 보존하기 위해서 함께 행동하는 것'이라고 말했다. 함께 살아가기 위해서 가장 필요한 것은 서로에 대한 인정과 존중이다. 상생의 정치는 꿈에 불과한 것일까?

메소포타미아나 그리스 신화의 창세 신화는 폭력으로 물들어 있다. 세상은 신들의 치열한 싸움을 통해 만들어졌다. 세상의 질료는 패배한 신들의 피와 몸이다. 찢긴 몸과 땅에 흐른 피가 세상의 씨앗이라는 것이다. 그런 이야기들은 세상에 만연한 갈등과 전쟁과 폭력의 이유를 설명해주는 데 유용하다. 투쟁은 삶의 불가피한 요소라고 인정하는 순간 세상은 만인에 대한 만인의 투쟁이 되고 만다. 그런 세상에서 평화를 꿈꾸는 것은 몽상에 가깝다. 갈등 혹은 전쟁은 승자와 패자를 낳는다. 승자는 오만에 빠지기 쉽고 패자는 속으로 한을 품는다. 보이지 않는 적대감이 친밀한 소통을 막는다.

성경이 들려주는 창조 이야기는 전혀 다르다. 신은 세상을 말씀으로 창조했다. 창조 작업이 순조롭게 이루어진 것을 볼 때마다 신은 '보기에 좋다'며 기뻐했다. 폭력의 서사가 사라지고 그 자리에 기쁨이 들어선 것이다. 신은 사흘 동안은 뭇 생명들이 살아갈 공간을 만들고 그 후 사흘 동안은 그 공간을 해와 달과 별, 그리고 온갖 식물과 동물로 채웠다. 일곱째 되는 날 신은 안식을 누렸다.

성경의 창조 이야기는 과학자들이 말하는 우주 발생론과 경쟁하지 않는다. 창조 이야기는 세상에 존재하는 모든 것들 속에 깃든 신비에 주목할 것을 요구한다. 세상에 존재하는 모든 것은 다 아름답다. 그것을 함부로 파괴하거나 남용할 권한을 부여받은 존재는 없다. 인간은 신이 만든 세상에 잠시 왔다 가는 존재일 뿐이다.

인간의 욕망을 충족하기 위해 자연을 닦달하는 삶은 결국은 공멸로 이어질 뿐이다. 자연도 함께 살아야 할 소중한 이웃이다. 그 이웃의 신음소리에 귀를 기울이고, 그 고통을 덜어주는 것이야말로 인간됨의 조건이 아닐까?[29]

21. 그리움으로 해내는 일들

이 나라에서 내가 배우는 것 중 하나는 이런 것이다. 사람들이 그리움으로 무얼 하는지. 다시 만날 수 없는 이를 가슴에 품은 채 어떻게 움직이는지.

사랑하는 친구가 크게 다쳤다는 소식을 전해 들었다. 이미 수술실에 들어간 터라 친구 휴대폰의 전원이 꺼진 상태였다. 전화기가 켜지기만을 기다리며 친구의 부드러운 밤색 피부를 떠올렸다. 뒷산을 성큼성큼 오르는 두 다리와 자주 엉키는 머리카락과 툭 치면 흘러나오는 숱한 문장들도 떠올렸다. 그는 아주 많은 책을 외우고 있었다. 친구의 사라짐은 도서관의 사라짐이고 어떤 대화의 멸종이고 다시는 만질 수 없는 살갗일 것이었다.

며칠 만에 다시 휴대폰이 울렸다. 몸 이곳저곳에 깁스와 철심과 붕대를 칭칭 감은, 그러나 또렷하게 살아있는 친구의 목소리가 들려왔다. 그는 부러지지 않은 한쪽 팔로 간신히 휴대폰을 든 채 나를 반겼다. 그의 이름을 부르는 내 음성을 얼마나 귀하게 듣고 있는지 알 것 같았다.

"지금 이 통화, 지금 이 목소리를 영영 못 들을 수 있었던 거잖아. 하나도 당연하지 않은 거였어." 먼 곳에 갔다가 돌아온 사람처럼 그가 말했다. 만남이란 게 그의 안에서 아주 절절한 무엇이 돼 있었다.

이내 친구는 마음 아픈 소식을 들려주었다. 다치기 직전에 아버지가 돌아가셨다는 이야기였다. 몇 겹의 험한 시절을 지나고 있음을 그제야 알아차렸다. 만나보지 못한 아버지의 성함을 물었다. "우리 아빠 이름은 희운이었어. 기쁠 희(喜)에 구름 운(雲)자를 썼어."

희운은 언제나 저것 좀 보라고 넌지시 말해주는 사람이었다고 한다. 창밖의 산수유를. 시간의 흐름을. 코앞에 놓인 어여쁜 것들을…. 희운 때문에 친구는 그토록 자기 아닌 것에 시선을 빼앗기는 사람으로 자랐다. 희운과의 이별을 생각하면 북이 찢어지는 것처럼 가슴이 아프다고 친구는 말했다. 사랑하는 이를 잃은 모든 사람을 의심의 눈초리로 보게 된다고, 도대체 그들이 어떻게 견디는 건지, 무슨 힘으로 살아가는지 알고 싶다고 했다.

가. 그리움을 꽃처럼 쥐고 산다는 것

유족들은 기적에 대해 생각하지 않을 수 없다. 쉼 없이 그것을 바라기 때문이다. 고명재 시인의 산문집 〈너무 보고플 땐 눈이 온다〉에는 이런 문장이 적혀 있다. 외할머니가 돌아가시기 전날 우연히 좋은 식사를 함께 누렸던 어머니의 이야기다. "내 인생은 험하고 아프기도 했지만 내게도 한순간 축복이 왔어. 엄마랑 밥 한 끼 먹는 거. 그 흔한 게 얼마나 기적적인지 이제는 알아."

죽음 옆에 있는 사람들은 다름 아닌 밥 한 끼를 기적이라 말한다. 그런 기적이 일어나지 않아도, 더 이상 볼 수 없어도 계속 사랑할 수 있을까? 이 책에서 시인은 조용히 고개를 끄덕인다. 그리고 덧붙인다. "이것은 참 흔하고 놀라운 끈기입니다. 그걸 꽃처럼 쥐고 살아갈게요." 그리움과 고통, 환희와 슬픔을 꽃처럼 쥐고 살아간다는 것에 대해 나는 배우고 있다.

사진 잡지 '스토크' 39호의 화두는 '애도' 다. 우리는 애도할 일이 많은 나라에 산다. 참사가 잦고 자살률이 높은 국가다. 이 책에서 정혜윤 PD는 대구 지하철 참사 유족들에 대해 이렇게 쓴다. 참사 이후 유족들은 냉소주의자나 은둔자나 복수하는 자 중에서 어떤 것이 되어도 이상하지 않았다고. 그러나 그들은 정말 어려운 정체성을 택했다고. 바로 '사랑하는 자' 였다고…. 유족들이 자문했기 때문이다. 아직 우리들에겐 지켜야 할 사람들이 있지 않나. 자신들의 우연한 비극은 그나마 더 나은 변화 속에서만 의미를 찾을 수 있지 않나.

조사 결과 참사의 규모를 키운 결정적 원인은 불에 몹시 잘 타는 지하철 내장재였다. 이후 유족들은 노조와 함께 대구 지하철 전 차량의 내장재를 불연재로 교체하는 일에 힘썼다. 이런 움직임은 다른 참사에서도 얼마든지 만나게 된다. 같은 책에서 김인정 작가는 이렇게 적는다. "유족들은 뒷이야기를 새로 쓰려고 한다. 같은 이름의 다음 고통을 막기 위해."

나. 남겨진 사람들이 쓰는 뒷이야기

우리는 상실한 이들이 일군 변화에 빚지고 있다. 사랑하는 사람을 잃은 자가 죽도록 애써서 겨우 조금 바꿔놓은 것이 한국 현대사의 한 흐름일 것이다. 지난해 10월29일 이후 여러 달이 지났다.

지난달 30일 국회에선 이태원 참사 특별법이 야당 주도로 신속처리안건(패스트트랙)으로 지정됐다. 하지만 이 법안에 반대하는 여당 의원들은 표결에 불참했다고 한다.

지옥 같은 그리움을 꽃처럼 들고 살아가는 유족들의 이야기가 지금보다 더 귀하게 여겨지기를 간절히 바란다. 상실 이후에도 무엇이 가능한지 알고 싶기 때문이다. 우리 모두는 결국 서로를 잃을 수밖에 없기 때문이다.30)

22. "인간답게 살고 싶다"는 외침

"빠앙." 냉소와 야유를 토해내듯 경적이 울린다. 차량 한 대가 최저임금 인상을 위한 1만2000보 도보행진에 참여한 민주노총 공공운수노조 조합원들을 밀치듯 지나쳤다. 집회와 행진에 참석하다 보면 자주 겪는 일이다. 구호가 적힌 팻말을 들고 지하철을 타면 원색적 비난을 하는 사람을 만나기도 한다. 서로의 남루한 얼굴을 마주하면 대거리를 하는 대신 문구가 보이지 않게 팻말을 돌리고 얼굴도 돌려 버린다. 그래도 분이 풀리지 않는 분들은 뒤통수에 대고 '지랄하네'라는 말을 내뱉는데 문득 뜻이 궁금해 사전을 찾아보니 간질 환자를 비하하거나 마구 법석을 떨며 분별없이 하는 행동을 속되게 이를 때 쓰는 말이다. 온몸을 던져서라도 전하고 싶은 절박한 이야기는 종종 시민들을 불편하게 만든다.

우아하고 조용하게 의사를 관철시키는 사람들도 있다. 최저임금은 자영업자와 노동자의 대결로 중계되지만, 온 국민에게 영향을 미친다. 교통사고 보상기준, 자영업자 손실보상, 장애인 의무고용, 탈북자 이주민 지원, 모성보호 및 육아지원 등 국민을 보호하기 위한 16개의 법률에 최저임금이 활용된다. 이 중요한 임금을 노사 대표와 공익위원들이 결정하는데, 노동자위원이었던 한국노총 김준영 위원이 포스코 하청기업의 부당노동행위에 저항하다가 폭력 연행되고 구속됐다. 노측은 노동자위원을 다시 추천했지만 정부가 거부하면서 회의장에서 노동자대표가 추방됐다. 공평하지 않은 것 같지만 불법은 아니니 내년도 최저임금도 시민들에게 불편을 끼치지 않고 결정될 것이다.

7월 말에는 최저임금보다 중요한 기준중위소득이 결정된다. 기준중위소득은 국민기초생활보장제도의 혜택을 받을 수 있는 소득기준이자 보상기준으로 무려 76개의 복지제도에 영향을 미친다. 기준중위소득은 중앙생활보장위원회라는 곳에서 보건복지부 장관이 임명한 15명의 위원들이 결정한다. 가난한 사람의 생사를 결정하는 이 회의에 참석할 자격을 가진 사람들은 5개 정부 부처 차관과 교수, 연구자, 변호사 등이다. 회의는 비공개다. 근로기준법 바깥 노동자들의 산재 휴업급여도 조용히 삭감됐다. 배달노동자들을 포함한 노무 제공자들은 7월1일부터 보험료는 많이 내지만, 휴업급여는 최저임금 미만으로 삭감된다. 평범한 서민들의 소득은 알뜰살뜰 삭감됐지만, 부자들은 화끈한 감세정책으로 이익을 얻고, 세수는 무려 36조원이 덜 걷혔다.

이 같은 변화들을 정부부처의 보도자료 형태라도 볼 수 있으면 다행인데, 대부분은 국가법령정보센터나 정부 홈페이지를 뒤져 바뀐 시행규칙과 업무처리 지침을 일일이 찾아내야 한다. 이마저도 이해하기 힘든 용어와 수식 때문에 정책이 우리에게 불리하게 바뀌었는지 유리하게 바뀌었는지조차 알기 어렵다. 그래서 일부 국민들은 초대받지 못한 회의장 대신 삶의 터전에서 자기 삶을 결정할 회의를 개최한다. 집회와 행진이다. 행여 세상에 들리지 않을까, 조용히 손을 드는 대신 힘차게 팔뚝질을 하고 큰 소리로 외친다. "인간답게 살고 싶다." 시끄럽고 불편한 이 소리가 들리지 않는 순간, 우리 사회가 지켜야 할 소중한 존재들도 사라질 것이다. 마침 7월엔 민주노총 총파업이 있다. 잠깐의 불편함과 소음만 견딜 수 있다면, 우리 사회에 꼭 필요한 이야기를 들을 수 있을 것이다.[31]

23. 임금 노릇 하기도 어렵고 신하 노릇 하기도 쉽지 않다

잠자리에 누웠던 첫째가 대성통곡했다. 쪽지 시험을 쳤는데 아무래도 0점 같단다. 예전에 20점 받고 혼난 일도 끄집어냈다. 그 점수를 받고도 공부할 생각이 없어 보여서 한 소리였다. 선생님은 '킬러 문항' 없이 초등학교 4학년에 맞는 문제를 냈을 터다. 좋은 경험했으니, 방학 동안 아빠랑 복습하자. 이렇게 한참을 달래 겨우 재웠다.

선생 노릇도 어렵고 학생 노릇도 쉽지 않다. 생각해보면, 사회적 역할 중에 쉬운 건 하나도 없다. 통치자는 그중 가장 심할 것이다. "사람들의 말에 '임금 노릇 하기도 어렵고 신하 노릇 하기도 쉽지 않다(爲君難爲臣不易)'고 합니다. 만일 임금 노릇 하기가 어렵다는 것을 안다면, 이 한마디 말이 나라를 흥하게 하는 것을 기약할 수 있지 않겠습니까?" 한마디로 나라를 흥하게 할 수 있는 말이 있냐는 질문에 대한 공자의 대답이다(논어 자로편).

핵심은 그 역할이 쉽지 않다는 사실을 온전히 받아들이는 데 있다. 통치자라는 역할의 무게를 깨닫고 겸허한 마음을 가져야 한다는 것이다. 송재혁 교수(고려대 아세아문제연구원)는 이 말에서 착안해 최근 세종 평전인 〈세종의 고백: 임금 노릇 제대로 하기 힘들었습니다〉를 출판했다. 저자에 따르면, 세종은 권력과 이념의 대립, 정치적 현실과 도덕적 이상의 대립, 공과 사의 갈등 속에서도 조선을 "정변의 시대에서 통치의 시대로 전환"시킴으로써 비정상의 정치를 '정상화'한 인물이었다.

위대한 세종대왕을 떠올리면 당연한 이야기지 싶지만, 그가 세자로서의 교육을 거의 받지 못했던 젊은 이도(李祹)였다는 점을 생각하면 그렇지 않다. 이 책은 우리가 기억하는 완성된 통치자로서 세종뿐만 아니라, 태종의 셋째 아들로 태어나 갑작스럽게 왕자에서 세자로, 또 세자책봉 2개월 만에 아버지를 상왕으로 둔 허수아비 국왕이 되었던 미완성의 세종을 흥미롭게 그려낸다.

저자에 따르면, 세종은 성공으로 점철된 삶을 살지 않았으며, "오히려 무수한 실패를 겪으며 성장해간 인물"이다. 이 성장의 중심엔 부지런함이 있었다. 우리는 세종을 천재로 기억하지만, 세종의 일생의 행적을 기록한 행장(行狀)은 그의 정치적 삶을 평가하며 "한 번도 조금도 게으르지 않았다"는 점을 강조했다.

노력의 핵심은 배우는 것 혹은 배우려는 자세에 있다. 세종의 형이자 세자였던 이제(李禔)에게 그의 스승 권근(權近)은 이렇게 당부했다. "보통 사람은 비록 한 가지 재주만 있어도 입신할 수 있습니다. 그러나 임금의 지위에 있으면 배우지 않고는 정치를 할 수 없고, 정치를 제대로 하지 못하면 나라가 곧 망하게 됩니다." 이제는 이 말을 따르지 않았고, 태종은 "만약 뒷날에 생사여탈의 권력을 마음대로 사용한다면 예측하기 힘든 일이 벌어질 것"이라고 하며 이제를 폐위했다.

반면, 국왕이 된 젊은 이도는 부지런히 배웠다. 경영관 탁신(卓愼)은 칭찬하며 이렇게 당부했다. "전하께선 이 마음을 지키셔서 게을리하지 마시길 바랍니다. 정사를 처결하고 학문에 힘쓰는 일 외에 다른 생각이 움트지 않게 하시면, 총명함이 날로 깊어질 겁니다." 세종의 행장은 그가 평생 이 말을 지켜 "증빙과 원용을 살피고 조사해, 처음부터 끝까지 힘써 정신을 가다듬어 정치를 도모했다"고 말한다.

통치자의 역할은 누구에게나 무겁고 어렵다. 당연히 실패를 겪을 수밖에 없다. 그러나 겸허한 마음으로 끊임없이 배우고 노력함으로써 미완성의 이도는 위대한 세종대왕으로 기록될 수 있었다. 서두에서 인용한 논어 자로편에는 뒷이야기가 있다. "사람들의 말에 '임금 노릇 하기가 즐거운 것은 아니지만, 내가 말을 하면 아무도 어기지 못하는 것이 즐겁다'고 합니다. 이것이 한마디로 나라를 잃는다는 말에 가깝지 않겠습니까?" 한마디로 나라를 망하게 할 수 있는 말이 있냐는 질문에 대한 공자의 대답이다.[32]

24. 현장에는 시민단체 활동가들이 있다

시민단체 활동가로 사는 일은 고단하다. 한때 정부가 69시간 노동제를 도입하려고 할 때 중견 활동가들이 모였다. "주 69시간만 일할 수 있으면 좋겠다"는 게 중론이었다.

아침에 눈 뜨고, 밤에 잠들 때까지 활동가들은 일한다. 워낙 일이 넘쳐나고, 활동가는 부족하기 때문에 일은 늘 밀려있고, 쌓여있다. 사건의 피해자들을 만나서 얘기를 듣는 일도 힘들고, 사건을 사회적 의제로 이끌어내기 위한 기자회견, 토론회를 해야 하고, 집회와 농성을 준비하고, 정책도 만들어낸다. 1년 차 변호사, 교수가 토론회 자리에서 발제를 하는 동안 10년 차 활동가는 원고를 사정해서 받고 복사물도 준비해야 한다. 우리나라처럼 활동가의 지위가 낮은 곳도 없다. 그런데 여기저기서 욕도 참 많이 먹는 게 활동가다.

요즘은 단체에서 활동할 신입 활동가를 구하기도 힘들다. 청년들일수록 기피하는 분위기가 역력하다. 뜻이 있는 청년들도 활동가 급여 수준을 얘기하면 돌아선다. 겨우 최저임금을 넘기는 수준의 급여를 받고 시민단체에서 일하려는 사람은 찾기 힘들다.

단체의 사정이 어렵다 보니 활동가는 여기저기서 손 벌리고 돈을 만들어와야 한다. 딱한 사정을 하는 다른 단체에서 '후원의 밤'이니 정기후원을 부탁하면 지갑을 열어야 한다. 나도 정기후원을 하는 단체만 한때 50곳을 넘겼던 적도 있다.

가. 현실 제대로 보고 비판해달라

그렇게 30년을 시민단체 활동가로 살다가 퇴직한 한 후배의 소식을 들었다. 경제적 사정이 아주 안 좋은데 빚까지 져서 힘들다고 한다. 노후를 위한 준비는커녕 당장 먹거리를 해결할 방안이 막막하다는 얘기를 아프게 들어야 했다. 시민단체의 리더로 활동하다 정치권으로 넘어가는 이들도 더러 있기는 하지만, 여전히 세상을 변화시키겠다는 일념으로 고된 활동을 마다하지 않으면서 묵묵히 현장을 지키는 활동가들이 있다.

요즘엔 대통령과 정부가 나서 시민단체 때리기를 하는데 그에 편승해서 순가락 없는 인사들의 칼럼이나 글을 많이 본다. 시민단체에 대한 평판이 많이 나빠졌고, 위상도 약화된 것은 맞지만 시민단체를 비판하려면 최소한 정부가 몰아가는 발표에 의존하지 말고 제대로 현실을 보고 비판했으면 한다.

먼저 정부가 말하는 '민간단체'에는 과거부터 관변단체로 지원을 우선적으로 크게 받아온 유명한 단체들도 포함돼 있고, 뉴라이트 계열의 우익 단체들도 포함돼 있다.

시민단체에는 몇 년 전에 세상을 시끄럽게 만들었던 '어금니 아빠' 같은 사람들이 만들어 사적인 이익을 충당한 그런 단체들도 포함돼 있다. 그러므로 이런 구분 없이 어떤 조사를 하거나 그걸 근거로 해서 시민단체를 매도하는 일은 '일반화의 오류'에 빠질 공산이 크다. 대통령이 지르고, 정부가 국고보조금을 지원받는 단체들을 탈탈 털어서 조사해놓고는 문제가 되는 단체들을 익명처리한 이유는 무엇일까?

국가로부터 보조금이나 지원금을 받는 경우에도 그렇다. 회계 처리가 지나칠 정도로 까다롭고, 내부·외부감사까지 받아야 한다. 요구하는 행정절차와 서류들이 너무 많기 때문에 소수의 활동가로 유지되는 단체들은 엄두도 내지 못한다. 그래도 필요한 일이니 보조금, 지원금을 받아서 일을 하다 보면 곧 후회를 한다. 돈 있으면 절대 안 하고 싶은 일이다. 그럼에도 회계부정을 저지르는 단체가 있다면 그 노하우는 무엇인지 궁금하다.

민주주의 사회일수록 시민사회가 강하다. 활성화돼 있고, 건강하게 성장하고 있다. 선진국일수록 시민사회를 인정하고, 그들의 말에 경청하며, 협치를 실현한다. 시민단체들의 활동과 성장을 돕는 정부 기관이 있는 나라도 있다. 그만큼 시민사회는 정부나 기업이 할 수 없는 자리에서 일을 한다. 그런 활동가들이 재정을 걱정하지 않고, 가치를 추구하는 활동을 할 수 있으면 그 사회는 더욱 민주화될 것이다.

나. 지속 가능한 활동 조건 고민했으면

"진보는 보조금으로 오지 않는다"고 훈수 두시는 분들은 먼저 '기부금품의 모집 및 사용에 관한 법률'을 보시길 권한다. 시민사회도 성찰하고, 재정적 독립을 할 수 있도록 분발해야 한다.

그와 함께 비난에 앞서 시민단체가, 활동가들이 지치지 않고 활동할 수 있도록 지속 가능한 활동 조건을 만들 것인가를 함께 고민해주시기를 간절히 바란다. 시민사회가 약화되면 그 손해는 고스란히 시민들에게 돌아간다는 사실도 함께 생각해달라고 말하고 싶다.[33]

25. 세종이 문필가를 키운 까닭은

　서울에서도 고가 아파트들이 몰려 있는 서울 '압구정' 동은 본래 조선 시대 유명한 인물인 한명회가 지은 정자 이름에서 비롯되었다. 그런데 이 정자 이름을 지은 이는 한명회 자신도 아니고 당대 조선 사람도 아닌 명나라의 예겸(倪謙)이라는 인물이다. 그는 명나라에서도 문필로 이름 높았던 인물이다.

　세종이 사망한 해인 1450년에 명나라 한림원 시강 벼슬에 있던 예겸이 조선에 사신으로 왔다. 처음에 예겸은 자신의 시 짓는 솜씨를 드러내지 않았다. 그가 조선에 와서 처음 지은 시를 본 후 조선 관리들은 한편으로 안도했고, 다른 한편으로 무시하는 마음을 가졌던 것 같다. 그것은 오판이었다.

　당시 조선에서는 명나라에서 사신이 오면, 한강에 배를 띄우고 그 위에서 파티를 벌였다. 겉으로는 질탕한 유흥처럼 보이지만 실은 그렇지 않다. 그것은 치열한 외교의 장에 가까웠다. 기본적으로 지식인이자 문필가였던 전통시대 중국 사신과 조선의 관리는 각자 자기 나라를 대표해서 시를 통해 글재주를 겨루었다. 한강에서 배가 나아가며 보여주는 강가 풍경을 소재로 즉석에서 시를 지어 주고받았다. 당시 예겸은 35세였고, 그를 상대하는 조선 측 책임자인 관반사(館伴使) 정인지는 그보다 열아홉 살이나 많은 54세였다. 성현이 지은 〈용재총화〉에 따르면 예겸이 먹을 찍어 붓을 휘두를수록 명시가 나오는 것을 보자, 동승한 조선 관리들은 자신도 모르는 사이에 무릎을 꿇고 정인지도 대적할 수 없었다고 한다. 사실 정인지도 젊은 시절부터 자타가 공인하는 수재였다.

　이 소식이 곧 세종에게 전해졌고 그는 성삼문과 신숙주를 급파했다. 성삼문은 예겸보다 세 살 적은 32세였고, 친구 신숙주는 33세였다. 세 사람은 끊임없이 시를 지어 이어가면서 서로에게 깊은 호감을 갖게 된다. 다시 〈용재총화〉에 따르면 예겸은 "두 선비를 사랑하여 형제의 의를 맺고 서로 시를 주고받기를 그치지 않았다. 예겸이 일을 마치고 돌아갈 때 그들은 서로 눈물을 닦으면서 작별했다"고 한다. 성현은 성삼문보다 스물한 살이나 적지만, 선상에서의 시작(詩作) 경쟁 장면을 생생하게 적을 수 있었던 것은 큰형 성임 덕분이다. 성임은 성삼문보다 세 살 적지만 신숙주, 성삼문과 함께 관직생활을 했다.

　이해에 조선에서 처음으로 〈황화집(皇華集)〉이 나온다. 예겸, 성삼문, 신숙주가 서로 주고받은 시를 모은 시집이다. '황화'는 중국 사신을 뜻한다. 이후 황화집 간행은 관례가 되어 왕대마다 발간되었다. 영조 때는 각 시대의 황화집을 모아 간행하기도 했다.

조선이 건국 이래 가장 심혈을 기울인 사항 중 하나가 중국과 평화적 교류를 유지하는 것이었다. 조선에 중국은 얻어낼 것도 많고 조심할 것도 많은 상대였다. 중국과의 전쟁은 조선이 가장 피하고 싶은 일이었다. 세종이 집현전을 세워 문필에 뛰어난 인재를 키운 이유 중 하나도 이를 위한 것이었다. 이런 노력의 결과로 조선은 명나라와의 외교 갈등을 관리할 수 있었다.

긴 시간에 걸쳐서 한국과 중국의 관계를 보면 묘한 특징이 발견된다. 한국과 중국의 역대왕조는 건국과 패망 시기가 비슷하다. 심지어 전통시대가 끝난 20세기에도 그렇다. 대한제국이 1910년에 패망했고, 2년 뒤 중국 마지막 왕조 청나라가 패망했다. 또 한국이 1948년에 건국되었고 중화인민공화국은 그 1년 뒤에 건국되었다. 또 흥미롭게도 송나라, 명나라 같은 한족 계열 왕조와는 전쟁이 없었던 반면, 한족이 아닌 왕조인 원나라, 청나라와는 큰 전쟁이 있었다.

근년에 들어 한국과 중국 간에 긴장이 높아지고 있다. 정부 차원에서 그렇고 민간 차원에서도 그런 경향이 짙어지고 있다고 한다. 당연히 외교는 한쪽의 노력으로만 좋은 결과를 낼 수는 없다. 역사를 통틀어 양국 관계의 안정은 서로에게 국내적으로도 대단히 중요했다.[34]

26. 정치는 왜 존재하는가

영국 정치학자 버나드 크릭은 '정치는 나와 의견이 다른 사람들의 이야기를 잘 들은 다음 달래고 조정해서 타협시키는 것'이라고 봤다. 미국 정치학자 스콧 아들러와 존 윌커슨은 정치의 역할이 사회 문제를 실제로 해결하는 것이라고 말했다. 이처럼 정치의 역할을 갈등의 조정과 문제의 해결이라고 한다면, 지금 한국에 정치는 존재하지 않는다.

정치란 사람들의 삶에 대한 일을 다루는 것이다. 그래서 부족 정치, 진영 정치, 팬덤 정치, 패거리 정치 등 뭐라고 부르든, 사실 여기에 정치는 없다. 최근 몇달 사이 국민들의 삶에서 중요한 일은 전세사기 문제였다. 만약 정치가 존재했다면, 정부·여당은 문제를 적극적으로 해결하면서 이전 정부의 실책을 공격했을 테고, 야당은 문제 해결에 미온적인 정부를 비판하면서 처음부터 피해자 면담과 전수조사에 당력을 집중했을 것이다.

그러나 두 정당은 반대로 행동했다. 정부는 사태를 수수방관했다. 사회적 재난이 아니라 개인들 간의 거래 문제라며, 헌법에 명시된 기본권인 주거권을 대놓고 무시했다. 그렇다고 야당이 의욕을 보이지도 않았다. 피해자들이 목숨을 끊으며 억울함을 호소하기 전까지 야당은 어떤 적극적인 움직임도 보이지 않았다. 사태를 해결하기보다 겨우 현상 유지만 시켜놓은 수준의 법을 통과시킨 후에는 여야는 이 문제를 싹 잊었다. 올해 말부터 본격화할 것으로 예상되는 깡통전세 문제에 대해서는, 사전에 사태를 방지하기보다 이를 어떻게 상대의 책임으로 돌리느냐에만 관심이 있어 보인다.

후쿠시마 오염수나 서울~양평 고속도로 문제는 어떤가? 사실 이 두 가지는 국민의 삶에 직결되는 사안이다. 문제는 접근과 해결 방식이다. 불과 3년 전, 후쿠시마 오염수 방류를 강력히 반대했던 국민의힘은 철면피들처럼 입장을 바꿨다. 김기현 대표와 원희룡 국토교통부 장관의 당시 주장은 지금 야당과 판박이처럼 같다. 정부는 후쿠시마 오염수 문제에 대해 어떤 설득력 있는 과학적 근거도 내놓지 못하고 있다. 그저 '가짜뉴스' 프레임으로 일관하는 중이다. 야당은 전 국민의 85%가 반대하는 사안을 '민주당의 이슈'로 축소시켜 버렸다. 오염수 방류가 심각하다고 생각하던 사람들조차 민주당이 나서자 다시 생각해 볼 정도다. 문재인 정부 당시의 입장과 달라진 것이냐는 질문에도 답을 하지 않는다.

서울~양평 고속도로는 서울과 경기도 시민들의 불편이 본질이다. 정부·여당은 노선 변경 과정을 상세히 밝힐 수 있는 능력을 갖고 있음에도 마치 제 발 저린 도둑처럼 판을 엎어버렸다. 내용을 설명하기보다는 직을 걸겠다는 식의 무논리로 일관하고 있다. 야당은 노선변경에 따른 이용자들의 불편을 강조하기보다는 비리 여부에만 집중했다. 그러다보니 여당의 물타기 전술에 말려들었다. 시·종점은 물론 전체 노선의 50% 이상이 바뀌고, 국도 6호선의 상습정체 해소라는 본래 목적이 사라진 이 노선 변경에 대해 야당이 정공법으로 대처했다면, 이런 일이 벌어졌을까?

대학수학능력시험(수능)을 둘러싼 문제는 더욱 한심하고 답답하다. 대한민국 교육의 문제가 단순히 '킬러 문항' 몇 개를 없애서 해결된다는 말을 믿을 사람이 얼마나 되겠는가. 그런데도 정부·여당은 대통령이 마치 최고의 교육전문가라도 되는 것처럼 지시사항을 금과옥조처럼 떠받들고 있다. 부끄럽다 못해 딱한 지경이다. 야당은 이에 대해 맹공격을 퍼붓고 있지만, 사실 킬러 문항 폐지는 민주당 대선 공약에도 들어 있었다. 그래서 이런 생각까지 해본다. 만약 문재인 대통령이 수능이 어려워서 문제라고 했다면, 민주당은 지금 여당과 다른 태도를 보였을까?

정치가 이 수준일 때, 국민들은 어떻게 살아가고 있을까? 며칠 전, 아버지에 이어 아들이 일터에서 추락해 숨졌다. 20년 전 아버지는 건설 현장에서 돌아오지 못했고, 이듬해부터 아들은 조선업계에서 일해 왔다. 그리고 같은 유형의 사고를 당했다. 고인의 동생은 "아버지가 돌아가셨을 때는 어려서 잘 모르고 눈물만 흘렸다. 이제 형까지 같은 사고를 당해서 이게 무슨 일인가 싶다. 우리 가족의 비극이 다시는 반복되지 않아야 한다"고 말했다.

지난 한 해 동안 '322명'의 노동자가 '추락'으로 '사망' 했다. 중대재해처벌법이 시행된 지 1년이 넘었고 10대 건설사 중 9곳에서 사망자가 나왔지만 기소된 곳은 없다. 이런 문제에 관심을 갖고, 누군가의 탓을 하기보다 현장 실태와 제도의 허점을 살피고, 당사자들을 설득하고 쟁점을 조정해 사람을 살리려고 하는 정치를 기대하는 것은 불가능한 일처럼 보인다. 그런 곳에서 누가 대통령이 되고 누가 국회 다수당이 된들, 그게 다 무슨 소용이겠는가.[35]

정치는 왜 존재하는가? 너무 어이없는 질문이다. 당연히 나라를 든든히 지키고 국민들이 잘 살 수 있게 하기 위해서 정치인들이 정치를 하는 것이 아니겠는가!

세계 여러 나라들의 지난 정치사를 돌이켜 보면 훤히 알 수 있다. 잘 살다가 한 순간에 어렵게 살게 된 나라들을 보면 한결같이 정치인들의 부정 부패. 잘못된 정책들 때문이다.

한 사람의 지도자 혹은 그와 함께 한 무리들의 잘못으로 인하여 나라가 수렁으로 빠지고 수천. 수억 명 국민들의 삶이 힘들어지고 후진국이라는 나락으로 떨어지는 것을 볼 수 있다. 다행히도 우리나라는 대통령 한 사람의 잘못으로 나라가 수렁으로 빠지고 나라의 역사가 바뀌는 그런 후진국에서는 탈피를 했지만 또 어떻게 될 지 모른다.

왜 이런 정치가 되었는지 모르겠다. 불과 20년 전 만 하더라도 이 정도 상황은 아니었다. 어느 순간 정치 지형이 급변하더니 지금 이 지경까지 이르렀다.

정치란 모름지기 국민이 잘 살 수 있는 나라만 만들면 된다. 목표만 정확하면 된다. 국민, 백성들만 생각하면 되는 것이다.

안 된다는 것은 무슨 이유냐? 국민말고 정치하는 자신부터 생각하니까 그렇게 못 하는 것이다. 자신과 주변 측근 패 거리들만 생각하니까 안 되고 못 하는 것이다.

또 선거가 가까이 온 것을 느끼겠다. 벌써부터 선거 중심으로 정치가 움직이고 있다. 자기 측근을 심으려고 힘 있는 줄에 서서 공천을 받으려고 난리 부르스를 추고 있는 것이 보인다.

이번 선거에는 제발 국민을 생각하는 사람이 많아졌으면 좋겠다. 별의 별 물을 다 마셔 본 다선 의원들은 그만 좀 쉬고 젊고 깨끗하고 거기에 참신하기 까지 한 사람들이 전면에 나서서 대한민국 정치를 한번 뒤집어 놨으면 좋겠다.

국민들이 하는 소리도 좀 들어봐라. "대한민국은 정치만 후진국이다. 정치 때문에 발전을 못 하고 국민들이 힘 들다." 양심이 일말이라도 있다면 이번에 그만 내려 놓아라. 그대들 말고도 잘 할 사람이 정말 많이 있다. 그대들이 가로막고 있으면 아무 것도 안 된다.[36]

27. 다른 소리를 위한 장소들

다른 나라의 대도시를 방문할 기회가 생기면 반은 호기심, 반은 의무감에 어떤 장소들을 찾아보곤 한다. 음악을 듣는 일을 직업으로 삼고 있으니까 공연장 한번 다녀와야겠다는 마음으로, 음악을 위한 장소들을 찾는 것이다. 잘 모르는 곳에 간다면 검색어는 큼지막한 것부터 시작한다. 이를테면 '이탈리아 밀라노 공연장' '일본 오사카 콘서트홀' 같은 말들. 이렇게 검색했을 때 상단에 나오는 결과는 대체로 나라의 지원으로 건설된 공연장으로, 보통은 중심부에서 멀지 않은 데다 교통의 요지에 있고, 건물 전체를 사용한다. 이런 곳에서 내가 들을 수 있던 음악은 큰 후원단체를 확보하고 수많은 인프라가 관여해 만들어지는, '고전' 이라 불리는 서양음악이었다.

서양 고전음악을 대하는 태도도 도시마다 다르므로 이런 공연을 보는 일도 무척 즐거웠지만, 어느 순간 덜 안정화된 음악을 듣고 싶다는 생각이 찾아왔다. 공통관습으로 묶이지 않는 데다 아티스트의 손 밖으로 나온 지 얼마 되지 않은 날 것의 음악들. 그즈음부터는 검색어도 바뀌었다. '태국 방콕 실험음악' '미국 뉴욕 즉흥/노이즈' '네덜란드 로테르담 언더그라운드 음악' 같은 말들. 이들은 대체로 지하에 자리하거나 건물의 로비를 공연장으로 바꾸어 사용했고, 운 좋게도 오랜 시간 공간을 야금야금 확장해온 경우엔 여러 건물의 부분들을 이어 땅굴 같은 공간을 만들어두기도 했다.

그런 곳에서 내가 만난 음악은 다른 도시에서 만날 수 없는 시끌시끌하고 낯선, 음악에 대한 생각을 점검하게 만드는 음악이었다. 어디에서나 공연될 수 있는 것이라기보다는 바로 그 장소였기 때문에 비로소 확성될 수 있는 음악인 것 같았고, 그런 작은 공간들에서 나는 그 지역의 음악가 개개인들이 만드는 고유한 음악들을 살펴볼 수 있었다.

운 좋게도 내가 사는 도시 서울에도 그런 음악 공간들이 곳곳에 있었다. 즉흥/실험음악을 위한 공간을 꾸준히 열어두고 있는 닻올림과 게토얼라이브, 전자음악가를 비롯한 다양한 음악인이 오가던 무대륙 등. 이들은 어느 순간부터 음악가 개개인이 모일 수 있는 느슨한 중심지들로 자리해 왔다. 비교적 최근에 생겨난 곳들도 있다. 동시대 실험음악과 예술 서적을 큐레이션해 소개하는 서적/음반 전문점이자 다양한 이벤트를 개최하는 서울 마포구의 로프 에디션스는 얼마 전 3주년을 맞았고, 하드한 음악을 틀기로는 둘째가라면 서러운 충무로의 ACS, 즉흥음악가들과 서양음악, 한국음악을 모두 유연하게 다루는 음악가들이 모여드는 동작구의 중력장 등이 그런 예다.

꽤 오랫동안 운영해온 공간들 외에, 새로 문을 연 공간의 행보를 지켜보면서 이전에는 잘 모르던 것들을 발견하게 됐다. 어딘가에 뿔뿔이 흩어져 있어서 그런지 그동안 잘 보지 못했지만 이런 구체적인 장소가 생기자마자 기다렸다는 듯이 이곳을 찾아오는 이들이 있었다는 것이다. 그런 장소를 찾아온 이들이 만나고 충돌하자 금방 또 새로운 흐름이 생기는 것만 같았다. 그런 장면들을 보며 음반 중심의 문화가 강해질수록 장소의 중요성이 흐려지는 것만 같았지만, 여전히 음악을 위한 장소가 곳곳에 필요하다는 사실을 새삼 깨닫곤 했다.

결코 하나의 가치로 묶일 수 없는 데다가 매번 무슨 일이 벌어지고 있는 것인지 물어야 하는 그 음악의 현장에서 나는 이상하고도 즐거운 너그러움을 느낀다. 이런 장소에서 만날 수 있는 음악을 한마디로 딱 잘라 형용하기는 어렵다. 그건 불안을 감수하고서라도 다른 소리를 만들어내려는 힘들, 깜깜한 곳에서 헤매는 움직임, 안정보다는 불균형한 것들, 작거나 아주 크거나, 너무 느리거나 빠르거나, 조금 이상하거나 혼란스러운 어떤 소리들로 이루어져 있다. 다른 곳에서 항의를 받고 사라지거나 다른 소리 뒤에 가려졌을 수도 있는 음악들이지만, 다른 소리를 위해 만들어진 장소들은 그 음악을 태연히, 그리고 소중히 받아들인다.[37]

28. 환상 속의 그대

"모든 것이 이제 다 무너지고 있어도 환상 속엔 아직 그대가 있다." (서태지와 아이들 '환상 속의 그대')

발표된 지 30년이 지난 노래인데도 적재적소의 상황이 되면 어김없이 머릿속에서 자동 재생된다. 정신적으로 강인할 뿐 아니라 생물학적 한계를 뛰어넘는 신체적 역량을 갖춘 한국의 청년 여성들에 관한 뉴스를 접할 때가 그런 순간이다.

이를테면, 파충류와 조류에서는 종종 관찰된다지만 인간 여성이 단성생식으로 출산에 성공했다는 이야기는 아직 들은 적이 없다. 그러나 나만 모르고 있었을 뿐, 한국 여성들은 이미 이를 성공적으로 해내고 있는 것으로 짐작된다. 그렇지 않고서야 영아 유기, 영아 살해 같은 끔찍한 사건 보도에 어떻게 줄곧 '친모'만 등장할 수 있겠는가.

베이비박스에 아기를 유기하는 것도, 모텔 화장실에서 원룸에서 홀로 출산한 아기를 방치하는 것도 모두 여성들이다. 게다가 이들은 화장실에서 혼자 출산을 하더라도 벌떡 일어나 아기를 병원에 데려갈 정도의 신체적 역량과 강인한 정신력을 갖추고 있다.

어떠한 역경이 닥치더라도 아이 하나쯤은 혼자 거뜬히 키워낼 수 있는 존재가 바로 한국 여성이다. 이렇게 유능한데도 임무를 성실하게 수행하지 않는다면 비난받아 마땅하고 법적 처벌도 피할 수 없다.

한국 여성은 각자도생의 해결책을 마련하는 데에도 탁월한 역량을 가지고 있다. 예컨대 임신중지가 더 이상 불법은 아니라지만, 그렇다고 마땅한 체계도 없는 상황이 몇 년째 지속되고 있다.

세계보건기구(WHO)의 필수의약품 목록에 등재까지 된 내과적 임신중지 약물은 아직 국내에서 처방받을 수 없다. 정식 수입이 이루어지지 않고 있기 때문이다. 외과적 시술의 경우에도 여전히 건강보험이 적용되지 않는다. 여성들이 어떻게 이 문제에 대처해나가고 있는지 실태 파악도 충분하지 않다. 보건복지부와 국회는 그저 느긋하고, 여성들은 낙태죄 폐지 이전과 크게 달라지지 않은 방식으로 어려움을 각자 헤쳐 나가는 중이다. 왜? 그들에게는 능력이 있으니까!

그런가 하면 더 오래, 더 열심히 일하고 싶은데 주 52시간이라는 노동시간 상한 규제 때문에 그렇게 하지 못해 속상하다는 MZ세대 노동자들이 소리 소문 없이 사라진 빈자리를 여성 청년 노동자들이 채우고 있다.

밝은 표정으로 나타나 실업급여를 신청하고, 그 돈으로 구입한 멋진 샤넬 선글라스를 착용한 채 해외 여행길에 오르는 이들이다. 고용센터를 방문할 때 스타벅스 커피까지 들고 갔더라면 좀 더 완벽한 그림이 나왔을 텐데 이걸 놓친 점이 못내 아쉽다. 이들은 고용보험제도에 대한 지식도 탁월하여, 몇 달만 일하고 '시럽급여'를 받으며 편하게 살아가는 노하우를 알고 있다.

여성이 남성에 비해 비정규직 비율이 높고, 소규모 영세사업장에서 일하는 경우가 흔하며, 사측의 인원 감축이나 계약만료 등으로 인한 실직이 더 많다는 것, 실업급여의 기준이 되는 임금액이 더 낮다는 등의 객관적 지표 따위는 중요하지 않다. 한국 청년 여성 노동자는 그깟 어려움에 쉽사리 꺾이지 않는다. 미국의 복지퀸이 복지수당에 '의존해' 살아가는 가난한 동네의 흑인 싱글맘이라면, 신흥 K복지퀸은 실업급여를 '즐기는' 청년 미혼 여성이다. 공자께서도 일찍이 '아는 자는 좋아하는 자만 못하고, 좋아하는 자는 즐기는 자만 못하다'고 하셨다.

사회경제적 불평등은 나날이 심화하고 일자리는 더욱 불안정해지는 가운데, 구조적 문제에 대한 책임을 개인에게 전가하는 일이 점차 늘어나고 있다. 국가는 특히 청년 여성을 겨냥하며 큰 힘에는 큰 책임이 따른다는 것을 강조하는 모양새다.

문제는 그 청년 여성이 현실이 아니라 그들의 환상 속에만 존재한다는 점이다. "그대의 환상, 그대의 마음은 위험하다." [38]

29. 예민함에 대한 오해와 이해

여러 커뮤니티에서 '예민함 테스트'가 화제다. 생각보다 예민하게 나왔다거나 둔감하게 나왔다거나, 우울·불안증 항목에 가까워 보인다거나 하며 수다꽃을 피운다. 정확성과 상관없이 성격테스트는 늘 관심의 대상이라 유행처럼 돌고돈다. 무수한 성격표현 단어들이 그렇듯이 '예민함'의 의미도 간단치는 않다. 각자의 기준에 따라 상대적일 수 있고, 정상 범주라면 모든 일에 예민하거나 둔감할 수도 없다. 사람은 누구나 힘들고 불안할 때나 중요한 의미가 있는 일에 민감하고 까다로워진다.

평소와 달리 과민해진 모습을 느낀다면, 비난이나 자책 이전에 상황과 이유를 들여다볼 필요가 있다. 심리학자들은 "특정 분야의 예민성은 재능과 관련이 있다"고도 이야기한다. 청각에 민감해야 음악을 할 수 있고, 미각에 까다로워야 요리사가 되고, 소외된 음지의 사람살이까지 통찰해야 좋은 정치가나 리더가 될 수 있는 것과 같은 이치다.

무엇보다 중요한 것은, 예민함이란 '느끼는 수준만이 아니라 대응과 표현의 수준도 포함'하는 것임을 이해하는 것일 듯하다. 나는 가족 중 내가 가장 예민한 기질이라고 생각해왔는데, 올케를 통해 무던하고 원만하다고 느꼈던 남동생도 예민하고 섬세하다는 말을 듣게 됐다. 올케가 바라보는 기준 역시 다를 수는 있겠지만, 원가족이었음에도 간과했던 이유를 문득 깨달았다. 나의 예민함이 나의 세계에 국한돼 있던 동안, 다른 가족들은 서로의 상황까지 살폈던 것이 아닐까. 나야말로 감정과 생각에 몰입돼 정작 더 배려하고 이해했던 마음들에 가장 둔감했던 것이 아닐까 싶었다.

고성능 자동차일수록 충돌방지 센서가 민감하다. 돌발적인 외부요인이나 위험요소에 더 신속하고 유연하게 대처할 수 있어서다. 사람도 비슷한 것 같다. 살아가며 만나는 무수한 갈등 상황에서 그저 타인의 결함과 부족함만을 비난·비판하며 좌충우돌하는 사람과, 다수의 입장과 상호작용까지 읽어내 사전에 갈등을 예방하고 화합과 균형을 유지하는 사람 중 누가 더 고성능 센서를 가진 사람일까. 백성들이 왕이 있는지조차 몰랐다는 중국 요순시대를 통치의 모범으로 꼽는 이유는, 일상이 평안해 정치를 의식하지 못할 만큼 섬세하고 폭넓게 살피고 조율했기 때문일 것이다.

늘 도통한 듯 세상을 굽어보고 방관하는 태도를 지성이나 균형이라 생각하지 않는다. 불합리와 부조리가 만연한 세계엔 더욱 예리하고 까다로워져야 할 것들이 넘쳐나서다. 손쉬운 양비론으로 대인배인 것처럼 하는 이들이 자신의 사소한 이권에는 극도로 민감해지는 흔한 일상의 풍경이야말로 우습다. 다만 올바름을 추구하는 과정에서 자신 또한 다른 사람에게 저지를 수 있는 무례와 폭력, 상처까지 인지해야 한다는 것이다. 최상의 예민함이란 일방성이 아닌 상호성에, 분쟁보다는 평화를 도모하는 능력이다. 어떤 상황에서 어떻게 어느 정도 발현되느냐가 문제일 뿐, 좋은 의미의 섬세함에서 다소 부정적 의미인 까탈스러움까지 포함하는 '예민함'이란 모든 진화적 특성이 그렇듯 좋은 것도 나쁜 것도 아닌 가치중립적인 특성이다. 강박에 가까운 과민함으로 자신과 다른 사람을 괴롭히거나 지치게 만들지만 않는다면, 존재하는 모든 생명체는 어느 정도는 갖고 있는 생존 요소이기도 하다.

유난히 우울감이나 불행감을 느끼는 사람들 중엔 자신의 예민함을 남다름이나 천재성으로 이해받고픈 욕구에 갇혀 있는 경우도 많다. 자신의 내면과 극소수의 주변인에게만 밀착한 좁은 자아에서 벗어나야 자유로워진다.

누군가를 민감하다고 믿건 무던하다고 믿건, 자신의 인생과 행복에 둔감한 존재는 없다. 함께 살아가는 세상에서 더 깊고 넓게, 더 멀리 보며 배려하는지조차 느낄 수 없을 만큼 배려와 자제를 실천하는 이들의 상호 노력으로 우리의 삶이 지탱되고 있음을 자각하는 예민함이 필요하다.[39]

30. 행복한 순간은 왜 짧을까

행복은 언제나 느낄 수 있는 당연한 감정이라기보다는 무엇을 성취하거나 획득하는 과정에서 느끼는 순간적인 감정이다. 행복의 사전적 의미는 우연히 찾아오는 복(福)을 뜻하며, 영어 Happiness의 어원도 우연히 일어난 일이라는 Hap에서 기원하는 것으로 알려져 있다. 행복을 원하는 노력에 비해서 그것을 느끼는 순간은 짧을 수밖에 없다.

행복한 감정이 이처럼 짧은 데에는 몇 가지 이유를 찾아볼 수 있다. 행복한 기억만 오래 간직하며 느긋하게 지내기보다는 불쾌하거나 고통스러운 경험 또는 위험한 사고의 순간을 오래 잊지 않고 안전을 도모하는 것이 생존에 훨씬 유리하기 때문이다. 가족 여행에서 재미있는 시간을 보낸 것보다는 교통사고를 당할 뻔한 충격적인 기억은 훨씬 오래 잊히지 않을 것이다.

또 우리는 이익보다는 손해를 더 크게 느끼는 경향이 있기 때문에 행복보다는 고통을 더 강하게 느낀다고 생각할 수 있다. 흔히 남에게 받은 것보다 베푼 것이 더 많은 것으로 기억하는 경향이 있지 않은가? 게다가 행복한 느낌에 익숙해지면 시일이 지날수록 그 강도는 약해지기 마련이다. 복권에 당첨되거나 원하던 대학이나 직장에 들어갔을 때 맨 처음 느낀 강렬한 희열도 시일이 지나면 시들해진다. 행복의 기준이 자주 바뀌는 것도 문제가 된다. 취업에 목을 매고 있다가도 직장에 들어가면 이 사람만 없으면, 이 일만 아니면 좋겠다고 생각한다. 집 한 칸을 소원하다가 막상 생기면 더 큰 평수를 원한다.

그럼에도 불구하고 많은 사람은 행복을 추구하는 데 열심이다. SNS에서 남들의 행복한 모습을 보면서 계속 새로운 자극을 찾는다. 명품이나 신상을 구매하고, 맛집들을 순회하며, 인기 있는 국내외 장소를 부지런히 돌아다닌다. 현대 소비사회에서는 불행을 멀리하고 행복을 강조한다. 외모와 소유물, 거처를 부단히 바꿔야 남들보다 행복을 느낄 수 있다고 유혹한다. 주변 사람들과 비교하기 시작하면 언제나 자신이 더 부족하고 아쉬운 점이 많다고 여기며 자신보다 열악한 상황에 처한 사람들과 하향 비교에는 관심조차 두지 않는다.

그러나 우리의 삶이 과연 온갖 수단으로 가능한 한 오래 행복을 유지하는 것을 궁극적인 목적으로 하고 있는가? 행복한 느낌에 장기간 취하게 된다면 느긋한 만족감보다는 오히려 권태롭고 생활의 방향과 동력을 잃게 될지도 모른다. 우리는 영원한 행복을 바라는 것 이상의 능동적인 존재다. 불교에서 제시하는 열반은 지극한 행복이 아니라 그 욕망에서 자유로워지는 것이다. 지금 행복하지 않다고 해서 불행하다고 생각하기보다는 평범한 일상이 행복이라는 겸허한 자세가 필요하다. 행복은 목표가 아니라 삶의 방식이며, 가진 것에서 오는 것이 아니라 그것을 대하는 태도에서 온다.

우리를 진정 행복으로 이끄는 것은 행복을 위한 끊임없는 경쟁이 아니라 자신을 있는 그대로 받아들이며 현재의 상태에서도 만족할 수 있는 소박함이다. 우리가 살면서 느낄 수 있는 행복은 가끔씩 이어지는 사소한 즐거움과 만족에 있다. 교통사고 후 끔찍한 장애를 어렵사리 극복한 어느 여인의 충심 어린 고백, "행복은 강도가 아니라 빈도"라는 말을 되새겨 볼 필요가 있다.[40]

31. 저출생 극복 노력하면 성평등상?

서울시가 수여하는 '성평등상'이 올해 20회를 맞는다. 최근 5년간 'n번방 방지법'과 양육비이행법 개정을 이끈 한국여성변호사회, 문단 내 성폭력 실태를 고발해 '미투(#Me Too)' 운동을 확산시킨 최영미 시인 등 성평등 문화 확산에 공적이 있는 시민·단체가 대상을 수상했다. 일본군 위안부 피해 실상을 고발한 고(故) 김복동, 길원옥 할머니도 이 상을 받았다.

그러나 올해 성평등상 시상 계획을 보면 상의 취지가 흐려졌다는 인상을 받는다. '저출생 문제 극복 노력'이라는 새로운 분야가 추가됐기 때문이다. 지난해까지는 '성별을 이유로 한 차별 철폐와 양성평등 촉진 확산' '젠더폭력 근절과 인권보호, 경력단절 여성 경제적 역량 강화' '돌봄환경 개선과 일생활 균형 기반 구축' 등 공적분야가 3개였다.

성평등상의 하위 분야로 저출생 극복 분야를 두는 이유가 의아하다. '저출생 극복에 기여했다면 폭넓게 봐서 성평등 실현에 기여한 것'이라는 논리가 성립해야 할 텐데, 실상은 그렇지 않다. 출생률이 오른다고 성별에 따른 차별과 편견, 폭력이 사라질 리가 없어서다.

시는 "시정 기조를 담아낸 결과"라고 설명한다. 시민상 운영 조례에 세부 시상분야까지는 명시돼 있지 않기 때문에 시대 변화에 따라 가치판단을 개입시킬 수 있는데, 저출생 위기 극복에 집중하는 최근 시정 방향성에 맞춰 저출생 관련 활동을 충실히 해온 개인·단체를 독려하려는 의도라는 것이다.

실제 시는 최근 저출생 대책에 힘을 쏟고 있다. 난임부부 지원과 산후조리비 지원 계획 등을 연달아 발표하고 2026년까지 4년간 약 4260억원을 투입하기로 했다. 다자녀 기준을 완화해 지원을 확대하고 9월부터는 육아 조력자에게 월 30만원의 돌봄 수당을 준다고 한다.

저출생이 사회문제가 된 지 오래인 만큼 아이 키우고 싶은 도시를 만들기 위한 정책을 쏟아내는 건 자연스럽다. 문제는 이 많은 대책이 미래에 대한 불안 때문에 출산을 기피하는 시민, 특히 여성에게 전향적 메시지를 주지 못하고 있다는 점이다. 성평등에 대한 비전이 빠진 '출산 장려' 수준의 대책에 머물러 있어서다.

국내외 다수의 연구가 저출생 문제를 해결하기 위해서는 성평등한 사회를 만드는 것이 필수불가결하다고 지적한다. 전미경제연구소(NBER)가 지난해 내놓은 '출산율의 경제학: 새로운 시대' 보고서에 따르면 출생률 높이기의 핵심은 여성의 일·가정 양립이다. 공공보육 등 가족정책과 남성이 기여하는 육아문화, 일하는 엄마에 대한 호의적인 사회 규범 조성이 필수적이라는 주장이다.

이런 지적대로라면 여성이 자녀 돌봄의 전담자가 되는 사회적 압력부터 개선해야 할 텐데, 국내에선 여전히 이런 사회 시스템을 만들기 위한 충분한 논의가 이뤄지지 않고 있다. 여성 경력단절 문제 등 성차별적 노동환경 개선을 위한 정책 개발도 더디기만 하다.

저출생 극복을 위해 노력하면 성평등상을 준다는 다소 우스꽝스러운 발상의 배경도 이와 일맥상통한다. 핵심은 저출생과 성평등의 관계를 엮어낼 철학의 빈곤함이다. 성평등이라는 정공법을 외면한 채 이런저런 미시적인 정책들로 출생률이 오르기만 기대해선 안 된다.[41]

32. K장녀의 '독박 돌봄기'

올해 초 독립선언을 했다. 정확히는 더 이상 어머니를 모시지 않겠다는 선언이었다. 어머니를 부양한 지난 9년 동안 내가 어떻게 버텼는지 뻔히 아는 동생들은 군말이 없었다. 나의 대안은 4남매가 더 확실히 돌봄을 분담하고 책임지는 것이었다. 돌아가면서 한 달씩 어머니 모시고 살기. 그리고 병원케어는 신경외과, 정신과, 심장내과, 척추센터 등으로 나누어 담당하기. 이것에도 동생들은 이견이 없었다.

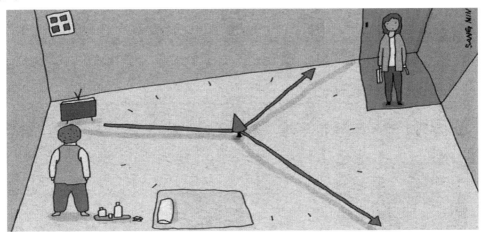

작년 초에도 나는 "돌봄을 하는 자도 돌봄이 필요하다"며 한 달에 일주일은 돌봄 휴무를 갖겠다고 말했다. 내가 우울증에 걸려 나가자빠질까 봐 걱정하던 동생들은 동의했고, 한 달에 일주일씩, 돌아가면서 어머니 식사를 책임지고, 병원을 모시고 가고, 복지사・요양보호사 등 다른 돌봄 관련자들과 필요한 소통을 하고, 어머니 말벗을 해드리기로 했다.

첫 휴무는 달콤했다. 식사는 두 끼만 간단히 먹었고, 친구가 빌려준 작은 시골집에서 어떤 방해도 없이 책을 내처 읽었다. 그러다 졸리면 산책하거나 낮잠 자거나 맥주 한 잔을 곁들여 영화를 봤다. 집중해서 글을 쓸 수 있어 생산성도 높았다. 온라인으로 진행한 세미나, 강의 이외의 시간엔 완벽한 침묵을 즐겼다. 평화였다. 그러나 이 시스템을 안정시키는 것은 쉽지 않았다. 동생들한테는 출장, 수술 등 계속 일이 생겼고, 병원케어가 서툴러 어머니 불만이 쌓여갔다. 나는 휴무 기간을 점점 줄였고, 병원은 다시 내가 모시고 다녔다. 한 달에 한 번씩 어딘가를 예약해서 가는 일도 여간 번거로운 게 아니었다. 일상을 유지하면서 돌봄 부담에서 벗어나려면 독립밖에 없었다. 다행히 어머니 상태는 안정적이었다.

그런데 올해 초부터 어머니가 다시 나빠졌다. 1월엔 정신과 약을 바꾸면서 종일 처짐, 식욕 부진 등의 부작용이 생겨 한동안 고생했는데 5월 초엔 갑자기 가슴 통증을 호소했다. 특별히 넘어지거나 부딪힌 적이 없어 처음에는 담이 들렸다고 생각했다. 그런데 시간이 지나도 차도가 없었다. 혹시 갈비뼈가 부러졌나? X레이, 심지어 MRI까지 찍었지만, 골절은 발견되지 않았다. 그렇다면 혹시 심장 문제? 심장초음파도 이상이 없었다. 하지만 어머니는 강력한 마약성 진통 패치를 붙이고도 아파 죽겠다며 하루 종일 엉엉 우셨고, 곡기도 거의 끊으셨다. '노인 금쪽이'가 따로 없었다.

그런데 어머니가 최초로 가슴 통증을 호소한 날은 남동생 내외가 오래전부터 계획했던 장기 유럽 여행을 떠나던 날이었다. 연이어 나도 돌봄 휴무를 썼다. 그러니까 어머니 흉통의 원인이 주 보호자 딸과 외아들이 동시에 자신의 곁에서 사라진 듯한 모종의 불안과 긴장, 즉 심리적인 것일 가능성도 있었다. 노인 우울증 증세는 육체적으로 더 많이 발현된다는 사실도 뒤늦게 떠올랐다. 나는 집에 더 오래 머물렀고, 어머니와 수시로 눈을 맞췄고, 아프다고 하면 과하게 위로했다. 70 먹어서 색동옷 입고 부모 앞에서 재롱을 피웠다는 춘추시대 노래자(老萊子)처럼, 한동안 나는 그렇게 살았다. 그리고 어느 날, 거짓말처럼 어머니 흉통이 한순간에 사라졌다. 동시에 내 독립도 영원히 물 건너갔다.

베이비붐 세대인 나와 내 친구들은 일을 하면서 동시에 아이도 키우느라 뼛골이 빠졌었다. 하지만 덕분에 "한 아이를 키우려면 온 마을이 필요하다"는 담론을 만들고, 공동 육아 등의 실험도 할 수 있었다. 그런데 느닷없이 닥친 부모 돌봄 앞에서 우리 대부분은 속수무책이고 각자도생 중이다. 이런 초고령화 시대를 예측할 수도 없었고, 나이듦 따위를 생각하거나 준비할 시간이 없었기 때문일 것이다. 어쩌면 우리가 책임감과 인내심이 강한 K장녀여서 그럴지도 모른다. 그렇다 치더라도 돌봄과 관련하여 평생 독박을 쓰고 있다는 불쾌감이 사라지지는 않는다.

며칠 전 받은 부고 속 고인의 연세는 96세였다. 얼마 전 돌아가신 후배 아버지는 99세였다. 80대 중반인 나의 어머니도 지금 컨디션이라면 족히 10년은 훨씬 넘게 사실 것 같다. 그런데 나는 어머니의 장수를 기원하는 마음 한편, 내가 70이 넘어서까지 어머니를 돌보면서 이 집 방 한 칸에서 늙어버릴까 봐 겁이 난다. 동시에 이런 마음을 들켜버릴까 더욱 두렵다. 내가 겪은 지난 9년간의 부모 돌봄은 스릴러나 호러에 가까웠는데 나에게는 이것을 명랑 홈드라마로 바꿀 비책이 없다. 요즘 어머니는 다시 말갛게 웃으신다. 나는 웃지도 울지도 못하면서 매일매일 돌봄 '존버' 중이다. 언제 끝날지 아무도 모른다.[42]

33. 피·땀·눈물 어린 쌈짓돈

아버지가 봉투 하나를 쓱 내밀었다. 오랜만에 아버지 집에서 점심을 먹고 막 나오려던 차였다. "너무 늦어서 미안하다"는 말과 함께 **빳빳**한 돈뭉치였다. 20년 전 아버지가 사업한다고 목돈을 빌려 간 적이 있는데, 사업이 망하면서 다 갚지 못하고 일부가 남아 있었다. 전후 사정상 이 돈을 되돌려 받는 건 어려웠기에 이미 잊은 지 오래다. 이걸 지금 주신다는 거다.

아버지의 노년은 꽤 오랫동안 고달팠다. 아버지도 젊은 시절엔 대기업의 잘나가던 샐러리맨이었다. 하지만 살벌한 대기업의 경쟁 속에서 지방대 출신 아버지의 효용가치는 딱 만년 과장까지였다. 사십 중반에 지방으로 전보 발령받은 뒤 몇년 버티다 결국 오십이 되기 전, 갑자기 명예퇴직을 하게 됐다. 마땅한 대책도 없었기에 떠밀려 시작한 자영업이 화근이었다. 또박또박 안정적 월급으로만 사셨던 분이 아무리 작은 가게라도 경영을 한다는 것은 처음부터 쉽지 않았으리라. 평생 모아둔 돈을 야금야금 까먹다가 결국 부도가 났고 이후 오랫동안 아버지는 피·땀·눈물, 인고의 세월을 보냈다. 코로나19 전까지도 아버지는 소일거리를 놓지 않았고 자식들이 주는 용돈과 생활비를 아끼고 아껴 소소한 빚들을 다 갚고 마지막으로 자식들에게 남은 마음의 빚까지 정리하신 거다.

그나마 아버지의 노년에 햇살이 비추기 시작한 건 경로당 총무를 맡게 된 후부터다. 말수는 적지만, 성실하고 꼼꼼했던 아버지는 경로당 총무로 꽤 신뢰를 받았다. 각종 보조금과 후원금을 모아 경로당 목돈을 마련하고, 월 1회 특별식을 준비할 때면 이가 안 좋은 노인들을 위해 별도의 식사를 준비할 정도로 살뜰하게 주변을 챙겼다. 혼자 움직이지 못하는 노인들의 경로당 출퇴근을 도우며 그 자식들로부터 고맙다는 인사를 받는 걸 최대의 기쁨과 보람으로 느끼셨다. 코로나19로 경로당이 문을 닫았을 때도 아버지는 환기와 화분 물 주기, 청소를 **빠짐**없이 하셨다. 혼자 사는 아버지에게는 가끔씩 찾아오는 자식들보다 이웃 노인들이 더 큰 활력소였다.

오십에 접어들면서 나는 아버지가 얼마나 일찍 퇴직하신 건지 실감이 났다. 오랫동안 중·장년 일을 해 왔지만, 부모 세대의 노후는 상대적으로 무관심했다. 생각해 보면 아날로그와 디지털을 모두 섭렵하고, 세상을 바꾸어 본 경험도 있는 우리 세대는 거침이 없었다. 우리가 내딛는 걸음이 곧 새로운 길이었다. 자녀를 양육할 즈음에는 공동육아, 대안학교, 홈스쿨링 등 할 수 있는 모든 것을 했고, 이제 우리가 노년기에 접어들 때가 되니 새로운 중·장년 정책도 만들고 전용 공간도 확보하고 더 질 높은 노년을 위해 주거, 의료 등 모든 분야에서 목소리를 높이고 있다. 나의 노후를 위해서는 이렇게 애를 쓰면서도 정작 부모 세대의 아픔에 대해서는 너무 늦게 목소리를 낸 것 같아 반성하게 되었다. 의료기술 발달로 수명은 늘었지만 아픈 채로 오래 고달프게 살고 있는 고령의 부모들을 볼 때마다 찡하다.

세대 간 정책은 분절적일지라도, 모든 세대는 서로 이어지며 영향을 주고받을 수밖에 없다. 상대적으로 가장 영향력 있고, 많은 자산을 가지고 있는 우리 세대가 모두를 아우르는 세대 연결자로서 역할을 해야 할 이유이기도 하다. 아버지의 쌈짓돈이 정신을 번쩍 들게 했다.[43]

34. 한 번도 꾸지 않은 꿈

원고지 15장. 분량을 원고지 장수로 안내된 의뢰를 받으면 나는 그것을 글자 수로 변환해야 하는데, 늘 그 짧은 과정이 넌더리가 났다. 산책부터 하자. 3일 만에 밖을 나와 걸었다. 무성히 자란 잡초들을 보자마자 강아지풀을 꼬아서 토끼 모양을 만드는 틱톡 챌린지가 생각났다. 두 대를 꺾어서 도전했는데 잎에 매연이 잔뜩 끼어서인지 토끼의 얼굴이 꾀죄죄했다. 대체 왜 이런 것까지 '챌린지'라 부르는 거지? 당장 내일이 마감일인데도 아무것도 쓰지 못한 나는 괜히 심통이 났다.

"언제부터 작가가 되겠다는 생각을 하셨나요?" 청소년 잡지에 짧은 글을 보냈더니 편집자가 추가 코멘트를 부탁했다. "제가요?" 나의 대답은 반사적으로 나온 비명에 가까웠다. 생각해보면 그 편집자가 참 이상한 사람이었다. '비교육적이라도 좋으니까 본인이 시청하는 유튜브를 재미있게 소개해달라'고 청탁해서, 나중에 추려낼 생각으로 내가 보는 온갖 자극적인 채널들을 묶어 보냈는데, 그는 아무런 피드백도 주지 않고 그저 재밌다고 깔깔 웃기만 하며 글만 홀랑 가져갔다.

그러니 저 건전한 질문이 생뚱맞다 느낄 수밖에. 나는 호소했다. 편집자님. 저는 작가도 아니고, 작가의 꿈을 가져본 적도 없지만, 제가 아주 오래전부터 작가가 되고 싶었다고 말한들 제가 추천한 유튜브 채널들이 세상의 모든 꿈과 희망을 위반하고 있지 않습니까? 제가 작가가 아니든지, 새로 유익한 채널을 추천하든지 둘 중 하나를 선택하고 싶습니다. 내 말을 조용히 듣고 있던 편집자가 또 한 번 깔깔 웃었다. "'작가는 아니지만 글을 쓰는 복길'님! 다 괜찮으니 작가라는 꿈이 없었다면, 그냥 '없었다'고 하시면 됩니다!"

편집자의 태도는 중학교 담임을 연상케 했다. "선생님은 'CLUB H.O.T.'예요." 새 학기 첫번째 국어 시간. 담임은 자신이 H.O.T. 팬클럽 회원임을 선언했다. '어쩌라는 거야…?' 뒤로 이어진 긴 침묵에 진땀이 날 때쯤 사분면이 그려진 용지가 모두에게 배달되었다. 왼쪽 상단에는 H.O.T.의 '환희' 가사가 적혀 있었다. "남은 여백에 자기가 좋아하는 노래 구절을 자유롭게 쓰세요." 각자가 좋아하는 노랫말로 문장의 수식구조를 분석하기. 그것은 우리의 새 학기 첫 국어 수업이자, 담임이 1년 동안 수행할 기똥찬 강의들의 샘플이었다.

담임은 모든 학생들에게 존대를 했다. "백일장에 참가할 학생은 수업 후 교무실로 와주세요." 백일장이 자원이라니. 글짓기 대회란 자고로 문장에 소질 있는 학생이 교사의 추천을 받아 마지못해 나가는 것이 아니던가. 한창 담임의 K팝 국어 수업을 통해 문학적 용기가 생긴 나는 홀린 듯 교무실로 걸어 들어갔고, 단독 지원자로서 당당히 반 대표 작가에 선임되고 말았다.

"형식이 없네요." 내 글을 읽는 담임은 낯빛이 어두웠다. 매콤한 첨삭을 기다리며 주눅이 들어 있는데 담임은 불쑥 "이대로 보냅시다" 했다. 그리고 그로부터 한 달 뒤 담임이 나를 호출했다. 결과, 교내 본선 탈락. 하하 이제 쥐구멍을 찾으러 가보실까! 도망 갈 준비를 하는데 담임은 "뭐 어때요" 하며 대뜸 작은 선물 하나를 건넸다. '항상 엔진을 켜둘게'가 수록된 델리스파이스의 CD였다. 창피한 마음 때문에 그땐 제대로 느끼지 못했지만, 지나고 보니 그것은 내 인생에서 손에 꼽을 만큼 감동적이고, 중요한 순간이었다.

원고지 15장은 대략 2000자. 계산을 하다 문득 담임이 떠올라 간신히 이 글을 쓸 수 있었다. 요즘엔 부쩍 자주 있는 일이었다. 그 선생님은 지금 어디에 있을까?

이 글이 바로 K팝 가사로 국어 수업을 진행하던 괴짜 교사가 꿈도 뜻도 재능도 없는 소녀에게 환상적인 실패를 경험하게 한 참혹한 결과임을 알려야 하는데. 당신이 전수해준 무모함으로 수많은 두려움을 극복할 수 있었다는 고마운 사실도.[44]

35. 두 엄마 밑에서 자랄 아이에게

혹시 혁명이라는 게 일어나고 있다면 나는 겨우 뒷줄에서 까치발을 든 사람일 것 같다. '이상하고 뛰어난 친구들아, 이번엔 또 뭘 해낸 거니?' 선구자가 쳐놓은 사고와 이뤄놓은 업적을 종종대며 따라가는 동안 혁명의 끄트머리에서 내 삶도 변해간다.

오랜 동지 규진의 임신 소식을 듣던 밤 나는 문득 더 강하고 웃긴 사람이 되고 싶어졌다. 규진이 이미 그런 엄마이긴 하지만 양육이 엄마들만의 책임이어서는 안 되기 때문이다. 엄마 친구로서의 나, 시민으로서의 나, 출산과 육아가 남일이 아니게 된 작가로서의 나를 상상하면 저항과 사랑을 위한 체력뿐 아니라 고도의 유머 감각까지 필요할 터였다.

아직도 동성혼이 법제화되지 않은 이 나라에서 레즈비언 부부인 규진과 세연은 세금을 '따박따박' 내며 살아간다. 이달 초 언론 인터뷰를 통해 규진의 임신 소식을 발표하자 축하뿐 아니라 무수한 악플도 달렸다. 진심 어린 걱정인지, 교묘한 비난인지 헷갈리는 댓글도 있었다. 아이가 차별받을까봐 걱정된다는 반응이 그중 하나다.

규진의 아내 세연은 "정말 저희 아이를 걱정하시는 거라면 같이 세상을 바꿔나가는 데 도움을 주시면 될 것 같다"고 차분히 대답했다. 힘껏 응원하는 이는 팔짱 끼고 훈수 두지 않는다. 기후재난이 빈번하고 후쿠시마 오염수 방류가 허가되고 사람들이 일하다 죽고 괴로워서 죽는 이 나라에서도 아이를 낳기로 결심한 친구가 있다면, 무모하고도 용감한 그를 위해 궁리하고 싶을 따름이다. 나는 어떻게 힘을 보탤 것인가!

가. 레즈비언 커플의 아이 위한 간담회

지난 7월22일엔 규진과 세연 부부의 베이비샤워가 열렸다. 지인들이 모여 곧 태어날 아이와 양육자를 축복하는 행사였다. 행사의 제목은 기막히게도 '대한민국 저출생대책 간담회'였다.

4년 전 이들이 결혼 소식을 알렸을 때 일부 시민들은 동성애자들 때문에 가정이 무너지고 나라가 무너지고 출생률이 떨어진다며 탄식했다. 그런데 오늘날 바로 그 부부가 출생률에 기여를 해버린 것이다. 물론 국가에 이바지하기 위해 결심한 임신은 아니지만 말이다.

진행을 맡은 발군의 사회자 금개는 '인권 그 자체인 규진 부부가 대한민국 사회를 놀리는 자리'라고 농담했다. 둘 중에서 왜 본인이 임신하기를 자처했냐는 금개의 질문에 임신 8개월 차인 규진은 "와이프 힘들까봐 그랬다"고 대답하며 특유의 멋을 지독하게 고수했다. 부부는 이날 축의금을 일절 받지 않았다. 동성애 혐오 댓글을 단 악플러들에게 받은 합의금으로 준비한 행사였기 때문이다. 이들은 결혼과 육아의 궤도 바깥에 있는 사람들이 축의금의 굴레에 갇히지 않기를 바랐다고 한다.

이후 장혜영 의원(정의당)이 준비한 간담회가 이어졌다. 대한민국 가족제도가 처한 현실에 관한 발제였다. 다양한 형태의 가족이 이미 존재하지만 그중 '법적 가족'으로 인정받는 경우는 일부일 뿐이다. 이전까지 가족은 그냥 주어지는 것이자 싫어도 감당하며 살아야 하는 혈연중심적 울타리였으나, 이제는 내 의지대로 가족을 택해도 보장받는 제도가 필요하다고 장 의원은 주장했다. 그런 고민 속에서 5월 말에 발의한 법이 '가족구성권 3법'이다. 혼인평등법과 비혼출산지원법과 생활동반자법이 포함되어있다. 국회에서도 누군가는 정상가족의 경계를 허물고 자신이 원하는 동반자와 안전하게 살아갈 권리를 위한 제도를 부단히 마련 중이다.

이어지는 축가에서는 민중가수 이랑이 '좋은 소식, 나쁜 소식'을 불렀다. 이 험한 세상에 함부로 새 생명을 낳지 말라는 의미의 가사가 반복되는 명곡이다. 이쯤 되면 손님들은 충분히 알아챈다. 규진 부부가 지지하는 넓은 세계를 말이다. 이들은 동성 커플이 결혼하고 출산할 권리뿐 아니라, 결혼도 출산도 가족도 택하지 않을 수많은 사람들을 위한 담론장에도 힘을 보탠다.

나. '새 생명을 이 세계에 데려오는 일'

마지막 순서는 아기의 성을 공개하는 '젠더리빌'이었다. 규진은 말했다. '젠더란 아이가 나중에 스스로 정체화하기 전까지는 모르는 거 아닌가 싶다'고. 그래서 이 의례의 집행자로 드렉퀸 세레나와 레즈비언 루신다를 초대했다. 젠더를 횡단하는 이들에게 젠더리빌을 맡김으로써 베이비샤워의 전형을 비튼 것이다. 두 사람이 공중에 매달린 피냐타 인형을 힘차게 두드리자 반짝이는 분홍색 종이들이 터져나왔다. 세레나가 외쳤다. "어머, 딸이야!" 사람들이 웃고 색종이가 벚꽃잎처럼 휘날리는 그 순간이 잠시 느리게 흘러갔다. 아이에게 다가올 혼란과 풍요가 어렴풋이 그려져서다. 그는 정말이지 다양한 모습의 이모와 고모와 삼촌들 속에서, 간단히 설명되지 않는 어수선한 어른들 사이에서 자라게 될 것이다.

사랑은 이렇게나 다양한 모양이라고 아이에게 알려주고 싶다. 너의 두 엄마가 혁명의 앞줄에서 무얼 해냈는지도 증언해주고 싶다.[45]

36. 홍수에 휩쓸린 파블로프의 강아지

비가 무섭게 내렸다. 시골에 계신 아버지에게 비 피해가 없는지 전화를 걸었다. 다행히 피해가 없음에 괜찮다고 하셨지만, 뉴스를 통해 들리는 주변의 끔찍한 집중호우 피해에 대해 탄식했다. 빗속에 쏟아지는 뉴스 속에는 '내' 탓은 온데간데없고 볼썽사나운 '남' 탓 논쟁과 혼란스러운 '그것' 탓 시비가 이어진다. 사실과 거짓 뉴스가 뒤섞인 채 지독한 뙤약볕 여름이 아무 일 없었다는 듯 지나가고 있다. 이 또한 기시감이 드는 것은 왜일까.

기시감의 뿌리는 최근 10여년 동안 시민들이 목격했던 사건들 때문일지 모른다. 어느 해건 재난재해가 없지 않았지만, 분명 막을 수 있었던, 사건 이후 반드시 대처해낼 수 있었던 재난들이 많았다. 결국 '사회적 참사'로 불리게 된 인재가 도미노처럼 밀려온 10년의 세월이었다. 이것은 그 자체로도 시민에게 큰 심리적 트라우마였지만, 다른 의미의 트라우마의 연쇄를 초래했다. 참혹한 사건의 피해에 대한 최초의 트라우마, 이후 정부의 대처 방식에 의한 이차적 트라우마, 언론 및 정치권의 설명 방식에 의한 트라우마, 시간이 흘러 생겨난 시민들의 무관심에 의한 트라우마일 것이다.

이 모든 연쇄적 '트라우마 도미노'의 결말은 무엇일까. 단순히 학습된 기억처럼 기시감을 느끼고, 또다시 밀려올 트라우마 도미노에 스스로를 대비할지 모른다. 실상 그 대비란 것도 희망보단 절망이, 비판보다는 비난이, 기대보다는 실망에 무게가 실리고 있는 것은 아닐까. 결국, 트라우마 도미노에 대한 대비 역시 또 다른 트라우마의 결과가 아닐지 모른다. 바로 '문화적 트라우마' 말이다. 문화의 기틀이 되는 도덕적 전제들에 대한 시민들의 깊은 신뢰가 손상된 상태 말이다. 그렇게 타인의 공감을 요청하기도 어려운 세상이 되어 버렸다. 그렇지만, 나와 내 가족만의 안전이라도, 혹은 안전만을 추구하려는 시민들의 모습에 과연 누가 쉬이 돌을 던질 수 있을까.

그렇다면 이번 집중호우가 휩쓸어가고 남겨놓은 것은 무엇일까. 소중한 생명이 사그라진 것에 대한 원통함? 이를 막지 못했던 것에 대한 분통함? 혹은 명명백백 밝혀지지 않는 진실에 대한 모멸감과 이 모든 것에 대한 절망감이지 않을까. 그렇게 조금씩 문화적 트라우마가 쌓여가는 것은 아닌지 모를 일이다. 이런 현실을 보고 있으면 이반 파블로프의 또 다른 강아지 실험이 떠오른다. 천재적 생리학자로 알려진 파블로프의 '고전적 조건형성'으로 알려진 강아지 벨 실험이 있다. 그것은 강아지에게 먹이를 주기 전 벨을 울려 조건형성을 시킨 후 이후에는 벨 소리만으로 침을 흘리는 등의 생리적 반응을 유발할 수 있었다. 그런데 사람들이 잘 모르는 또 다른 실험이 있다. 이것은 아주 우연한 기회에 발생한 사건을 통해 이루어졌다. 1924년 파블로프 실험실을 덮친 대홍수가 발단이었다. 어느 날 갑작스러운 홍수로 실험용 강아지들이 익사할 뻔했다. 그런데 이후 강아지들의 몸에 형성돼 있던 조건반사가 모두 소실되어 버렸다. 나아가 성격조차 정반대로 변해 있었다. 얌전하던 강아지가 난폭해지거나, 반대로 난폭했던 강아지가 온순해지기도 했다. 파블로프는 이 사건을 계기로 '심적 트라우마 체험'으로 이전의 조건형성이 소실되고 나아가 정반대의 상태로 전환될 수 있음을 목격하게 됐다.

나는 파블로프가 목격했던 경험이 지금 한국 사회 곳곳에서 10년간 연쇄적으로 발생한 것은 아닐까 싶었다. 특히 이번 집중호우로 인한 참사를 목격하면서 더욱 그러했다. 참담한 심정이지만, 사회 곳곳에 '홍수에 휩쓸린 파블로프의 강아지'처럼 극한의 심적 트라우마에 내몰렸던 사람들을 목격하기란 어렵지 않다. 그리고 시민들 역시 연쇄적 트라우마 도미노를 경험하고 목격해 왔다. 만일 파블로프의 논리대로라면, 이것은 오랜 기간 학습해온 시민들의 도덕(에 대한 조건반사)이 일순간 허물어지고, 정반대의 비도덕적 사람들을 초래하지는 않을까 걱정이 앞선다.

내가 문화적 트라우마를 우려하는 이유는 도덕의 붕괴와 불신이 아니라 그것을 넘어선 탈도덕의 사회이다. 홍수에 휩쓸려간 파블로프의 강아지처럼, 도덕이 완전히 초기화된 사회 말이다. 그렇게 약육강식의 사회가 도래하고 강자들의 포효가 이미 사회의 새로운 도덕을 선포한 것은 아닌지 우려스럽다. 집중호우가 휩쓸고 간 자리에서 우리가 고민해야 할 것은 바로 초기화된 도덕 위에 어떠한 사회적 신념을 쌓아 올릴지가 아닐는지. 집중호우에 대한 대책은 그 주춧돌이 무엇이 되어야 하는지에서부터 시작해야 하지 않을까 싶다.[46]

37. 아! 1898년

1898년은 한국근대사의 분수령이었다. 1894년 청일전쟁 발발로 일본이 세운 갑오정부는 하루가 멀다 하고 근대적 정책을 쏟아냈다. 하지만 일본의 통제하에 있었고, 너무 서두른 탓에 민심을 얻지 못했다. 삼국간섭으로 일본세력이 쇠퇴하고 고종이 아관파천을 해버리자 단박에 무너졌다. 고종은 러시아에 의지하려고 했지만, 독립협회에 집결한 개화파들은 그 러시아마저 밀어내고자 했다. 러시아가 절영도 조차와 군대 주둔을 계획하자 독립협회는 종로에 초유의 대중 집회를 조직했다(1898·3·10). 여기에는 서울시민의 17분의 1인 1만여명이 운집했다

정부는 다음날 러시아의 군사교관과 재정고문 철수를 약속했다. 갑오개혁이 이런 대중적 기반 위에서 전개되었더라면 어땠을까. 아쉬운 일이다. 조선에서 함께 물러난 일본과 러시아는 대한제국의 주권과 완전한 독립을 확인하고 대한제국이 군사교관이나 재정고문을 초빙하더라도 양국이 서로 동의하지 않으면 가능하지 않도록 하는 협약을 체결했다(니시-로젠협정). 드디어 '자주적 근대화'의 기회가 왔다! 외세는 모두 물러가고 국내 개화파의 역량은 그 어느 때보다도 커져 있었다.

만민공동회는 그 후로도 숭례문, 종로 등지에서 연일 개최됐다. 러시아뿐 아니라 독일, 일본도 비판의 타깃이었고, 국토 조차 반대, 철도·전신부설권 양여 반대, 무관학교 학생선발 부정 비판 등 이슈도 다양했다. 거기에는 개화파 지식인뿐 아니라 백정을 포함한 서울시민들이 대거 참여하여 주도적 역할을 했다. 게다가 정부인사, 특히 친미개화파에 가까운 유력 고관들도 적잖은 역할을 했다. 그야말로 관민일체의 개혁운동이었다(한철호 〈친미개화파 연구〉). 개혁파 정부와 독립협회는 기존의 중추원을 개편해 11월5일 의회를 설립한다는 내용의 중추원 신관제(新官制), 즉 의회설립법을 공포했다. 개화파들에겐 꿈만 같은 날들이었을 것이다.

〔아! 숭례문!〕

Armous(1893) (Royal Coreum Custom in Fusan)

그러나 의회 개원 전날 밤, 즉 11월4일부터 5일 새벽에 걸쳐 고종은 독립협회 간부를 체포하고 의회 설립을 취소해버렸다. 분노한 개화파와 서울시민들은 연일 만민공동회를 열어 독립협회 복구와 의회 재설립을 요구했다. 이때부터 12월23일까지 한국사상 최장기간의 철야시위가 벌어졌다. 그러나 고종은 2000명의 보부상과 군대를 동원해 만민공동회를 기습하고 430여명의 개화파 지도자들을 일제히 검거했다. 한국근대화의 마지막 기회는 그렇게 차디찬 12월의 한가운데서 동결돼버렸다(〈신편한국사〉 41권).

독립협회와 만민공동회에 참가한 젊은 활동가들은 한국사에서 처음 출현한 근대인들이었다. 대부분 1870년대생들로 개화물결 속에서 성장했고, 한문교육은 받았지만 과거시험과는 무관했다. 청소년 시절 사실상의 조선통감 위안스카이와 이에 빌붙어 개혁을 방해한 민씨 정권의 전횡에 분개했고, 청일전쟁에서 이긴 일본의 오만방자한 행태와 천인공노할 민비 시해를 목도한 이들이었다. 서울 만민공동회를 주도한 이승만(1875년생), 평양 만민공동회에서 그 유명한 '쾌재정(快哉亭)의 연설'로 청중을 격동시킨 안창호(1878), 만민공동회에 직접 참가하지는 않았지만 한때 동학운동에 가담했다가 이 무렵 개화사상에 눈을 뜨기 시작한 김구(1876), 황해도 유수의 개화파 집안의 장남으로 '민권과 자유'를 외치던 안중근(1879) 등이 그들이다.

1898년의 좌절 이후 이 '1870년대생'들의 행방은 자못 상징적이다. 이승만은 이듬해 1월 투옥되어 5년7개월을 복역했고, 안창호는 미국으로 떠났다. 김구는 절에 들어갔고, 천주교 신자들의 재판사건에 간여하던 안중근은 '서울 놈'들의 학정에 분을 삭이지 못했다.(황재문 〈안중근평전〉, 103~105쪽) 1898년 그해 겨울 예정대로 의회가 설치되었더라면 을사보호조약도, 한국병합도 그렇게 간단히는 이뤄지지 못했을 것이다.[47]

38. 비밀의 완성

어느 날 아이는 상자 하나를 손에 쥐게 되었다. 다소 거친 표면에 나이테가 줄무늬처럼 보이는 나무 상자였다. 뚜껑에는 경첩이 있어 여닫을 수 있고, 단순한 형태의 잠금장치도 달려 있었다. 어른용 손목시계 하나가 들어가기에 맞춤한 크기였다. 아이는 설레는 마음으로 뚜껑을 열어보았다. 상자 안은 비어 있었다.

어릴 때는 대부분 그렇듯 아이도 빨리 어른이 되고 싶었다. 아이 노릇은 힘들었다. 하지 말라는 것도 많고 하라는 것도 많았다. 아이는 어른의 삶을 잘 몰랐으나 그들은 다르게 사는 것 같았다. 어른들은 아이 앞에서는 말을 멈추기 일쑤였고 서로 눈짓을 주고받았다. 궁금한 것을 물어도 제대로 된 대답이 돌아온 적은 드물었다. 어른의 삶에는 비밀이 깃들어 있었다. 아이에게 비밀이란 뚜껑이 달린 빈 상자 같은 거였다.

아이는 상자 안에 무엇인가를 넣어두고 싶었다. 머릿속에 가장 먼저 떠오른 것은 동구 밖에 외따로 서 있는 포도나무였다. 며칠 전 아이는 여름의 첫 포도송이를 발견한 터였다. 상자를 들고 달려갔다. 기다리고 있었다는 듯, 큼직한 포도알 하나가 연두색들 사이에서 밤하늘처럼 빛나고 있었다. 아이는 침을 삼키며 잘 익은 포도알을 떼어내 상자에 넣었다. 그리고 쓸모없는 물건들이 쌓여 있는 다락 구석에 숨겨두었다.

일부러 비밀을 만든다고 어른이 되는 건 아니라서 아이답게 한동안 상자를 까맣게 잊었다. 애꿎게 야단맞은 설움을 삭이느라 다락에 올라갔다가 상자를 기억해냈다. 아이는 자신이 넣어둔 비밀에 뭔가 특별한 일이 생겼을 것이라 기대하며 뚜껑을 열어보았다. 시큼한 냄새가 코를 찔렀다. 쪼그라든 포도알을 살펴보다가 아이는 흠칫 놀랐다. 쌀알보다 작은 하얀 구더기들이 상자 바닥과 곰팡이 핀 포도알 위에서 꼬물거리고 있었다. 얼른 뚜껑을 닫았다.

아이는 자라서 어른이 되었으나, 그 무렵 세상에서 비밀이 사라져갔다. 한동안 비밀이 너무 흔했고 그다음에는 자주 폭로되었다. 돈을 벌려고 스스로 비밀을 공개하는 이들도 있었다. 드러난 비밀에는 늘 곰팡이와 구더기가 꼬였다. 겪어 보니 어른의 삶에는 슬픔이 더 많았다. 비밀은 저절로 만들어졌으나 지키는 것은 어려웠다. 아름답고 부주의한 연인을 잃은 디오니소스의 슬픔을 깊이 이해하면서 그는 진짜 어른이 되었다. 이따금 어린 시절의 동구 밖에 서 있을 주인 없는 포도나무를 떠올렸다. 먼 옛날 누군가가 연인을 묻은 자리에 심은 게 아니었을까.

빈 상자 같은 삶을 살면서 그가 자주 하는 일은 인터넷 쇼핑몰을 둘러보는 것이었다. 등산화, 침낭, 텐트 같은 것들을 높은 가격 순서대로 정렬한 뒤 하나하나 살펴보았다. 가격은 상관없이 품질과 디자인만 평가했다. 구매자의 리뷰까지 읽어본 뒤, 마음에 드는 제품을 선택했다. 그런 식으로 장바구니에 넣어둔 물건이 수십 가지였다. 일정한 기간이 지나면 장바구니의 물건들을 모두 삭제하고, 처음부터 다시 시작했다. 이번에는 구두, 정장, 핸드백 같은 것들로.

새벽에 잠이 깬 날이었다. 눈을 뜨자마자 휴대폰을 살펴보았고, 새 메시지가 있다는 알림을 발견했다. '장바구니에 담아두신 상품이 품절되기 전에 지금 바로 만나보세요!' 쇼핑몰에서 보낸 메시지를 읽으며 그는 수치심을 느꼈다. 비밀번호를 걸어놓은 장바구니도 비밀을 담아두기에 적당하지 않다니. 잠이 모자라 뻑뻑한 눈을 비비며 그는 창문을 열었다. 회청색 하늘에 창백한 별 하나가 빛나고 있었다. 그는 과거의 어느 순간에 우주 공간에서 출발한 빛을 자신이 보고 있음을 알았다. 별은 지금 그 자리에 존재하지 않을지도 모른다. 그 역시 지금이 아닌 순간에는 이 자리에 존재하지 않을 수 있었다. 그러자 자신이 세상에 존재한다는 사실이 별빛처럼 반짝이는 기쁨으로 느껴지기 시작했다. 마침내 그에게 함부로 드러나지도 숨겨지지도 않는 비밀 하나가 생겼다.[48]

39. 배신(背信)

"브루투스, 너마저(Et tu, Brute?)" 주지하다시피 이 말은 로마 가이우스 율리우스 카이사르(Gaius Julius Caesar)가 신복 마르쿠스 유니우스 브루투스(Marcus Junius Brutus)의 칼에 찔려 살해당하면서 배신자를 향해 부르짖었다고 전해지는 황제의 마지막 외마디 절규다. 이때부터 이 한마디 말은 철석같이 믿었던 상대방에게 배신 당할 때 흔히 인용하는 문구가 됐다.

배신이라는 얼룩진 유산을 남긴 또 한 예로는 가롯 유다가 있다. 스승 예수(Jesus)를 배신하고 은화 30냥에 팔아넘긴 유다는 12제자 중 하나였다. 지금까지도 서양에서는 브루투스와 함께 유다를 배신의 상징으로 꼽는다.

배신의 역사는 오래다. 상기 말고도 떠오르는 몇 가지 사례를 더 들어 본다. 병법서 「손빈병법(孫빈兵法)」을 남긴 중국 전국시대 제(齊)나라 장수 손빈(孫빈)은 방연(龐涓)과 더불어 결의형제(結義兄弟)를 맺고 귀곡(鬼谷) 문하에서 병학(兵學)공부를 했다. 손빈은 후에 동문수학 문우(文友)임에도 시기와 질투에 눈이 먼 방연의 배신으로 빈형(빈刑: 무릎뼈를 도려내는 형벌)과 묵형(墨刑:죄인의 살갗에 먹줄로 죄명을 써 넣는 형벌)을 당하기까지 했다.

위왕(魏王) 조비(曹조)는 한조(漢朝) 헌제(獻帝)를 폐위시키고 황제에 올랐다. 하지만 위는 조비가 신임하던 사마의(司馬懿)의 배신으로 조씨 왕조도 몰락했다.

신뢰했던 지인에게 살해 당한 신라 장군 해상왕 장보고(張保皐)의 어이없는 최후 이야기도 전해진다. 평소 협객(俠客)을 아꼈던 탓에 자신을 찾아온 옛 부하 염장을 위해 환영연을 열었던 자리에서, 자신이 술에 취한 사이 믿었던 자에게 암살 당한 장보고다.

조선조 단종(端宗)의 만고충신(萬古忠臣) 사육신(死六臣)을 밀고한 김질, 조정의 녹을 먹으면서 정사에 힘쓰기보다 자신의 무한 욕망을 채우기 위해 온갖 배신과 악행을 일삼은 연산군 시대 임사홍은 희대의 간신이었다.

배신은 믿음과 의리를 저버리는 행위다. 며칠 전 한 광역자치단체장이 폭우로 인한 국가적 재난 상황 속에서 골프를 친 행위는 지역 행정을 책임지는 수장으로서 주민 배신행위에 해당한다고 할 수 있다.

우리는 근자 들어 대장동 개발사업, 백현동 개발사업이니 하여 일확천금을 노리고 벌어지는 악취 나는 이전투구(泥田鬪狗) 현장에서 배신의 끝판을 본다. 한때 먹잇감을 놓고 도원결의(桃園結義) 흉내까지 내며 함께 가자고 맹세했을 일당들일 것이다. 시간이 흘러 사정이 변경됐다 해 하루아침에 서로가 등을 돌리고 철천지 원수가 된 추한 군상(群像)들이다. 서로가 배신자라고 언성을 높인다.

목도하자니 역겹기까지 하다. 자신에게 이롭지 않으면 아는 것도 모른다고 부인하곤 한다. 법정에서 위증죄는 안중에도 없다. 자신의 이익만을 위해 거짓 증언도 불사하는 이들이다.

신의칙(信義則) 저버리기를 초개(草芥)같이 하는 시대다. 벗의 도리는 믿음에 있다는 붕우유신(朋友有信) 덕목 따위는 이제 도서관 고서에서나 찾는 세상이 됐다.

지금 우리는 불확실성의 시대를 산다. 믿음이 사라져 모든 것이 불확실한 사회가 됐다. 약속을 지키면 바보가 되는 사회인가. 수많은 군중 속에서 고독을 느끼고, 풍요를 구가하는 속에 빈곤한 삶을 살아가는 현대인들이다. 이 모든 것이 신의의 상실에서 비롯했다고 본다. 지금 이 시간에도 배반을 이어가는 배신자들이 한둘이 아니다.

하늘이 무너져도 신의는 지켜져야 한다는 정언명령(定言命令)도 이제는 들려오지 않는다. 속고 속이는 인간사(人間事)에 허탈할 뿐이다. 배신은 배신을 낳는다. 역사를 상고(詳考)하다 보면 배신으로 점철된 인류사(人類史)가 아닌가 사료된다. 지금 우리에게 시급한 건 실추된 신뢰 회복이다. 그래야 건전한 사회로 나아간다.[49]

40. 흔들린다

집에 그늘이 너무 크게 들어 아주 베어버린다고
참죽나무 균형 살피며 가지 먼저 베어 내려오는
익선이형이 아슬아슬하다

나무는 가지를 벨 때마다 흔들림이 심해지고
흔들림에 흔들림 가지가 무성해져
나무는 부들부들 몸통을 떤다

나무는 최선을 다해 중심을 잡고 있었구나
가지 하나 이파리 하나하나까지
흔들리지 않으려 흔들렸었구나
흔들려 덜 흔들렸었구나
흔들림의 중심에 나무는 서 있었구나
그늘을 다스리는 일도 숨을 쉬는 일도

결혼하고 자식을 낳고 직장을 옮기는 일도다
흔들리지 않으려 흔들리고
흔들려 흔들리지 않으려고
가지 뻗고 이파리 틔우는 일이었구나

-시, '흔들린다', 함민복 시집 〈눈물을 자르는 눈꺼풀처럼〉

줄 맞춰 심은 백일홍과 과꽃 사이 앙증맞은 채송화와 봉숭아가 피었다. 날마다 양동이로 들이붓는 것 같던 장대비에도 짓무르지도 않았다. 어쩌면 저 작은 것이 저리 온전한 모양을 빚어냈을까. 능력자임에 틀림없다. 붉은 고추 한 소쿠리만 따도 살이 델 것 같은 폭염이 이어지는데, 색색 백일홍과 자줏빛 천일홍은 어김없이 때맞춰 피었다. 대단한 능력자들이다.

몇 모종 심은 곤드레나물이 늦봄까지 잎이 큰 접시만 하게 달리더니, 엊그제부터는 보랏빛 꽃을 달았다. 신기하다. 꽃 피우는 자리마다 어찌 알고 잎들이 작아졌는지.

요사이 내 입에서는 능력자네, 하는 말이 불쑥 튀어나온다. 비 온 후 영토를 확장해가는 풀들도 능력자고, 지지대 잡고 묵직한 열매를 공중에 거는 가지와 오이도 능력자다. 그 능력자들을 따다 노각피클 담고 가지와 호박 쪼개어 볕에 말리는 나도 능력자처럼 여겨진다. 비 오기 전에 지붕 손질 끝내야 한다고, 밤 11시까지 망치질하던 옆집 아저씨도 확실한 능력자다.

이 지구는 능력자로 가득한 것 같다. 살아 있는 것만으로도 능력자임을 증명하는 거 아닐까.

"숨을 쉬는 일도/ 결혼하고 자식을 낳고 직장을 옮기는 일도"

어마어마한 능력이다. 능력자네, 할 때마다 가슴이 펴진다. 웃음도 난다. 판단 이전에 경이와 신비를 담은 마음의 반응이겠다. 욕심 사납고 큰소리 사이 욕을 달고 사는 일부 이웃들도 능력자 같다. 좋아하지 않을뿐더러 하루빨리 직책에서 내려왔으면 바라 마지않는 사람들조차. 아아아 정말 대단하십니다, 감탄이 터져나온다.

부추를 베고 있는데, 윗집 어르신이 "저거 미친 … 빗자루병 걸린 거 아니냐" 하신다. 가리키는 손을 보니 사과대추나무다. "미친 … 뭐요?" 하며 대추나무를 봤더니, 잎 모양이 빗자루를 매어놓은 것 같다. 작년에 주렁주렁 달렸던 대추나무다. 올핸 이상하게 꽃이 안 피고 작은 잎들만 촘촘해 무슨 새둥지 같다

했더니 병에 걸린 거였구나.

들어보니 대추나무 빗자루병은 이름도 외우기 어려운 파이토플라스마라는 균이 감염을 시키는데, 뿌리부터 썩어가는 전신성 병이란다. 모무늬매미충이 매개해서 이웃 대추나무들까지 초토화시킨단다. 짧게는 1~2년 안에 가지가 연약해지고 몽우리마다 꽃 대신 잎으로 커 오르니 열매를 맺지 못한단다.

온 나라가 빗자루병에 걸린 것 같다. 뿌리부터 썩어서, "가지 하나 이파리 하나하나까지" 흔들리는 것 같다. 길이 흔들리고 학교와 아파트와 주차장과 병원이 흔들리는 것 같다. 1~2년 사이에 꽃과 열매를 결딴내다니 대단한 능력자들이다. 어쩌면 저 높은 곳에 있는 양반들은 저다지도 **뻔뻔**한가. 자연재해가 아니라 인재로 국민들이 죽어나가는데 어쩌면 책임지는 자 하나 없을까. 무얼 믿고 주권자인 국민을 향해 저다지 호통치는가. 감탄스러운 능력이다.

빗자루병은 나무 전체로 병균이 퍼지면서 결국 말라 죽는다는데 참 걱정이다. 치료 방법도 없다는데 암담하다. 베어서 살처분하는 게 확산을 줄이는 유일한 길이라는데. 더위 먹은 듯 내가 흔들린다. 중심 잡고 "흔들리지 않으려 흔들"린다. "흔들려 흔들리지 않으려" 안간힘 쓰며, "가지 뻗고 이파리 틔우"는 민초들이 아슬아슬하다.[50]

41. 행복한 사람들의 8가지 습관

주위 사람들은 빛나고 행복한 사람으로 보이는데, 행복한 사람들이 하는 습관을 살펴보자.

① 매일 작은 목표를 세우고 성공 체험을 쌓고 있다

자신만의 행복을 찾고, 자신을 칭찬해 줄 기회를 갖는 것은 중요하다. 큰 목표는 하루 만에 달성하기 어렵기 때문에 작은 목표를 세운다. "회사에 출근하면서 직원들에게 아침 인사를 한다", "00시까지 이 일을 끝내겠다" 등 목표는 기분 좋고 성공할 수 있을 것 같아서 좋다.

작은 성공 체험이기 때문에 매일 계속될 수 있고, 하루를 돌아보며 자신을 칭찬하는 것으로 이어진다. 자신을 아껴주는 것이 행복의 길을 여는 것이다.

② 항상 웃는 얼굴에 유의하고 있다

남에게 기운과 행복을 줌으로써 자신에게도 행복이 날아온다. 항상 웃는 사람은 주위를 행복하게 해주는 신기한 힘이 있고, 자연스럽게 사람들이 모여 사랑을 받는다.

항상 웃는 얼굴로 주위 사람들을 밝게 하는 삶은 아무것도 요구하지 않아도 종종 행복이 돌아오기 마련이다.

③ 어떤 상황에서도 긍정적으로 생각한다

긍정적인 자세는 불행을 초래하지 않는다. 뒤를 돌아보며 우울하거나 걱정하는 시간은 사람을 부정적인 분위기로 만든다. 그러나 긍정적으로 생각하는 사람은 투지나 밝음이 있어 마이너스 이미지를 느낄 수 없다.

설령 불행한 일이 있다 하더라도 불행하다고 느끼지 못하게 하는 아우라가 있기 때문에 행복이 더 노출된 인격이 된다고 할 수 있다.

④ 생각하기 전에 행동을 한다

고민하다 보면 실행하지 않은 채 시간이 흘러 버리는 경우가 대부분이다. 아무런 계획도 없이 행동해 버리는 것은 위험하지만, 리스크만 생각하고 있으면 결국 못하고 끝이 나 버린다.

생각하기 전에 행동하는 사람은 그만큼 경험이 풍부하고 대응 능력이 있다.

⑤ 반성의 시간을 짧게, 즉시 전환한다

행복한 사람은 자신의 기분 조절을 잘한다. 실패에 대한 반성도 중요하지만, 장시간 뒤돌아보며 침울해 하지 않는다. 반성은 단시간에 끝내고 바로 전환점으로 나아갈 수 있다는 것이다.

과거의 실패와 반성으로부터 실수를 막고, 전환점에서 새로운 도전을 하는 사람은 많은 경험을 할 수 있고, 일터에서도 의지할 수 있는 존재가 된다.

⑥ 자신과 환경의 변화를 즐긴다

행복한 사람은 불안해하는 것보다 설레는 기분을 고조시킨다. 예컨대, 학교나 직장이 바뀌었을 때 사람들과 어울림, 공부, 업무에 대해 불안해하는 분들이 많다.

하지만 어딘가에 설레는 마음이 있을 거예요. 마이너스 감정은 버리고 플러스 감정을 고조시킴으로써 어떤 변화도 즐길 줄 알고 행복으로 이어간다.

⑦ 좋아하는 사람하고만 함께 지낸다

자신에게 정직하고 솔직한 마음으로 살고 있다. 남에게 득의양양하게 교제하지 않고, 좋아하는 사람하고만 즐거운 시간을 함께 보내는 것이다. 자신의 기분과는 무리하게 싫어하는 사람이나 맞지 않는 사람과 보내는 시간은 고통스럽고, 스트레스가 된다.

좋아하는 사람하고만 함께 지낼 수 있다면 스트레스 없이 행복한 시간이 늘어나는 것이다.

⑧ 우물쭈물하는 시간을 줄이고, 항상 자기 성장을 위해 시간을 쓴다

행복한 사람의 대부분은 "행복하려면…" 이것을 항상 의식하고 있다. 식사나 행선지 등을 결정하는 데 구시렁구시렁 시간을 소비하는 것은 아깝다.

하지만 많은 사람들은 쓸데없는 시간을 만들어 버린다. '쓸데없는 시간은 줄이자'고 항상 의식함으로써 습관이 된다. 그리고 자기 성장을 위해 시간을 소비하고 행복을 얻는다.[51]

42. 이민이냐, 혁신이냐

2010년대에는 저출생을 걱정하면 "인구가 줄어들면 좋은 거 아냐?"라고 되묻는 사람이 대다수였다. 이를 반전시킨 사람을 꼽자면 유튜버 슈카일 것이다. 무려 275만명의 구독자를 가진 슈카가 "저출산 '원 툴'이라고 욕을 먹는다"고 자조할 만큼 이 주제를 여러번 다루면서, '인구 감소' 자체가 아니라 '인구구조의 변화'가 문제라는 인식이 확산되었다. 인구구조를 예측해보니 청장년 대비 노년 비율이 전 세계 유례없는 수준으로 높아지고, 그로 인해 경제가 침체되고 세금이 치솟으며 국민연금과 건강보험도 위험에 빠질 것이라는 얘기다.

얼마 전 슈카는 5월25일 이뤄진 이창용 한국은행 총재의 기자 간담회를 다뤘다. 이 총재는 구조개혁 없이 재정정책에만 의존하는 것은 큰 문제라고 지적하며 '우리는 해법을 알고 있는데 실행하지 않는다'는 취지로 말했다. 그는 교육, 연금, 서비스업 구조개혁과 함께 '이민'을 언급했다. 7월15일 한동훈 법무부 장관은 대한상공회의소 초청 강연에서 이민청 설치와 이민개방을 주장하며 다음과 같이 말했다. "1950년 이승만 정부의 농지개혁이야말로 대한민국이 여기까지 오는 결정적 장면이라고 생각합니다. 농지개혁이 우리나라 발전에 필요한 인프라를 마

련한 것처럼 (저 한동훈은) 인구문제에 대해 국가 백년대계를 대비할 것입니다."
이승만의 농지개혁이 '1950년의 정답'이었다면 한동훈의 이민개방이 '2023년의 정답'이라는 것이다. 장관의 과업을 국가적 리더십으로 격상시키고 자신을 이승만과 동격으로 놓았다는 점에서 영리한 포지셔닝이다.

농지개혁이 현대 한국의 기틀을 세운 계기였다는 데 나는 동의한다. 사유재산권이라는 것이 얼마나 중요한데, 이를 깔아뭉개고 농지를 소작농에게 나눠주다니! 이쯤 되면 거의 혁명이다. 이것은 공산화를 막기 위한 미국의 예방적 조처이자, 북한의 농지개혁에 따른 남한의 반응이었고, 이승만 대통령이 한때 공산주의자였던 조봉암을 농림부 장관으로 기용하는 초강수를 통해 주도한 일이었다. 구 지배계급인 지주는 이를 계기로 몰락했고, 한국은 세계에서 가장 평등한 나라가 되었다. 세계은행 보고서에 의하면 1960년 기준 지구상에서 자산이 가장 골고루 나눠진 나라는 한국이었다(토지 지니계수 기준). 소작농이 자영농이 되면서 늘어난 소득과 자산이 산업자본 형성의 밑천이 되었고, '논 팔아 자식을 대학에 보냈다'는 표현에서 드러나듯이 교육열이라는 불씨에 연료를 공급했다.(2021년 10월28일자 칼럼 '교육열의 원천은 가난 아닌 평등' 참조)

이민개방이 필요하다는 지적에도 나는 동의한다. 저출생은 이미 오래된 현상이기 때문이다. OECD 기준 국가의 '초저출생' 기준인 합계출산율 1.3명을 하향돌파한 것이 2002년이니 벌써 20년이 넘었다. 최근에 출생률이 '세계 꼴찌'로 하락하면서 관심을 끌었을 뿐, 'OECD 꼴찌'는 오래된 일이다. 그 방식과 속도에는 유의해야 하지만, 어쨌든 이민개방은 필수다. 하지만 한동훈 장관의 이런 발언은 위험하다. "선진국에서 출산율 감소는 전 세계적 추세이기 때문에 단편적인 노력으로 해결될 것인지 단언하기 어렵습니다. 해결한 나라도 없잖아요?"

최근 15년간 280조원의 예산을 써왔다는 주장은 가짜뉴스다. 별 관련 없는 항목까지 '저출생' 딱지를 붙여 분류했을 뿐이다. 핵심이 되는 아동수당, 보육지원, 육아휴직 등의 핵심적인 '가족지원' 예산을 보면, 한국의 GDP 대비 가족지원액은 OECD 평균보다 35%나 적고 39개국 가운데 34등이다. 한때 나경원 의원이, 그리고 올해 5월 국민의힘에서 아동수당을 18세까지 월 100만원 지급하자는 안을 만들었던 배경이 여기에 있다.

무엇보다 농지개혁과 이민개방을 동일선상에 비교하는 것은 부당하다. 농지개혁은 공격적인 처방이었던 반면 이민개방은 수비적인 처방이기 때문이다. 저출생의 원인은 따져묻지 않고 그 결과를 감당하기 위해 이민을 받아들이자는 얘기 아닌가. 비유적으로 표현하자면 농지개혁은 차범근이고, 이민개방은 김민재다. 그렇다면 손흥민은 어디 있는가?

우리의 손흥민은 이창용 총재가 언급한 임금개혁인가? 연공급을 직무급으로 바꾸면 누가 불이익을 볼지 너무 명확하다. 대기업 저숙련 장년층 노동자다. 우리의 손흥민은 진보진영이 주장하는 복지확충인가? 이로 인해 누가 불이익을 볼지 너무 명확하다. 미래의 높은 조세부담률을 감당해야 할 현재의 청년층이다. 내가 새삼 대학의 상향 평준화를 거론하는 것은 임금개혁이나 복지확충과 달리 윈·윈 구조를 설계할 수 있어서다. 나는 한동훈 장관에게 묻고 싶다. 당신의 손흥민은 어디 있냐고.[52]

43. 시골 병실에서

어머니의 연세 따라 시골 병원에 가는 빈도수가 잦아진다. 그러려니 하는 마음 대신 어떤 마지막이 점점 다가오고 있다는 실감도 사실 든다. 다행이라면 동생 내외가 함께 있고 읍내에 단골(?) 병원이 있다는 정도. 지난봄에는 나이 지긋한 의사 선생님과 어머니의 건강 문제에 대해 이야기를 나누기도 했다.

어머니의 건강 상태나 병력을 잘 아는 의사 양반이 있다는 사실은 아무래도 내게 안정감을 주었다. 대부분의 시골 병원이 그렇겠지만 병실에는 죄다 나이 든 노인들뿐이다. 간혹 젊은 사람들도 섞여 있기는 하지만 어떤 분들은 생을 포기하신 것 같은 느낌도 준다. 어머니가 점심을 힘들게 드시는 동안 밥을 안 먹겠다는 다른 노인의 간단한 부탁도 들어줘야 했다.

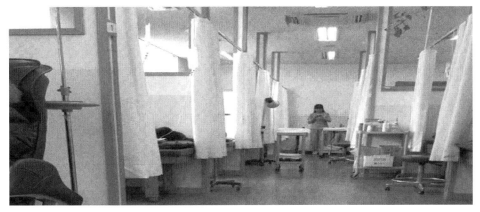

텔레비전에서는 젊은 트로트 가수들의 흥겨운 노래와 중간중간 요란한 광고만 쏟아져 나온다. 이번에 관찰하게 된 재밌는 점은, 세상에 알려진 것과는 다르게

트로트 열풍이 시골의 노인들과는 큰 관계가 없는 것 같다는 점이다. 물론 내가 방문한 병실에 한한 관찰이다. 몸이 불편한 분들이다 보니 그럴 수도 있지만, 상대적으로 젊은(?) 여성들이 있는 옆 병실에 있을 때도 그것은 마찬가지였다. 트로트 프로그램에 참여하는 시청자들의 연령대도 그렇게 나이 든 사람들이 아니었다. 또 하나 공통점은, 도시에 사는 여성들이 그 프로그램에 전화로 참여하고 있다는 점이었다. 나는 여기서 무슨 대단한 문화현상에 대해 말하려는 게 아니다.

어릴 때 살던 마을에는 이제 '외지인'들이 이사 와서 산다. 예전에 비하면 집들도 많이 번듯해졌고 마당에 잔디를 깔고 사는 이들도 있다. 풍경은 예전만 못하지만 강이 내려다보이는 야산의 기슭에 있는 마을이니 일종의 전원주택이 될지도 모르겠다.

이동 수단은 당연히 개인 자동차여서 비좁던 마을 길도 넓어졌다. 친구들의 어머니들도 대부분 요양병원에 계시거나 돌아가신 분도 여럿이다. 대부분 평생을 농사지어서 도시에 사는 분들에 비해 노화가 빠른 편이다.

어머니가 잠시 주무시는 틈을 타 책을 펼쳤다가 잘 읽히지 않아 창밖을 봤다. 들판이 온통 도로투성이다. 읍내에서 전주 시내로 가는 최단 거리다. 새삼스럽지는 않다. 내가 떠난 이후로 논은 길로 바뀌고, 비닐하우스가 들어서기 시작했다. 아파트들이 들어선 것도 물론이다.

가만히 기억을 더듬어 보니 중학교 1~2학년 때인가 〈데미안〉을 들고 참새를 쫓던 논두렁 언저리다. 아니면 박정희가 총 맞아 죽던 날, 가을 소풍 대신 나락 타작을 거들던 논 근처던가(그래 봐야 도짓논이었다). 그때의 눈과 지금의 눈은 너무도 달라져서 그런 것 같기도 하고 아닌 것 같기도 하다. 나는 저 길들이 생기기 전 도시로 나와 노동자가 되었지만 결국 저 길들을 따라 떠난 것과도 진배없다. 누군가 떠나기 시작해서 길이 생긴 것이기도 하고, 길이 생겨서 떠나기 시작한 것도 사실이다.

오송의 궁평 제2지하차도에서 참사가 일어났을 때, 그 길은 논 가운데를 가로질러 만들어졌고 가까이에 큰 냇물이 있는 것도 알게 됐다. 불어난 물은 인간의 '노력'을 비웃듯이 제방을 넘어 논을 휩쓴 다음 지하차도로 무자비하게 쏟아져 들어갔다. 며칠 뒤 어디를 가다가 새삼스럽게 도로 주위를 살펴봤더니, 인간의 길은 자연을 밀어낸 것에 불과하더라.

시골에 난 도로는 그 테두리에 가드레일이라는 장벽을 설치한다. 이것은 인간의 속도를 보장하고 지켜주기 위함임과 동시에 자연과의 분리를 상징한다. 그래서 그런지 시골의 자동차 전용도로 같은 데서 인간은 속도에 대한 두려움을 상실한다. 점과 점 사이를 선으로 이은 근대 문명은 인간에게 속도를 강요하고, 그 사이의 면적은 단지 부동산으로 취급된다. 땅은 사라졌다.

어릴 적, 장마철이면 강은 자주 범람해서 들판을 덮었다. 우리 마을처럼 산기슭이 아니라 그냥 강가에 자리 잡은 마을들은 그때마다 수해를 입었고 아이들은 학교에 오지 못했다. 가끔 허술한 집은 무너지고 다른 터에 집을 다시 짓기도 했다. 그러나 지금처럼 느닷없는 죽음 '들'은 기억나지 않는다.

버리면 버림당한다는 것은 진리에 가까운 것 같다. 윤리적인 차원의 인과응보가 아니라 버리면 도움 받을 기회도 사라진다는 상식을 말하는 것이다. 시골 병원의 병실에는 여성 축에도 끼지 못하는 존재들이 힘겹게 누워 있었다. 그녀들에게는 트로트도 사치처럼 보였다. 암 보험 광고는 조롱처럼 들렸다.[53]

44. 북극곰과 나의 공통점, '지구를 구할 수 없다'

류준열 배우가 전하는 '그린피스'의 목소리다. "나는 북극곰입니다. 나는 기후 변화가 신경 쓰이지 않습니다. 뽀얀 털을 갖고 있어서, 귀여운 까만 코를 갖고 있어서, 당신은 나를 걱정하고 안타까워 하지만 당신이 걱정해야 하는 건 내가 아닙니다. 이미 당신에게 계절은 의미가 없어졌고, 이상기온은 더 이상 이상하지 않습니다. 이것은 나의 문제가 아니라 당신의 문제입니다. 하지만 지금, 여러분은 할 수 있는 일이 있습니다. 그리고 나, 북극곰은 할 수 있는 일이 없습니다. 지금 북극곰과 우리 지구에서 벌어지고 있는 이 끔찍한 변화를 멈춰주세요."

이 공익광고는 기후 위기를 기존과는 다른 관점에서 접근한다. 환경 운동은 미래 세대를 위한, 지구를 지키기 위한, 동물을 살리기 위한 과제가 아니다. '환경

(環境)’은 “인간을 둘러싼” 이라는 의미에서 이미 인간 위주의 단어다. “나를 둘러싼 무엇을 위해서” 라는 발상. 주체(인간)와 대상(지구)의 이분법을 버리지 않은 한, 답은 없다. 지구 위기는 인간이 만든 것이므로 해결도 인간만이 할 수 있다. 북극곰은 피해가 없다는 의미가 아니라 할 수 있는 일이 없다는 얘기다.

이 광고를 보고 내가 바로 북극곰이라는 사실을 깨달았다. 기후 위기를 해결하기 위해 나 같은 ‘문과’ 가 할 수 있는 일은 일상의 정치 외에는 근본적으로는, 없다. 동물과 나의 공통점은 지구 성원권이 없다는 사실. 근본적인 해법은 이공계 전문가들의 의식에 달려 있다.

가. 문과 vs 이과보다 관점이 더 중요

얼마 전 유시민 작가와 ‘문과’ 와 ‘이과’ 의 만남을 주제로 대담을 했다. 그의 신간 〈문과 남자의 과학 공부〉가 계기가 되었다. 나는 그가 공부한 과학 이야기보다 나이 듦에 대한 소회가 좋았다. 이것이 원래 의미의 에세이, 수상록(隨想錄)이다. 작가가 난무하는 시대지만, 본디 작가(作家)는 평생 집을 짓는 예술가이다. 나이 듦에 대한 그의 생각을 알고 싶었다.

모든 학문(學問)은 질문(質問)이다. 일본은 근대화 시기 영어를 번환(飜換)하는데 많은 고민을 했는데, “사이언스” 를 “학술(學術)” 로 번역했다. 사이언스는 자연과학에 국한되지 않는다. 영어도 그렇다. 한국어의 ‘생활과학대학’ ‘사회과학대학’ 처럼 모든 학문은 사이언스다.

나는 문과와 이과를 나누고 둘 다 공부해야 한다는 식의 주장에 동의하지 않는다. 그럴 필요도, 시간도, 능력도 없다. 각자 필요한 공부를 할 뿐이다. 나는 한국현대사를 탈식민주의 관점에서 재해석하고 싶다. 그러려면 일본어, 중국어, 영어같은 외국어는 물론이고 관련 분야 서적을 읽기에도 평생이 모자란다.

어딜 가나 융합, 통섭(trans-)을 외친다. 통섭(統攝)이 아니라 통섭(通攝)이라고 그렇게 주장했건만(?) 여전히 통섭(統攝)은 완강하다. 이처럼 동음이의어가 반대말이 되는 경우도 드물 것이다. 어떻게 모든 지식을 ‘통(統, unification)’ 할 수 있겠는가. 문과와 이과를 같이 공부하는 시기는 필요하다. 초·중·고 교육이 그것이다. 이때 중요한 것은 ‘국영수’ 가 아니라 가치관, 체육, 환경, 성 교육을 포함한 건강 교육, 정치 교육이다. 정치 교육은 민주주의와 인권 개념의 역사, 보편성과 당파성을 동시에 배우는 것이다.

문과와 이과를 불문, 시민의 기본 생활을 배우는 것이 10대 시기의 공교육이다

(이어야 한다). 호칭과 지칭의 구별, 내가 사는 지역의 역사, 타인과 나의 몸의 차이 등이 그것이다. 수학의 기하는 공간 감각을 위해 필요하다. 산수는 기본이다. 크기가 두 배일 때 부피는 세 배가 되므로 수박은 큰 것을 골라야 한다. 이 정도만 알아도 "아오리는 언제 **빨간** 사과가 되나요?"라고 묻는 대통령은 등장하지 않는다.

그나마 수박 사는 데 필요한 산수조차 쓸모가 예전 같지 않다. 소분된 제품이 더 비싼 자본주의 앞에서 공부의 의미는 달라진다. 화학의 기호는 환원주의의 좋은 예로, 인문학의 환원주의와는 다르다. 하지만 후자가 전자보다 득세할 때, 화학자 프리모 레비처럼 인종 환원주의에 의해 홀로코스트의 희생자가 된다. 한편 그가 "이것이 인간인가"라고 물었을 때 그 인간은 백인 남성이다. "이것이 여성인가?" "이것이 흑인인가"라는 말은 이상하다.

지구에서 가장 힘이 센 물질은 물이다. 물은 모든 곳에 스며들고 파괴할 수 있다. 수압으로 다이아몬드도 쪼갤 수 있으니 피라미드의 돌을 물이 재단(裁斷)한 것은 당연하다. 그러니 지구 표면의 70% 이상을 차지하는 바다의 오염 상태는 지구 멸망의 길을 보여준다. 물(H2O)에 대한 이공계의 전문성과 '물과 사회'를 아는 것은 대립하지 않는다. 중요한 것은 메타 인지 능력이다.

문과와 이과. 사안의 성격은 다르지만 관련된 쟁점은 다음과 같다. 첫째, 비슷한 학력(學歷) 상태에서 자연과학자의 인문서 진입 장벽은 그 반대의 경우보다 훨씬 낮다. 문과의 '패배'는 예정된 것이다. 푸코를 읽는 이공계와 (아인슈타인의 수학 선생이자 친구였던) 괴델을 읽는 문과생의 수는 같지 않다. 문과와 이과의 대화는 불공평하다. 한국인과 미국인이 영어로 대화하는 상황과 같다. 유시민 작가와 나의 대화가 풍요로운 언설이 되기에는 주제 자체가 난센스였고, 나는 논쟁 구도를 바꾸지 못했다.

둘째, 인문학 위기론은 IT 자본주의 이후 필연적 현상이다. 인문학의 위기는 두 가지다. 문과생의 취업 어려움, 로컬 지식을 생산하지 못하는 한국 사회. 우리 현장에 필요한 언어를 생산할 수 있는 인문학자가 있다면, 인문학은 그 어떤 지식보다 도움이 될 것이다. 인문학은 질문 방법과 가치관을 배우는 공부이기 때문이다. 그러나 한국사회는 자신만의 문제의식이 있거나 문제를 제기하는 사람을 싫어한다. 질문을 "트러블"로 생각한다.

셋째, 문과와 이과는 구분의 대상도 융합의 대상도 아니다. 둘 다 학술일 뿐이다. 자연과학자의 사고는 특정 사회의 역사적 맥락에서 자유로울 수 없으며, 인문학은 자연과학의 발달로 인해 가능했다. 해부학의 발전은 보편적 인권 개념을 가져왔고, (엥겔스의) 유물론은 당대 독일 자연과학의 급진적 발달에 크게 영향받았다. 생로병사의 원리는 문과와 이과를 아우른다. 죽음은 유물론의 옳음을 가장 잘 증명하는 사건이자, 생로병사 과정은 과학에 의존한다.

　분야의 차이보다 중요한 것은 가치관과 관점이다. 관점 없는 공부는 문과와 이과 모두에게 재앙이다. 아니, 관점 없는 지식은 없다. 공부는 자신의 사회적 위치성에 기반한 가치관의 구성과 변화를 의미한다. 사람마다 젠더, 계급, 지역 등에 따른 '편견'이 있다. 없는 경우는 통념(지배 이데올로기)을 그대로 흡수한 경우다.

　생태주의, 여성주의, 마르크스주의를 지향하거나 지역 문제에 관심이 있는 자연과학자가 있고, 관념론과 신자유주의적 사유로 뭉친 인문학자도 많다. 문과와 이과를 나누고 모두 공부해야 한다는 발상보다 자신의 계급, 젠더 등이 어떻게 가치관에 영향을 미쳤는가를 아는 것이 더 근본적이다.

나. 지구는 '이과'에 달려 있어

　넷째, 절실한 결론. 글로벌 자본주의 이후 자본주의는 노동과 소비가 아니라 '라이더와 그 외 노동자'로 나뉘었다. 자본주의의 질주, 즉 기후 위기는 이과의 파워다. 일상 용품부터 IT, 무기까지 기술이 자본주의를 견인한다. 지구의 생사는 온전히 자연과학자들에게 달려 있다. 북극곰처럼 문과가 할 수 있는 일이 없다. 문과는 전문 영역에 개입할 수 없다.

　기후 위기를 해결할 수 있는 이들은 '사회를 아는' 자연과학자들이다. 이공계 대학생들을 위해 '과학과 사회' 관련 과목을 전체 학점의 20% 이상 개설하고 수강하도록 해야 한다.

　자연과학자에게 지구 위기의 책임이 있다는 뜻이 아니다. 그들만이 할 수 있다. 이과는 지구 위기와 자본주의의 원리를 안다. 한국 정치는 법조인과 사회과학 전공자들이 장악하고 있다. 문과 출신들은 능력도 없으면서 영향력은 과도하다. 이과 출신 관료가 많아져야 하고, 이공계 내부에서 차이가 만들어져야 한다. 후쿠시마 오염수에 논쟁에 '동원'되는 것이 아니라 그들이 거버넌스에 포진해 있어야 한다. 언제나 중요한 것은 분야가 아니라 관점이다.

　문과가 이과를 공부한 내용을 독자에게 '번역'하는 것은 첫걸음이지, 지향이 아니다. 그나마 자기계발서와 수험서의 홍수 속에서 인문서가 떠내려가지 않기를 바랄 뿐이다.[54]

45. 엄마, 그만!(Mom, stop!)

인티메이트(intimate)라는 단어가 있다. 본래는 남녀 간의 친밀관계(intimate relationship)를 뜻하는 단어가 지금은 사랑, 우정, 연애 등을 망라하는 의미로 유통되고 있다. 서구 유럽에서 요즘 'intimate'에 대한 연구가 활발하게 진행되고 있는데, 요즘 세대가 남녀 간의 관계 정립에 어려움을 겪는 사람이 늘면서 독신 생활이 길어지고 있다는 연구결과다. 연구에 따르면 참가자의 80% 이상이 적어도 하나의 요인에서 중등도 이상(severe difficulties)의 어려움에 직면했다고 밝혔고, 약 40%는 세 가지 이상의 요인에서 어려움을 느끼고 있다고 한다. 말하자면 유전적으로 가지고 있는 짝짓기(mating)에 실패하고 있는 요즘 세대에 대한 심각한 우려를 표명하고 있다는 것이다.

언제부터일까? 대학의 성적에 관해 항의하는 전화에 '엄마'라는 존재가 넘실거리더니, 이제는 대학에 수업관련 혹은 수강관련 문의의 60%를 엄마가 하고 있다는 말이 떠돈다. '어엿한 대학생'이라는 말이 이미 옛말이 된지 오래다. 자기 결정권을 갖지 못한 유치함이 이제 대학생활 전반에 걸쳐있고, 엄마 품을 떠나지 못한 청년들이 관계 맺기가 무서워 연애감정조차 솔직하게 털어놓지 못하는 세태가 된 것이다. 오죽하면 '수강신청 어떻게 하나요? 대학까지 따라온 헬리콥터 부모'라는 헤드라인까지 등장했다. 서양에서는 이런 현상을 인티메이트에 실패한 세대라고 보도하고 있다.

캠퍼스에서 여학생의 흡연은 눈에 띄게 증가하고 있는 느낌이다. 그렇게 느끼는 것은 예전에는 숨어서 피던 담배를 '혐연권'을 주장하는 이해집단에 정부가 손을 들어주고, 마치 감옥처럼 일정 장소에서만 흡연 가능하도록 '흡연장소'를 지정했기 때문이다. 교수 눈을 피해 흡연하던 학생들도 자연스럽게 교수와 맞담배를 피는 형태가 자연(?)스러워지고, 흡연이 필요한 여학생들도 어쩔 수 없이 흡연구역으로 뭉쳐진 탓이다. 당연히 흡연장소에서는 어른과 아이. 교수와 학생이라는 질서는 무너질 수 밖에 없다. 당연히 학생들도 교수와 눈을 맞추며 담배 연기를 내뿜는 촌극(寸劇)?이 벌어진다. 교수에 대한 존경심(?)은 담배연기처럼 사라진지 오래다.

흡연권리를 주장하는 이해집단은 담배에 붙는 비싼 세금과 비용을 지불하면서도 혐연권의 이해집단에 패배했고, 정부는 흡연권자의 권리를 박탈하고 대신 담배를 필 수 있는 케이지를 만들었다. 식후에 흡연장소를 찾아 떠도는 그들을 도처에서 볼 수 있다. 이들도 누군가의 아들 딸이며, 가장이다.

　교사와 공무원 등의 시험에 가산점으로 작용했던 병역가점제도 또한 차별을 외치는 이해집단의 손을 들어준 정부에 의해 의무적으로 군대에 가야하는 대한민국의 이대남(이십대 남성)의 가슴에 대못을 박았고, 군대 면제가 마치 '치욕'으로 받아들여졌던 남성세대에게조차 '신의 자식'이라는 명예로움(?)을 덧칠해 주는 결과를 낳았다. 남자로 태어난 것이 온통 후회라는 자조 섞인 말은 아들로 태어난 대한민국의 모든 남성, 아들을 둘씩이나 둔 나 또한 동의한다.

　서이초 교사의 안타까운 자살로 세상이 온통 시끄럽지만 결과는 이미 예정되어 있다. 이런 일이 어디 한 두 번인가? 책임자 몇 명 처벌하면 어느새 가십거리조차 안되는 인스턴트 기억시대가 되버린지 오래다. 서이초 교사의 안타까운 선택은 내 권리만 소중한 '권리 남용' 시대가 초래한 결과다. 내 자식의 권리, 학생의 권리만 존재하는 교실에 선생님의 권리는 시궁창에 쳐박힌지 정말 한참(long long time ago) 됐다.

　대학에서 더 이상 여학생에게 눈을 맞추는 교수는 없다고 단언할 수 있다. 행여 성희롱으로 고소 당할까 두렵기 때문이다. 여학생이 연구실에 찾아오는 것도 매우 매우 불편하다. 행여 여학생이 기분 나빴다고 인터넷에 몇 글자 올리면 학교에서 당연히 인사징계위원회에 회부된다. 학생과 눈을 맞추는 수업을 했다가는 고소가 일상이 될 수 있다. 학생과의 친밀관계 형성은 단연코 미친 짓(?)일 수 있다.

　대학은 이런저런 괴담이 소설처럼 스쳐가는 사회다. 그 중 기억에 남는 에피소드는 '함께 술을 마시고 집에 바래다 준 남학생이 기습 키스를 한 모양이다. 다음날 문자에 '너 이거 성희롱이다'는 문자를 본 남학생이 기겁을 하고 자살했다'는 웃지 못할 괴담이다. 결국 '결백'으로 밝혀진 전북의 중학교 수학교사는 학부모가 제기한 성추행혐의로 자살하는 사건이 있었다.

　이제는 잠자는 백설공주에게도 '키스를 해서 살릴까요? 키스해도 되나요?'를 물어봐야 성희롱에 걸리지 않는 세상이다. 젊은 남녀가 이런 과잉 자기 권리 시대에 인티메이트한 관계를 어떻게 형성시킬 수 있겠는가 자성해 봐야 한다.

　대학을 '지성사회'라고 했다? 30년 전의 이야기다. 대학은 사회를 배우는 반사회적 환경이다? 아니다. 30년 전 이야기다.

　지금의 대학은 엄마의 결정을 기다리는 초등학생의 모습이 고스란히 옮겨진 곳이다. 본인 스스로는 연애조차 결정할 수 없기에 관계 맺기를 따로 학습해야 하는 그런 젊은이들로 사회가 몰아가고 있는 것은 아닌지 돌아봐야 한다.

　내 자식이 비록 부족한 결정을 하더라도. 결과가 설령 부정적으로 예측되더라도. 그 결정을 존중해주고, 자식에게 일말의 믿음을 보여주는 그런 기다림 없이는 물질적인 프라이드는 만들어 줄 수 있지만 자식의 자존감(自尊感, high self-esteem)은 만들어 줄 수 없다.[55]

46. 나의 외로움이 널 부를 때

우리집 나비는 저만 보면 웅얼웅얼, 말이 참 많습니다. 덩치 큰 녀석이 삐악삐악 병아리 소리까지 내는데, 흡사 무언가 일러바치는 모양새입니다. 나 없는 동안 누가 꼬집기라도 한 것일까요? 아니면 "너무 보고 싶었다" 말하고 싶은 걸까요? 한 번 시원하게 말해주면 좋겠지만, 말 못하는 동물이니 안타깝습니다. 동물병원에선 아픈 동물이 자신의 증상을 설명하지 못합니다. 그러니 보호자와 수의사가 일치단결, 탐정이 되었다가, 독심술을 부렸다가 합니다. 특히 심폐소생술 여부나 연명치료, 위험한 수술이나 항암치료처럼 합리나 필요에 앞서 환자의 의향을 알고 싶을 땐 난감합니다. 수의사는 함부로 추천할 수 없고, 가족들은 함부로 결단할 수 없습니다. 어디가 아픈지, 무엇을 원하는지 정확히 짚어주면 좋겠지만, 그럴 수가 없으니 안타깝습니다.

우리가 안타까운 만큼, 혹여 그들은 말을 못해 억울한 일이 있을까 걱정입니다. 가수 장필순님의 반려견 '까뮈'가 애견호텔에서 죽었다는 기사를 보았습니다. 기사에 따르면 사인은 열사병이라 알려져 있지만 확언은 어렵습니다. 응급처치를 위해 동물병원에 방문한 것으로 보이는데, 수의사의 소견이나 진단은 찾아볼 수 없기 때문입니다. 죽음의 원인이 열사병이든, 다른 무엇이든 애견호텔의 부주의가 있었다면 문제입니다. 말을 못하는 동물이니 더욱 유심히 살폈어야 합니다. "더워요" "몸이 이상해요" 한마디만 할 수 있었더라면, 까뮈는 지금 가족들 곁에 있을지도 모릅니다. 말을 못해 억울한 동물을 만든 부주의이기에 문제입니다. 기사와 댓글들을 보자면, 말에 말이 더해져 사실과 소문의 경계, 슬픔과 분노의 경계, 사과와 변명의 경계가 흐려집니다. 말을 못해 답답했을 그 마음을 헤아리려는 노력은 없이, 말만 많은 우리가 그 억울함을 오염시키는 것은 아닐까요?

1991년 '동물의 생명과 안전을 보호해 생명존중 등 국민의 정서함양에 이바지'한답시고, '동물보호법'이 제정되었습니다. 하지만 입법부는 매번 시류에 떠밀리는 개정을 거듭하고, 행정부는 제대로 된 시책을 마련하지 않습니다. 사법부는 동물의 학대나 유기에 관련한 양형기준도 갖고 있지 않습니다. 우리가 아는 대부분의 법은 억울한 사람이 없게 하고자 만들어진 것입니다. 마찬가지로 '동물보호법' 또한 억울한 동물이 없게 하고자 만들어진 법입니다. 그들의 억울함에 대해 공감하고 이해하려는 노력이 필요합니다. 게을리하고 있기에, 말 못하는 동물들을 위한다는 법마저, 말만 많은 우리가 오염시키고 있습니다. 동물들마저 살기 좋은 세상이라면, 사람에겐 더할 나위 없겠지요. 동물들의 억울함마저 살피다 보면, 그래서 좋은 세상이 오면, 사람들은 그 누구도 억울한 일, 분한 일 겪지 않고 살 수 있을 겁니다.

장필순님은 "나의 외로움이 널 부를 때, 나의 마음속에 조용히 찾아와" 달라고 노래했습니다. 말로 부르지 않고 외로움으로 그저 불러도, 말 못하는 그들은 언제라도 찾아와줍니다. 그들은 스스로가 말을 못하기에 더 세심히 살펴, 우리가 말하지 않아도 알아주고, 받아주고, 이해해주는 것은 아닐까요? 조금이나마 공평하려면 우리도 이해하려 노력해야 합니다. 감히 억울해하고 있을 수많은 까뮈들과, 슬픔에 빠져 있을 수많은 장필순님들에게 위로와 사과를 전하고 싶습니다.[56]

47. 권위란 무엇인가

"무슨 생각을 해, 그냥 하는 거지." 김연아 선수의 이 말이 유명해진 것은 세계선수권대회에서 여자 싱글 부문 최고점을 경신하고 금메달을 딴 후다. 열악한 환경에서의 극기 훈련, 그걸 '그냥 했다'는 말에 모두 감동받았다. 반면 나는 '그냥 하는' 사람의 정반대에 있다. 매번 생각을 하고, 그냥 하라고 하면 열받아 한다.

생활스포츠 지도사 자격증 연수를 받고 있다. 이렇게 되기까지 많은 생각을 했다. 어린 시절 나는 왜 몸을 움직이면 놀림받고, 시험 성적이 잘 나오면 부러움을 샀지? 태어나 보니 몸을 잘 움직이는 능력과는 거리가 멀었고, 글을 읽는 것은 한

번도 어렵지 않았다. 학교에서 나는 체육시간을 '헐어' 자습을 했고, 운동을 원래 잘해서 운동부가 된 애는 교실에 들어오지 않았다. 30대가 다 되어서야 여성학을 공부하며 몸을 둘러싼 불평등 구조를 이해했고, 사교육 기관·헬스장에서 운동을 배웠다. 일반인, 특히 소수자에게 생활체육이 어떤 의미인지를 자문하며 몸의 감각이 달라지며 보이는 것을 탐구했다. 이거 엄청 재밌잖아? 나 같은 사람들이 더 많이 운동할 수 있길 바랐다.

최근 한 웹툰 작가가 학부모로서 특수교사를 고소한 사건을 둘러싼 여론은 작가의 아이, 다른 급우들, 교사 각각의 권리를 대립적으로 이해하는 지형 위에 있다. 교사가 말과 행동으로 아이에게 피해를, 아이는 문제 행동으로 교실의 다른 학생들에게 피해를 줬고, 이것이 각각 권리 침해라는 것이다. 교사에겐 교권, '교사의 권리'가 없는 게 문제라고도 한다. 그런데 교권이 학생들을 '그냥' 움직이게 하는 힘이라면, 이것은 권리가 아니라 권력이다.

요즘 듣는 연수에서 한 선생님은 이랬다. "옛날 선수들은 통제적인 훈련을 참고 견뎠지만, 요즘은 안 돼요. 자율성을 발휘하게 가르쳐야 합니다." 그다음엔 이랬다. "요새 다 평등하려고 하잖아요? 근데 가르치려면 확실한 서열이 있어야 됩니다." 강의실엔 혼돈의 기류가 흘렀다. 강의 끝에 선생님이 질문을 시키니까, 누군가 겨우 손을 들고 말했다. "지금 두 가지 다른 얘기를 같이하셔서 헷갈리는데요?"

지금 문제는 권리가 아닌 권위다. 권위는 정당성이 있는 권력이고, 정당성은 가치에 대한 사회의 합의에서 나온다. 시키는 대로 하면 성공 엔딩을 보는 공략법이 있을 때, 시키는 사람은 권위가 있었다. 그런데 전에 시키는 대로 했는데 잘 안됐다. 그러면 요즘은 이런다. "진작 알아서 했어야지."

교육이 '화이트칼라'가 되는 지름길, 학교가 상위 명문 학교를 보내는 통로였을 땐 교사가 학생을 때려도 괜찮았다. 하지만 지금은? 체육 못하는 학생을 버리고 가도 아무도 항의하지 않던 학교 밖에서, 체육 내신까지 필요한 입시 학생에겐 줄넘기 과외를 붙이면 된다. 인생은 한 번뿐인 게임인데, 부모가 '알아서' 뚫는 공략 루트엔 학교의 역할이 없다.

얼마 전 수영장 할머니들을 만났다. 우리는 초급반에서 반년간 수영을 같이하다 헤어져 반년을 따로 수영했다. 접영 배우셨어요? 아니, 아직. 접영은 나도 아직이었다. 별 성과 없이도 수영을 계속하는 우리에게 이 사회는 관심이 있나? 권위란 무엇인가? 다시 말해, 뭔가에 권위를 줬다가도 **뺏는** 우리의 욕망은 어떤 가치를 향해 있을까?[57]

48. '내 새끼 지상주의' 와 온 마을

지금 한국 사회는 인류의 생태적 성공 뒤에 놓인 공동 육아라는 비법을 다시 성찰해야 할 때다.

치열한 경쟁과 물질주의에 중독되다 보니 우리는 어느덧 출산과 양육마저도 각자도생의 영역으로 여기기 시작했다.

내 새끼만 소중한 게 아니란 자각과 내 힘만으로 내 새끼를 온전히 키울 수 없다는 고백이 인류를 독특한 자리로 진화시켰음을 상기할 때다.

소설가 김훈이 통렬하게 꺼낸 '내 새끼 지상주의' 라는 말이 공명을 멈추지 않는다. 최근 새내기 여교사를 죽음에 이르게 한 육아 원리를 그는 "이 난세의 생존술이고 이데올로기" 라고 일갈했다(조국 전 법무부 장관에 관한 언급과 그로 인한 논란은 이 예리한 문제 제기의 의미를 퇴색시키지 않는다). 그리고 그 뒤에 적당히 숨어 있는 "지위 높은 선생님들" 을 비판했다. 이 글이 계기가 되어 우리가 어쩌다 이런 '낯선' 육아 원리를 갖게 되었는지를 생각해보았다.

불과 40~50년 전까지만 해도 아이들은 말 그대로 자유로운 영혼들이었다. 부모가 자식을 학교와 학원에 직접 데려다 주는 일은 아주 드물었고, 아이들은 학교가 끝나면 해가 지도록 친구들과 어딘가에서 뛰놀다 겨우 들어왔다. 부모가 집에 없어도 아이들은 자기들끼리 뭔가를 하며 재미있는 시간을 보냈다. 내 자식의 친구들이면 내 자식처럼 불러서 밥을 먹였다. 작금의 젊은 부모들의 눈으로 보면, 그때의 부모들은 자녀를 방치한 무책임한 사람들이다.

현재로 와보자. 친구들과 등교하다가 납치범에게 유괴될 확률은 제로에 가깝지만, 자기 아이의 손을 꼭 잡고 함께 등교해주지 않는 부모는 최선을 다하지 않는 어른이다. 학원에 직접 운전을 해서 아이들을 데려다 주고 데려오지 않는 부모는 나쁜 부모이다. 영어나 수학 캠프에 아이를 보내지 않는 부모는 무관심한 부모이며, 해외여행을 계획하지 않는 부모는 무능한 부모이다.

반세기 전보다 비교가 안 될 정도로 풍요로워졌으니 부모 의무사항이 많아진 것도 당연하다고 할 수 있다. 더 여유로워진 부모가 자기 자식에게 더 많은 기회와 경험을 제공할 수 있는데 무엇이 문제란 말인가, 라고 반문할 수 있다. 그런데 진짜 문제는 풍요로움으로의 변환 과정에서 '내 새끼'만 더 소중해졌다는 사실이다. 남의 새끼는 내 새끼의 경쟁자이며 우리 자녀들은 내 새끼와 무관하다는 '낯선' 의식이 스르르 자리를 잡게 되었다.

요즘 교사들은 학부모가 자녀의 가방에 녹음 장치를 몰래 넣고 등교시킬 수 있음을 인지하라고 서로를 긴장시킨다. 주의가 산만한 아이가 한 명이라도 있는 반을 맡은 해(사실상 매년)에는, 해당 학부모뿐만 아니라 다른 학생들의 학부모들로부터 엄청난 민원에 시달릴 각오를 해야 한다고 한숨 짓는다. 방심했다가는 학부모로부터 고소도 당할 수 있으니, 교육에 대한 소신과 철학은 묻어두고 몸을 최대한 사려야 한다고들 한다. 상황이 이렇다 보니 소신 있게 교육에 헌신해온 베테랑 교사들은 굴욕감 때문에 정든 학교를 떠나고 새내기 교사들은 겁에 질려 있다.

가. 학교, 학부모·학생 민원실로 변질

옛날에는 자원과 여력이 부족한 부모들이 대부분이어서 학부모는 교사의 인격과 전문성을 믿고 교사의 육아 원칙에 보조를 맞춰가는 게 보편적이었다. 소수의 부유한 부모가 학교와 교사에게 갑질을 하는 경우도 있었겠지만, 그것은 어디까지나 예외였다. 하지만 불과 몇 십년 후인 현재 학교를 보라. 자기 새끼의 앞날에 도움이 되지 않을 거라는 생각이 들면, "네가 뭔데 내 새끼에게 이래라 저래라야" 라고 말할 태세인 학부모들이 적지 않다. 이제 학교는 어린 학생들의 인성과 실력을 길러주는 교실이 아니라 학생과 학부모의 민원을 처리하는 사무실로 변질되고 있다.

혹자는 그동안 학교와 교사가 갑질을 해왔는데 이제야 학생과 학부모의 권한이 커져 학생, 학부모, 교사, 학교가 권력의 균형을 갖게 된 거 아니냐고 반문할 수도 있을 것이다. 하지만 학교는 권력다툼으로 균형을 잡고자 하는 여의도가 아니다. '온 마을이 필요한' 우리 자식들의 교육을 위해서라면 어떤 주체의 갑질도 허용해서는 안 된다.

능력이 닿는 한 내 새끼를 최고로 잘 키우겠다는 부모의 열망 자체를 뭐라고 할 수는 없을 것이다. 오히려 부모가 자녀 교육의 모든 것을 챙겨야 하고, 그에 관한 수많은 행동지침을 달성하지 못했을 때 죄책감과 열패감을 느끼는 사회라면, 그 구조가 '내 새끼 지상주의'를 만들어내는 동력이다. 그래서 어쩌면 갑질 학부모도 과열된 경쟁 사회의 또 다른 피해자일 수 있다.

이런 사회에서 가장 현명한 젊은 부부는 애 낳기를 미루거나 포기한다. 어찌하여 애를 낳아 기르는 부모는 '내 새끼 지상주의'와는 다른 길을 찾아보려 하지만 딱히 대안이 없어 보인다. 내 새끼를 성공작으로 만들려면, 물려받은 게 많으면 그나마 다행이지만, 그렇지 않으면 자신의 인생을 상당 부분 포기해야만 한다고 느낀다.

우리 모두가 마치 내 새끼 육아 올림픽 같은 걸 하고 있는 셈이다. 그런데 애를 키우는 것이 정말 이렇게 힘들어야 할까? 진화가 이렇게 힘든 일을 자연스러움으로 포장할 리는 없을 텐데 말이다.

영장류의 양육 행동을 연구해온 학자들에 따르면, 사피엔스는 유인원 중에서도 매우 독특한 양육 스타일을 진화시켰다. 일단 인간은 모든 유인원 중에서 덩치가 가장 크고 천천히 자라며 키우면서 가장 큰 비용을 들여야 하는 아기를 낳는 종이다. 그런데 놀랍게도 출산 간격이 가장 짧다. 보통 이런 경우는 출산 간격이 길어야 한다. 왜냐하면 새끼를 낳고 기르는 데 드는 비용이 클수록 어미는 다음 출산 때까지 더 오랜 기간을 회복하는 데 보내야 하기 때문이다. 가령, 인간 아기들보다 덜 무력하게 태어나고, 더 빠르게 성장하며, 훨씬 더 빨리 자립하는 고릴라·침팬지·오랑우탄의 경우 출산 간격은 평균적으로 6~8년 정도이다. 반면 인간의 경우 수렵 채집민 어머니들은 대략 3~4년 간격으로 출산한다.

나. 아이 낳기 포기하거나 내 새끼 집착

가장 긴 기간 동안 가장 많은 양육비를 지출해야 하는 종이 다른 유인원 종들에 비해 출산 간격이 2배나 빠르다는 사실은 추가 설명이 필요한 대목이다. '협동 번식'에 대한 연구로 유명한 영장류학자 허디에 따르면, "이러한 엄청난 번식력은 조상 집단에서 어머니가 대행 부모들로부터 도움을 받을 수 있었기에 가능"했다. 여기서 '협동 번식'은 대행 부모가 어린 아이들을 돌보고 부양하는 행위를 뜻하고, '대행 부모'는 할머니뿐만 아니라 손위 형제자매, 이모, 이모할머니, 아버지, 삼촌, 심지어 이웃 집단에서 온 방문객 등 여성의 출산과 자식의 생존 가능성을 돕는 존재를 지칭한다. 허디에 따르면, 10만년 전만 해도 지구를 구석구석 훑어도 만날 기회가 거의 없었던 사피엔스가 지구를 뒤엎을 만큼 드라마틱하게 확산될 수 있었던 이유는 바로 협동 번식의 진화이다.

협동 번식, 쉽게 말해 공동 육아는 먼저 낳은 자식이 자립도 하기 전에 어머니가 또 다른 자식을 낳을 수 있게 만들었다. 사피엔스의 어머니들은 집단의 다른 동료들의 공동 보살핌에 의존하는 방식으로 무력한 아이들을 성공적으로 키울 수 있었고, 그래서 규모가 기하급수적으로 커질 수 있었다. 아기 입장에서도 새로운 도전이 펼쳐졌다. 태어난 아기는 어머니와 대행 부모들의 의도를 잘 파악해야 했고, 관심과 도움을 끌어낼 수 있어야 했다. 어머니의 가슴팍에만 안겼던 아기는 우리의 조상이 될 수 없었다. 대행 부모의 보살핌을 기꺼이 받아들이고 의존한 아기들만이 살아남을 수 있는 환경이었다. 그러니 무력한 아기에게 가장 중요한 능력은 보호자를 부르고 머물게 하는 '응애'(사회성의 원초적 형태)였다.

인간의 공동 육아 방식의 독특성에 대한 증거들은 야생에 널려 있다. 야생 침팬지 어미가 새끼를 손에서 기꺼이 놓아주는 시기는 생후 3개월 반이 지나고 나서부터다. 야생 오랑우탄은 생후 반년이나 지나야 한다. 반면 인간 어머니는 출산 직후부터 다른 사람들이 갓난아기를 데려가는 것을 허락한다. 실제로 !쿵족의 수렵 채집민 어머니들은 출산 후 다른 사람들이 아기를 안아주는 것을 거절하지 않는다. 아기들은 늘 누군가에게 안겨 있지만 그 누군가가 꼭 어머니인 것은 아니다. !쿵족 유아가 대행 부모에게 안겨 있는 시간은 대략 25%나 된다. 인간 어머니도 자식의 안전에 대한 경계심은 많지만 다른 유인원 어미가 보여주는 새끼에 관한 소유욕은 갖고 있지 않다. 오히려 무력한 갓난아기를 낳아 안아본 어머니는 더 많은 동료들의 도움이 필요하다는 사실을 직감했을 것이다. 허디는 〈어머니, 그리고 다른 사람들〉에서 이런 깨달음이 인류의 진화 경로를 더 협력적인 방향으로 바꿨을 것이라고 주장한다.

지금 한국 사회는 인류의 생태적 성공 뒤에 놓인 공동 육아라는 비법을 다시 성찰해야 할 때다. 치열한 경쟁과 물질주의에 중독되다 보니 우리는 어느덧 출산과 양육마저도 각자도생의 영역으로 여기기 시작했다. 지난 10만년 동안 재생산의 지지대가 되어주었던 공동 육아가 사라졌고, 그만큼의 사회적 지원과 안전망이 구축되지 못한 상황에서, 젊은 부부들은 아이 낳기를 포기하거나 자기 자녀에게만 집착하게 되었다. 내 새끼만 소중한 게 아니라는 자각과 내 힘만으로 내 새끼를 온전히 키울 수 없다는 고백이 인류를 독특한 자리로 진화시켰다는 사실을 상기할 때이다.[58][59]

49. 사과의 위기

"이 가격 실화냐?" 사과 한 알에 5000원이 넘는 걸 보고 눈을 의심했다. 결국 마트 한 편에 마련된 세일 코너에서 흠집 있는 사과 네 알에 5600원 하는 꾸러미를 샀다. 흠과라도 맛만 좋으면 되지. 결과는 꽝. 달콤한 맛을 상상하며 한 입 베어 물었지만 백설 공주도 마다할 '무맛'이었다. 사과뿐 아니라 좋아하던 수박과 복숭아도 올해는 큰마음 먹고 샀다가 실패한 경우가 많았다.

특히 기후 변화에 취약한 것으로 알려진 감자, 포도, 사과의 타격이 컸다. 사과의 경우 사과꽃이 진 자리에 맺히는 '착과수'가 올해 무려 16%나 감소했다고 한다. 고온 현상 때문이다. 불행하게도 긴 장마에 탄저병까지 덮쳤다. 다른 과일도 마찬가지다. 생산량도 당도도 줄었다. 6월이면 만날 수 있는 포슬포슬한 감자도, 여름의 상징 수박도, 가을의 시작을 알리는 아삭하고 달콤한 사과도, 껍질과 씨 때문에 귀찮긴 하지만 자꾸 손이 가는 새콤달콤한 포도도 이제는 '당연한' 것이 아니게 된 것이다. 풍작인 해가 있으면 흉작인 해가 있기 마련이니 내년에는 다시 맛있는 과일을 먹을 수 있을까?

물론 과일이 당장 사라지지는 않을 것이다. 기후 위기로 인한 변화는 재난 영화처럼 갑자기 닥치지 않는다. 알지 못하는 사이에 곰팡이가 퍼지는 것처럼 찾아올 것이다. 몇 년 전까지 봤던 꽃이 어느 해부터 보이지 않고, 사과나 포도의 자리는 동남아 지역에서나 볼 수 있었던 패션푸르트와 파파야가 차지할 것이다. 그 변화가 더 빨라지고 있는 게 문제다. 올해 사과가 잘 팔려 '없어서' 못 파는 게 아니라 정말 없어서 판매를 못할 정도로 수확량이 줄었다고 한다. 사과의 고장인 경북 지역에 살던 농부가 사과 농사를 지속하기 위해 강원도로 이주했다는 이야기도 들었다.

그나마도 비싸서 사 먹지 못하는 이들이 더 많아질 것이다. 올해는 추석 선물로 고기 대신 과일을 샀다. 그만큼 '고급' 선물이 된 셈이다. 이미 과일은 누군가에게 쉽게 사기 힘든 사치품이 되었고 이런 일은 앞으로 더 많아질 것이다. 과일 선물을 사며 이런 생각을 해봤다. 기후 위기 시대에는 과일이 '계급'을 가르는 척도가 되지 않을까? 그리 머지않은 미래에는 과일을 제한 공급하는 일이 생기지 않을까? 1인당 사과 한 알과 포도 한 송이만 구매할 수 있게 한다거나, 계급에 따라 차등을 둬서 과일을 배급하는 풍경을 상상해 보자. 과일 때문에 국가 간 분쟁이나 전쟁이 일어나는 경우는 또 어떤가? 단지 과일만의 문제가 아니다. 과일, 곡물, 수산물 등 땅과 바다에서 공급되는 것들의 위기는 인간과 사회의 위기이기도 하다. 이 위기 상황에서 우리는 무엇을 할 수 있을까?

우리는 지금까지 계절마다 찾아오는 생명이 고마운 줄 모르고 너무 오래 땅의 일에 무심했으며 심지어 무시해 왔다. 땅의 안녕과 그곳에서 일하는 이들의 수고가 헛되지 않게 요즘 유행하는 표현을 빌려 '생태적 경각심'을 가지면 어떨까? 물론 개인이 맞서는 일로는 부족하다. 기후 위기 시대의 농업을 위해 정부는 기후 대응 정책을 강화해야 할 것이며 기후 위기로 인한 피해를 관련업 종사자 개개인이 힘겹게 감내하지 않도록 피해 보상 대책을 세워야 할 것이다. 복숭아와 사과를 먹기 어려워진 다음에야 이런 생각을 해서 송구하다. 너무 늦지 않았길 바랄 뿐이다.[60)]

50. 브렉시트와 영국의 가족 해체

영국의 유럽연합(EU) 탈퇴, 이른바 '브렉시트'가 시행된 지 3년이 흘렀다. 2016년 국민투표 당시 탈퇴 지지자들이 주장하던 영국 경제의 부활은 아직 나타나지 않았다. 오히려 코로나19 팬데믹, 러시아 전쟁, 인플레이션 등 외부 악재로 영국 경제는 휘청거리고 있다. 여론은 경제 위기의 원인을 브렉시트 탓으로 돌리며, 브렉시트와 후회를 뜻하는 영어 단어 '리그렛(regret)'을 합친 '브레그렛(bregret)'이라는 신조어까지 등장했다.

다수의 언론과 연구들은 브렉시트로 인한 경제적 손익 판단에 집중하고 있다.

하지만 브렉시트로 발생한 사회 문제들은 크게 주목받지 못했다. 최근 영국 옥스퍼드대·버밍엄대 연구진이 '사회학 저널'에 발표한 연구는 브렉시트로 인해 발생한 사회 문제를 살펴보았다는 점에서 큰 의미가 있다. 이 연구는 EU 국가 출신 가족들이 경험한 브렉시트발(發) 가족 해체, 이주, 이혼 문제 등을 다루고 있다.

영국이 EU에 속해 있던 시절, 일자리와 교육 기회를 찾아 영국으로 이주한 많은 EU 시민들이 있었다. 2000년대 초부터 지속적으로 증가한 EU 국적 영국 거주자는 2016년 EU 탈퇴 국민투표 시점 300만명에 달했다. 이들 중 다수는 영국에서 가족을 구성하고 정착했다. EU가 품고 있던 '하나의 유럽(Pan European)'이란 비전과 권역 내 자유이동이란 권리를 갖고 있던 EU시민이었기에 가능한 결정이었다.

하지만 브렉시트 국민투표 이후, 가족들은 이주냐 잔류냐를 놓고 고민하기 시작했다. 다수는 영국을 떠나는 쪽을 택했다. 연구에 따르면, 이주를 택한 가족들은 EU에 속해 있음으로 얻는 장점(이동의 자유, 일자리 기회, 사회안전망)뿐만 아니라 브렉시트 국민투표에서 나타난 영국 내 반이민 정서, 반EU 정서에 충격을 받아 떠나기로 결심했다고 밝혔다.

부모가 같은 국적을 가진 가족들은 본국으로 돌아가는 것을 선택했지만, 이들 역시 많은 어려움을 경험했다. 영국에서 태어난 이들의 자녀들은 부모 국가에서 한 번도 거주해보지 않아 문화 차이와 언어 장벽에 부딪혔다. 부모도 오랜만에 찾은 고국에서 세대 차이와 달라진 환경에의 적응 등 어려움이 있었다. 부모 각자가 다른 국적을 가진 경우 일자리 문제와 자녀의 학업 등 선택지가 많아진 탓에 거주하기에 적합한 국가를 고르는 데 큰 어려움을 겪었다. 어떤 가족들은 일자리와 학업 등의 이유로 가족의 일부만 먼저 타국으로 이주하고, 나머지 가족은 영국에 잔류하는 길을 택하기도 했다.

연구진은 부모 중 한 사람이 영국인인 경우도 살펴보았다. 이들 그룹에선 영국을 떠나고 싶지 않은 영국인 남편과 EU 국가 출신 아내의 의견 차이, 이주 시 자녀 교육의 가치관 차이, 브렉시트에 대한 입장 차이 등으로 이주와 이혼을 결심한 가족도 있었다. 이러한 사례들은 브렉시트와 같은 중대한 정치적 결정이 개인의 삶에 어떤 영향을 주는지 잘 보여준다. 브렉시트에 대한 손익 분석도 유의미하지만, 실제 삶 속에서 고통을 경험하는 사람들에 대한 고민도 필요하다.

브렉시트는 영국 사회에 큰 상처를 남겼다. 최근 영국의 EU 재가입을 요구하는 목소리가 커지고, 총선 승리 시 브렉시트 재협상에 나설 것이라는 노동당의 약진이 두드러지고 있는 만큼 브렉시트의 미래는 그리 밝아 보이지 않는다.[61]

51. '시기상조' 뒤에 사람 있어요

빠른 시일 내에 법률이 제정되기는 어려울 것이라는 비관적 전망으로 논문을 끝맺었다. 2003년 '노동자의 죽음은 기업의 살인이다' 라는 구호와 함께 시작된 '기업살인법 운동' 의 진화를 분석한 논문이었다. 수많은 노동자의 죽음, 그리고 세월호 참사와 가습기살균제 참사를 거치면서 기업에 책임을 묻는 사회적 요구가 거세졌지만, 이러한 목소리를 '제도' 로 만들어낼 수 있는 진보적 정당 정치가 허약하다는 것이 당시 우리 연구팀의 진단이었다.

영국과 캐나다에서 노동 친화적 정당이 희생자 단체, 노동조합과 함께 입법에 나섰던 것과 달리, 국내에서는 이를 기대하기 어려워보였다. 2017년, 고 노회찬 의원이 중대재해기업처벌법을 발의했지만, 논의도 못해보고 폐기된 것이 현실이었다.

그런데 우리 논문이 출판되고 몇 달이 지나지 않아 중대재해처벌법(이하 중대법)이 통과되었다. 개혁을 갈망하는 노동-시민 연대가 국회를 움직였고, 이는 연구자의 소심한 예측을 뛰어넘는 것이었다.

이 법은 사업주가 안전·보건 확보 의무를 제대로 지키지 않아서 중대재해가 발생한 경우에 경영책임자 등을 1년 이상의 징역이나 10억원 이하의 벌금에 처하도록 규정했다.

법률이 제정되면서 대기업과 공공기관들은 앞다투어 안전·보건 전담 조직을 만들었고, 대형 로펌들은 고용노동부와 산하 공공기관의 공직자들을 대거 영입하여 새로운 시장에 대비했다. 언론도 인명 사고가 터지면 중대법 적용 사항인지 따져보기 시작했다. 일단 노동자의 생명과 안전에 이렇게 민감해졌다는 것 자체가 긍정적 변화이다.

하지만 여전히 중요한 문제가 남아 있다.

중대법만 제정되면 당장 산업재해가 획기적으로 줄어들 것이라고 기대한 것은 아니었지만, 그래도 너무 미진하다. 떨어짐, 깔림, 끼임 등 소위 '재래형' 사고성 재해로 사망하는 노동자의 행렬이 멈출 기미를 보이지 않는다.

어쩌면 이는 당연한 결과이다. 중대법은 상시근로자 5인 미만 사업장은 아예 적용이 제외되고, 50인 미만 사업장에 대해서는 제정 시 2년의 유예기간을 두도록 했다. 노동부 통계에 의하면, 작년에 일어난 산재의 74.4%가 50명 미만 사업장에서 발생했고, 산재 사망 노동자 874명의 80.8%인 707명이 50명 미만 사업장에서 일했다.

김용균 노동자 사망 이전 5년 동안, 국내 화력발전소 산재 중 97.7%, 사망 산재의 100%가 하청노동자에게 일어났다. '재래형' 산재의 대부분은 노동시장 주변부, 공급사슬 말단에 있는 하청업체나 영세사업장 노동자들에게 집중된다. '위험의 외주화'로 표현되는 산재 문제의 본질은 이윤과 위험의 불평등이다.

그런데도 내년 1월 끝나는 중대법의 50인 미만 사업장 적용 유예를 더 연장하려는 움직임이 일고 있다. 최근 임이자 국민의힘 의원이 유예기간을 연장하는 개정안을 발의했고, 중소벤처기업부와 노동부 장관도 맞장구를 치고 나섰다. 중소기업의 준비 부족, 전문인력 확보와 비용 문제, 폐업 가능성 등을 유예기간 연장이 필요한 이유로 들었고, 노동부 장관은 국정감사에서 "저희가 지원을 많이 했지만 여전히 시간이 좀 필요"하다고 설명했다.

개정안 설명자료에는 법이 그대로 적용된다면 "범법자가 양산되고 기업이 도산할 수도 있으며, 그로 인해 사회적 혼란과 국가경쟁력 상실"이 우려된다는 내용이 담겨 있다. 바꿔 말하면, 중소기업 노동자가 다치고 목숨을 잃어도 사업주 책임을 면해주어야 사회적 혼란이 줄고 국가경쟁력이 높아진다는 것이다. 4차 산업혁명 시대에 노동자의 인신 공양으로 유지되는 국가경쟁력이란 과연 무엇일지 궁금하다.

사실 산업안전보건법이 제정된 1982년 이래, 영세사업장 노동자의 건강권 보장은 한 번도 '시기상조'가 아닌 적이 없었다. 시기상조(時機尚早)는 어떤 일을 실행하기에 아직 때가 이름이다.

준비만 40년째인 완벽주의자들에게 말해주고 싶다. "시기상조 뒤에 사람 있어요." [62]

52. 국가복지 제대로 해야 서민이 산다

2023년 가을, 추위와 함께 고통이 길어질 것 같다. 고금리와 고물가로 가만히 있어도 소득은 줄고 일자리의 불안정성은 커지고 있다. 새벽시장에서 일거리를 찾지 못해 빈손으로 발길을 돌리는 이들이 늘었다. 씀씀이를 줄여보려 하지만 주거비와 의료비를 줄일 순 없다. 정부는 허리띠를 조르라고 하지만 교통비와 에너지 비용이 올라버린 이상 한계는 있다. 학생들 등록금으로 월급받는 처지이기에 고민이 깊다. 더 오래 일해서 등록금을 내라고 할 수는 없기 때문이다. 실직과 폐업, 전세사기, 보이스피싱 등 삶을 나락에 떨어뜨리는 위험 속에서 서민들이 이를 버텨낼 수 있는 힘은 갈수록 줄고 있다. 더욱이 경제적 고통은 하층에게 가중된다.

이럴수록 국가복지가 무엇을 해야 할지 생각해 본다. 우리의 복지는 제 역할을 하고 있을까? 한국의 복지가 하층에게 가중되는 경기침체의 고통을 덜어내고 서민들이 사회권을 누리면서 사람다운 삶을 영위하도록 하는 데 충분히 역할을 하고 있는 것일까?

현장 사회복지사들은 항상 자원 부족을 겪는다. 수원 세 모녀 사건 등 안타까운 죽음이 이어지면서 복지 사각지대를 해소하라는 요구는 커졌지만 찾아낸 이들을 제대로 지원해내기엔 국가의 복지 지원이 충분치 않다. 긴급지원은 기간이 짧고, 국민기초생활보장제도 지원은 삶의 위기를 헤쳐가기에 부족하다. 어떻게든 여기저기 민간의 후원을 끌어내기 위해 갖은 노력을 기울인다. 그런데 이 역시 경기침체에 따라 줄어들 수밖에 없다.

한국 복지의 오래된 문제는 불충분함, 총량의 부족이다. 사회의 총 산출 중 복지에 할당하는 자원 자체가 적다. 2022년 국내총생산(GDP) 대비 복지 지출은 경제협력개발기구(OECD) 회원국 중 34위라 한다. 이는 자본주의 시장경제에서 발생하는 빈곤과 불평등, 각종 사회문제에 대한 사회복지의 대응에 한국이 유사한 경제력을 가진 다른 나라에 비해 훨씬 적은 자원을 투여하고 있다는 것을 의미한다. 복지를 통한 재분배에 상대적으로 게으른 것이다. 그래서 어중간한(?) 가난은 지원에서 배제된다.

한국의 복지는 여전히 빈곤 예방 기능이 부족하다. 대표적인 것이 국민연금이다. 국민연금 보장 수준은 낮고 앞으로 오히려 더 떨어질 수도 있다. 수십년을 꾸준히 일하며 연금 보험료를 낸 사람이라면 국가가 책임지는 연금으로 노후 최저생활 이상은 가능해야 한다. 지난 수십년 동안 여러 복지국가에서 가장 큰 자원을 들어 해결해 온 것이 바로 이 문제이다. 그런데 한국의 복지에서 이런 목표는 실현된 적이 없다. 그 결과가 OECD 회원국 중 가장 높은 노인 빈곤율이다.

국민기초생활보장제도의 생계급여가 내년부터 인상된다는 것은 다행스러운 일이기는 하지만 척박한 땅에 단비가 되기엔 부족하다. 윤석열 대통령의 대선 공약이었던 기초연금 인상 소식은 없다. 국민연금재정계산위원회가 소득대체율 인상안을 뒤늦게라도 보고서에 넣어 정부가 보장성 강화를 고려하도록 한다는 소식이 전해졌지만 이를 위한 재정 방안은 삭제한다고 하니 국민과 정부에 온전한 판단 근거를 제공하지는 않는 것 같다.

국가복지에 관한 과감한 접근을 바란다. 서민의 고통이 가중되는 지금 국가복지의 역할이 고용 창출과 수요 창출을 통한 경제순환의 한 축으로 전면에 대두될 필요가 있다. 적어도 국가가 어려운 국면을 관리할 수 있고, 어려움을 헤쳐나갈 수 있는 역량이 있음을 보여주어야 하지 않을까? 참으라고만 하기에는 윗목은 너무 춥고 추위는 길다. 나아가 국가는 경기침체에 굴하지 않고 긴 시야에서 미래 역량을 키워나갈 수 있음을, 사람을 지킬 수 있음을 보여주어야 한다. 그게 리더십이다. 진심으로 묻고 싶다. 서민들의 삶과 사회경제적 발전에 관해 정부는 어떤 비전을 보여주고 있는가?[63]

53. 이륙의 역사와 진보의 조건

세계경제의 성장 역사에서 본격적인 이륙은 1820년대에 이루어졌다. 증기기관이 상업화되고도 한 세기가 지난 뒤였다. 그러나 번영은 서유럽 일부 지역에 국한됐다. 국가 간 소득 격차가 벌어지기 시작한 것도 그즈음부터였다. 당시 가장 부유했던 지역은 이후에도 평균 성장률이 가장 높은 축에 들었다. 이륙의 시동을 먼저 건 나라들은 1870년대부터 출산율 하락을 먼저 경험했다. 기술 변화로 자녀 교육비가 늘어난 탓인지 몰라도, 생산량과 비슷한 궤적을 그리던 인구 증가세도 함께 둔화했다. 인구가 정체되면서 인류는 역설적으로 '맬서스의 덫(인구 증가로 가난을 면치 못하는 현상)'을 벗어날 수 있었다.

경제성장에서 이륙의 역사는 경제학자 조지프 슘페터가 제시한 혁신의 경제학에 비춰 파악할 수도 있을 법하다. 혁신 경제학의 중심 생각은 첫째, 성장은 지식의 축적과 혁신의 누적에 의해 가능하다는 것, 둘째, 혁신은 재산권 보호를 필요로 한다는 것, 셋째, '창조적 파괴'의 과정인 혁신은 기득권 세력의 방해에 직면하므로 공정한 경쟁이 보장되어야 한다는 것이다. 그중 첫 번째 생각은 산업혁명의 설명에 유용하다. 산업혁명을 계기로 기술 변화가 과학 원리에 대한 이해로부터 출발하는 것으로 성격이 변모했기 때문이다.

혁신 경제학의 두 번째 생각에 대해서는 논란이 있다. 경제학자 필리프 아기용과 같은 내생적 성장론자들은 영국이 앞설 수 있었던 원인을 일찍부터 발달한 특허 제도에서 찾았다. 의회 권력이 강해지면서 재산권 보호가 강화된 사실도 강조했다. 그러나 재산권 보호는 프랑스가 영국보다 더 강했다. 영국은 의회가 재산권 제한에 적극적이어서 프랑스보다 토지 수용이 수월했고 세금도 1인당 두 배를 걷었다. 그렇다면 재산권을 민주적으로 제한하고 기술 독점의 시간적 유한성을 제도적으로 공식화한 것이 어쩌면 성장의 이륙을 자극한 원인이었을지 모를 일이다.

한편 경제학자 대런 아세모글루는 이륙의 역사와 관련해 혁신 경제학의 세 번째 생각을 강조했다. 사회 변화는 생산을 조직하는 기존 방식과 과거의 사회적 위계에 도전하면서 혁신을 이끌 주체 없이는 불가능하다. 그런데 영국은 청교도 혁명과 명예혁명을 거치면서 중세적 가치를 일찍 내던지고 누구나 부자만 되면 인정받는 자본주의 사회로 가장 먼저 변해 있었다. 당시 유럽에서 계층 이동의 사다리가 존재한 유일한 나라가 영국이었다. 그렇게 영국이 새로운 중간 계층 사람들, 즉 '개천에서 난 용들'의 나라였기에 산업혁명의 발원지가 될 수 있었다는 주장이다.

다만, 그 개천 용들이 딛고 선 계층 사다리는 밑바닥 노동자계급의 처참한 삶을 전제한 것이었다. 윤석열 정부의 주 69시간에야 못 미치지만, 19세기 중반 영국 노동자들은 주 65시간 넘는 장시간 노동에 신음했다. 최악의 공중 보건 여건과 가혹한 공정도 견뎌냈다. 그래도 미숙련 노동자들의 생활수준은 중세 농노와 별 차이가 없었다. 부자들은 세금 덜 내려고 노동자들을 더욱 비참한 처지로 내몰았다. 보수 정치인들은 미약한 지원과 광범위한 사각지대로 악명 높았던 구빈법을 개악해 혜택을 더 줄이고 문턱을 더 높여야 한다고 목소리 높였다. 노동자계급이 의회에서 정치적으로 대표되지 못하는 와중에 벌어진 일들이었다.

미숙련 노동자들의 처지는 열악했지만 영국은 유럽에서 평균 임금이 가장 높은 나라였다. 에너지 가격이나 기계 대여 비용과 비교하면 영국 탄광 지대에서 노동력의 상대 가격은 확실히 비쌌다. 노동력이 비싼 만큼 기계화를 진전시키고 노동 생산성을 높이는 방향으로 기술이 진화했으며, 그것도 영국에서 성장의 이륙이 일어난 원인이 된 것으로 알려져 있다. 케인스 경제학의 용어로는 당시 영국 경제의 공급 측면이 '임금 주도적'이었던 셈이다. 임금 상승이 노동생산성을 끌어올리는 선순환 구조가 존재했다는 뜻이다.

세계경제의 이륙 역사는 오늘 한국경제와도 무관하지 않다. 노동자계급이 제도권 정치에서 대표되지 못하는 가운데 극우 세력이 부자 감세와 복지 축소 공세에 열을 올리는 닮은 현실이 절망적이라는 점에서 그렇다.

과연 이 반동의 땅에서도 노동의 정치가 대항력을 확보해갈 수 있을까. 비록 제한된 진보였지만 계층 이동성이 과거 영국에서 진보의 조건이 된 점은 의미심장하다. 그것은 경제성장에 기여하는 기회에 더 많은 사람이 참여해야 한다는 국제기구들의 포용적 성장 담론과 맥이 닿는 경험이었다. 실증 분석에 따르면 한국도 공급 측면이 임금 주도적이다. 그렇다면 앞으로 한국경제는 어떤 성장의 역사를 써갈 수 있을까.[64]

54. 그놈의 아침밥

올해 대학 입학으로 서울로 오게 된 조카가 혼자 사시는 아버지 집에서 거주한다고 했을 때 서로 잘된 일이라 생각해 내심 환영했다. 그런데 얼마 지나지 않아 무던하기로 소문난 아버지가 손주에 대한 잔소리를 쏟아내는데 조금 당황스러웠다. "쟤는 허구한 날 택시 타고 새벽에 들어온다. 아침밥은 차려놔도 안 먹고 나가기 일쑤다. 주말엔 오후까지 늘어져 자고. 배달 음식은 또 왜 그리 좋아하는지. 멀쩡한 자기 방 놔두고 카페 가서 공부하더라. 커피는 물 마시듯 하고. 종일 휴대폰을 손에서 놓지를 않아…." 내게는 너무 익숙한 풍경이건만, 고령의 아버지에게는 문화충격으로 다가온 듯했다. 그래도 손주한테 직접 말하지 못하는 걸 보면 딸이 더 편하긴 한가 보다.

우리 집 20대 손자들은 특히 아침밥에 예민하다. 우리 아들도 "그놈의 아침밥이 뭐길래, 할아버지 아침밥 타령, 이거 은근 스트레스야"라곤 했다. 조부모와 같이 사는 언니네 아들도 마찬가지였다. 나는 중간에서 양쪽 다 이해가 되면서도 짜증도 난다. 그런데 가끔 손주들이 할아버지랑 의기투합 될 때가 있는데 그건 바둑·장기 둘 때였다. 할아버지한테 한 수 배울 수 있어 좋단다. 이때만큼은 시간 가는 줄 모르고 화기애애하다. 몇년 전 심리학자 강연 내용이 떠올랐다. 청년들에게 아버지와의 좋은 추억을 얘기해 보라고 했는데, 한 청년이 '펑크 난 자동차 타이어 끼우는 법 가르쳐 줬을 때가 가장 아버지답게 느껴졌다'는 일화였다.

60년 세월의 간극만큼이나 손주와 할아버지 간에 언어와 생활양식이 다른 것은 너무 당연한 일이다. 부모인 나도 그런 게 수십 가지다. 다만 나는 다 이해해서가 아니라 서로 덜 상처받기 위해 일찍부터 타협하고 몇 가지 룰을 만들어 왔을 뿐이다. 예를 들면 같이 여행을 가더라도 방 따로, 아침밥은 각자 해결 같은 것들이다. 그리고 억지로 소통을 늘리기보다 함께 몰입할 거리를 찾는 게 훨씬 더 유익했다. 몇몇 해외 사례에서도 이를 확인할 수 있었다.

독일의 '시니어 부엉이 학교(Seniorenschule EULE)'는 김나지움 학생들이 시니어들에게 외국어 · 컴퓨터 · 인터넷 등 각자 자신 있는 과목을 가르쳐 주는 프로젝트로 독일 여러 지역에서 시행되고 있다. 시니어들은 간식을 준비해 학생들과 나눠 먹으며 뒤풀이를 이어간다. 일본 요코하마의 '니트를 짜는 할머니들의 모임'처럼 뜨개질은 세대 공감 프로그램에 단골 소재로 등장한다. 예술을 매개로 세대 통합 프로그램을 펼쳐 온 영국 '매직 미(Magic Me)'의 대표 프로젝트는 '공공벽화 모자이크'였다. 모두 공동 작업을 하면서 몰입과 성취감을 느끼고 자연스럽게 서로에 대해 조금 더 이해하게 되는 방식이었다.

프로젝트를 하면서 알게 된 젊은 창업가와 나눈 이야기가 생각난다. 그는 아무리 바빠도 일 년에 한 번씩 어머니와 단둘이 여행을 가는데 이때만큼은 모든 걸 어머니 의견에 맞춘다고 했다. 짧지만 서로 충만한 시간을 보낼 수 있고, 이런 시간들이 몇년 쌓이다 보니 어머니에 대한 이해와 사랑이 깊어졌다는 것이다. 생활의 지혜란 이런 것이구나 내심 감탄했다. 앞으로는 세대통합이란 거창한 말 대신 '세대 존중'으로, 세대를 존중하는 소소한 실천부터 해보는 게 어떨까?[65]

55. 고통은 장벽으로 분리될 수 없다

가자지구에 사는 팔레스타인 소녀 라하프가 이스라엘의 폭격으로 부서진 건물 잔해 속에서 그림책을 챙겨들며 말했다. "살면서 여러 전쟁들을 겪어왔어요. 저는 그때도 어렸지만, 지금도 여전히 어려요. 2009년에 태어났거든요. 그래도 제가 겪은 전쟁들 중에서 2014년과 이번 전쟁이 가장 무서운 것 같아요. 이번 전쟁은 정말 무서웠어요."

국제팔레스타인아동보호연맹(DCIP)이 이 영상을 찍은 2021년에 라하프는 고작 열두 살이었다. 세 번의 전쟁 속에서도 무사히 살아남아 올해 열네 살이 됐을 라하프는 현재 생애 네 번째 전쟁을 치르는 중이다. 그가 가장 무서웠다고 했던 2014년·2021년 전쟁과는 비교도 할 수 없을 만큼 무서운 전쟁을. 15분마다 한 명꼴로 어린아이들이 죽어가고 있는 가자지구의 '킬링필드' 한복판에서 라하프는 아직 살아 있을까. 비처럼 쏟아지고 있는 이스라엘의 미사일 속에서 기적처럼 살아남아, 다시 다섯 번째 전쟁을 겪게 될까.

이스라엘 남부 니르오즈에 살고 있는 84세 여성 디차 하이만은 지난 7일(현지시간) 마을을 습격한 하마스 대원들에게 납치돼 가자지구로 끌려갔다. 하이만은 군인도, 시오니스트(유대 민족주의자)도 아니었다. 아이들을 돌보는 사회봉사 활동을 하면서 여생을 평온히 보내고 싶어 했던 평범한 노인일 뿐이었다. 그와 함께 인질로 납치된 이웃 중에는 유대인 정착촌 확장에 반대하고 두 국가 해법을 지지하는 시민단체 '피스 나우'의 활동가도 포함돼 있었다. 하마스는 민간인을 공격해 1400여명을 닥치는 대로 죽였고, 여성들을 전리품처럼 끌고 갔다. 현재 가자지구에 억류된 인질은 200여명에 달한다. 하이만은 살아서 가족의 품으로 돌아올 수 있을까.

이스라엘과 하마스의 전쟁이 16일째에 접어들었다. 전쟁의 참상을 전하는 기사마다 댓글은 양분돼 있다. 이스라엘의 가자지구 봉쇄와 무차별 공습으로 '생지옥'이 된 가자지구의 비극에 대해 이야기하면 하마스가 한 짓을 잊었냐고 한다. 하마스의 민간인 학살에 대해 이야기하면 이스라엘이 그동안 저질러온 짓을 생각할 때 하마스를 비판해선 안 된다는 사람도 있다. 하지만 모든 도덕적 경계가 무너지는 야만의 시대에서도 흔들리지 말아야 할 단 하나의 상수는 전쟁범죄가 전쟁범죄를 정당화할 수 없다는 것이다.

유엔 통계에 따르면, 이스라엘은 2008년부터 이번 전쟁이 일어나기 전까지 가자지구와 네 차례 전쟁을 벌이며 6400명 이상의 팔레스타인인을 살해했다. 사망자 대다수는 여성과 어린이였다. 같은 기간 사망한 이스라엘인은 308명에 불과했다. 전쟁이라 부를 수도 없는, 일방의 학살이었다. 하지만 그렇다고 해서 하마스의 이스라엘 민간인 도륙을 '저항운동'이라 부를 수는 없다. '어쩔 수 없는' 전쟁범죄가 들어설 틈을 주는 순간, 인간은 영원히 탱크를 이길 수 없다.

그러므로 나는 이와 같은 이유에서, 더욱 큰 목소리로, 이스라엘의 가자지구 봉쇄와 무차별 공습의 즉각 중단을 요구한다. 현재 가자지구의 사망자는 4400명에 육박하고 있다. 이미 이스라엘 측 사망자 1400여명을 3배 이상 넘어섰다. 전쟁범죄를 더 큰 전쟁범죄로 덮고 있는 꼴이다. 이대로 가다가는 지난 네 차례의 전쟁을 모두 합친 것보다 더 많은 생명이 이 한번의 전쟁으로 희생될 위기에 놓였다.

이런 상황에서도 이스라엘 극우 정치인은 하마스 지휘소가 가자시티 알시파 병원 지하에 있다면서 병원을 폭격해야 한다는 주장까지 입에 담고 있다. 하마스를 궤멸시키기 위해, 가자지구의 팔레스타인인 전체를 청소하겠다는 말과 다를 바 없다.

이스라엘 극우 세력은 아직도 깨닫지 못한 것 같지만, 이번 전쟁이 우리에게 다시금 일깨워준 사실은 고통은 장벽으로 분리될 수 없다는 것이다. 하마스에 인질로 잡혀 있는 하이만의 딸은 CNN 인터뷰와 이스라엘 일간 '하레츠'에 기고한 글을 통해 이렇게 말했다.

"엄마가 너무 걱정되고, 엄마를 납치한 하마스에 분노한다. 하지만 나는 이스라엘 정부에도 분노한다. 지난 20여년 동안 이스라엘 정부는 분쟁을 종식하려는 시도조차 하지 않았다. 가자지구에 얼마나 많은 미사일을 쏘든 누구에게도 도움이 되지 않는다. 더 큰 폭력만 불러올 뿐이다. 어머니의 이름으로 말한다. 가자지구를 파괴하지 말라."

우리는 이러한 목소리에 힘을 실어줘야 한다. 가자지구의 무고한 주민과 평화를 원하는 이스라엘 주민의 편에 서야 한다. 물과 식량, 연료, 의약품 반입이 가자지구에 차단된 지 벌써 2주가 흘렀다. 시간이 없다.[66]

56. 평론하는 마음

어느 젊은 시인의 시집 해설을 쓰고 있다. 시집이나 소설집 말미에 실려 해당 책의 방향성을 소개해주고 책에 묶인 각각의 작품이 지니는 의미를 살펴주는 짤막한 글을 본 적이 있을 테다. 이러한 종류의 글을 해설이라고 부르는데, 주로 문학평론가들이 쓴다. 작품론이나 리뷰, 주제가 있는 평론을 쓰는 일보다 해설을 쓰는 일이 언제나 더 어렵게 느껴진다. 여러 저자의 글이 한 권의 책에 함께 묶이는 여타의 글과 달리, 해설은 한 권의 책에 딱 한 편만 실리기 때문이다. 그러다 보니 해설을 잘 쓰지 못하면, 한 작가의 책을 망치게 되리라는 부담감에 사로잡히곤 한다.

해설 청탁을 받아두고 압박감에 시달리던 어느 날, 우연한 기회로 내게 해설을 부탁한 시인을 사석에서 만난 적이 있다. 나는 좀 어색하게 "해설을 잘 써드려야 할 텐데요"라고 말했다. 시인은 그런 부담은 버리라고, 아무렇게나 써주셔도 다 좋다고 답해주었다. 나는 반신반의하며 "그래도 완성도가 높은 해설이 좋지 않나요?" 라고 물었다. "다른 작가들은 어떨지 몰라도 전 이렇게 생각해요. 해설 써주시는 평론가 선생님께서 제 글을 제일 먼저, 그것도 엄청 열심히 읽어주시는 거잖아요. 저는 제 시를 애정 어린 시선으로 살펴주는 사람이 필요하거든요. 그게 다거든요." 단순한 말이지만 온기를 지녀서인지, 그 한마디에 나를 누르던 부담이 녹아 사라졌다. 나는 어떤 글이든 온 마음을 다해 열심히 읽는 사람이니까.

이번에 의뢰받은 시집을 살피며 내가 한 일들은 참으로 단순하다. 슬픈 구절을 만날 때마다 참지 못하고 울기, 단정한 문장들에 줄 치며 너무 좋다고 혼자 말하기, 갈피를 잡지 못해 '작가의 말'을 몇개씩 준비한 시인의 마음들을 빠짐없이 응원해주기. 훗날 이 시집을 함께 읽을 맑은 얼굴들을 떠올리며 그들의 해사한 마음을 가늠해보기.

한때 나는 작품과 적절한 거리를 유지하지 못하고 슬픈 구절을 읽을 때면 오열하고 마는 내가 평론가로서 자질이 부족하다고 느끼기도 했다. 그러나 자신이 해석의 대상으로 삼은 소설 작품들을 읽으며 "흐르는 눈물을 주체할 수 없었다"고 솔직하게 고백하는 이소연 평론가의 〈애도 불능 시대의 리얼리즘〉이라는 글을 읽으며 생각이 바뀌었다. 어쩌면 무엇이든 스미기 쉬운, 잘 흘러넘치는 액체 상태의 인간이기 때문에, 타자의 아픔과 이를 담아내려는 작가의 노력에 누구보다 먼저 감응하는 사람이기 때문에, 작품에 관해 쓰는 일을 할 수 있었던 게 아닐까 추측하게 됐다. 그렇다면 평론가는 내게 천직인 셈이다.

어떤 이들은 평론가란 작품을 냉정하게 평가하며 그것들 간의 위계를 정하여 줄 세우는 사람들이라고 생각할지 모르지만, 내 생각에 평론가는 애호가에 가깝다. 자기가 비평하는 분야의 대상을 몹시 사랑하는, 그래서 몇번이고 이를 다시 들여다보고 곱씹어 보며 좋은 부분들을 남들과 나누지 않고는 못 견디는 사람들 말이다. 논리와 이성, 비평적 고찰로 무장하는 것도 물론 중요하지만, 작품 앞에서 무너지고 쏟아지기를 반복하는 것 또한 평론가의 일이다. 찢긴 마음의 잔해를 그러모아 어떤 방식으로 작품의 빈자리에 덧입혀 이를 더욱 풍성하게 만들까 항상 고민한다.

그렇다면 반대로, 책에 쓰인 누군가의 말을 공들여 읽어주고 그것을 여러 사람들과 이야기해보려 하는 사람은 모두 평론가라고 말해볼 수도 있겠다. "어느 나라에서는 남의 말을 시라고 한다 누가 혼잣말로 추워, 라고 말해도 온갖 비평가들이 담요를 들고 곁으로 다가와 모닥불을 피우고 귀를 기울여준다고." 고명재 시인이 쓴 시 구절처럼, 추위에 떠는 이의 혼잣말을 외로이 두지 않는 사람, 그것이 하나의 작품이 될 수 있도록 곁에서 다독여주는 사람, 그런 사람은 이미 평론

가다. 다른 사람의 말을 듣고 읽고 느끼고 사랑하는 일까지 모두 평론가의 일이
라니, 어쩐지 행복해진다.[67]

57. 기적은 여기서부터

어느 시인은 사람만이 '문제'라 하고 어느 시인은 사람만이 '희망'이라 한
다. 결국 문제든 희망이든 사람이 만들어가는 것이다.

오늘 낮에 부산에서 어머니 손을 잡고 우리 집에 찾아온 아이가 산밭에 떨어진
밤을 줍다가 이렇게 말했다. "엄마, 신발 밑에 더러운 흙이 묻었어요." 한 해
가운데 가장 바쁜 가을걷이 때라, 산길마다 논밭에서 나온 농기계가 떨어뜨리고
간 흙덩이가 수두룩하다. 그 흙이 도시 아이 눈에는 목숨을 살리는 흙이 아니라
그저 더러운 흙으로 보였을까?

농부들은 흙에서 산다. 흙을 닮아 살갗도 흙빛이다. 농부들은 논밭에서든 마을
길에서든 만나기만 하면 '살리는 이야기'만 한다. "자네 밭에 김장배추와 무
는 우찌 그리 잘 자라는가? 무슨 비법이라도 있는가?" "내년엔 다랑논에 벼농
사 안 짓고 콩 심을 거라며? 흙이 좋아 콩농사도 잘될 걸세." 내가 도시에서 살
때는 무얼 살리는 얘기보다는, 어떻게 하면 돈을 벌어 편히 살 수 있을까에 대한
얘기를 더 많이 늘어놓았다.

아무튼 참 농부들은 돈부터 셈하고 농사짓지 않는다. 그저 자연 순리대로 때가
되면 씨앗을 뿌리고 거두며 살아갈 뿐이다. 이렇게 살아가는 농부를 귀한 눈으로
보아주는 분들이 있어 사는 맛이 난다. 지난달 경향신문 9월25일자, '여러분을
초대하고 싶다'를 읽고 합천 가회 산골 마을을 찾아준 경향신문 독자분들께 이
자리를 빌려 머리 숙여 고마운 인사를 드린다. 수원에서 대구에서 경주에서 김해
에서 부산에서 서산에서 진주에서 산청에서 참으로 많은 분이 와 주셨다.

그날 청년 농부들이 '시시숲밭 콘서트'를 시작하기 전에 '상생 경매'를 열
었다. 상생 경매는 돈 많은 사람한테 물건을 파는 경매가 아니다. 뜻있는 분들이
기부한 물건을 꼭 필요한 사람을 찾아 돈 받지 않고 그냥 건네주는 경매다. 아무
런 조건 없이 상생 경매에 기부한 자연산 송이버섯, 한살림 홍삼, 생강 유과, 텀
블러, 그릇, 옷, 모자, 가방, 책…. 그 먼 길을 달려와 주신 것만으로도 고마운데,
이렇게 산골 농부들을 지지하고 응원해 주시다니! 그 덕분에 참여한 분들이 평생
잊지 못할 따뜻한 추억을 가슴에 안고 돌아갈 수 있었다.

　그날, 그 무엇과도 견줄 수 없는 '아름다운 기적'이 수없이 일어났다. 그 가운데 하나는 '까치밥(기부한 돈)'이다. 큰 알림판에 만원, 오천원, 천원짜리 돈을 자석으로 붙여두었다. 돈이 필요한 사람이면 누구나 그 돈을 떼어서 갖고 싶은 물건이나 먹고 싶은 음식을 사 먹을 수 있다. 그래서 아이들이나 청년들이 그 돈을 떼어 우리밀 빵과 감자전을 사 먹기도 하고 필요한 물건을 사기도 했다.
　그런데 시간이 흐를수록 붙여둔 까치밥보다 더 많은 까치밥이 그 자리에 붙었다. 예닐곱 살쯤 되어 보이는 아이가 까치밥을 떼어 가지 않고 오히려 까치밥을 붙이고 있었다. 슬그머니 다가가서 물었다. "까치밥으로 먹고 싶은 걸 사 먹어도 되잖아. 그런데 왜 까치밥을 붙이고 있지?" 그 아이는 가을하늘처럼 맑은 눈으로 나를 보며 말했다. "제 돈을 다른 사람이 써주면 기분이 좋아질 거 같았어요. 그래서 붙였어요." 그 말을 들으면서 어린이는 어른의 스승이라는 말이 생각났다. 그리고 사람만이 문제가 아니라 사람만이 희망이라는 생각이 들었다. 그래, 희망이다![68]

58. 뭐라도 해야 하지 않을까요?

　'오두둑' 선배 소집이라고 했다. 안 갈 수가 없었다. 2012년 5월 광주 5·18 기념재단 2층 대강당 옆 복도에 쭈그리고 앉아 애기를 들었다. 항상 겸손하며 노련한 오두둑 선배는 늘 물음형이었다. 대강당 안에서는 '평화바람'의 명목상 단장인 문정현 신부께서 그해 5·18광주인권상 수상자로 선정되어 식이 진행되고 있었다. "상금 5000만원 모두 내놓자고 했으니 길 떠나는 종잣돈은 되지 않겠어요?" 식이 끝나고 지팡이를 짚은 채 절뚝거리며 나오신 신부님은 오두둑과 평화바람 사람들이 결정했으면 된 거지 뭐, 하셨다.
　일명 스카이(SKY) 행진이었다. 서울대·고대·연대 등 속칭 일류대로만 가야 한다는 학벌과 경쟁지상주의 우선의 천박한 한국사회에 대한 힐난과 야유, 풍자의 마음도 담겨 있었다. 지금 우리가 주목하고 함께 가야 할 길은 소수 자본가의 이해만을 위해 수백만명의 노동자를 정리해고시키고 1000만명에 이르는 비정규직을 양산하는 불의한 구조조정 과정에 저항하다 당시 스물두 번째 희생자가 나왔던 쌍용자동차 대한문 합동분향소(S)이며, 4·3의 아픈 역사를 품은 평화의 섬 제주에 다국적 전쟁기지에 다름 아닌 해군기지 건설에 반대해 싸우고 있는 제주 강정 구럼비 바위 곁(K)이며, 용산4구역에서 철거민 다섯 명을 불태워 죽인 정권 심판과 부동산 투기 공화국에 대한 저항(Y)이라는 뜻을 담았다.

"윤석열 정권 들어섰다고 모두 낙담해 있는 것 같아요. 이럴 때일수록 뭐라도 해야 하지 않을까요?" 2022년 세계 기후위기, 한반도 평화위기, 여전히 사회에 만연한 각종 소수자 차별, 비정규직 확산 등에 맞서 다른 세계를 꿈꾸는 자들의 사회적 연대를 복원하자고 전국의 민주주의 투쟁 현장을 순례했던 '2022 봄바람 행진'도 평화바람의 물음에서 시작되었다.

그렇게 "뭐라도 해야 하지 않겠냐?"며 우리를 일으켜 세워 온 평화바람 사람들의 물음을 접한 지도 20여년이 되었다. 본인의 뜻과는 다르게 험난한 한국 민주주의 역사 속에서 '길 위의 신부'로 불리며 하나의 고유명사가 되고 만 '문정현 신부님' 외 평화바람 벗들은 세속의 이름도 없다. 그들은 만날 때부터 '딸기' '오이' '중서' '보리' '밥' '나무' '어쭈' '여름' '잎싹' '고철' '무지' '낮잠' '두시간' 등이었다. 2003년 새만금 살리기 삼보일배와 부안 핵폐기장 건설 반대 투쟁 후 중형버스를 개조한 '꽃마차'를 끌고 '평화유랑단 전국 순례'에 나선 게 평화바람의 시작이었다.

2005년부터 2006년까지 2년여 동안은 미군기지 이전 확장에 반대해 평택 대추리 주민이 되어 살았다. '여명의 황새울'이라는 작전명으로 1만5000여명의 군경이 몰려들던 새벽, 문정현 신부님은 대추초교 옥상 망루에 올라가 계셨고, 평화바람 벗들은 초교 울타리 앞에 인간방패가 되어 서 있었다. 내일이면 대추리에서 쫓겨 나와야 했던 마지막 대추리의 밤, 미군부대 철책 건너편 평화바람 집 마당에서 세간들을 태우는 거대한 화톳불을 피우며 문정현 신부님의 아코디언 소리에 맞춰 함께 춤을 추며 울고 웃기도 하던 그 밤을 난 영원히 잊을 수 없다. "뭐라도 해야 하지 않겠느냐?"며, 2009년부터 2010년 초까지 이명박 정부의 거센 공안탄압 속에서 사회적으로 고립되어 있던 용산 철거민 학살 진상규명 투쟁의 새로운 돌파구를 마련해준 것도 평화바람이었다. 한국 사회운동 그 누구도 학살 현장에 거점을 마련하는 일을 결의하지 못할 때 군산에 있던 평화바람 사람들이 어느 날 예고도 없이 '꽃마차'를 끌고 와 현장 분향소 옆에 붙박이로 세우곤 키를 뽑아 버렸다. 그후 1년여 동안 그들은 용산4가 철거촌 주민이었다. 2011년 부산 한진중공업 희망버스 1차를 준비할 때도 평화바람은 폐차 직전의 꽃마차를 끌고 한달음에 달려와 주었다. 희망버스 후에는 제주 강정으로 넘어가 지금껏 10년 넘게 강정 주민이 되어 살고 있다. 현재는 두 집 살림을 산다. 군산에서는 마지막 남은 새만금 갯벌을 지키고 미 공군 활주로에 다름 아닐 비행장 건설에 반대하며 600년 된 새만금 팽나무의 가족이 되어 살고 있다. 그 모든 현장에서 우린 단 한

번도 평화바람 벗들이 생색을 내거나, 공치사를 바라거나, 자신들이 드러나는 것을 원하는 걸 본 적이 없다. 그들은 조용히 헌신하고 일한 후 조용히 떠난다. 그런 평화바람이 길 위의 삶을 시작한 게 올해로 20주년. 이젠 "우리가 뭐라도 한 번 해줘야 하지 않을까?" 본인들은 마다하는데 주변 사람들이 '작당모의'를 해서 다시 '꽃마차'를 만들어주자고 한다. 소식을 들은 문정현 신부님은 그 꽃마차 타고 소외와 차별이 있는 곳, 반생명과 반평화에 맞서 싸우는 곳들 찾아다니다 길 위에서 생을 마치고 싶다고 하셨단다. 11월25일, 팽팽문화제 때까지 그 일이 가능할까?[69]

59. 짜장면과 금반지

사실 짜장면은 만만한 음식이었다. 한참도 더 전에 짜장면이 졸업식에나 먹을 수 있는 고급요리이던 시절도 있었지만, 언젠가부터 짜장면은 출출한데 주머니가 넉넉하지 않을 때 부담 없이 고를 수 있는 첫번째 선택지였다. 그런데 요즘 이 짜장면이 만만치가 않다. 짜장면값은 그동안 큰 요동 없이 꾸준히 올라왔는데, 코로나19 사태 이후 가파르게 오르더니 지난달에는 한 그릇에 7000원(서울 평균)도 넘겼다.

짜장면도 억울할 수 있다. 만만하던 짜장면이 이렇게 오르는 동안, 웬만한 음식들 모두 가격표 앞자리 수를 바꿔 달았기 때문이다. 냉면 1만2000원, 국밥 1만원이 보통인 시대인지라, 짜장면에는 여전히 대표 서민음식이라는 타이틀이 그리 어색하지 않은 모양새다.

그런데 이 서민음식 짜장면은 의외로 물가당국과 치열한 투쟁 역사를 갖고 있다.

서민의 배고픔을 달래주는 식품이라는 영광은, 반대로 정부가 반드시 가격을 안정시켜야 한다는 말과 다름없기 때문이다. 그래서 가격을 올리면 가만두지 않겠다고 시도때도 없이 윽박지르고, 기습적으로 가격을 올린 중국집에는 위생점검으로 보복하는 일이 빈번했다.

급기야 1970년대 초에는 '가격협정요금'이라는 걸 만들어 짜장면값을 100원 이상 올리지 못하게 하기도 했다. 이 과정에서 정부의 시야에서 벗어나기 위해 탄생한 변종 짜장면이 바로 유니짜장이니 쟁반짜장이니 하는 것들이었다. 눈앞의 인플레이션 압력을 무시하고 아무리 눌러봐야 가격을 잡아둘 수는 없었던 것이다.

그 뒤 한동안 자취를 감춘 가격통제는 역설적이게도 자유시장을 금과옥조로 떠받들던 보수정부에서 다시 등장했다. 2011년 이명박 정부는 3분기 물가 상승률이 5%에 육박하면서 성난 민심에 진땀을 흘리고 있었다. 하루가 멀다 하고 물가대책 회의가 열리고 전 부처가 물가당국인 양 물가를 끌어내리기 위해 안간힘을 썼다.

공정거래위원회 수장이 "우리는 물가관리 당국"이라며 가격 인상에 나선 식품업계를 단속했고, 고가의 프리미엄 라면을 내놓은 업체에 대해서는 광고한 대로 진짜 프리미엄 제품이 맞는지 영양성분 분석을 의뢰하기도 했다. 교육당국이 '교육비 안정화 점검단'이라는 것을 구성해 원비를 올린 유치원 명단을 뽑아 교육청에 통보하는가 하면, "기름값이 묘하다"는 대통령의 한마디에 '석유제품가격 태스크포스'가 구성돼 정유사들을 쫓아다니기도 했다.

52개 집중관리 생필품 리스트를 만들어 MB물가로 묶어 관리하고, '배추 실장' '삼겹살 차관'처럼 품목별 물가를 담당 공무원이 이름을 걸고 관리하는 취지의 물가실명제까지 도입됐다.

그럼에도 급등한 물가를 끌어내리는 일은 쉽지 않았는데, 물가 상승의 주된 원인이 나라 안이 아니라 금융위기 이후 전 세계적인 인플레이션 압박에 있기 때문이다. 그야말로 백약이 무효이던 상황에서 정부는 통계청 물가지수 구성 품목에서 물가에 부담을 주던 '금반지'를 제외하면서 기적적으로 목표 수치를 달성했다.

한동안 잊고 지내던 금반지의 기적이 다시 떠오른 것은 최근 물가 급등에 대응하는 정부의 모습이 과거 MB 정부와 묘하게 겹쳐 보이고 있기 때문이다.

지난해 7월 6.3%를 고점으로 완만하게 하락하는 듯했던 소비자물가 상승률은 8월 다시 3%대로 뛰어오르더니 지난달 4%를 위협할 정도로 급등했다. 올 초까지만 해도 물가안정을 자신하던 통화당국도 슬슬 하락 속도가 예상보다 더디다는 전망을 공식화하고 있다.

뚜렷한 '상저하고'의 실익 없이 물가까지 기대를 배신하면서 정부는 최근 발등에 불이 떨어진 것처럼 움직이고 있다.

장차관들이 또다시 하루가 멀다 하고 식품·외식업계를 찾아다니며 협조를 당부하고, "전사적인 원가 절감을 통해 가격 인상 요인을 최대한 자체적으로 흡수해달라"는 노골적인 '요청'도 시작됐다. 또 다른 한쪽에서는 소비자단체들을 통해 분유나 케첩, 아이스크림 같은 구체적인 품목별 가격감시 활동도 재개되는 분위기다.

물가 상승은 구성원 전부에게 영향을 미치지만, 취약계층부터 가장 먼저, 가장 크게 타격을 입는다. 정부가 물가 상승의 고통을 막기 위해 할 수 있는 최대한의 노력을 기울여야 하는 가장 큰 이유다.

하지만 넘지 말아야 할 선이 있다. 식당과 공장을 윽박지르고, 여차하면 주먹이라도 꺼내들 듯이 굴어도 오를 물가를 지체시키는 것 외에 효과는 없다. 진짜로 팔을 비틀고, 멱살잡이까지 했던 MB 정부조차 금반지를 빼는 꼼수를 부리고서야 물가를 잡았다고 주장하는 데 그쳤다.[70]

60. 국민은 바보가 아니다

셋이서 어떤 결정을 내릴 때는 둘이 하자는 쪽을 따라가는 게 상식이다. 두 사람의 의견을 무시하고 혼자서 옳다고 우기면 '왕따' 내지 '손절'이다.

지난주 한국갤럽이 발표한 여론조사에서 윤석열 대통령의 국정 지지율은 33%에 머물렀다. 그 전주 조사보다 3%포인트 오르긴 했지만 여전히 30%대에서 벗어나지 못했다. 반면 부정적인 평가는 58%로 집계됐다. 집권 초반을 제외하면 지난 1년6개월 동안 지지율은 50%는커녕 40%도 넘지 못했다. 두 명은 잘 못했다고 손가락질하는데 한 사람만 박수치고 있는 모양새다.

정권이 바뀌면 잘될 것이란 막연한 기대가 실망으로 바뀌는 데는 그리 긴 시간이 걸리지 않았다. 윤석열 정부는 신뢰를 주지 못했고, 여론은 등을 돌렸다. 찬찬히 한번 돌아보자.

불통과 독선 이미지는 그의 임기를 관통해온 열쇳말이다. '이념'이 가장 중요하다며 이를 '국정철학'의 바탕으로 깔았고 '자유민주주의' 대 '공산전체주의'의 대결이란 갈라치기를 통해 사회적 갈등을 증폭시켰다. 자신과 다른 생각을 가진 집단 또는 반대하는 목소리에는 '카르텔'이란 굴레를 씌워 공적(公敵)으로 돌렸다. 검찰과 법무부, 감사원, 경찰, 방송통신위원회 등은 이런 카르텔을 깨부수기 위한 전위부대로 동원됐다. 아마도 거기엔 집권 초 "지지율에 연연하지 않겠다"는 윤 대통령의 자신감이 한몫했을 터다. 당선 전 귀에 못이 박히도록 외친 공정과 상식 역시 실종된 지 오래다.

언론과의 소통은 여전히 요원하다. 스스로 청한 출근길 문답(도어스테핑)은 6개월 만에 없어졌고, 공식 기자회견은 단 한 차례도 연 적이 없다. 매주 화요일 국무회의에서 풀어놓는 장광설이 사실상 대통령 메시지의 전부라고 해도 틀린 말이 아니다. 여당에서는 비판적 언론에 '가짜뉴스' 프레임을 씌워 "사형에 처해야 할 만큼의 국가 반역죄" "폐간을 고민해야 한다"는 등의 극언을 쏟아낸다. MB 정권 홍보수석이던 이동관을 방송통신위원장으로 앉혀 '언론 장악'에 시동을 건 것은 일찌감치 예고된 수순이다.

앞뒤가 맞지 않는 정책 추진과 발언으로 엇박자를 낸 것도 한두 번이 아니다. '만 5세 초등학교 입학' 졸속 추진이 대표적인 예다.

지난해 박순애 당시 부총리 겸 교육부 장관이 입학연령을 단계적으로 만 5세로 하향하겠다고 보고하자 윤 대통령은 "초중고 12학년제를 유지하되 취학연령을 1년 앞당기는 방안도 신속히 강구하기 바란다"고 지시했다. 하지만 학부모, 교육단체 사이에서 반발 움직임이 거세지면서 없었던 일이 됐고, 박 장관은 결국 사퇴했다.

대학수학능력시험을 몇달 남기지 않은 지난 6월에는 '킬러문항 배제'를 지시해 수험생들을 혼란에 빠뜨렸다.

이뿐만 아니다. 고용노동부가 내놓은 '주 최대 69시간 노동'은 거센 논란 속에 윤 대통령이 보완을 지시하는 혼선을 빚었다. 이후 근로시간 개편안의 핵심은 나오지 않은 채 지지멸렬한 상태다. 국민의힘은 내년 총선을 겨냥해 경기 김포시를 서울로 편입시키는 방안을 제시하더니 며칠 후에는 지방분권과 균형발전에 초점을 맞춘 '지방시대 종합계획'을 발표했다. 서로 상충할 수밖에 없는 방안이 함께 나온 꼴이다. 최근 여론조사에서는 국민 10명 중 6명이 '김포의 서울 편입'에 대해 반대하는 것으로 나타났다. 상황에 따라 이 또한 유야무야될 가능성도 배제할 수 없다. 정말 어느 장단에 춤을 춰야 할지 종잡을 수 없다.

지난달 서울 강서구청장 보궐선거 여당 참패 이후 대통령이 바뀌고 있다는 평가들이 조금씩 나온다. 취임 후 처음으로 "저와 내각에서 반성하겠다"고 하더니 "국민 소통, 현장 소통, 당정 소통을 더 강화해달라" "이념 논쟁을 멈추고

민생에만 집중해야 한다"며 잔뜩 몸을 낮췄다. 이런 모습이 낯설지만 그래도 국민은 대통령의 변화를 기대하고 있다.

〈논어〉 '위정편'을 보면 "나와 다른 생각에 대해 공격한다면 손해가 될 뿐이다(攻乎異端 斯害也已)"라는 말이 있다. 윤 대통령이 강조하는 것처럼 발로 현장을 뛰며 소통을 실천하려면 반대 의견을 품고 상대방을 배려하는 자세가 우선돼야 한다. 생각이 다르다고 배척하지 말고, 정부에 대한 비판을 정책 실현에 꼭 필요한 약이 되도록 활용하는 게 중요하다. '이런 모습이 얼마나 가겠느냐'는 회의적인 시선을 거두기 위해서라도 대통령 먼저 변해야 한다. 총선이 159일 앞으로 다가왔다. 국민은 지켜보고 있다.[71]

61. 세탁기의 가정화

새로운 기술이 확산할 때, 우리는 흔히 그 기술의 내재적 속성을 확산의 동력으로 말한다. 예를 들면, 챗GPT나 아이폰의 세계적인 확산은 기술적 성취에 따라오는 자연스러운 것으로 인식된다. 하지만 새로운 기술이 받아들여지는 과정은 훨씬 더 복잡하다. 가정은 오랫동안 새로운 기술이 친숙한 것으로 자리 잡기 위한 주요한 거점이었다. 기술 연구에서는 새로운 기술이 가정의 일부분으로 자리 잡는 과정을 '기술의 가정화'(domestication of technology)라고 표현한다. 이는 야생 동물이 가축으로 길들여지는 것을 새로운 기술이 도입되는 과정에 비유한 것이다.

2차 세계대전 이후 경제적 호황 속에서 구축된 새로운 근대적 가정은 텔레비전, 냉장고, 세탁기와 같은 가정용 신기술의 도입과 긴밀하게 맞물려 구성됐다. 이러한 기술은 핵가족 중심의 가족 실천과 가족 관계를 조립하는 주요한 요소였다. 미디어 학자 임종수에 따르면, 한국에서 텔레비전은 '안방 문화'와 결합하여 수용됐다. 당시 한국에서 안방은 부부의 사적 공간이라기보다 가족들이 모이는 공간이었다. 서구 사회에서 텔레비전이 거실이라는 가족 공간에 자리 잡았다면, 한국에서 초기 텔레비전은 안방을 차지했다. 가족들이 안방에 밥상을 차려 식사하며 보거나, 이불을 함께 덮고 시청했다. 당시 영화를 보여주는 텔레비전 프로그램명이 〈안방극장〉이었던 것도 이러한 문화를 반영한다. 텔레비전의 가정화에 대한 연구들은 리모콘이 가부장제의 상징물이었음을 보여준다. 한국에서도 아버지가 집에 있는 시간에는 대부분 채널 선택권을 가지고 있었다. 이런 면에서 텔레비전은 가부장적 질서와 큰 마찰 없이 단시간 내에 수용됐다.

한국에서 세탁기의 가정화도 텔레비전과 마찬가지로 가부장적 질서 속에서 진행됐지만, 그 양상은 사뭇 달랐다. 텔레비전이 안방의 영역에서 가부장적 가족의 여가를 대체하는 기술이었다면, 세탁기는 부엌의 영역에서 여성의 노동을 대체하는 기술이었다. 디자인 연구자 박해천에 따르면, 세탁기는 1960~1970년대 한국 가정에 자리잡기까지 지난한 과정을 거쳐야 했다. 박해천은 세탁기가 한국 가정에 받아들여지는 과정이 순탄치 않았던 여러 가지 요인을 설명한다. 먼저, 당시 고가의 세탁기를 살 수 있는 경제력을 지녔던 상류층 사람들은 대부분 식모를 집에 두고 있었다. 따라서 식모라는 값싼 노동력을 굳이 비싼 기술로 대체할 필요를 못 느꼈다. 또한 당시 한국의 보편적인 주택은 세탁기를 놓기에 적합하지 않은 구조였다. 이후 세탁기의 확산은 식모의 소멸, 아파트의 보편화, 핵가족 중심의 신중산층 확산과 맞물려 이루어진다. 도시에 젊은 여성들이 일할 수 있는 일자리가 많아지며 식모로 일하던 여성들이 도시로 떠나고, 당시 새롭게 부상한 핵가족 중산층은 아파트라는 새로운 주거지에 자리를 잡았다. 하지만 여전히 가사 노동은 가정주부가 당연히 가족들을 위해 해야 하는 것이라는 인식이 보편적이었다. 서구에서 페미니즘 운동의 열풍 속에서 "기술이 여성을 가사노동에서 해방시킬 것이다" 선전과 함께 가정용 기술장치들이 급속하게 확산된 것과 달리, 한국에서는 여전히 주부가 가사노동을 하지 않고 여가를 즐기는 것은 비도덕적인 행위로 인식되었다.

이러한 분위기 속에서 한국 광고는 1970년대 후반 세탁기를 주부의 가사노동을 제거하는 기술이 아닌, 새롭게 부상한 주부의 역할을 수행할 수 있는 시간을 만드는 장치로 의미화했다. 즉, 빨래는 세탁기에 맡기고, 그 시간을 자녀 양육과 '스위트홈'을 구축하는 데 사용하라는 것. 이로써 세탁기는 가정주부에게 부여된 오래된 노동과 새로운 노동을 함께 수행할 수 있는 기술장치로 자리 잡는다. 이는 아이들이 "옷이 더러워질까 걱정하지 않고 마음껏 뛰어놀게" 하는 새로운 부모 노릇 하기 실천과 결합했다.[72]

62. 나는 당신 엄마가 아닙니다

'엄마, 이리 와서 불고기 사세요!' 갑자기 나타나 내 앞을 가로막은 그의 말이 너무 당황스러워 잠깐 병해 있다 살짝 옆으로 빠져나왔다. 생각지도 못한 순간에 내 앞길을 막아선 것도, 두부를 사러 잠시 들른 마트에서 불고기를 내미는 것도 모두 예상하지 못한 일이지만 무엇보다 나랑 나이 차이도 별로 나지 않아 보이는 성인 남성이 '엄마'라고 불렀다는 사실에 나는 어쩔 줄 몰랐다. 그는 왜 나에게 엄마라고 불렀을까.

2023년 5월 서울시내 한 대형마트에서 시민이 장을 보고 있다(연합뉴스)

나도 아이의 선생님을 찾아뵙는 자리처럼 애초에 누군가의 엄마라는 정체성으로 참여할 때는 '어머님' 같은 표현이 어색하지 않다. 그러나 그날의 나는 아무개의 어머니라는 정체성을 드러낸 적이 없다. 이유식 거리나 어린이 장난감이라도 장바구니에 담겨 있었다면 모를까. 아직 아무것도 담지 않은 내 장바구니에는 나라는 사람과 엄마라는 호칭을 연결지을 어떤 단서도 없었다. 그렇다면 저녁 시간 누군가를 위해 장을 보러 나온 사람들은 다 어머니인 걸까. 당연하게도 그럴 수 없다. 가족실태조사에 따르면 현재 38.2%는 1인 가구다. 부부나 형제자매로만 이루어진 1세대 가구 또한 22.8%에 이른다. 그러니 마트에 있는 사람이 모두 엄마의 마음으로 물건을 고르는 것이 아니다. 어머니여서 장을 보러 나온 것이 아니라 필요한 물건이 있는 사람이라 마트에 들어섰을 뿐이다. 장을 보는 여성은 곧 어머니라는 생각은 틀렸다.

마트가 강제한 규정인지, 개인이 선택한 어휘인지 알 수는 없지만 그렇다면 혹시 더 친근하게 다가가고 싶었던 걸까. 그렇다 해도 선뜻 받아들이기 어렵다. 간혹 오래 알고 지내는 친구의 엄마에게 친근하게 '어머니'라고 부르는 곰살맞은 사람들은 봐 왔지만 대뜸 처음 보는 사이에 엄마라니, 이건 친근함을 넘어 경계가 와장창 무너지는 느낌이다. 가족은 경제적, 사회적으로 끈끈하게 얽힌 공동체다. 한없이 푸근하고 충만한 믿음의 뿌리이기도 하지만 원초적인 욕구들이 날것으로 부딪치는 지점이자, 때로는 더할 나위 없이 피곤하게 책임과 의무를 주고받는 관계가 바로 가족이다. 그러니 가족이 많다고 꼭 좋은 것도 아니고, 친해진다고 가족처럼 굴어야 하는 것은 더더욱 아니다. 그래서 마트에서 갑자기 얻은 1분짜리 아들은 반갑기보다 당혹스럽다. '엄마라는 이름이 갖는 책임감과 의무감이 얼마나 큰데 제가 왜 그쪽한테 엄마죠?' 라는 생각이 먼저 든다.

혹시 다른 호칭보다 어머니가 더 정중한 표현이라고 생각했을까. 그날, 그와 나 사이의 관계는 판매자와 소비자 그 이상도 이하도 아니다. 그렇다면 우리 사이의 예의는 그 관계 안에서 최선을 다하면 되는 거였다. 물건을 파는 사람으로서 정직하게 물건을 소개하고, 사는 사람으로서 정당한 값을 지불하는 상거래상 신의를 지키는 정도로 충분하다. 물건을 사는 대가로 그가 효심을 보이길 원치 않는데, 그가 마치 내 핏줄인 양 나를 부르는 호칭이 고맙기보다는 부담스럽다.

'고객님' 혹은 '손님' 보다 더 특별하게 가깝거나 친근한 표현이 꼭 필요할까. 모든 상황에서 성인 여성을 부르는 호칭으로 '엄마' 는 적절한가. 상대방과의 거리를 좁히는 것만이 좋은 다가감은 아닐 것이다. 서로의 경계와 거리를 인정해야 그 사이에 존중이 자리 잡는다.[73]

63. 좋은 삶과 메가도시

나는 인구 300만명의 도시에서 태어나 1000만명의 도시에서 공부했고 100만명의 도시에서 아이를 기르며 일하다 5만명의 농촌으로 이주했다. 단독주택으로 이사한 첫날 우리 집 어린이는 "이제 뛰어도 돼? 소리 질러도 돼?" 물으며 집 안을 달렸다. 그때 떠나지 않고 전세 살던 아파트를 샀으면 벌써 몇억원을 벌었을 거라 타박하는 이들도 있다. 지금은 팔아도 서울 전셋집조차 구하기 어려울 가격의 집에 살지만 재테크가 이주의 이유는 아니었으니 그 말에 신경을 쓰지 않는다.

자산은 줄었지만 이주한 뒤 우리 가족의 시공간은 넓어졌고, 적당히 한산한 거리의 여유 있는 속도가 표준이 되었다. 고개를 들면 아파트가 아니라 낮은 산이 이어지고, 가끔 집 앞에서 고라니와 뱀을 만나기도 한다. 한층 느려지고 넓어진 시공간은 감정과 생각에 여유를 줬다.

뛰어다니던 네 살 어린이는 이제 중학생 청소년이 되었고 이곳을 고향으로 여긴다. 아직은 도시를 동경하지 않고 친구들과 여유 있게 살 수 있는 이곳을 좋아

한다. 관계의 밀도가 촘촘해서 큰 걱정 없이 집 밖을 다닐 수 있고, 사교육비를 쓰지 않아도 유별나게 보이지 않는 곳이라 스트레스도 적다. 작은영화관도 생겨서 7000원이면 개봉작을 볼 수 있고, 읍내 마트나 오일장에서 필요한 물건을 산다. 대도시의 과잉에 비하면 부족해 보이지만 제법 넉넉한 삶이다.

당연히 불편한 점도 있다. 읍내에 병원과 약국은 여럿이지만 피부과나 부인과는 없다. 코로나19 팬데믹 이후 문을 닫는 가게들이 늘어났고, 줄어드는 대중교통은 몸과 마음을 불편하게 만든다. 동네에서 힘 좀 쓴다는 사람들의 행세는 눈살을 찌푸리게 하고, 지방행정의 무능력과 무기력은 기대를 접게 만든다. 그렇지만 대도시로 돌아갈 마음은 아직 생기지 않는다.

가. 메가도시에 묻힐 삶의 주제들

이곳 생활을 좋아한다 해서 서울생활에 지친 지인들에게 비수도권으로 내려오라고 강요하지 않는다. 거기서 생활할 비용이면 여기서 조금 다르게 살 수 있다고 보지만 다들 나름의 사정과 선택이 있을 거라 생각하기 때문이다. 이주에 대한 상담은 환영하지만 모두가 이주해야 한다고 생각하지는 않는다.

특정한 지역을 이상으로 만드는 사회보다 살고 싶은 곳을 선택할 수 있는 사회가 좋은 사회라고 생각한다. 그런데 이곳을 인구소멸 위험지역이라 정해놓고, 경쟁력을 위해 서울시나 대도시를 더 키우겠다는 발상은 상식을 위협한다. 이미 그런 발언들이 더욱더 커지고 싶은 도시들의 욕망에 불을 붙이고 있다. 그러면 내년 총선에서 다뤄져야 할 기후위기, 약자의 이동권, 기본적인 사회인프라의 강화 같은 주제들은 거창한 메가도시에 밀려 사라질 것이다.

그러나 메가도시가 되면 면에도 어린이집이 운영되고 병원과 약국도 들어서고 중국집과 김밥집도 생길까? 메가도시가 되면 이(里)에도 버스가 다니고 무궁화호도 늘어나고 작은 학교들도 유지될까? 선택과 집중의 순위에 들지 못해 늘 포기해야만 했던 공간에도 활기가 생길까? 질문을 던지지만 우리는 이미 답을 알고 있다. 메가도시의 방향은 그 반대라는 것을.

사실 농촌의 출생률이 낮다고 하지만 출생률이 가장 낮은 곳은 메가도시의 정점인 서울시이다. '인구 감소→지역경제 붕괴→주민 이탈→인구 감소'라는 저주의 공식이 서울시에 적용되지 않는 이유는 그곳이 살기 좋아서가 아니다. 서울시는 끊임없이 유입되는 인구와 자원을 무서운 속도로 갈아넣고 순환시켜서 유지되는 도시이다. 메가도시는 주변 인구와 자원을 빨아들이지 않고도 자신의 힘을 유지할 수 있을까?

나. 하이 모더니즘 이데올로기와 폭력

제임스 스콧은 〈국가처럼 보기〉라는 책에서 때려서라도 인민을 더 좋은 삶으로 이끌겠다는 신념을 권위주의적인 '하이 모더니즘 이데올로기'라 불렀다. 근대의 공학자, 계획가, 고위 행정관료, 건축가, 과학자 등이 공유한 이 이데올로기는 국가가 사회를 합리적으로 설계하고 생산을 확대해 인간 욕구를 충족시키는 새로운 사회를 만들 수 있다고 주장했다. 이런 진보를 반대하는 건 열등하고 무능력하며 시대에 뒤처진 생각으로 매도됐다.

지금 얘기되는 메가서울이든, 메가시티든 크게 다를 바가 없다. 많은 정치인과 관료, 지식인이 지지하는 이 계획은 어떤 식으로든 강행될 것이다. 그러나, 누군가는 그 장관에 매혹되겠지만 그늘에 사는 사람들에게는 격차를 상징하는 폭력일 뿐이다. 그 폭력을 유일한 대안인 듯 말하지 말라.74)

64. 눈보라

흩날리던 눈송이가 눈보라로 변했다. 허겁지겁 움직이는 와이퍼가 감당 못할 기세였다. 고속도로를 달리던 차들이 비상등을 켜고 속도를 줄였다. 11월 중순의 폭설이었다. 그는 트럭 안 어딘가에 스노체인이 있는지 머릿속을 뒤져 보았다.

눈과 바람은 쉬이 잦아들지 않았고, 차들은 가다 서다 하면서 거의 움직이지 않았다. 트럭 안은 고요했다. 김 서린 유리창과 함께 몽롱해지는 의식을 다잡으려 그는 어디로 몇시까지 가야 하는지 떠올려 보았다. 목적지도 시간도 전혀 기억나지 않았다. 잠이 모자란 탓인가. 어젯밤에도 휴게실에 차를 세우고 두 시간 남짓 눈을 붙였다. 그는 집에서 나온 지 며칠째인지 헤아려 보았다.

퍼붓는 눈발 속에 도로를 가득 메우고 있는 차들을 바라보았다. 모두 어디로 가는 것일까.

그는 화물을 싣지 않은 차들이 왜 굳이 도로를 달리는지 이해할 수 없었다. 뒤에 실린 짐이 없다면, 그 짐을 목적지까지 실어 날라야 한다는 약속이 없다면, 그것으로 돈을 벌어 트럭 할부금을 갚고 식구들을 먹여 살려야 하지 않는다면, 그는 당장이라도 운전대를 놓고 차에서 내릴 것이다. 끼니를 때우고 용변을 해결하기 위해 땅을 밟는 시간은 모두 합쳐도 하루에 한두 시간이 되지 않았다. 거기까지 생각이 이르렀을 때, 그는 갑자기 깨달았다. 잠깐이라도 차에서 내려 땅을 딛을 기회가 바로 지금이라는 것을.

홀린 듯이 갓길에 차를 세웠다. 브레이크를 단단하게 채운 후에 문을 열고 밖으로 나갔다. 눈 쌓인 도로 위에 서는 순간 어지럼증에 잠시 비틀거렸다. 지금 있는 곳이 어디쯤인지 주위를 살피다가, 그는 소스라치게 놀랐다.

늘어서 있던 자동차들이 보이지 않았다. 주위에는 온통 흰옷 입은 사람들이었다. 그들은 줄지어 남쪽을 향해 뜀박질하듯 걷고 있었다. 대열 한가운데 우두커니 서 있는 그가 마치 돌이나 나무인 양 사람들은 눈길도 주지 않고 무심히 지나쳤다.

당신들 누구요? 곁을 스쳐 가는 사람을 붙잡고 물었다. 우리는 도인들이라네. 도인이라니, 신종 데모꾼들인가, 생각하며 그는 다시 물었다. 지금 어디로 가는 거요? 남쪽으로 간다네.

갑오년에 추수를 끝내고 도인 수만 명이 모였지. 모두가 하늘인 새 세상이 열린다기에 집에서 뛰쳐나왔고, 탐관오리를 몰아내자며 길을 떠났고, 임금이 제 나라 백성을 죽이려고 끌어들인 이웃 나라 군대와 맞서려 고향을 등졌다네. 승승장구처 올라갔지. 관군과 왜군을 우금치에서 맞닥뜨렸어. 놈들은 산등성이를 방패 삼았지. 우리가 다가가면 일제히 총을 쏘고 숨었다가, 능선을 넘으려 하면 다시 총을 쏘아댔지. 그래도 오르고 또 올랐지. 주문을 외우면 죽음이 두렵지 않았거든.

싸움이란 하지 않는 게 가장 좋아. 기왕 싸웠다면 꼭 이겨야 하고. 아무리 기세가 좋아도 무기가 없으면 싸움에서 이길 수 없어. 도인들이 죽어 넘어져 온 산을 덮고 핏물이 강물이 되어 흐를 때, 왜군은 단 한 명도 죽지 않았어. 살아남은 도인들은 흩어지며 남쪽에서 다시 모이기로 기약했지. 우리는 논산 태인을 지나 순창을 거쳐 장흥 석대들까지 갔어. 그러는 동안 몸은 사라지고 주문을 외우던 넋

만 남았지. 해마다 이맘때쯤 수만의 넋이 모여 우금치로 다시 쳐 올라간다네. 그
러곤 이렇게 다시 후퇴하는 거야. 100년이 넘는 세월 동안 우리는 한 번도 우금
치를 넘어본 적이 없네. 살아생전 넘지 못했기 때문이지. 자넨 거길 넘어봤는가?

  등줄기로 싸늘한 기운이 흘렀다. 그는 황급히 트럭에 올라타 시동을 걸었다. 아
침에 평택에서 짐을 싣고 출발해 공주 논산 전주를 거쳐 왔다. 목적지에 도착하
면 다시 짐을 싣고 돌아갈 것이다. 몇년째 쳇바퀴 돌 듯 반복하는 일이었다. 운전
대를 잡은 손에 힘이 들어가면서 그는 화들짝 놀라 눈을 떴다. 점심을 먹은 뒤
잠깐 눈을 붙인 터였다. 차 안에서 잠이 들면 언제나 졸면서 운전하는 꿈을 꾸었
다. 그는 창밖에 흩날리는 흰 눈송이를 오래 바라보았다.[75]

65. 누구에게나 가을이 와요

  여름과 겨울이 길어지며 두 계절의 사이가 아무리 가까워졌다고 해도 그 사이
에 가을이 있다. 알레르기성 비염이 심해지고 건조한 날씨에 눈도 따끔거린다. 몸
의 변화로 계절의 변화, 환절기임을 알아차릴 수 있다. 마음의 변화로도 가을이
왔음을 느낀다. '나 지금 뭐 하고 있는 거지', '아무것도 할 수 없는 기분이
야', '난 어떤 일도 제대로 해내지 못해'. 부정적인 생각이 마음을 잠식한다.
계절성 우울증이다. 계절성 우울증의 정확한 원인은 알 수 없지만, 일조량이 줄어
들면서 신경전달물질인 멜라토닌이 줄어 일시적으로 우울증을 유발한다고 보고
있다. 같은 환절기이지만 봄보다는 해가 짧아지고 바람이 차가워지는 가을에 유
발률이 높다. '11월의 저주'라는 말이 있을 만큼 자살 소식도 다른 때보다 많
이 들려온다.

  여러 정신질환을 진단받고 주기적으로 정신의학과에 다니며 꼬박꼬박 약을 먹
은 지도 몇년이다. '네가 마음먹기에 달렸어', '양약에 의존하지 말고 스스로
노력을 해봐' 같은 말은 위로도 도움도 되지 않는다. '도대체 무슨 일이 있었

길래 너 같은 애가…' 하는 걱정도 부담만 될 뿐이다.

　머리에 꽃을 꽂고 길을 쏘다니거나 다락방에 갇혀 있는 '미친×'에게는 서사가 있어야만 한다. 특별한 일이 없다고 말을 해도 어떠한 일이 '문제'를 촉발했으리라는 서사를 부여하고야 만다. 불우한 가정환경이라든지 순탄치 못했던 교우관계나 폭력에의 노출, 무엇이든 충격적인 일을 겪어 마음의 병을 얻었다는 서사. 내게도 어떤 일들이 있었지만 그것이 정신질환의 원인이라는 극적인 서사는 없다. 10대 초중반부터 앓아온 정신질환은 알레르기나 위염과 같이 늘 관심을 가지고 관리를 해야 하는 '반려병' 중 하나이다.

　실제 간호사의 경험을 바탕으로 그린 웹툰을 드라마화한 〈정신병동에도 아침이 와요〉에는 다양한 정신질환 환자가 등장한다. 질환마다의 특성도 정신병동 의료진의 일상도 섬세하게 묘사한다. 정신질환이 희화화되지도 않고 환자를 잠재적 범죄자로 여기지도 않는다. 있는 그대로의 모습, 어느 날에는 안정적이고 어느 날에는 '액팅 아웃'을 하는 사람들의 이야기이다. 극중 정신의학과 간호사가 우울증 환자라는 것이 알려지자 환자들도 환자 가족들도 그 간호사를 불신한다. 병을 가진 사람이 사회생활을 하겠다는 건 욕심이지 않냐고 비난한다. 이마저도 우리 사회를 있는 그대로 보여준다.

　뉴스에 흉악범죄 용의자가 어떤 정신질환을 앓고 있다는 기자의 멘트가 나오면 입을 닫게 된다. 누군가가 무슨 약을 먹는 거냐 물으면 대충 둘러댄다. 증상으로 힘들 때도 주변에 도움을 요청하지 못한다. 정신질환 환자라는 나의 '커밍아웃'이 나를 향한 불신이나 배제, 따가운 시선과 같은 위협으로 돌아올 때도 있기 때문이다.

　〈정신병동에도 아침이 와요〉는 말한다. 정신질환이란 언제 어디서 누구에게나 올 수 있는 예상할 수 없는 병이라고. 그렇다. 누구나 아플 수 있고 아플 때는 숨지 말고 아픔을 드러내야 한다. 따뜻한 날이 지속되다 갑자기 추워졌다. 이사이 짧은 가을에도 또 누군가는 아파하고 있을 것이다. 누구에게나 가을이 온다고, 누구라도 아플 수 있다고, 당신의 문제가 아니라고 말해주고 싶다.[76)]

66. 이야기를 만들어내는 삶

　요즘 강의하러 가면 담당자가 묻는다. 오늘은 어떤 차를 타고 오셨나요, 성공하셨을까요. 내가 탁송을 타고 움직이는 것을 알아서다. 나는 타인의 차를 옮겨주면서 이동하는 때가 많다. 예를 들면, 오늘은 오후 2시에 인천에서 강의가 있는데, 나는 강릉에서 인천 송도의 유원지까지 중고차를 옮겨다 주고 10만원을 받고 근처의 학교로 갈 예정이다. 이렇게 움직인 지는 반년 정도 되었다.

　나의 아내는 종종 말한다. 굳이 그렇게까지 하지 않아도 된다고. KTX를 타면 그 시간에 잠도 잘 수 있고 밀린 일도 할 수 있을 텐데 왜 그러느냐고. 나도 그것을 안다. 그러나 내가 옳다고 여기는 삶의 방식이 있다. 불과 몇년 전까지 나는 맥도날드에서 월 80시간을 일하고 50만원 남짓을 벌었다. 그렇지 않은 시간엔 대학에서 시간강의를 하거나 연구실에서 논문을 썼다. 그때의 나에게 돈을 내고 기차를 탈지 돈을 받고 운전을 할지 물으면 숨도 쉬지 않고 답했을 것이다. 돈을 받고 운전하겠다고. 지금은 그때보다는 형편이 나아졌으나, 어려울 때의 삶의 태도라는 것이 처지나 상황이 조금 바뀌었다고 해서 함께 바뀌면 안 된다. 좋은 차를 타고 누군가의 도움을 받아 움직일 수도 있겠으나 그러한 삶에서는 무엇도 만들어지지 않을 것만 같다. 정해진 이야기를 채우며 살아가기보다는 스스로의 이야기를 만들어내며 살아가고프다.

　얼마 전엔 이런 일이 있었다. 아내가 차가 한 대 필요하다고 말했다. 내가 지방으로 일하러 가면 종종 차를 가져가는데 그러면 자신이 강릉에서 차 없이 아이 둘을 돌보기가 힘들다는 것이었다. 경차를 한 대 사기 위해 중고차 가격을 알아보니 생각보다 많이 비쌌다. 신차급 경차는 1000만원, 탈 만해 보이는 것은 500만원, 그저 그런 것도 다 200만원이 넘었다. 아내는 그러면 됐다고 사지 않겠다고 했다. 그에게도 자신이 옳다고 여기는 삶의 기준이 있을 것이다. 며칠 뒤 서울로 강의하러 갈 일이 있어서 수도권으로 가는 탁송콜을 잡았다. 출발지는 강릉이고 도착지는 수원의 폐차장이었다. 탁송기사는 중고차뿐 아니라 신차나 폐차와 같은 차의 처음과 마지막을 함께하는 사람이기도 하다. 운전하다 보니 버리기엔 아까울 만큼 잘 관리된 차였다. 게다가 아내가 원했던 경차. 차의 주인에게 전화해서 물었다. 차가 참 좋은데 버리는 이유가 있는지. 그는 스틱 차량을 강릉에서 중고로 팔기도 어렵고 해서 아쉽지만 35만원을 받고 폐차하는 것이라고 답했다. 그에게 혹시 내가 인수해도 될지 물으니 그도 좋겠다고 했다. 아끼던 차를 버리는 것보다는 같은 강릉 사람에게 파는 게 자신도 좋다고. 그에게 돈을 보내고 집으로 갔다. 아내에게는 이 차 당신 거야, 라고 말하며 차키를 주었다. 그는 스틱 차량을 10년 넘게 몰던 사람이었다. 얼마나 비싸게 주고 사온 것이냐고 해서 35만원이라고 하니 잘했다고, 그간 받은 선물 중 가장 마음에 든다고 말했다.

요즘 아내는 전화하면 밖에 조금 더 있는 듯하다. 그간 어디 가고 싶지 않았던 게 아니라 갈 수 없었던 모양이다. 이 차는 동네의 좁은 골목길을 갈 수 있고 어디든 주차할 수 있다고 한다. 얼마 전엔 초등학생 아이들이 우리 차는 왜 이렇게 작냐고 불평해서 한마디 하려 하자, 그는 이 차가 너희 휴대폰보다 싼 것이라고 하며 웃었다. 아이들은 그런 차가 어디 있느냐며 거짓말 말라고 함께 웃는다. 그래, 이러한 이야기를 스스로 만들어가는 것, 이러한 삶의 방식에 동의하는 사람이 있다는 것, 닮아가는 아이들을 보는 것. 괜찮은 삶이 아닌가.

좋은 차는 앞으로도 필요 없을 듯하다. 일과 삶이라는 것은, 그리고 돌봄과 교육이라는 것은 이처럼 분리되지 않고 하나의 이야기로도 만들어갈 수 있지 않을까.[77]

67. 덜 사는 기쁨을 찾아서

엄마랑 구제 옷 쇼핑을 같이 다닌 건 열 살 때부터다. 헌 옷을 산 뒤 세탁해서 입는 일상이 우리 모녀에겐 익숙했다. 헌 옷은 크고 작은 하자가 있었지만 저렴했고 선택지도 많았다. 큰돈을 들이지 않고도 구제 시장의 풍요 속에서 멋을 부리며 살았다. 엄마와 나의 키가 똑같아진 고등학생 때부터는 서로 옷을 돌려가며 입기도 했다.

나는 엄마와 옷을 고르면서 하는 대화들을 좋아했다. 그것은 우리가 우리를 이해하는 과정이었다. 보여지고 싶은 방식, 체형, 콤플렉스, 자랑스러운 부위, 피해야 하는 스타일, 선호하는 색과 패턴, 편안하면서도 고유한 그 모든 옷차림들…. 그러나 옷 자체에 대해 골똘히 생각하다 보면 우리 자신에 대한 이해를 넘어서 세계에 대한 이해에 다다르게 된다.

가. 모든 옷에는 착취가 묻어 있다

전례 없이 많은 옷이 생산되고 버려지는 시대다. 전 세계적인 패션 산업의 흐름을 살필 때 가장 눈에 띄는 것은 불평등이다. 옷을 소비하는 나라와 생산하는 나라 사이의 불평등. 파는 나라와 버리는 나라의 불평등. 우아한 쇼핑의 도시가 있다면 말도 안 되는 저임금을 받고 산재에 시달리면서 의류 공장에서 일하는 개발도상국이 있고, 어마어마한 섬유쓰레기를 감당하며 환경 재난을 겪는 국가도 따로 있는 것이다.

이 모든 옷난리와, "한 해에 옷 9200만t이 버려지는 와중에 신제품 1000억벌을 아무렇지 않게 찍어내는 세상"에 회의를 느끼고는 옷 사기를 5년째 멈춘 사람이 있다. 〈옷을 사지 않기로 했습니다〉를 쓴 '당근' 콘텐츠 에디터이자 해양환경단체 활동가인 이소연 작가다. 그는 옷이라는 물질의 처음과 끝, 생산 과정에서의 노동 착취, 끝나도 끝나지 않는 섬유쓰레기 문제, 의생활의 패러다임 전환을 두루 탐구했다. 착취 없는 멋부림을 궁리하는 창의적인 책이다.

옷은 석유와 수많은 화학물질 등의 총합이므로 제작 과정에서 엄청난 양의 폐수를 발생시킨다. 의류 염색 공장은 주로 동남아시아와 중국에 위치해 있다. 미국의 색채연구소 팬톤은 매년 '올해의 색'을 발표하는데 동남아와 중국 공장 인근의 강물이 그해 유행하는 색으로 물든다고 한다. 의류를 지나치게 빠르게 많이 생산하여 이윤을 독차지하면서 쓰레기와 생태계 파괴는 개발도상국에 전가하는 패스트패션 기업과 우리 자신의 소비 생활에 관해 책은 분석한다.

"유행이 지난 것에 금방 싫증을 느끼고 새로운 유행을 찾아 떠난다. 그사이 패스트패션 회사 CEO는 세계 5위까지 부호의 자리를 지키며 배를 불리고, 저임금 국가의 노동자들은 착취당하다 죽음에 이르며, 눈덩이처럼 불어나는 섬유폐기물은 지구를 덮치고 있다."

나. 그린워싱에 속지 말고 덜 사자

"내 수중에 있는 물건을 되도록 여러 번 오랫동안 쓰는 것이 가장 좋은 제로 웨이스트"라고 이소연 작가는 말한다.

친환경이나 리사이클, 업사이클을 내세우는 제품 역시 완벽하지 않다. 한국환경공단 자원순환정보시스템에 따르면, 2020년 한 해에만 섬유폐기물이 37만664t이나 발생했는데 그중 재활용된 폐섬유류는 고작 6%라고 한다. 윤리적 소비로 알려져 있는 폐페트병 티셔츠도 공정을 따져보면 사실상 친환경이라고 보기는 어렵다. 내가 애용해온 빈티지 의류는 패스트패션 산업의 최전선에 있지는 않아도 그와 긴밀한 관계를 맺고 있기는 하다. 옷의 생애를 조금 늘릴 수는 있겠으나 패스트패션의 근본적 대안이 되기는 어렵다.

국내 섬유쓰레기 중 빈티지 의류로 가는 비율은 고작 5% 정도다. 내가 산 물건이 잘 재활용될 것이라는 기대는 대체로 현실이 되지 않는다. 아직은 옷이 또 다른 옷이 되는 이상적 순환경제가 가능하지 않은 시대다. 옷 생산량 자체를 줄이는 게 핵심이다.

매해 11월 마지막 주는 '아무것도 사지 않는 날(Buy Nothing Day)'이라고 한다. 이훤 작가의 중고거래에 관한 책 〈아무튼, 당근마켓〉에는 이런 문장이 적혀 있다. "물욕이 생기면 스스로에게 말해줘요. 지금 있는 것만으로 충분해. 이거면 됐어. 하고 마음의 방향을 틀어요."

무언가를 멈추는 일이 장마철에 빗방울을 피하는 것만큼이나 어렵게 느껴지는 세상이다. 빠르고 잦은 소비를 부추기는 방향으로 설계된 이 시대에서 착취에 덜 가담하려면 의지와 기쁨이 필요하다. 죄책감만으로 바뀌는 데에는 한계가 있지 않던가. 마음을 틀어서 새로운 쾌락을 연습해야 할 때다.

나는 덜 사는 기쁨을 진정으로 알아가고 싶다. 그래야 덜 만들어질 테니까. 그래야 덜 버려질 테니까.[78]

68. 정신병동에 진짜 아침이 오려면

드라마 〈정신병동에도 아침이 와요〉는 우울증, 조울증, 망상, 공황장애 등 현대인이 겪는 정신질환을 매회 담아간다. 어떤 경계를 왔다 갔다 살아가는 평범한 사람들의 삶을 담은 드라마로 호평받고 있다. 그 경계에서 왜 선뜻 치료에 나서거나 도움을 청하지 못하는지 드라마 속 공황장애를 겪는 대기업 신입사원은 이렇게 말한다. "내가 내 정신 하나 제대로 컨트롤 못하는 나약한 놈으로 보이잖아요."

　성인 4명 중 1명이 평생 한 번 이상 정신건강 문제를 경험할 만큼 정신질환은 흔한 질병이다. 장애 등록된 10만명의 정신장애인에 51만명의 추계 중증정신질환자를 더하면 61만명이 병원이나 정신요양시설, 그리고 지역사회 안에 살고 있다.

　유엔과 세계보건기구에서 권고한 인권 기준에 따라, 선진국들은 당사자를 위한 인권친화적 치료환경을 '지역사회'에 조성하여 병원이나 시설 수용이 아닌 지역사회 기반의 치료와 회복 여건을 만들고 있다. 치료 과정 안에 여러 대안적 선택지를 두고 환자의 자기결정권 행사를 지원하여 비자의 입원이나 강제 치료를 지양하는 중이다.

　이에 비해 우리나라는 병원이나 시설에 장기 입원하는 방식에서 제자리걸음이다. 한국 정신·행동장애 환자의 평균 재원 기간은 약 200.4일로 세계 1등인데, 2등 스페인에 비하여 140일이나 길다. 경제협력개발기구(OECD) 가입국들의 평균은 32.5일에 불과하다. 비자의 입원 문제를 해결하려 법을 개정했더니 의료수가 문제와 맞물리며 응급 또는 급성기 치료를 담당할 상급병상이 줄어들고 있다. 이러한 상황은 양질의 초기 집중 치료 기회를 놓치고 정신질환을 만성화해 결국 장기 입원을 낳는다.

　병원 시설이나 서비스 수준도 갈 길이 멀다. 보건복지부는 정신의료기관 평가 사업에 따라 2012년부터 3년마다 의무적으로 정신의료기관을 평가하고 있으나 평가 주기를 거듭하면서 합격률이 급감하고 있다. 좋은 평가를 받는다고 별다른 인센티브도 없고, 평가에 탈락해도 아무 불이익이 없기 때문이다.

　발병부터 퇴원 이후까지 당사자가 지역사회에서 일상을 이어갈 수 있도록 개별 회복 지원이 필요하다는 큰 방향엔 이견이 없으나, 그 방향으로 사회적 인프라를 전환하려는 노력은 더디다. 지역사회에서 제대로 된 정신질환 통합사례관리가 가능해지려면 주거복지, 고용지원, 동료지원이 어우러져야 한다는 것을 알고 있음에도 그 방향으로 나아가지 못하는 이유는 '편리함' 때문이다.

　정신건강 문제를 의료적으로 처리하여 병원과 시설에 환자를 가두는 방식은 참 편리하다. 정부는 많은 예산을 들이지 않아도 지역사회에 '돌아다니는' 정신질환자를 줄일 수 있으니 좋고, 비질환자 입장에서는 나라에서 알아서 정신질환자를 격리해주니 좋다. 병원이나 시설의 운영자는 다루기 어려운 사람들에게 봉사한다는 칭찬을 받으며 정신질환자 숫자대로 운영비를 지원받으니 좋고, 가족 등 정신질환자의 주변인은 상대적으로 저렴하게 무거운 부양책임에서 벗어나는 것이 좋다. 이 모든 편리함 안에 정신질환자의 삶 속 존엄이 함께 고려되기란 쉽지 않다.

　이러한 현실을 토대로 유엔 장애인권리위원회는 작년 가을 대한민국에 심리·
사회적 장애인이 사회로부터 격리되는 치료에 종속되지 않도록 모니터링 체계를
마련할 것을 권고하였다. 이 모니터링에 중요한 역할을 할 동료지원센터나 동료
지원쉼터 등 당사자단체에 대한 예산 지원은 내년에도 거의 없는 수준이다. 일상
생활을 이어가다가 정신질환의 급성기가 찾아올 때 병원 대신 갈 수 있는 위기지
원 쉼터가 시군구마다 하나씩만 설치되어 있어도 동료 상담가의 지지와 안정화를
통해 위기를 넘길 수 있는데 말이다.

　연말을 맞는 것이 고통이고 아픔인 사람들이 있다. 정신질환도 여느 만성질환
처럼 삶의 터전에서 치료받으며 다스릴 수 있을 때, 그 삶에도 진짜 아침이 올
수 있지 않을까.[79]

69. 있을 때 잘해

　산책로에 가을이 오면 낙엽과 씨름하는 강아지들이 종종 보입니다. 우리 나비
도 낙엽 속에 코를 파묻고 온 사방을 밀고 다닙니다. 코에 붙은 낙엽을 떼어 내
느라 고개를 휘저었다가, 떨어지는 낙엽에 소스라쳐 숨었다가, 짖었다가, 급할 것
없는 일에 혼자 바쁩니다. 한동안은 무심코 지나쳤는데, 문득 낙엽 밟히는 소리가
예전과 다름을 알아챈 것은 얼마 전입니다. 바스락거리며 부서지는 낙엽이 드물
기도 하고, 노란색이어야 할 은행잎도, 붉어야 할 단풍잎도, 여름철 초록을 지닌
채 떨어진 것이 대부분입니다.

무슨 이유라도 있는지, 글들을 뒤져 보았더니, 신기해하고 말 것이 아니더군요. 무지했던 제 자신이 부끄러웠습니다. '초록색 낙엽'은 지구온난화로 인한 기후변화가 원인이었습니다. 올해 서울의 11월 기온이 관측 이래 가장 높았다고 합니다. 가을이 아닌 초여름 날씨가 이어졌습니다. 그러다 11월 중순에는 갑자기 영하의 맹추위가 몰아쳤지요. 단풍은 서늘한 가을날에 맑은 날씨가 이어져 일조량이 높을 때 물드는 것인데, 올해 가을은 유난히 추웠다 더웠다 하며, 비가 자주 내렸기 때문에 단풍이 미처 물들지 못했고, 초록 낙엽이 만들어졌다는 설명입니다. 나무는 겨울을 준비해낼 시간이 없었고, 이는 기후위기가 눈앞에 닥쳤음을 보여줍니다. 이대로 가면, 예년과 같은 단풍을 다시 볼 수 없을지도 모릅니다.

대개의 갯과 동물들은 1년에 두 번 털갈이를 하지만, 우리 나비는 1년에 네 번입니다. 가을이 오면, 해가 짧아지고, 나비는 겨울날 채비로 두꺼운 털을 내기 위한 털갈이를 합니다. 실컷 겨울옷으로 갈아입고 나섰더니, 집은 절절 끓어 덥습니다. 하는 수 없이, 멋진 겨울 털을 겨우내 뽑아내야 합니다. 여름엔 반대입니다. 애써 여름털 채비를 마치고 나면 집은 되레 춥습니다. 나비의 겨울 털이란 게 벗어서 옷장에 넣어둔 것도 아니기에, 억울하지만 또 한 번 털갈이를 시작합니다. 나비와 살면서 털이 많이 빠진다고 구박하기 일쑤인데, 생각해보면 그 또한 인간의 간섭 때문이니 문득 미안합니다.

사람의 경우, 봄·가을 환절기가 되면 감기 등 호흡기 질환자가 많지만, 동물병원은 다릅니다. 외려 한여름, 한겨울에 비슷한 증상의 호소가 많습니다. 사람이 실내 온도를 적극적으로 높이려 하거나, 낮추려 하는 시기야말로 사람과 함께 실내에 사는 개, 고양이의 진짜 환절기이기 때문입니다. 사람과 더불어 사는 죄로 동물들은 아프고, 사람을 가까이 한 죄로 가로수들은 낙엽조차 제대로 만들지 못하는 시절입니다.

이제까지의 행태를 보자면, 인류는 손대는 것마다 오염시키고, 생태자원을 독점하여, 주위에 피해만 주고 있습니다. 우리가 딛고 사는 지구와의 공존마저 위태롭습니다. 환경단체 세계생태발자국네트워크에 따르면 현재의 인류가 소비하는 자원을 충당하는데 1.75개의 지구가 필요하다고 합니다. 미국인처럼 자원을 쓰려면 5.1개의 지구, 한국인처럼 자원을 쓰려면 지구 4.0개가 필요하다는 주장입니다. 자연이 인류와의 공존을 포기해 버린다면, 그 방식은 우리의 상상보다 가혹할 것입니다. '있을 때 잘하자' '웃을 때 잘하자'는 표어가 생각나는데, 표현이 조금 저렴한가요? 지구가 모르게, 슬슬 눈치를 봐서 은행잎은 다시 노랗게, 단풍잎은 다시 빨갛게, 슬쩍 제자리로 돌려놓고 싶은 마음입니다.[80]

70. 여행의 이유는 여유다

나리타 공항에서 이 글을 쓴다. 공항에 오는 데만 해도 우여곡절이 있었다. 일행 중 하나가 숙소에 여권을 두고 와서 택시를 돌려 부랴부랴 왔던 길을 되돌아갔다. 공항으로 가는 열차표를 잘못 구매하는 바람에 내릴 때 차액을 지급하는 소동도 있었다. 말이 잘 통하지 않아 중요한 순간에는 어김없이 비언어적 요소를 동원해야 했다. 당혹스러울 수도 있는 상황이었는데 실없이 웃음이 나왔다. 예전의 나라면 절대 상상할 수 없는 모습이었다.

문득 3주 전 있었던 독일 출장이 떠올랐다. 프랑크푸르트에서 베를린으로 가는 비행기로 갈아탔는데, 짐이 도착하지 않는 우발사고가 있었다. 항공사에서는 그저 기다리라고 했다. 이틀 안에는 짐이 도착할 것이라 했다. '이틀'을 전달하는 태도가 대수롭지 않고 느긋하기까지 해서 상대적으로 더 조바심이 났다. 혼자였다면 발만 동동 굴렀을 테지만, 일행이 있었기에 기억할 만한 일화가 되었다. 함께여서 극복할 수 있었고, 어처구니없는 상황을 선선히 웃어넘길 수도 있었다.

한 달 새 있었던 두 번의 외국 출장 이후, 여행에 대한 내 편견이 산산이 깨졌다. 이전의 나는 '집 밖으로 나가면 고생이다'라는 의견에 전적으로 동조하는 사람이었다. 홀로 떠난 외국 여행에서 알 수 없는 이유로 숙소 예약이 취소되고 도시에서 길을 잃는 등 몇번의 수난을 겪은 후, 국경 넘는 일이 두려워졌다. 동양인에게 적대적인 현지인들을 마주한 적도 여러 번. 국내도 다 못 다녔는데 해외가 웬 말이냐며 스스로를 다그치기도 했다. 그러나 몸담은 환경이 달라져야만 발견할 수 있는 게 있었다. 타인과 함께 생활해야만 드러나는 게 있었다. 그 중심에 있는 것은 다름 아닌 여유였다.

독일과 일본에서 나는 환대하는 태도를 배웠다. 빽빽한 일정 속에서도 함께임을 잊지 않고 상대의 사정과 의중을 헤아리는 일이 바로 배려였다. 똑같이 피곤할 텐데도 괜찮냐고 먼저 물어주는 데는 여분의 너그러움이 필요하다. 상대의 취향을 고려해서 몰래 선물을 챙기고 손 글씨로 편지를 써서 건네는 데는 넉넉함이 필요하다. 같은 시간을 보내도 함께한 이들은 어떻게든 여유를 내서 너그러움과 넉넉함을 나누어주었다. 덕분에 독일은 한국보다 춥지 않았고 일본은 한국보다 덥지 않았다. 마음가짐의 '가짐'이 자세에 있다는 것을 체득하는 시간이었다.

여행할 때 더욱 갈급하게 되는 것도 여유였다. 숨을 돌리고 시야를 확보하고 기지개를 켜는 일은 일상에서 애써 하지 않기에 낯선 곳에서 더욱 바라게 되는 것이었다. 여기까지 왔으니 좀 느긋해져야 하지 않겠어? 평소에 접하던 것과 다른 음식을 먹어야 하지 않겠어? 시간을 내서 뭔가를 찾아봐야 하지 않겠어? 내색하지는 않았지만 속은 내내 시끄러웠다. 그러다 알게 되었다. 지금껏 내가 여행을 좋아하지 않는다고 생각한 데는 여행에서 뭔가를 바라지 않는다는 오만함이 자리하고 있다는 사실을 말이다.

문득 여정은 '여행의 과정'과 '여행의 감정'을 다 담고 있는 말이라는 생각이 들었다. 달리 말하면, 여행하는 사람이 중심을 잘 잡고 있어야 과정도 감정도 충만해질 것이다. 여유를 갖지 않으면 과정은 숨 쉴 틈 없이 느껴진다. 틈이 없으므로 감정이 생길 여지도 없다. 두 번의 출장길 모두 돌아오는 공항에서 울컥하고 말았는데, 여행이 끝났다는 데서 오는 아쉬움과 집에 돌아간다는 기쁨이 아니라 고마움 때문이었다. 여유는 가지거나 부릴 수도 있지만, 나눌 수도 있는 것이었다.

일행 중 하나는 하루 더 머물다 돌아오겠다 한다. 고작 하루일까? 아마도 기꺼운 하루일 것이다. 스스로 선사하는 여유이니 말이다. 여행하는 이유도, 여행해야 하는 이유도 여유에 있다. 그런 점에서 2023년 11월은 바쁘면서도 여유로운 달이었다. 여행할 때는 몸이 바쁠 때조차 마음은 반대로 여유로울 수 있다.[81]

71. 꽉 껴안는다

당신은 머리를 적시며
물의 온도가 어떤지 묻는다

삼단처럼 탐스러운 머리카락들
풍만하고 부드러운 거품들

당신의 긴 손가락들이 한꺼번에
머리카락 사이로 밀려온다

두피를 문지르며 당신은
밤이 오면 용접공이 된다고 속삭인다

나는 눈을 감고

일렁이는 푸른 불꽃을 더듬는다

낮이나 밤이나 당신은
아름다움을 만들어 내는군요

당신 손등의 어렴풋한 흉터가
선명하게 떠오른다

아담한 두상을
당신의 두툼한 손바닥이 꽉 껴안는다

뜨거운 숨결이 훅 불어오고
나는 푸른 불꽃 속으로 들어간다

- 시, '머리를 감는 동안' 김선향 시집 〈F등급영화〉

　어제는 청년들 몇이 집에 다녀갔다. 충북 옥천과 지리산 자락에 산다는 감자, 팔매, 아라 등과 강아지까지 여섯 명이 놀러와서 너댓 시간 동네를 젊게 물들여 놓았다. 농촌에서 오래 살아온 어른들께 궁금한 것들이 많다 했다. 미리 부탁해둔 언니들 댁도 두 곳 방문하고, 우리집에 함께 와서 본격적인 이야기보따리를 풀었다.
　여든넷인 맹대열 어머니는 학생 신분을 마감한 지 오래인 30·40대 청년들에게 대뜸 '학생'이라 불렀다. 이짝에서 주고 저짝에서 빼간다는 기초수급 얘기며, 김대중 선생 버스기사며, 흙탕물 미꾸라지 이야기를 들으며 청년들은 재밌어 했다. 반쯤이 웃음으로 채워졌을 영상도 찍었다. 양승분씨는 힘든 것도 좋은 것도

다 사람 때문이라며, 일 힘든 것은 아무것도 아니라 했다. 몇년 전까지만 해도 김장도 같이하고, 서로 나눠 먹으며 웃음꽃 피우던 날들을 전해주며 눈시울을 적셨다.

청년들이 기본소득에 대해 묻자, 내가 들은 이야기부터 전했다. 배울 만큼 배운 젊은이가 식당 일 나가는 엄마한테 나 차비 좀, 나 밥값 좀 달라고 할 때 얼마나 자존심 상하고 미안하겠냐고. 그깟 20만~30만원 주는 게 뭐가 도움이 되냐고 물을지 모르지만, 그 돈이면 손 안 벌리고 일단 집을 나설 수 있다고. 그 종잣돈이면 친구 만나 밥 먹고 놀다, 친구 따라 알바도 할 수 있다고. 만국의 백수여, 당당하라고. 백수는 부끄러운 흰 손의 백수(白手)가 아니라, 손 벌리는 곳마다 달려가 그들의 손이 되어 준 백수(百手), 백개의 손이라고. 선심 쓰듯 주지 말고 봉사도 노동도 강제하지 말라고. 만인에게 만인의 것을 돌려주는 기본소득은 공생과 자치와 협조의 공동체적 우정을 만들어가는 최소한의 안전판이라고. 가난과 사랑과 고독과 자유를 어찌 수치로 잴 수 있냐고. 서로를 갈라치는 선별적 복지처럼 서류 더미로 불운을 판정하지 말고, 구걸하듯 불행을 꾸미지 않게 하라고. 받기 위해 주는 자는 서로를 타락시키므로. 그러므로 만국의 백수여, 단결하자고. 각자….

문뜩 이상해서 고개를 돌렸더니 바로 내 옆에 있는 팔매씨 눈자위가 빨개져 있었다. 팔매씨 어깨에 가만히 손을 얹고 있다, 왼쪽을 보니 수림씨 눈에도 눈물이 맺혀 있었다. 바로 옆인데도 청년들이 울고 있다는 걸 알아채지 못하다니. "밤이 오면 용접공이 된다고 속삭"이는 소리를 들었는가. 보았어도 알아채지 못한 "손등의 어렴풋한 흉터"들이여. 나는 당신들에게 "머리를 적시"며 "물의 온도가 어떤지" 물으며 살긴 하는가,

이야기를 나누는 사이 가을비가 추적추적 내렸다. 울었지만 젖었던 흔적이 없는 청년들이 씩씩하게 집을 나섰다. 여름내 땅속에서 붉게 자라준 고구마를 담은 봉지를 들고. 양승분씨가 바리바리 담아 놓은 배추 몇 포기씩 챙겨서. 나는 뒤늦게야 내 딸아이랑 동갑인 그 청년들이 밤새워 고투한 "일렁이는 푸른 불꽃을 더듬"는다. 그리고 8년8개월 같은 직장에서 근무하다 어느 날 갑자기 때려치운 내 딸아이의 숱한 밤들을 상상한다. 당신들의 머리를 내 "두툼한 손바닥이 꽉 껴안는다". 나는 그 "푸른 불꽃 속으로 들어간다".[82]

백수(白手)는 만 19세 이상인 성인이면서 직업이 없는 사람들을 뜻하는 말이다. 정확한 의미는 근로 능력이 있지만 일정한 수입이 없는 모든 사람을 지칭한다. 가진 재산에 따라 '돈 많은 백수', '니트족' 등으로 나뉜다.

72. 친절과 미소 뒤에 있는 것들

〈히든 피겨스〉는 흑인 차별이 극심하던 1960년대 초반 미국 항공우주국(NASA)에 입사하여, 수많은 난관을 이겨내고 최고의 수학자로 인정받게 된 여성의 실화를 바탕으로 만든 영화다. 분노 유발 차별 장면들 중에서도 가장 어이없고 가슴 아팠던 것은, 사무실에서 800m나 떨어진 흑인여성 전용 화장실을 오가기 위해 눈이 오나 비가 오나 질주하는 모습이었다. 이토록 열악한 환경을 꿈에도 모르는 백인 남성 상사는 업무시간 중에 너무 오래 자리를 비운다며 질책을 하고, 설움에 북받친 주인공이 결국 울분을 터뜨리며 항변한다. 충격을 받은 상사가 건물 내의 '백인전용'이라 쓰인 화장실 표지판을 깨부수는 장면은 10년 체증이 해소되는 카타르시스를 느끼게 한다.

"인간이 달에 가는 것보다 흑인과 백인이 한 교실에 있는 것이 더 요원하다"던 시대에나 있었을 "자유로운 오줌권 박탈"의 문제. 그런데 21세기의 대한민국에도 그 같은 현실이 펼쳐지고 있는 것을 아는 사람은 매우 드물 것 같다.

소외된 집단의 생활환경과 건강의 관련성을 연구해 오신 김승섭 교수의 저서 〈타인의 고통에 응답하는 공부〉에는 "백화점 면세점 화장품 판매직 노동자의 근무환경"이 소개된다. 고급스럽고 쾌적하게만 보이는 백화점 매장의 이면은 충격적이었다. 고객의 화장실을 이용할 수 없는 직원들은 건물 지하나 멀리 떨어진 곳에 하나쯤 있는 데다 오래 기다려야 하는 화장실 왕복을 극히 자제했다. 생리대 교체도 제 시간에 못해 피부질환이나 우울증세를 겪는 경우가 많았다고 한다. 병원 중환자실에서 일했던 21년차 간호사 역시 비슷한 증언을 한다. 부족한 인력과 장시간 노동 속에서 화장실 갈 짬이 나지 않아 성인용 기저귀를 차고 근무했다는 것이다.

책에는 저자와 마찬가지로 일평생 여성의 노동 환경에 대해 연구해 온 캐나다 퀘벡대학교의 명예교수 캐런 메싱과의 대담 장면이 있다. 메싱 교수는 "사람들은 건설 노동자가 추락해서 부상당하는 것은 중요한 문제로 여기지만, 여성들이 주로 맡고 있는 서비스나 감정노동으로 인한 정신적, 신체적 질병에 대해서는 무관심하다"고 말한다. 깊이 동의한다. 사회건 가정이건 감정노동이나 돌봄과 관련된 일들은 여전히 여성들이 다수다. 하지만 소속 노조도 없는 이러한 노동의 대부분은 제도적으로 개선하거나 구제를 요청할 방법이 마땅치 않을 때가 많고, 산업재해 보상도 어렵다.

홀로 계신 엄마를 모시면서 변화되는 감정과 사고에 대해 SNS(사회관계망서비스)에 글을 올린 적 있다. 노쇠하고 병약해지는 모습을 접하며 살다보니 허무함·우울감 같은 감정이 자주 들고 사회적 의욕도 저하되는 것 같다는 내용이었다. 놀란 것은 이에 공감하는 무수한 댓글이었다. 같은 이유로 마음고생을 겪었거나 겪고 있는 이야기, 치매 노인을 간병하며 우울증이 깊어져 극단적 선택을 하거나 입원하게 된 사례까지. 간혹 남성들도 있지만 대부분 중년 여성들이다. 돌이켜보니 엄마도 돌아가시기 몇년 전부터 치매를 앓으셨던 할머니를 모셨는데, 그 수고를 모르진 않았지만 직장생활로 바빴던 때라 얼마나 힘드셨을지를 다 헤아리지는 못했다. 인간은 가장 가까운 이의 아픔도 온전히 이해할 수 없고, 비슷한 경험을 통해서만 다가갈 수 있는 부실한 존재다.

위험하고 열악한 근로환경에 노출된 무수한 노동자들의 삶은 끊임없이 개선되어야 한다. 더불어 겉으로는 안전하고 때로는 고급스러운 환경 뒤에서, 정작 자신의 몸과 마음은 잠식되어가고 있는 무수한 감정노동자, 조용한 돌봄자들의 삶 또한 세심하게 배려하는 사회가 되길 바란다. 2023년 한 해도 저물고 있다. 희망적인 소식은 별로 없지만, 그런 삶을 이나마 지탱하게 만드는 그늘 속 주변인들의 친절을 돌아보며 서로가 감사를 표하는 연말을 만들어 보면 어떨까 싶다.[83]

73. 진상의 역설

비교적 오래된 이야기지만, 청어는 한때 우리네 겨울 밥상을 풍성하게 만든 대표 생선이었다. 오죽 흔했으면 청어로 과메기를 만들 정도였을까 싶지만, 기후변화로 인해 이제는 꽁치가 그 자리를 대체했다. 날이 쌀쌀해지면 살에 기름기가 올라 고소한 맛이 일품이다 보니, 겨울이 되면 조선시대 왕의 밥상에도 생청어가 빠지지 않았던 듯하다. 이 시기 동해와 남해 일부를 관할했던 경상감사 진상품 가운데 하나가 청어였던 이유이다.

272년 전인 1751년 음력 10월18일, 경상감사 조재호는 시름에 빠져 있었다. 매월 음력 보름(15일)이면 끝냈어야 할 진상이 3일이 지나도록 아직 이루어지지 못한 탓이었다. 다른 물품들은 품질과 수량 점검을 거쳐 진상 준비를 모두 마쳤지만, 아직 생청어가 봉입되지 않고 있었다. 찬바람이 불기 시작한 음력 10월 초부터 가능한 모든 장비와 인력을 동원하여 청어잡이에 나서도록 독려했지만, 그해 유난히 따뜻했던 바닷물로 인해 청어가 잡히지 않은 탓이었다. 송구함으로 몸 둘 바를 모르는 마음을 담아 진상이 늦은 사유를 왕에게 보고하는 한편, 바다를 끼고 있는 지방관들에게는 강한 질책성 공문을 발송했다.

음력 12월이면 지방관에 대한 경상감사의 인사 평가가 있는 만큼, 질책성 공문이 어떤 역할을 할지는 굳이 생각하지 않아도 알 수 있다. 단 한 번의 낮은 인사 평가만으로도 파직될 수 있는 지방관들 입장에서, 이제 청어는 관료로서의 미래가 걸린 물품이 되었다. 지방관들은 아전들을 다그쳤을 터였고, 그 부담은 백성들에게 힘든 고통으로 증폭되었을 것이다. 이렇듯 청어밖에 보이지 않는 관료들의 눈에는 자신이 들어가지 않을 바다의 위험성까지 보일 리 만무했다. 무리한 재촉은 점점 커졌고, 결국 사고로 이어졌다.

고성현(현 경남 고성군 일대) 관료들의 재촉에 못 이긴 남촌면 백성 4명이 바다에 나가 그물질하던 중 배가 광풍을 만났다. 청어를 잡기 위해 무리하게 먼바다를 택했던 게 원인이었다. 4명의 젊은이들은 배와 함께 바다에 휩쓸려 들어갔고, 결국 그들은 육지로 돌아오지 못했다. 마병보군 김명삼(26), 격군 이홍익(16), 사노비 찬장(17), 그리고 모군 추일담(17)이 생명을 잃었다. 김명삼도 많은 나이는 아니었지만, 그를 제외한 세 명은 이제 갓 군역을 지기 시작한 10대 후반의 소년들이었다.

비교적 경험 많은 김명삼이나 바다에서 노를 젓는 일을 했던 이홍익이야 그렇다 쳐도, 사노비 찬장이나 모군 추일담의 죽음은 당시 그들이 진상품 마련을 위해 어떠한 상황까지 몰렸는지 증언한다. 모군은 말 그대로 '모집된 역군'으로 돈에 고용된 미숙련 잡부였다. 청어가 잡히지 않으니, 종살이하던 사람부터 숙련되지 않은 모군까지 동원하여 바다로 내보냈던 것이다. 제2, 제3의 사노비 찬장이나 모군 추일담과 같은 사람들이 준비되지 않은 채 진상품 마련을 위해 바다로 내몰렸을 상황이 그려지는 대목이다. 이 보고를 받은 경상감사 조재호 역시 충격을 받았다. 청어 진상을 유예해 달라는 보고서를 올리고, 속죄하는 마음을 담아 죽은 이들의 이름을 기록으로 남긴 이유였다.(출전: 조재호, 〈영영일기〉)

왕의 입장에서야 굳이 청어를 먹지 않은들 어떠랴? 그러나 진상품이 충성의 증표가 되고, 지방 관료의 미래를 결정하는 일이 되면, 백성들은 청어를 위해 목숨을 걸 수밖에 없다. 청어가 왕의 식단을 풍성하게 할 수 있고, 그렇게 하는 게 신하 된 도리라고 강요받으면, 그들은 백성들에게 위험을 강요할 수밖에 없기 때문이다. 정상적인 어떤 권력도 목숨을 걸고 자신의 기호와 관심을 충족할 필요는 없다고 말하겠지만, 충성스러운 관료 조직은 최고 권력자의 작은 관심과 필요에도 백성들의 목숨을 요구하곤 했던 것이다. 그렇기 때문에 이렇듯 증폭된 백성들의 고통 앞에서 '자신은 의도하지 않았다'고 하는 것만큼 무책임한 말도 없다.[84]

74. 균근과 선물

올봄 꽃시장에서 라일락 모종을 샀다. 봉오리가 많이 달려서 얼마 뒤 연보랏빛 꽃이 활짝 피면 작업실 마당이 향기로 가득할 것 같았다. 딸기의 기는줄기와 잡초를 싹 뽑아 말끔한 맨땅을 만든 다음 라일락 뿌리를 감싼 흙 알갱이 하나 떨어지지 않도록 조심조심 심었다. 2~3일마다 물을 듬뿍 주고 김도 매주었다. 그런데 차츰 잎이 초록색에서 갈색으로 변하고 잎말이벌레가 든 것처럼 오그라들었다. 원효대사의 지팡이처럼 다시 살아나길 간절히 바랐건만 이내 앙상한 가지만 남았다. 결국 체념하고 줄기를 잡아당겼는데 마치 흙에 박은 못처럼 쑥 딸려 올라왔다.

잡목은 한 뼘만큼만 자라도 뿌리가 뚝 끊어질지언정 고분고분 뽑히지 않는데 왜 나의 라일락은 뿌리를 내리지 못했을까? 그렇게 몇달째 고민하다가 수잔 시마드의 〈어머니 나무를 찾아서〉를 만났다. 이 책의 내용을 한마디로 요약하자면 "나무는 섬이 아니다" 일 것이다. 수잔 시마드는 환금성 수목인 미송의 생장을 방해한다는 이유로 제거 대상이던 오리나무와 자작나무가 오히려 미송에게 물과 당분과 질소를 공급한다는 사실을 입증했다. 뿌리와 뿌리를 연결하는 수송관은 버섯이라고도 불리고 곰팡이라고도 불리는 균류의 실, 즉 균사였다. 이렇듯 나무 뿌리와 균류가 얽혀 있는 관계를 균근이라고 한다. 균사로 연결된 나무들은 호시절에 넉넉하게 거둬 궁핍한 이웃에게 나눠준다.

우리 인간도 균근 그물망으로 얽혀 있다면 얼마나 좋을까. 지나치게 많이 벌어들인 소득이 벌지 못한 사람들에게 저절로 흘러 나간다면 우리는 얼마나 행복할까. 실은 우리에게도 균근이 있다. 제목에서 짐작했겠지만 그것은 바로 선물 경제다. 호혜성이라고 불러도 좋겠다. 〈향모를 땋으며〉에서 로빈 월 키머러는 "선물의 본질은 관계들을 창조한다는 것이다" 라고 말한다. 우리는 무형의 관계로 이어져 있다. 등가 교환으로 이루어지는 주고받음은 일회성 사건으로 끝나지만 대가를 바라지 않고 베풀면 관계가 형성되고 또 다른 베풂을 낳는다. 누군가 내게 선물을 주면 나는 그가 아니라 다른 사람에게 되갚는다. 그렇게 모두가 선물의 끈으로 이어진다.

수잔 시마드는 나무뿌리가 물과 양분뿐 아니라 정보도 주고받는다고 말한다. 〈향모를 땋으며〉를 읽다가 피칸나무들이 어떻게 몇년마다 일제히 열매를 맺는지, 어떻게 나무 한 그루가 나무좀에게 공격받으면 다른 나무들까지 방어용 화합물을 분비하는지 궁금했는데, 실제로 아미노산과 호르몬 같은 물질들이 균근망을 따라 전달된다는 사실이 밝혀졌다. 〈나무를 대신해 말하기〉에서 다이애나 베리스퍼드-크로거는 자당이 세로토닌과 같은 역할을 하며 "나무도 듣고 생각할 수 있는 신경 능력을 갖고 있다"고 말한다. 우리의 신경세포와 인터넷은 나무에게서 배운 것인지도 모르겠다.

말라비틀어진 딸기의 줄기와 잎이 겨울 화단을 담요처럼 덮었다. 땅 위에서는 생명의 기미를 찾아볼 수 없지만 땅속에서는 균류가 실을 뻗어 서로 연결된 채 겨우내 이야기를 나누고 있으려나. 이듬해 봄 새로운 식물이 뿌리를 내려 자기들과 연결되길 고대하면서. 그나저나 라일락은 내생균근 식물이어서 뿌리 속에 균류를 품을 뿐 다른 뿌리와 연결되진 않는다고 한다. 나의 라일락이 시든 사연은 계속 고민해야겠다.[85]

75. 비자폐인의 '결핍'

내가 보람과 효능감을 느끼는 일은 젠더, 빈곤, 장애, 불평등에 대해 사회적 의미를 생산해내는 말하기와 글쓰기, 그 의미를 구현하는 공동체를 위한 프로젝트 기획이다. 고연봉은커녕 풀타임 고용도 안 되니까, 생계 노동도 병행해왔다. 후자를 할 땐 뭔가를 '꺼둬야' 했다.

올해 주된 생계 노동은 서울대형 RC(기숙형 대학) 사업을 개시하는 LnL시범사업단 근무였다. 거의 신입생 270여명의 생활, 학습 지도를 맡은 대학원생 조교로 일했다. 처음엔 충실한 직장인으로 일할 작정이었다. 학생들에게 이렇게 말했다. 저는 사업단의 수족이에요.

학기 초에 꼬마 퀴어 커플이 찾아와 말했다. 여긴 안전하지 않은 느낌인데, 조교님은 어른이잖아요. 어떻게 살아가야 할까요?

속으로 생각했다. 아이고. 여긴 다양성이 멸종한 공동체니까 그렇지. 결국 소수자 관점의 서사(김초엽), 이성애 결혼-가족 제도 밖 늙음과 죽음(한채윤), 의료 보건 중심 양적 연구의 한계(김새롬), 장애운동의 역사와 의미(변재원)를 다루는 특강형 연속 세미나 '다양성 탐구'를 기획하고 말았다.

이 칼럼을 쓰는 건 마지막 특강 때문이다. 한 학생이 자폐스펙트럼 장애를 드러낼 때의 불이익, 낙인에 대한 불안감을 익명 메모로 제출했다. 잠깐 고민하다 내가 당사자란 걸 밝히고 반갑다는 댓글을 달았다.

그런데 그날 '커밍아웃'한 건 나뿐이라 자폐인 대표가 되고 말았다. 뻔한 당사자 얘기를 했다. 어릴 때부터 사회와 인간에 대해 지대한 관심이 있었지만 스스로 자폐라고 생각해본 적은 없었단 것, 어릴 때보다 지금 '사회생활'을 더 잘하지만 그것은 인간을 수없이 만나 배운 것이고 집에 가면 매우 피곤하다는 것 (자폐인의 '마스킹'), 논의가 발전해 이전보다 사회구조와 연계되어 자폐의 설명 방식이 다양해졌단 것, 최근 연구에 따르면 자폐는 무엇의 결핍만이 아니고 다른 것이 '있음'이라는 것. 말하면서도 생각했다. 아마 여기도 더 많을 텐데.

실은 생계 노동에서 '꺼둬야' 하는 부분, 사람에 대해 너무 많은 것을 알아채고 기억하고, 되도록 모두를 소외시키지 않으려 하고, 남들이 연결시키지 않는 것들을 한 프레임으로 읽어내 문제의 근본적 해결을 고민하는 나의 특성을 신경다양인의 특징과 연결해 이해한다.

나는 사람을 자폐와 자폐 아님으로 나누어 인식하곤 하는데, 누군가 어떤 능력이 '없어서' 정말로 말이 안 통하기도 하지만, 그게 '있어서' 매끄럽게 소통되는 사람도 꽤 많다. 그들에게 진단명이 있든, 없든. 미국의 자폐스펙트럼 장애 유병률은 36명당 1명으로, 매년 늘고 있다(2022 질병통제예방센터). 한국은 약 2%로 잡힌다.

이 부분은 꼭 적어두고 싶다. 그간 장애를 드러내는 게 피곤하고 불리할 것 같단 '느낌'이 들 때가 있었는데, 곱씹어보면 정치와 정책을 다루는 영역에서 그랬다. 자폐인에게 유독 피곤하고 불리하단 '느낌'을 주는 영역과 거기서 주류가 되는 사람들의 특성이 있다. 그걸 살펴보면 귀납적으로 비자폐인의 '결핍'도 정의할 수 있지 않을까? 사회적으로 비자폐인이 노력해야 하는 방향도 제시될 필요가 있다.[86]

76. 산다는 것은

인문학 강의를 많이 다니는 입장에서 처하게 되는 딜레마가 있다. 기본적으로 인문학은 생각을 깊이 하자고 권유하는 학문인데 인문학 강의를 들으러 오는 수강생은 이미 생각을 많이 하는 분들이라는 것이다. 어쩌면 반성을 그만하고 자신의 경계를 좀 더 지키는 것이 더 적절한 경우에도 자기가 뭘 고치면 이 상황이 개선될 것인가를 고민하는 경우를 본다.

누구나 자신의 경향성을 이기지 못한다. 반성을 하는 분들은 계속 반성을 하고, 생각을 안 하는 사람들은 옆 사람들에게 죄책감을 떠넘기며 자신의 마음의 짐을 덜어낸다. 그런데 또 문제를 해결하자면 결국은 '내가 무엇을 해야 하는가'를 생각할 도리밖에 없다는 것이 피할 수 없는 진실이다. 이쯤에서 읽는 분이나 쓰는 나나 한숨이 나오는 것은 어쩔 수 없다. 그래서 "어쩌겠습니까… 그들과 이미 관계가 얽혀져 버린 것을요… 그들은 알아서 변하지 않습니다. 그러니 그들을 조금이나마 변하게 하는 방법을 또 우리가 고민해야 합니다"라고 말씀드리게 된다.

누군가와의 관계에 내가 얼마나 노력을 기울여야 할 것인가를 판단하는 것은 인생에서 굉장히 중요한 문제다. 어떻게든 그 사람을 이해해서 그 사람과의 관계를 지속해야 하는 경우가 있고 이쯤에서는 관계를 정리하고 그 사람을 이해하려는 노력을 중단해야 하는 경우도 있다. 이 기준선을 어떻게 잡을 것인가가 문제다. 타인을 이해하려는 노력은 나의 우물을 확장시킨다. 내 좁은 우물로 이해되는 사람과만 관계하겠다고 하면 내 세상은 너무나 좁아질 것이다. 그렇다고 그 사람을 이해하려다가 내 우물이 깨져버리는 것도 안 될 일이다. 나 자신을 유지할 수 없게 하는 관계는 포기해야 한다. 그런데 또 내가 성장하려면 내 우물이 깨져야 하는 것도 사실이다. 도대체 어찌해야 한단 말인가.

나의 우물이 깨지는 것이 성장을 위한 깨짐인지 파괴되는 과정의 깨짐인지에 대한 판단은 나만 할 수 있다. 그리고 어쩌면 그 깨짐을 '성장을 위한 깨짐'으로 만들지 '파괴되는 과정의 깨짐'으로 둘지도 나의 의지에 따른 것일 수 있다. 나의 경우에는 나 자신을 파괴하는 수준의 깨짐이 아니라면 '최대한 이해하려 노력한다'는 원칙을 가지고 있다. 그래야 나중에라도 후회가 없을 것이기 때문이다. 그리고 이해하려는 생각 속에서 최선을 다해 나의 우물을 확장하기 위해 노력한다. 노력을 하다 보면 어느 순간 '더 이상 노력해서는 안 된다'는 신호가 온다. 그 신호가 오기 전까지는 최선을 다해 나의 우물을 확장하려 노력한다.

이때 주의해야 할 것이 있다. 지금의 나의 노력은 나의 우물을 확장하려는 노력이지 상대방을 위한 노력이 아니라는 것을 명심하는 것이다. 상대방을 위한 노력이라고 생각하면 생색이 나서 관계가 어려워진다. 어느 정도까지 노력할 것인가는 그와의 관계를 내가 얼마나 소중히 생각하는가와 관련된다. 결국 나의 결정이다. 그리하여 철학을 30년 한 내게, 산다는 것은 자신의 한계와 타인의 한계를 감당한다는 것이다.[87]

77. 진짜 '서울의 봄'

　며칠 전에 초등학생인 큰애와 극장에 가서 〈서울의 봄〉을 보았다. 생각했던 것보다 훨씬 재미있었다. 아무리 재미있는 영화라도 셋업 과정이나 주인공의 고진감래 등 덜 흥미롭거나 때로는 지겨운 장면이 있게 마련이다. 〈서울의 봄〉에는 그런 장면이 거의 없다. 뽀로로 캐릭터를 만들 때, 뭘 더하는 게 아니라 뭘 뺄지가 주된 디자인 포인트였다는 얘기가 생각났다. 이태신 부인이 나왔을 때, 그녀의 슬픈 후일담이 좀 나올까 했었는데, 일절 없었다. 큰물이 흘러가는데 걸리적거리는 소위 '이물질'이 거의 없는 편집이 기가 막혔다. 장면 전환도 **빠르고**, 대사들도 길게 안 준다. 생각할 틈이 없이 숨가쁘게 장면들이 전환되었다. 애기는 '올드' 하더라도 편집만큼은 모던했다.

가. 청년들 공정 질문에 엇갈린 성패

　영화 보고 며칠이 지났는데, 몇 장면이 계속 생각이 났다. 또 보고 싶다는 생각이 들었는데, 이런 감정은 진짜 오랜만인 것 같다. 같이 간 큰애도 재미있게 봤는지, 영화의 몇 장면을 성대묘사했다. 사실 〈서울의 봄〉은 이순신 애기처럼 온 국민이 같이 즐길 수 있는 영화는 아니다. 좋아하는 사람과 그렇지 않은 사람이 극명하게 나뉠 애기다. 영화로서는 약점이다. 그런 약점을 극복하게 만드는 것은, n차 관람이 가능할 정도의 몰입도라고 할 수 있다. 김성수의 영화는 〈무사〉를 제일 재미있게 봤었다.

　얼마 전에 최순실의 딸 정유라가 했던 애기를 책에 넣어야 할 일이 생겨서, 다시 한번 사건을 돌아다보는 일이 있었다. 부모 잘 만나는 것도 능력이고, 돈도 실력이라는 애기였다. 이 짧은 몇 개의 문장이 한국의 청년들을 격발시켰고, 결국 대통령 탄핵으로 가게 되는 결정적 계기가 되었다. 지금 생각해도 경제 공동체라는 논리가 과연 맞는 건지는 잘 모르겠다. 수많은 우여곡절 끝에 결국 탄핵이 되었지만, 그 안에 흐르는 가장 큰 에너지는 청년들의 분노였다. 대통령 탄핵 과정에서 가장 결정적인 순간 하나를 짚으라면 정유라의 SNS 문장이라고 해야 할 것이다. 한국 자본주의가 점점 더 '세습 자본주의' 형태로 바뀌어가면서 부모의 돈을 간편하게 물려받는 것에 대한 분노를 단순히 진보적이라고 해석하기는 어렵다. 어쨌든 여기에 역사적인 점 하나가 찍혔다.

　"우리의 소원은 통일"이라는 정서를 가진 문재인 정권과 청년들이 멀어지는 데에는 오랜 시간이 걸리지 않았다. 두 번째 점의 전조는 평창 동계올림픽 때 있었다. 남북 단일팀을 구성하는데, 그러면 누군가는 출전이 불가능해진다. 이게 과연 공정한 것이냐, 그런 논쟁이 벌어졌다. 문재인 정권은 이걸 사소한 논란 정도로 간주했지만, 노력해도 보상받지 못하는 청년들의 분노는 예상치를 넘어섰다. 정유라에게 분노했던 청년과 이 청년은 다른 청년일까?

역사적인 두 번째 점은 조국 사건이다. 진보 쪽에서는 검사권력에 시선을 두었지만, 청년들은 부모의 힘에 더 시선이 갔다. 한국은 완전히 두 쪽으로 갈렸다. 조국을 쫓는 검사권력에 눈이 간 조국파와, 진보도 힘 있으면 자식 교육에 부당하게 개입했다고 생각하는 청년들 사이에는 접점이 없었다. 아주 큰 사건이 되었고, 문재인 정권은 재창출되지 않았다. 청년들은 이준석을 따라 국민의힘으로 몰려갔다. 그리고 그때의 검사들은 결국 스스로 정권이 되었다. 공정이라는 청년들의 질문 앞에서, 한쪽은 몰락했고, 또 다른 쪽은 흥했다.

나. 올드한 주제에 청년들 핫한 반응

크게 보면, 한국에서 청년들이 크게 움직인 것은 이 두 번이다. 그리고 세 번째 점을 영화 〈서울의 봄〉에서 우리가 보는 중이다. 영화 촬영 직후 김성수 감독은 "젊은 관객이 극장에 많이 와야 할 텐데 걱정이 많아요" 라고 말했다. 아마 제작사 측도 지금과 같은 현상은 예측하지 못했을 것이다. '올드' 한 감독이 '올드' 한 주제를 다루었는데, 청년들이 '핫' 한 반응을 보였다. 코로나19 이후로 잔뜩 위축된 한국 영화계에서 이런 일이 벌어지다니! 전두광에 대한 분노와 함께 너무나 비현실적인 영웅 이태신의 신선함이 폭발했다. 행주대교 위에 홀로 선 이태신은 할리우드에는 없는 힘없는 영웅이다. 그 영웅의 패배는 분노 게이지를 폭발시켰다.

하나회와 검사집단을 바로 연결하는 것은 과도한 정치적 해석이다. 그래도 사회적 파장이 적지는 않을 것이다. 게다가 총선을 얼마 남겨놓지 않은 상황이라, 청년들이 본 〈서울의 봄〉이 그야말로 해석 투쟁 속으로 들어갔다. 출발은 작았지만, 결국은 엄청난 충격을 만들 가능성이 높다. 내가 대통령이라면 얼른 영화 보고 "재미있게 잘 봤다"고 한마디 남길 것 같다. 김영삼이 이미 보수를 대표해서 정리한 사건이다. 한국 보수가 이미 법원 판결까지 지난 세기에 다 끝난 전두환을 새삼 옹호할 이유는 없다. 어정쩡하게 '좌빨' 타령하다가는 내년 봄에 진짜 서울의 봄이 온다.[88]

78. 새로운 가족의 탄생

최근 경기 평택에서 발생한 '대리모 사건'이 온라인상에서 적잖이 이슈가 되고 있다. 평택시의 출생 미신고 아동 전수조사 과정에서 생사가 불분명한 아동이 있어 경찰이 수사한 결과 대리모를 통해 낳은 아이로 밝혀진 것이다. 아이는 친부와 별 탈 없이 살고 있는 것으로 파악됐는데, 친부는 총 3명의 아이를 대리모들을 통해 얻은 것으로 드러났다.

대리모는 국내법상 불법이지만 이 소식을 접한 누리꾼들은 "친부가 애국자 아니냐"라며 생경한 반응을 보이고 있다. 일부 국가처럼 대리모를 합법화하자는 목소리도 이어지고 있다.

이는 올해 3분기 합계출산율이 0.7명이라는 통계청 발표와 맞물려 저출생의 한 해법으로까지 등장한 '웃픈' 현실의 단면이다. 지난주 뉴욕타임스는 칼럼을 통해 "한국이 현재 합계출산율을 유지한다면 한 세대만 지나도 200명이 70명으로 줄어든다"며 "14세기 흑사병으로 인한 인구 감소를 넘어설 것"이라는 다소 섬뜩한 경고까지 날렸다.

저출생 위기 경보는 기실 20여년 전부터 본격화됐다. 2002년 합계출산율 1.18명으로 초저출생의 기준인 1.3명 미만을 처음 기록한 후 2018년엔 0.97명으로 떨어졌다. 인구 1000만명 이상 국가들 중 20년 넘게 초저출생을 기록한 나라는 전 세계에서 한국이 유일하다. 한국의 출생률이 유례없는 속도로 낮아지는 배경에 대해선 인구학의 석학 데이비드 콜먼 옥스퍼드대 명예교수 등이 이미 지적한 바 있다.

최근 한국은행이 발표한 보고서도 '높은 경쟁 압력'과 '고용·주거·양육 불안'을 그 이유로 꼽았다. 콜먼 교수는 여기에 더해 "가부장적인 가족문화, 낮은 성평등 의식, 비혼 동거문화와 출산에 대한 폐쇄성" 등 한국적인 원인도 지목한 바 있다.

전문가들은 혼인 건수 감소를 심각하게 보고 있는데, 한국의 경우 대부분 혼인 관계에서 출산이 이뤄지기 때문이다. 유럽의 경우 비혼 동거문화가 보편화되고, 혼외 출생 자녀에 대해서도 똑같은 지원을 하면서 혼외 출생아 비중이 높다. 프랑스 61%, 아이슬란드 69% 등이며 2019년 경제협력개발기구(OECD) 평균도 43%에 이른다. 반면 한국은 2.3%에 불과하다.

이런 상황에서 저출산고령위원회가 최근 실시한 여론조사 결과는 대다수 일반 시민들도 이제는 동거 등 다양한 가족을 제도적으로 인정해야 한다고 보고 있어

의미가 크다. 결혼하지 않고도 자녀를 가질 수 있다고 생각하는 청년의 비중이 2012년 29.8%에서 2022년 39.6%로 확대되는 등 비혼 출산에 대한 인식도 바뀌고 있는 분위기다.

하지만 이에 대한 정치권 및 정부의 제도적 수용성은 더디기만 하다. 여성가족부는 2021년 제4차 건강가정기본계획을 수립하면서 법률혼과 혼인 제도에 한정된 가족 개념을 넘어 가족 다양성 인정, 가족 형태에 따른 차별금지 등을 포함하기로 했다. 그러나 일부 보수단체의 반발이 이어지자 현 정부 들어 모두 없던 일이 됐다. 정의당이 발의한 생활동반자법·혼인평등법·비혼출산지원법 등도 넘어야 할 산이 많다.

유럽보다 보수적인 미국에서조차 미혼 부모와 함께 사는 18세 이하 자녀는 1960년대 13%에서 현재 32%로 급증했다. 미 인구조사국은 2020년부터 동성 커플 여부를 묻는 항목을 인구 설문조사에 추가하고 있다. 한국은행 역시 저출생 해법 중 하나로 지원체계를 부모·법률혼 중심에서 '아이 중심'으로 전환하고 다양한 가정 형태에 대한 제도를 마련할 것을 주문했다.

베네수엘라의 텔레노벨라(일일연속극)가 원작인 미국 드라마 〈제인 더 버진〉에는 놀랄 정도로 다양한 형태의 가족 구성이 등장한다. 주인공 제인의 엄마는 고교 때 출산한 비혼모이고, 제인은 의사 실수로 인공수정이 돼 가정 있는 남성의 아이를 갖게 된다. 제인의 생부는 뒤늦게 제인의 존재를 알고서 제인의 엄마와 결혼하지만 또 다른 여성과 인공수정을 통해 딸을 낳는 등 한국적 정서에서 보면 막장의 끝을 달리는 내용이 가득하다. 그런데도 인물들은 각자의 상황에서 최선의 선택을 하며 더불어 살아간다.

미국 메인대 사회학 교수인 에이미 블랙스톤은 "가족을 이루는 방식이 하나뿐이라는 생각은 이미 오래전 폐기됐다. 많은 사람들은 이제 자신의 가족을 스스로 선택한다"고 말했다. 과학 발전과 사회 환경에 따라 가족 형태와 개념도 변한다는 것이다. 한국에서는 언제쯤 새로운 가족의 탄생을 볼 수 있을까.[89]

79. 조양한울분회의 끝나지 않은 투쟁

2023년 11월28일 사장은 노동자 11명을 2024년 1월1일부로 해고한다고 통보했다. 공교롭게도 그 11명 모두는 노동조합 분회 활동에 참여한 조합원이었다. 사측의 해고 대상에 비조합원은 없었다. 그보다 앞서 같은 달 9일 회사는 업무방해 등 이유로 분회장을 형사 고소하고 해고 처분했다. 그렇게 12명의 조합원들이 지금 집단해고로 내몰리고 있다. 종업원이 30명도 안 되는 노동권 사각지대 '작은 사업장'에서 여태 저임금에 부대끼며 가족의 생계를 힘겹게 책임져온 노동자들이 조합원 '표적 해고'의 희생양이 되어 이 겨울, 거리로 나앉고 있다. 금속노조 대구지역지회 조양한울분회 이야기다.

조양한울분회는 2018년 사측의 일방적인 상여금 삭감을 배경으로 설립되었다. 노동조합을 눈엣가시로 여기는 사측이 이듬해 공장을 이전할 것처럼 위협하자 기업노조로 전환하기도 했으나, 코로나19 특수로 물량이 늘어도 추가 채용이나 잔업 없이 노동 강도만 올라가자 2022년 8월 금속노조에 다시 가입했다. 이에 사측은 금속노조 탈퇴를 종용하며 조합원들을 징계한다고 협박도 하고 인센티브를 약속하며 회유도 했다. 한국의 전형적인 작은 사업장에서 사장은 왕처럼 군림하며 노동조합을 인정하지 않는 경우가 부지기수인데 분회의 경우도 별로 다르지 않았던 모양이다. 노동조합 혐오를 공공연히 드러내는 사측과의 충돌을 피할 수는 없었던 것이다. 결국 단체교섭이 결렬되면서 올해 5월2일 분회는 파업에 돌입했다.

본래 파업이 시작되면 새로운 협상의 장이 열리기 마련이다. 그런데 사측은 파업 개시일 이튿날인 5월3일 곧바로 직장폐쇄부터 공고했다. 노동조합 및 노동관계조정법 제46조에 의하면 직장폐쇄는 쟁의행위에 따른 경제적 손실이 분명해진 것을 전제로 사측이 부득이하게 취하는 방어적 조치여야만 한다. 하지만 분회가 맞닥뜨린 현실은 그런 법규범과는 아주 달랐다. 분회는 파업이 있기 훨씬 전인 3월에 이미 사측이 직장폐쇄가 예상된다는 공문을 협력업체 앞으로 보낸 사실을 폭로했다. 사측의 의도적인 교섭 태만과 결렬 유도가 의심되는 대목이 아닐 수 없었다. 분회는 또한 사장을 부당노동행위와 업무상 배임 및 특정경제범죄가중처벌법 위반으로 고발했다. 지난 7월27일 대구지방고용노동청 서부지청은 사측의 부당노동행위, 공격적 직장폐쇄 및 파업 기간 대체근로 위반 혐의에 대해 기소 의견으로 검찰에 송치하지 않을 수 없었다.

그러나 사측은 이를테면 근로감독관의 위법 시정 지시에도 아랑곳하지 않았다. 103일에 걸친 파업 이후 8월21일 분회는 회사로 복귀했지만 매체 보도에 따르면 사측은 파업 때문에 물량이 줄었다는 확인되지 않는 이유로 이번에도 조합원들만 골라서 순환휴직을 통보했다. 비조합원이 제외되었다면 그와 같은 조치 역시 노동조합 활동에 대한 보복 성격을 가진 부당노동행위로 볼 여지가 충분했다. 그러나 이런 문제에서 검찰의 사건 처리는 더디기만 하다. 그 와중에 석 달에 걸친 순환휴직이 11월에 종료되자 사측이 전격적으로 조합원 12명을 해고 조치했던 것이다. 분회에서 그토록 요구해온 특별근로감독은 12월이 되고서야 겨우 진행되고 있다. 노동자들로서는 집단해고를 막을 당장의 대안이 보이지 않는 막막한 상황이 아닐 수 없다.

사측 전횡에 대한 지연되지 않은 사법적 규율을 기대하기는 요원하다. 해고된 다음 부당해고 구제신청으로 다툴 여지도 있지만 생계가 걸린 노동자 가구로서는 그 길도 막막할 수 있다. 그런 사정을 감안한다면 조합원을 표적으로 하는 집단해고를 막아내는 남은 방법은 국가와 정치권이 형식을 따지지 말고 적극적으로 중재에 나서는 길뿐이다. 여야 정치권과 고용노동부, 대구지방고용노동청은 분회와 사측 간에 실질적인 협상과 이해관계 조정이 이루어질 수 있게끔 신속히 개입해 마땅히 사측의 해고 철회를 이끌어내야 한다.

작은 사업장 문제라고 경시할 일이 아니다. 바로 그 작은 사업장에 오늘 전체 노동자의 약 60%가 일하고 있기 때문이다. 작은 사업장은 노동조합을 만들기도 어렵고 노동조합을 만든 뒤에도 힘들다고 하지만 그럼에도 불구하고 노동자들이 노동조합을 지키려고 하는 이유가 있다. 노동자들의 그 마음과 기대를 국가와 정치권이 저버려서는 안 된다. 분회원들의 요구는 노동조합을 인정해 달라는 것, 그리고 인격적으로 대우해 달라는 것이다. 사업장 규모가 작으면 노동 보호마저 제한하는 한국 실정에 그 정도 요구도 과분할까. 이 겨울, 조양한울분회 노동자들의 끝나지 않은 투쟁을 기억한다.[90]

80. 재일 조선학교와의 문화교류까지 막겠다는 통일부의 역주행

통일부가 일본 내 조선학교 차별 등을 소재로 한 영화 제작자, 연구자, 시민단체의 재일조선인 접촉을 제한하고 나섰다. 통일부는 4~6년 전 이미 제작이 완료된 조선학교·재일조선인 관련 영화들의 감독·제작자, 10년 이상 조선학교를 지원해온 시민단체 '몽당연필' 관계자들에게 재일 조선인들과의 접촉 경위서 제출을 요구했다. 또 조총련이 일본군 위안부 피해자 고 배봉기 할머니를 도왔던 과정을 연구하려던 연구자의 접촉 신청을 거부했다. 남북교류협력법 위반 소지가 있다는 건데, 통일부가 이명박·박근혜 정부 때도 하지 않던 일이다.

통일부는 12일 "질서 있는 남북 교류협력을 위한 조치"라며 "능동적으로 하는 것은 아니고 언론에 공개되고, 공개적으로 문제 제기된 사항에 대해 사실관계를 확인"하는 차원이라는 입장을 밝혔다. 여당 의원과 보수 언론이 문제 삼은 사안에 국한해 조사 중이라는 의미다. 그렇다면 과거 정부들은 모두 불법을 방치했으며, 누군가 강하게 문제 삼지만 않는다면 굳이 조사하지는 않겠다는 의미인가.

일본 내 조선학교 차별을 다룬 김지운·김도희 감독의 영화 〈차별〉의 한 장면

문제가 된 영화 〈차별〉〈나는 조선사람입니다〉는 일본 내에서 차별받으면서도 정체성을 지켜오고 있는 재일조선인 사회를 다룬 다큐멘터리이다. 부산국제어린이청소년영화제, DMZ국제다큐멘터리영화제 등에서 공개돼 호평을 받았다. 과거 아베 신조 정권이 일본 정부의 고교 무상화 정책에서 조선학교만 배제하는 차별을 하자 한국 시민사회는 재일동포 4·5세의 한국 말과 역사 교육에 도움이 되고자 지원 활동을 해왔다.

조선학교 학생들 상당수는 한국 국적자이고, 남북한 어느쪽 국적도 택하지 않은 사람도 있다. 조총련 지원을 받는다고 해서 이들이 곧 북한 사람이라는 의미는 아니다. 영화 제작자, 연구자, 시민단체 회원들이 이들에게 "당신은 반국가세력인가"를 일일이 물어볼 수도 없는 노릇이다.

분명한 건 통일부의 조치가 남북관계가 경색된 상황에서 어렵게 남과 북, 해외에 있는 동포들 사이를 이으려는 시민들의 활동을 위축시킨다는 것이다. 재일조선인 사회가 가진 가느다란 북한과의 끈을 이유로 이들과의 관계를 단절해야 한다는 것은 단견이다. 모든 남북 연락채널이 끊어진 상황에서 나중을 위해 북한과의 가느다란 끈 하나쯤 남겨두는 게 그렇게 어려운가. 정부조직법의 취지대로라면 통일부는 다리를 끊는 게 아니라 다리를 놓는 부처가 아닌가.[91)]

시민단체 '조선학교와 함께하는 사람들 몽당연필' 회원들이 지난 2019년 11월 3일 서울 광화문 광장에서 일본 정부의 조선학교 차별철폐 거리행동을 하고 있다(연합뉴스).

81. 미움받을 용기

좋은 말만 전하고 사랑받고 싶은 건 생활인의 본능이다. 그러나 특정 시기에는 미움받을 용기가 필요할 때가 있다. 의료 일선 현장에 있는 의사가 대표적이다. 당장 암 수술이 필요한 환자에게 단지 곧 나을 것이라는 위안만 제공하면 어떻게 되나. 상태만 더 나쁘게 만드는 희망고문이 될 수밖에 없다.

요사이 정부의 전기요금 정책을 보고 있으면 드는 생각이 '딱' 그렇다. 암세포가 번지는 게 적나라하게 보이는데 정부도 정치권도 눈을 감고 있다. 정부는 200조원대 빚더미에 오른 한전 부채 문제를 해소하기 위해 전기요금을 올해 킬로와트시(kwh)당 51.6원 올려야 한다고 밝혔다. 그런데 상반기 요금 인상폭은 kwh당 21.1원으로 필요분의 절반 이하에 불과했다. 하반기 인상폭은 더 작았다. 주택용 전기요금은 동결한 채 산업용 전기에 대해서만 요금을 kwh당 10.6원 올리는 데 그친 것이다. 산업용만 뚝 떼어서 요금을 인상한 일 자체가 처음이기도 하거니와 이 정도 올려서는 적자를 덜어내기에 턱없이 역부족이다.

천문학적 부채를 짊어진 한전은 앞으로 5년간 이자비용으로만 24조원을 지출해야 한다. 매일 131억원씩 이자를 내야 하는 셈이다. 부채가 과다하게 누적되며 숨만 쉬어도 빚이 매일 불어나는 수렁에 빠졌다. 한전은 자산 매각 등 나름 자구책을 내놓고 있지만 부채가 누적되는 원인과는 동떨어진 곁가지 임시방편이다. 원가보다 싼 가격에 전기를 팔아서 생긴 한전 부채를 줄이기 위한 정공법은 결국 사용자 부담 원칙에 입각한 요금 인상뿐이다.

그런데도 필요한 수준에 턱없이 못 미치는 찔끔 인상만 되풀이한다. 한전 부실은 결국 국민 세금으로 메워야 한다. 이미 추가 투자 부족에 따른 전력 설비 노후화, 한전채 과다 발행에 따른 채권시장 교란 등 부작용이 나타나면서 국민 피해로 돌아오고 있다.

혈세 낭비를 막기 위해 요금 인상이 필요한 것을 알면서도 반쪽에 그친 것은 용기가 부족한 탓이다. 내년 4월 총선을 앞두고 유권자를 의식한 포퓰리즘이란 비판을 면하기 어렵다.

애초에 매년 수조 원씩 흑자를 내던 우량 기업 한전이 빚더미에 올라앉아 급격한 전기요금 인상이 불가피하게 된 것도 전 문재인 정부의 용기가 부족했기 때문이다. 감사원 분석 결과 한전 부채는 2017년부터 작년까지 5년 만에 59조6000억 원이나 급증했다. 이 가운데 한전 자체 사업의 적자로 생긴 빚은 3%에 불과했고, 거의 전부인 97%가 전기요금을 올리지 못해 생긴 빚이었다. 탈원전 정책을 추진할 때 생긴 원전 발전 공백을 단가가 비싼 액화천연가스(LNG)로 채우면서 원가가 올라갔다. 여기에 러시아·우크라이나 전쟁발 연료 가격 급등이 겹쳤다. 에너지 원가가 급등했지만 탈원전으로 전기료가 올랐다는 비판이 두려워 요금을 인상하지 못했다. 그 후유증으로 우량 공기업이 부실해졌고 국민은 뒤늦게 요금이 연쇄 인상되는 부담에 시달리고 있다.

국민의 환심을 사기 위해 재정을 살포하는 것만 포퓰리즘이 아니다. 미움받을 용기가 부족한 것도 포퓰리즘이다. 정치적 이유로 요금 인상을 보류해 한전을 빚더미에 빠뜨렸다고 전 정권을 비난하던 여권과 정부가 포퓰리스트의 전철을 밟아서는 안 될 일이다.[92]

82. 김장과 낙천성

김치를 좋아한다. 김치찌개에 김치볶음밥을 놓고서도 깍두기를 곁들여 먹는 사람이다. 김장을 할 때면 6가지 이상을 담그고, 밥상에는 늘 3종 이상의 김치가 올라오던 집 출신이라 그럴지도 모른다. 아니, 형제들은 나 정도는 아닌 걸 보면 그냥 타고나길 그런 것 같기도 하다.

애정의 정도에 비해 담그는 데는 재주가 없다. 할 줄 모르니 친정에서 김장을 할 때도 채칼로 무채 썰기라든가 대야 옮기기, 양념 붓기 같은 단순 작업밖에 못 했다. 그러나 굼벵이도 기는 재주가 있다고 딱 한 가지 재주를 갖고 있으니, 바로 간을 기가 막히게 본다는 것이다. 익었을 때 맛있을 정도를 가늠할 줄 아는 미각 말이다. 맛을 보고 싱겁다 짜다 운운하며 이러저러 지휘를 하면, 어른들이 투덜대곤 하셨다. 제 손으로 할 줄 아는 건 하나도 없으면서 입만 살았다고. 그러나 어찌하리. 어른들 입맛은 둔해진 것을.

이렇듯 김치를 좋아하지만 사정이 생겨 10여 년 전부터는 친정과 시집에서 담근 김치를 얻어먹을 수 없게 되었다. 사서 먹어보기도 하고 내가 담가보기도 했으나 다 마뜩지 않았다. 쓸데없이 김치 미각만 발달한 내 입맛에는 모두 기준 이하였기 때문이다.

그런데 이 무렵부터 신기한 일이 생겼다. 이상하게도 김장철을 지나고 나면 내 냉장고에도 김장김치가 꽉 차게 된 것이다. 주변인들이 김장김치를 조금씩 챙겨줬기 때문이다. 남편 친구네에서 보내주기도 하고, 아이 친구네에서 주기도 했다. 시누이 친구네에서 보내주기도 하고, 심지어는 사회관계망서비스(SNS)를 통해 알게 된 사람에게서 얻는 일도 있었다. 이렇게 얻은 김치만으로도 냉장고가 꽉 차서 이듬해 늦봄까지 김치 잔치를 벌이기도 했다.

처음엔 이런 상황이 조금 낯설었다. 원래 그렇게 음식 나누던 집 출신이 아니라서 남의 집 김치가 내 냉장고에 가득 차 있는 게 어색했기 때문이다. 그런데 어느 해 누군가 준 김장김치를 김치통에 옮겨 담으면서 이런 생각이 들었다. '이렇게 김장김치 나눠주는 사람도 있고, 나도 이만하면 인생 괜찮게 산 것 아닌가?' 하는. 온갖 좋은 재료를 갖추고, 이 겨울 추위에 허리와 손목의 뻐근함을 참고, 손가락을 놀려가며 고생해서 담갔을 그 귀한 김장김치를 챙겨주는 마음, 그리고 그 마음에 나와 내 가족이 들어 있다는 게 한없이 따뜻하게 느껴졌기 때문이다.

이런 생각 끝에 다카하시 도루가 꼽은 조선인의 10가지 특성 중 하나가 떠올랐다. 다카하시는 일제강점기 경성제대 교수를 지내면서 조선 문화와 사상에 대해 연구한 사람이다. 이른바 조선인의 민족성 같은 걸 꼽은 글을 여러 편 쓴 바 있는데, 그가 든 특성 중 하나가 조선인의 낙천성이었다. 그가 말한 다른 특성이 별로 긍정적인 게 없는 만큼 낙천성 역시 그렇게 긍정적인 뉘앙스는 아니다. 쉽게 풀면 조선인은 지지리 가난한데도 별로 근심 걱정이 없어 신기하다는 얘기라고나 할까. 조선인은 어떻게 이렇게 낙천적이었을까? 재밌는 건 다카하시가 나름 분석한 그 이유다. 실제 조선인의 생활을 관찰해보면 빠듯한 것 같아 보이지만 사실은 여유가 있는데, 그 이유가 향촌에는 향약이 있고 친족끼리 서로 구제하는 법이 있으며, 돈이 없더라도 인정 넘치게 베푸는 걸 아까워하지 않는 풍속이 있기 때문이라는 것이다. 동네에서 쫓겨날 짓만 하지 않으면, 굶어 죽을 걱정은 없다는 것. 이것이 일제강점기 일본인이 조선에서 관찰한 풍경이었다.

올해도 두 집에서 김장김치를 받아 냉장고를 꽉 채우니, 조상님의 그 낙천적 마음이 어떤 것이었을지 나도 짐작이 간다. 앞으로도 김치 없이 살지는 않을 것 같다는 생각이 드니 나도 모르게 마음이 넉넉하다. 이만하면 인생 성공한 것도 같다. 많은 이가 이런 느낌을 받았으면 하는 세밑이다.[93)]

83. 실패 혐오의 시대

'가성비'가 익숙해지는 듯싶더니 그새 '가심비'가 찾아왔다. 가격이 비싸더라도 심리적으로 만족도가 높다면 기꺼이 지갑을 열 수 있다. 한동안 TV와 유튜브 광고에 '명품 거래 플랫폼'들이 넘쳐나던 때가 있었다. '리셀'(재판매)을 통한 수익 목적도 있지만 명품이 주는 '가심비'의 역할이 컸다.

지금은 '시성비'가 뜬다. 가격도 중요하지만 하루 24시간으로 제한된 '시간'도 아껴야 하는 재화다. 시간 대비 성능이 중요한 판단 기준이 된다. 경쟁은 일상이 되고, 자기계발이 의무가 된 시대에 어떻게든 시간을 쪼개고 아껴야 한다. OTT와 유튜브가 익숙해지면서 '봐야 할 것'들이 넘쳐난다. 내 시간을 아끼려면 제대로 된 걸 골라야 한다.

'시성비'의 시대 영상 소비 패턴은 2가지로 압축된다. 빨리감기와, 미리보기다. 2배로 빨리 보거나, 아니면 봐야 할 영상을 잘못 골라 시간을 날리느니 '요약본'으로 대표되는 미리보기를 통해 시성비 높은 선택을 하겠다는 의지다.

시성비가 주목을 받는 것은 단지 시간을 아껴야 한다는 당위와 의지 때문만이 아니다. 시성비의 배경에는 '실패'에 대한 강렬한 거부감이 존재한다.

'수능'으로 대표되는 치열한 입시경쟁은 사실상 '실수하지 않기'의 경쟁이다. 잘못된 선택은 곧장 낭떠러지로 밀리는 공포를 가져온다. SNS와 온라인 커뮤니티에서도 실수는 용납되지 않는다. 자칫 다른 의견을 냈다가는 조리돌림을 당하기 일쑤다. 책 <영화를 빨리 감기로 보는 사람들>에서는 '늘 옆사람을 보는 시대'라고 정의했다. <오징어 게임>의 유리계단처럼 한 번의 실수 없이 계단을 골라야 '생존'이 가능하다.

이런 강박은 '실패 혐오'로 이어진다. "실패해도 괜찮으니 일단 해보라"는 조언은 '괴롭힘'에 가깝게 느껴진다. 실패의 가능성을 조금이라도 줄이기 위해 온갖 애와 떼를 써야 하는 대한민국은 실패 혐오의 시대를 지나는 중이다. 출생률과 부동산 등 우리 사회의 문제들이 비슷한 맥락에서 나온다.

정치 역시 실험과 실패를 용납하지 않는다. 용산 대통령실은 여전히 '무오류의 신화'에 집착하고 여당 지도부는 강서구청장 보궐선거를 실패로 인정하지 않았다. 야당 역시 '승리'를 이유로 선거법 관련 공약을 뒤집으려 하고 있다. 단한 번의 실패, 단 하나의 실수도 용납하지 못하는 멘탈리티 속에서 반성은커녕 도전도 이뤄질 수 없다. 이전 정부의 '소득주도성장'과 '부동산 정책'에 대해서도 제대로 된 반성이 나오지 않는다. '실패'를 인정할 수 없고, 인정하지 않기 때문이다.

프로야구 한국시리즈에서 LG가 우승했다. 1994년 이후 29년 만의 우승이었다. 팬들이 감격했던 건, 앞선 28번의 실패 때문이었다. LG 염경엽 감독에게 우승 비결을 물었다. "전적으로 앞선 실패들 덕분이었다"는 답이 돌아왔다.

염 감독은 선수로서 실패에 가까웠다. 통산 타율이 겨우 0.195였다. 프로야구 통산 1500타석 이상 타자 358명 중 꼴찌다.

감독이 됐을 때 성공하는 듯 보였지만 마지막 고비마다 주저앉았다. 히어로즈 감독이던 2014년 한국시리즈에서 졌고, 2019년 SK 감독으로 9경기차 앞선 1위였다가 역전을 허용하는 바람에 우승에 실패했다. 2020시즌 도중에는 극심한 스트레스로 경기 중 쓰러지는 일도 있었다.

그 실패들이 쌓여 우승의 밑거름이 됐다. 염 감독은 "한국시리즈를 준비하는 동안 과거 실패를 돌아봤다. 단순함과 과감함을 키워드로 삼았다"고 말했다. 과거 염 감독은 실패를 않기 위해 '준비'에 '준비'를 더하는 스타일이었다. 혹시 모를 상황에 대비해 5~6가지 대안을 미리 고민해뒀다. "실패에 대한 대비와 고민이 너무 많았던 것이 문제"라고 말했다.

이번 한국시리즈를 준비하면서는 만약의 사태에 대비하는 시나리오를 2개로 줄였다. '단순함'이다. 선택의 폭을 줄여둔 덕분에 공격적이고 과감한 결정을 할 수 있었다. 염 감독은 "예전에는 선택지가 많아 타이밍을 놓치는 일이 있었다"고 말했다. 승부의 흐름을 바꾼 2차전 1회초 투수교체는 선택지를 줄여놓은 다음 과감하게 결정한 덕분이었다.

29년의 기다림을 고려하면 LG로서는 절대 실패해서는 안 되는 한국시리즈였다. 염 감독은 오히려 과거 실패들을 거름 삼아 실패의 가능성을 열어둠으로써 우승을 일궜다. '실패 혐오'라는 중력을 탈출하기 위한 초속 11.2㎞의 힘은 거꾸로 실패를 인정하고, 이를 통한 반성에서 출발한다. 우리 사회가 조금 더 나아지는 길이다.[94]

84. 다시, 정상운행

장애인들의 출근길 지하철 행동이 시작된 지 만 2년 되었다. 아직도 지하철에서 그러고 있나 놀란 사람도 있을지 모르겠다. 맞다. 아직도 그러고 있다. 다만 2년 전 여당 대표가 '비문명적'이라고 비난했던 때의 시위, 그러니까 열차의 운행 지연을 야기했던 집단탑승은 시도도 못하고 있다. 장애인 차별의 현실은 심각하지만 시위 방식에는 공감하지 않는다고 말하는 사람들의 바람대로 올 한 해 장애인들은 평화로운 시위를 벌였다. 국회의사당역 플랫폼에 가만히 앉아서 장애인의 권리를 외쳤을 뿐이다.

장애인들을 훈계했던 여당 대표가 자리에서 쫓겨난 일은 모두가 알지만, 장애

인들의 지하철 행동이 너무나 '문명적'이고 '바람직한' 형태로 전개된 나머지 현황을 아는 사람도 별로 없다. 모든 것이 평온해졌다. 애써 찾아와 욕설을 퍼붓는 사람이 없는 것은 아니지만 욕설도 예년 수준을 찾아가고 있다. 서울시는 아예 2년 전으로 돌아가 '권리중심 중증장애인 맞춤형 공공일자리' 사업까지 폐지해 버렸다. 이제 출근길 아침 공기는 2년 전처럼 선선하고, 비장애 시민들은 '장애인도 시민'이라는 외침을 구세군 종소리처럼 부담없이 듣고 지나친다. 장애인 차별의 평온한 일상이 돌아왔다.

'욕을 먹는 게 낫다'는 말이 무슨 뜻인지 알 것 같다. 시민들이 공감하는 방식으로 싸우는 게 낫지 않느냐는 말에 전장연의 박경석 대표는 이렇게 말한 적이 있다. "그러면 모두가 공감해주겠죠. 그런데 그걸로 끝이에요. 뭐랄까, 지나가는 바람 같아요." 귓가를 스치는 시원한 바람이 얼마나 무서운지 이제야 알 것 같다. 그가 말한 "슬픔보다 무서운 무감각"에 대해서도 어림짐작이 된다.

시원한 바람이 충분히 불었고 아무도 응답하지 않는 시간이 돌덩이처럼 굳어지자 서울시와 서울교통공사는 슬슬 상황을 정리할 때가 되었다고 본 모양이다. 며칠 전 서울교통공사는 출근길 행동에 나서는 장애인들에게는 지하철 역사에 진입하는 것 자체를 허용하지 않겠다고 선언했다. 기자회견조차 허용하지 않았다. 처음에는 소란을 이유로 쫓아냈고, 침묵 선전전을 벌이겠다고 하자, 시위라면 침묵조차 시끄럽다며 사람들을 끌어냈다.

지난주 금요일 나는 보았다. 보고도 믿을 수 없었지만 분명히 보았다. 오랫동안 말을 빼앗겨온 사람들이 어떻게 침묵조차 빼앗기는지. 이날은 기독교, 불교, 원불교 성직자들이 혜화역에서 '우리는 함께 평등열차를 타겠다'는 제목의 기자회견을 하겠다고 한 날이다. 장애인들은 그곳에서 침묵한 채로, 자신들이 탈 수 없는 열차의 문이 여닫히는 것을 보고 있을 예정이었다.

기자회견이 시작되자마자 서울교통공사 간부의 지시를 받은 지하철 보안관과 경찰관들이 달려들어 성직자들의 마이크를 빼앗았다. 곧이어 모두에게 '퇴거' 명령이 내려졌다. 처음에는 소리를 낸 사람들이 끌려나갔고, 다음에는 침묵한 채로 가만히 있는 사람들이 끌려나갔다. 지하철 플랫폼은 인산인해였는데 그 대부분은 보안관과 경찰관이었다. 거기서 울려 퍼진 가장 큰 소리는 서울교통공사 간부가 내지르는 고함이었다. 무를 뽑아내듯 한 사람씩 끌어내던 경찰관은 내게도 다가와 다그치듯 물었다. "지금 나갈 거요, 여기 있을 거요?" 피켓도 없고 '이동권 보장'이라고 적힌 마스크도 쓰지 않은 비장애인. 뭔가 신경이 쓰였는지 갑자기 태도를 바꾸어 공손하게 다시 물었다. "혹시 시민이세요?"

생물종으로는 똑같은 인간인데 한쪽은 물건이고 다른 쪽은 시민이었다. 보안관과 경찰관들이 가만히 앉아 있는 사람들 앞에서 조금이라도 머뭇거리면 어김없이 간부의 고함이 들렸다. "들어가, 끌어내, 상관없어!" 탑승은커녕 목소리조차 내지 않은 채 앉아 있던 장애인들은 어느덧 아무렇게나 끄집어내도 '상관없는' 돌멩이 같은 것이 되었다.

상관없는 사회, 관심 없는 사회, 돌봄 없는 사회라는 말이 잠시 내 머릿속을 스쳐갈 무렵, 서울교통공사의 간부는 장애인들이 퇴거 명령에 불응한다며 열차의 무정차를 무전으로 지시했다. 이제는 열차의 운행 방해가 장애인들이 아니라 서울교통공사의 무기가 되어 있었다. "전장연의 시위로 인해 열차는 이번 역을 무정차 통과합니다. 승객들께서는…" 마치 '너희 혼 좀 나봐라'라는 식으로 비장애 시민들에게 일러바치고 있었다. 애초 열차에 탈 수도 없었고 탈 생각도 못했던 장애인들은 열차 무정차의 책임까지 뒤집어썼다. 그러고나서 20분쯤 지났을까. 장애인들이 모두 쫓겨난 역사 안에선, 내게 시민이냐고 공손히 물었던 경찰관처럼 친절한 안내방송이 흘러나왔다. "이제부터 열차는 정상 운행합니다." 장애인들을 내쫓고 정상 운행한다는 열차, 정상을 되찾은 나날들이, 나는 정말로 무섭다.[95]

85. 함께 상을 차리자

동네 마을활동 성과공유회에서 오랜만에 남성 발언자를 만났다. 인사하러 온 기관장이나 담당공무원이 아니고 정말 마을사업에 적극적으로 참여하는 중장년 남성분은 사실 만나기 쉽지 않다. 이분도 여기에 문제의식을 느껴 집 밖으로 동년배들을 끌어내기 위한 사업을 진행하고, 이에 대한 소감을 나눠주셨다. '집집마다 오도카니 있는 남자들이 한둘이 아니'라며 이들이 왜 고립되는지 또래 입장에서 나름의 분석을 유쾌하게 해주셨는데, 결론은 '남자들은 남의 집 밥상에 밥숟가락을 놓을 줄 몰라서'라고 하셨다.

내 집도 아니고 남의 집에 숟가락을 놓아야 한다니, 재밌는 이야기에 저절로 귀가 쫑긋해졌다. 그러면서 몇가지 기억이 되살아났다. 몇년 전까지 평일 늦은 시간에 진행하는 공부모임에 참여했는데, 간단한 식사를 곁들이는 자리였다. 그런데 매번 식사를 차리고 설거지하는 사람은 항상 여성들이었다. 내가 어려서인가 생각해봤지만, 내가 물러난대도 싱크대를 이어받는 쪽은 언니들이었지 남성들은 아니었다. 모두 훌륭한 분들이라 생각했으면서도 유독 상차림만은 늘 두어 발 물러나 있던 점이 생각났다. 의미 있는 만남이었지만 사적인 친분관계로까지 이어지지 못했던 그 바탕에 불평등한 설거지가 한 요인이었음을 기억한다.

우리 아빠만 해도 남의 집에서 좀처럼 숟가락을 같이 놓지 못한다. 가부장이 뼈에 박힌 사람이라거나 할 줄 몰라서가 아닌데도 좀처럼 의자에서 일어나질 못한다. 본인 집에선 아침저녁으로 집을 쓸고 닦고, 손수 미역국을 끓여 상 차리고, 때가 되면 옷장정리를 뚝딱 하시는 양반이 다른 집에 가면 늘 가구처럼 오도카니 계신다. 물 한잔부터 접시 하나까지 다 갖다드리고 치워드려야 한다. 손님 대접해드리고픈 특별한 날이야 그렇다 치더라도 소소한 일상의 만남에서 그렇게 해드리기엔 나의 에너지가 충분하지 않다. 배추 된장국이 맛있게 끓여진 날, 고기반찬을 넉넉히 한 날, 가까이 사는 아빠를 얼른 오시라 하려다가도 의자에 앉아만 계실 아빠에게 수족처럼 굴 자신도 없다 싶으면 결국 주저하다 다음으로 미루게 된다. 하나부터 열까지 받기만 하는 무력해보이는 작아진 아빠를 숨기고 싶은 마음과 식탁 앞에서 손 하나 까딱 안 하는 남성의 모습을 아들들이 자연스럽게 여기지 않았으면 하는 두 가지 마음이 복잡하게 내 안에 있다. 결국 이런 아빠의 모습은 내게 전에 없던 거리감을 만들어냈다.

초고령사회로 가는 대한민국에서 더 이상 돌봄을 무작정 다음 세대에게 기대하는 건 무리일 수밖에 없다. 돌봐줄 아랫사람이 아니고, 충분한 돈이 아니고, 주변 사람들과 함께 어울려 즐거움을 도모하는 네트워크가 더 많이 늘어나야 노년 남성의 고립을 막을 수 있고 삶의 질도 높일 수 있다. 부침개도 비빔밥도 만들어먹어야지, 마을회관이든 어디든 모이면 할 일이 너무 많다는 여성들과 무슨 행사에 가봤자 할 일이 없다는 남성들의 차이는 숟가락을 같이 놓을 줄 아느냐 여부가 갈라놓는지 모른다. 그러니 일상에서 필요한 사람, 환영받는 존재, 생각나는 이웃이 되기 위해 같이 상을 차리자. 없던 센스가 갑자기 생길 리 만무하니 나중이 아니라 지금부터 엉덩이를 떼고 함께하자. 숟가락을 같이 놓는 그 작은 센스가 친구가 되고 마을이 되고 울타리가 되어줄 테니 말이다.[96]

86. 최대한의 기적을 어린이에게

반짝거리는 불빛을 보면 두근거린다. 작은 일에 눈시울이 촉촉해지기도 하는데 찬바람 때문만은 아니다. 실수에 조금 더 너그러워진다. 한 해의 끝인 12월은, 크리스마스는 그런 분위기를 가지고 있다. 이즈음이면 다들 불행보다 다행을 기억하면서 연말을 맞이한다.

크리스마스를 다행으로 만들고자 누구보다 노력하는 사람들은 어린이다. 어린이는 꿈이 많지만 그 꿈은 대개 "다음에 해줄게"라는 아쉬운 말로 마무리된다. 그런데 크리스마스는 다르다. 진짜가 아닐 거라고 생각한 일이 진짜가 되는 것, 이것이 크리스마스가 어린이에게 주는 기대감이다. 1년은 365일인데 하루쯤 기적을 바라는 날이 있어도 좋지 않겠는가.

하지만 어린이가 바란 원대한 기적은 밤사이에 소박한 선물이 되어 머리맡에 놓인다. 그것이 무엇이든 어린이는 최선을 다해 수긍한다. "내가 너무 커다란 소원을 빌었던 거야. 지구에서 가장 바쁜 산타 할아버지에겐 원래부터 힘든 일이었어. 난 괜찮아요. 산타할아버지!" 머리맡에 선물이 없으면 "썰매가 고장 났나? 아프면 안 돼요, 할아버지! 선물은 내년에 받으면 되니까. 하지만 내년에는 꼭 내가 원하는 그걸 가져다주셔야 해요. 알죠?"라는 식으로 마음을 정리한다.

산타할아버지와 어린이의 대타협이 성공하는 이유는 기적을 믿고 싶은 어린이가 산타의 변명까지 대신 작성하겠다는 아량을 가지고 기적의 실현을 유보하기 때문이다. 이 험한 세상에서 한갓 어린이의 소원이 이루어지기란 얼마나 힘든지 어린이들은 단 몇해의 인생 경험으로도 눈치챈다. 어른들의 한숨에서, 딱딱한 목소리의 복잡한 뉴스에서 감지한다. 크리스마스의 기적까지 포기하는 일은 선물을 받지 못하는 것보다 백 배는 더 아픈 일이기 때문에 어린이는 "그날만큼은 바라면 진짜가 된다"는 기적을 유예하고 보존하고자 애쓴다.

크리스마스의 기적을 잘 그려낸 두 편의 동화가 있다. 하나는 1922년에 마저리 윌리엄스가 쓴 '벨벳 토끼'이다. 한 아이가 크리스마스 선물로 벨벳 토끼 인형을 받는다. 토끼를 사랑하던 아이는 다른 멋진 장난감을 갖게 되자 침대맡의 토끼 인형을 잊고 만다. 어느 날 아이는 성홍열에 걸리고 벨벳 토끼 인형은 밤을 새워 아이 곁을 지킨다. 아이는 벨벳 토끼를 껴안고 무서운 성홍열을 떨쳐낸다. 그러나 아이가 병상에서 일어나자 어른들은 균이 묻어 있는 그 토끼를 불태워야 한다고 빼앗아버린다. 아이는 펑펑 울고 벨벳 토끼도 눈물 없이 흐느껴 운다. 그 때 요정이 크리스마스의 정신을 말해준다. "정말로 사랑한다면 진짜가 될 수 있어.” 아이는 토끼에게 입맞춤을 한다.

결국 벨벳 토끼는 아이의 장난감과 함께 불태워진다. 이듬해 봄 아이는 뜰에서 어떤 토끼를 발견하고 함께 논다. 그 토끼가 사랑했던 벨벳 토끼라는 걸 아이는 모른다. 하지만 벨벳 토끼는 안다. 진짜로 사랑했기 때문에 이루어진 단 한 번의 기적이 자신이라는 사실을.

또 한 편은 지안 작가가 쓴 2023년의 동화 ‘크리스마스에는 눈꽃펑펑치킨을!’ 이다. 작품 속 다운이 남매는 오랫동안 모은 치킨쿠폰 아홉 장을 갖고 있으며 크리스마스에는 눈꽃펑펑치킨을 먹고 싶다. 딱 한 장이 모자라는 상황에서 다운이가 분리수거장에 버려진 쿠폰 한 장을 기적처럼 발견한다. 그러나 그렇게 채운 열 장의 쿠폰으로 주문전화를 걸고 나서야 쿠폰은 평일에만 쓸 수 있으며 기본 치킨만 된다는 걸 알게 된다. 다운이 남매는 크리스마스에 눈꽃펑펑치킨을 먹을 수 있을까?

다운이 남매의 소원은 기적처럼, 기적보다 더 근사하게 이루어지는데 그걸 해내는 인물들은 산타가 아니다. 간절히 바라면 진짜가 될 거라는 어린이의 마음을 지나치지 못하는 이웃들이다. 기적을 미루지 않게 하는 건 가까운 어른의 관심이다. 올해도 많은 어린이가 기적을 기도할 것이다. 그들이 진짜를 만났으면 좋겠다. 그것이 무엇이든 최대한.[97]

87. 일이란 우리에게 어떤 의미인가?

사람들은 종종 일을 하지 않는 삶을 꿈꾼다. 직장 생활과 사회생활에 치이지 않고 일과 돈에서 자유로운 삶을 바란다. 그러나 일을 잃거나 떠난 사람도, 돈에서 자유로워진 사람도, 다시 일을 갈망(渴望)한다. 일터 안의 사람들은 일에서 탈출하고 싶어 하고, 일터 밖의 사람들은 일을 하고 싶어 한다.

일이란 우리에게 어떤 의미인가? 일은 에이브러햄 매슬로우(Abraham Maslow)가 말한 먹고, 자고, 입는 등 생리적 욕구가 해결되지 않았던 과거에는 돈을 벌기 위한 생업(生業)이라는 구시대 개념이 필요했을 수 있다. 그러나 지금은 일이라는 의미가 매슬로우가 말한 최고 수준의 욕구인 '자아실현 추구'로 시대전환(時代轉換)을 해야 한다. 즉, 일은 우리가 지식과 지혜를 습득하여 우리를 발전하게 하고 성장하게 해주는 자아실현의 원동력이다.

정신분석학의 창시자 지그문트 프로이트(Sigmund Freud)는 "사랑하고 일하고, 일하고 사랑하라. 그게 삶의 전부이다"라고 설파(說破)했다. 당대 프로이트와 쌍벽을 이루었던 분석심리학의 창시자 칼 융(Carl Jung)은 일과 놀이의 관계를 "즐겁게 일하고 열심히 놀아라"라고 설파하였다.

일은 하고 싶으면 하고, 하기 싫으면 안 해도 되는 것이 아니다. 왜냐하면 일은 우리의 삶이기 때문이다. 죽을 때까지 사랑하고 일해야 한다. 사랑은 인간의 본능 중 성욕이 승화된 형태이고, 일은 또 다른 본능인 공격성이 승화된 것이다. 사랑과 일을 통해 우리는 기본적 본능을 만족시키고 행복을 향해 나아가는 것이다. 또한 일을 잘 하기 위해 놀 수 있지만, 잘 놀기 위해 일을 할 수도 있다.

캐나다 토론토대학교(University of Toronto) 마이클 인즐리트(Michael inzlicht) 교수는 직장에서 일을 하고 노력하여 힘든 일을 완수하는 것이 사람에게 만족과 자부심을 주며 '삶에서 얻어내는 행복의 근원'이라고 말했다. 시카고대학교(The University of Chicago) 크리스토퍼 시(Christopher Hsee) 교수의 연구에 따르면 '일이 쉼을 더 행복하게 만들어 주는 요소'라고 말했다.

2018년 4월 아마존 CEO 제프 베이조스(Jeff Bezos)는 독일 베를린에서 열린 '악셀 스프링어(Axel Springer) 2018' 시상식에서 "일과 삶의 균형을 찾으려고 하는 워라밸(work life balance의 줄임말)을 하지 마라" 라고 말했다. 최근 수십 년간 노동시장에서는 '워라밸'이 유행이었다.

사실 일과 삶의 균형을 맞추자는 이 말은 일과 삶을 분리하려는 오해를 낳을 수 있다. 이 말은 일과 삶을 상반된 관계로 만든다. '일'은 부정적인 의미이고 '삶'은 긍정적인 의미가 된다. 일은 단순히 생계를 위해 하는 것이며, 좋은 삶을 살기 위해서는 일에 집중해서는 안 된다는 인식을 심어 줄 수 있다.

일과 삶은 상반된 관계가 아니다. 또한, 지금은 일과 삶의 분리가 힘든 시대이다. 일과 삶의 분리가 아닌 일과 삶이 서로 어우러지는, 일과 삶이 잘 혼합되는 '워라블'(Work-Life Blending의 줄임말)이어야 한다. '워라블'에는 일도 삶도 긍정적일 수 있다.

물은 수소와 산소의 결합체인 H2O이다. 물에서 수소와 산소를 서로 분리해서 생각한다면 그것은 이미 물이 아니다. 일도 일 이외의 삶(예: 쉼과 놀이)도 모두 합쳐 우리의 삶이다. 인생은 거대한 바다이다. 인생은 일, 쉼, 놀이 등이 결합체로 있는 바다이다.

이 인생의 바다에서 이를 구분하며 허우적거리는 삶과 이를 통합하여 자유자재로 유유히 헤엄치며 사는 삶은 분명 다르다. 일이든 쉼이든 놀이이든 도전(挑戰)이다. 일이든 쉼이든 놀이이든 자기실현의 삶을 추구하는 도구(道具)이다. 일이든 쉼이든 놀이이든 참된 의미가 부여(附與)될 때 행복이 된다.[98]

88. 30년에 300년을 산 사람은 어떻게 자기 자신일 수 있을까

한국은 서구가 300년에 걸쳐 이뤄낸 산업화·민주화를 30년 만에 이룩했다. 눈부신 압축성장이다. 역사적 축적의 시간을 압축하는 것은 불안정 회로와 같다. 쇼트로 시스템이 오작동하며 여기저기 고장이 나곤 한다. 장시간 노동과 산업재해율, 자살률은 OECD 국가 1위다. 무차별 범죄는 급증하고 있다. 불평등과 결핍으로 얼룩진 위험사회가 오늘을 사는 대한민국이다. 30년에 300년을 산 사람은 어떻게 타고난 본성 자체일 수 있을까.

출퇴근길 만원 지하철, 몰려든 사람으로 압박을 받으면 가방을 앞으로 돌려 메곤 한다. 공간을 만들려는 의도도 있지만 이태원 참사의 서늘한 기억 때문이다. 유족에게 죄송한 표현을 할 수밖에 없다. 숨을 못 쉬는 고통을 한 번은 느껴봤던 경험자로 그 고통의 깊이를 어림할 수 있기 때문이다. 사람의 몸이 다른 사람의 몸에 흉기가 될 수 있는 압사라는 끔찍한 죽음을 TV 중계로 지켜봤다. 세월호 학생들이 물속에서 호흡을 멈췄던 고통이 끝나기도 전에, 반복되는 사회적 대참사에 20~30대의 대처방식은 무엇일까. 무뎌지는 것이다. 고위공직자 누구도 세월호, 이태원 참사에 책임지지 않았다.

2009년 1월 철거민들이 경찰 진압과정에서 불에 타 죽었던 용산4구역을 참사 하루 뒤 다녀왔다. 전쟁터 같던 남일당 건물을 빠져나와 버스를 타고 현장을 다시 지나칠 무렵 나이 든 승객들의 표정을 보았다. 주검의 검은 집을 향해 일부러 시선을 피하는 무덤덤한 반응. 개발 시대의 기억을 공유한 40~50대들은 안에서 벌어졌던 참상을 짐작하고도 남는 듯했다. 의도적 회피가 자신을 지키는 방식이려니 생각했다.

1979년 12월12일, 육군 내 불법 사조직 하나회 수장 전두환은 군사반란을 일으켰다. 장태완 수도경비사령관은 반란군을 진압하려 고군분투하다 체포됐다. 이듬해 5월, 반란군은 진압군이 돼 광주시민을 학살했다. 짧았던 '서울의 봄'은 권력만 찬탈하면 그게 정의사회 구현이 되는 박정희 시즌2를 열었다. 1995년 전두환 등이 내란죄, 내란목적살인죄로 고소되자, 장윤석 서울지검 공안1부장은 "성공한 쿠데타는 처벌할 수 없다"는 논리로 불기소처분한다.

무려 30여 명이 죽어 나가며 '해고는 살인'임을 일깨운 금속노조 쌍용자동차지부 조합원들은 파업 손실에 따른 47억원을 회사에 손해를 배상하라는 판결을 받았다. 그들에게 전달된 해고통지서가 노란봉투에 담겨 있어서 '노란봉투법'이란 별칭을 얻게 된다. 지난해 여름엔 대우조선해양 하청노동자의 파업이 있었다. 사측은 노조 부지회장 등 5명에게 470억원의 손해배상 소송을 냈다. 23년 차 대우조선 하청도장공의 월급은 고작 230만원이었다. 원청 사용자의 사용자성을 확대한 노조법 2조, 과도한 손해배상 책임을 억제하는 노조법 3조가 포함된 노란봉투법이 어렵사리 국회를 통과했다. 대통령은 1일 거부권을 행사했다.

TV 뉴스에 나오는 사건·사고에 탄식하다가도 가족이 무사히 집에 돌아오면 아무 일 없는 하루에 만족한다. 불운은 아직 우리 가족에게 닥치지 않았으니까. 그들은 운이 나빴고, 나와 가족은 안전하다. 불을 찾은 인간은 동굴에서 탈출한다. 도구를 만들고 경작을 시작한다. 공동체를 이루면서 집단 속에서 안온함을 찾고 외부에 대적하는 DNA가 길러진다. 종족 보존을 위한 인류의 진화 과정은 자연계와 별반 다르지 않다. 하지만 인간이 사회를 만들고 국가를 만든 이유는 무엇일까. 사회와 국가는 왜 존재하는 것일까. 사회와 국가가 시민의 생명과 재산, 사람답게 살 최소한의 권리를 지켜주지 못한다면 헌법은, 정부조직은, 민주주의는 왜 필요할까. 30년에 300년을 산 사람이 묻는 질문이다.[99]

89. 울컥 올라오는 울음을 미소로 다독여주는 영화

'내가 죽고 나면 사랑하는 사람에게 어떤 말을 전하고 싶을까, 내가 사랑하는 사람이 먼저 세상을 떠나게 되면 그는 나에게 어떤 말을 전하고 싶어 할까…'

영화 3일의 휴가 포스터. ㈜쇼박스 제공

영화 '3일의 휴가' 시나리오는 유영아 작가의 이런 상상력에서 비롯되었다고 한다. 하늘에서 백일장 입상을 한 복자(배우 김해숙)는 하늘에 오른 지 3년 만에 이승을 방문할 수 있는 특별휴가를 받는다. 저승사자 또는 천사라 할 수 있는 가이드(배우 강기영)의 도움으로 그토록 보고 싶은 딸을 찾아보기로 한다. 미국 UCLA 교수인 딸 진주(배우 신민아)를 3일 동안 지켜볼 수 있다니, 부푼 가슴을 안고 미국 캘리포니아 우크라인가 하는 데에 갈 줄로 기대한다.

　그런데 웬일인지 복자와 가이드는 시골집에 도착한다. 시골집은 '백반집'이라는 간판을 예전처럼 매달고 있다. 뭔가 잘못됐다 하는 참인데 방문을 열고 진주가 나온다. 진주는 심지어 손님에게 스팸 김치찌개를 만들어 판다. 복자로서는 분통이 터질 일이지만 본인이 귀신 입장인지라 소통할 수 없어 답답하기 짝이 없다. 백반집 때문에 골프장이 들어서지 못하는 건지 진주를 쫓아내려 피켓을 들고 모여든 동네 어른들. 진주는 개의치 않고 국수를 말아 대접한다. 동네사람들은 맛있는 국수 앞에 그만 무너지고 만다. "네 엄마보다 낫다." 라는 평과 함께.

　엄마가 만들어주던 만두 맛을 찾아 수십 번의 시행착오 끝에 이웃에 사는 엄마의 오랜 친구 춘분으로부터 "늬 엄마는 진주가 매운 걸 못 먹어 무를 넣는다."는 얘기를 듣고 드디어 엄마의 맛을 찾는다. 그러면 무엇 하랴. 엄마가 살던 집에서 엄마의 흔적을 찾고 엄마만의 레시피를 찾아가며 그리워해봐야 더 이상 엄마를 볼 수 없는 것을. 진주는 엄마에 대한 원망으로 독하고 못되게 굴었던 자신의 행적 때문에 잠을 못 이루고 밖으로 튀어나와 포효한다. 진주에게 그리움과 원망이 뒤얽힌 엄마는 풀 수 없는 난제다. 풀고 싶어도 이제 풀 수가 없는 절망감이다. 그래서 더욱 수학 문제에 매달린다. 정답이 있는 수학은 반드시 풀리니까.

　영화를 보다 문득 'H마트에서 울다'(2022)라는 책이 떠올랐다. 미국에서 인디 팝 밴드 활동을 하는 보컬리스트이자 기타리스트인 미셸 자우너가 쓴 에세이집이다. 한국계 미국인인 그녀는 엄마를 암으로 잃었다. 엄마를 다시는 볼 수 없다는 것은 세상과 나를 잇는 연결 끈이 사라진 것과도 같은 마음의 무너짐이 일었을 것이다. 엄마에 대한 그리움 및 회한을 달랠 길 없던 미셸은 어느날 문득 한국 식재료를 파는 한아름(H) 마트를 가본다. 그곳에서 장을 보고 엄마가 만들어주던 음식을 기억을 되살려 만들어보다가 엄마와의 연결을 느끼는 새로운 감회를 얻는다는 내용이다. 이 책이 아니라도 어머니 얘기를 할라치면 웬만한 사람 대부분은 속절없이 울컥 올라오는 울음을 누르면서 하게 된다. 어머니란 존재는… 신이 모든 이를 다 보살필 수 없어서 어머니를 보내주었다 했다던가. 쉘 실버스타인의 그림책 '아낌없이 주는 나무'(1964)의 바로 그 나무와도 같다.

　영화 '3일의 휴가'는 그보다 한 걸음 더 나아가, 울컥 올라오는 울음을 안도의 미소로 다독여주는 '드라마 치유'와도 같은 귀결을 보여준다. 독서 치료, 음악 치료, 미술 치료처럼. 객석에서 훌쩍이는 소리가 몇 곳에서 났다. '살아 계실 적에 부모에게 잘해야지, 돌아가시고 나면 후회해도 늦는다. 부모님은 언제까지나 기다려주지 않는다' 하는 어른들의 말을 화면에 간접적으로 옮겨놓아서였을 것이다. '그렇다고 너무 자책하지는 마. 하늘에 계신 부모님이 그걸 바라는 게 아니니까.' 영화 '3일의 휴가'는 울고 있는 관객의 등을 토닥이며 그렇게 말하고 있었다. 복자가 남긴 노트의 글이 오랫동안 잔상으로 남는다. '내가 니를 이자뿌러도 니가 날 찾아도.' 먹먹한 한편 따사로운 기운을 주는 영화다. (백제예술대학교 명예교수)[100]

영화 3일의 휴가. ㈜쇼박스 제공

90. 다문화 자녀의 건강한 정체성 형성을 위한 준비가 필요하다.

법무부에 따르면 2023년 4월 말 기준으로 현재 국내 체류 외국인이 전체 인구의 4%(230만 명)를 넘었다. 경제협력개발기구(OECD) 기준 다문화·다인종 국가(이주 배경인구가 총인구의 5% 이상) 진입에 임박한 것이다. 이런 변화는 학교 현장에서 가장 쉽게 경험할 수 있다. 2021년 초·중·고교에 재학 중인 다문화 학생은 16만 명으로 전체 학생의 3%에 달한다. 2011년 3만8000여 명(전체 학생의 0.55%)보다 4.2배나 증가했으며, 통계청 자료에 따르면 전체 출생아 중 다문화 출생아가 차지하는 비중은 5.9%이다. 이에 따라 앞으로 다문화 학생 비율은 최소 6% 수준까지 확대될 것으로 보인다.

이러한 상황 속에서 다문화 자녀가 우리 사회에 적응하는 과정에서 겪는 여러 혼란과 어려움에 대해 우리 사회는 관심을 가질 필요가 있다고 본다. 다문화가정의 자녀일 경우 혼혈로 인하여 외적인 차이, 부모가 서로 다른 언어를 사용하는 언어 차이. 문화적, 인종적 배경의 차이 등으로 인해 혼란을 겪으며 이는 자신의 정체성에 대한 혼란과 우울 불안으로 확장될 수 있다.

그렇다면 이들이 건강한 정체성을 가지도록 도울 수 있는 방법은 무엇일까?

다문화 자녀의 올바른 정체성 확립을 위해서 자녀들이 이중문화를 이해하고 즐기며 어릴 때부터 자신과 다른 문화를 체험하도록, 그리고 한국과 어머니가 태어난 나라에 모두 쉽게 접할 수 있도록 다문화 교육프로그램과 국가 간 가족연대를 위한 가족지원정책이 필요하다고 본다. 이에 대해 문화체험 프로그램과 같이 관련 프로그램개발 및 지원이 확대되었으면 한다. 그뿐만 아니라 부모의 노력 또한 필요하다. 부모가 자녀의 어린 시절부터 외가와 친가 양쪽과의 교류를 통해 가족 간 소통이 원활하게 이루어진다면 자연스럽게 문화와 언어를 배우면서 자녀들이 부모 양쪽 나라를 긍정적으로 거부감없이 이해하는 데 도움이 될 것으로 생각된다.

또한, 다문화가정에 대한 이해와 더불어 의식개선을 위한 교육이 필요하다고 본다.

다문화 자녀의 경우 주변 친구들로부터 차별적인 표현이나 행동, 놀림은 충격과 자신의 정체성에 대한 부정적인 영향을 끼칠 수 있어, 이러한 편견과 차별의식이 개선되지 않으면 다문화가정 자녀들은 위축이 돼 상처를 받고 사회 적응에도 어려움을 겪을 수 있기 때문이다. 이는 아직 다문화에 대해 잘 모르거나 차별에 대한 정립이 안 되어 있거나 부족한 것일 수 있기에 교육을 통해 방향성을 잘 정해주어 다문화에 대한 이해와 더불어 지속적인 의식개선이 이루어져야 한다. 이와 함께 다문화 자녀에게도 차별이나 따돌림을 예방할 수 있도록 대인관계기술, 대처능력의 역량을 키울 수 있도록 학교 교육에서 실질적인 역량 강화 프로그램개발이 필요할 것으로 생각된다.[101]

91. 쓸데없는 것들의 반전

인간의 삶은 각자의 자유의지에 따라 영위된다. 따라서 어떤 이유로든 인간의 삶이 강제되거나 획일화된다면 그것은 비인간적인 삶이다. 그렇다고 누구나 원한다고 자유의지대로 살아갈 수 있는 건 아니다. 경제적인 여건이나 자유의지를 실현해 나갈 여건과 능력이 갖추어져야 비로소 가능하다. 또 자유의지에 따라 살아가야 삶은 다양해진다. 삶이 쏟아내는 희한한 모습들이 연출된다. 거기에는 게으름이나 취미생활과 같은 쓸데없는(?) 것들에 대한 긍정적인 인식과 삶의 태도가 미친 영향이 크다.

어릴 적 부모나 어른으로부터 '쓸데없는 짓' 한다고 질책받은 적이 있다. 하라는 공부는 하지 않고, 뭘 만들며 놀거나 친구들과 어울려 들로 산으로 쏘다녔다는 이유에서였다. 당시에는 호기심을 충족시켜줄 놀이기구나 즐길 거리가 없었다. 스스로 만들거나 고안해서 심심함을 달래야 했다. 지금은 장난감이나 전자기기를 이용해서 게임을 즐기거나 영상매체가 보여주는 희한한 영상에 취해서 해야 할 공부나 일을 빼먹곤 한다. 예나 지금이나 어른, 아이 할 것 없이 쓸데가 있는 것보다는, 쓸데없는 것에 더, 호기심을 갖는다. 호기심은 인간의 본성이기 때문이다. 우리가 바쁜 시간을 할애하며 음악을 들으면서 차를 마시고, 취미활동이나 여행을 즐기는 것은 의식주 해결이라는 측면에서 보면 쓸데없는 일이다. 그런데도 어떤 이들은 주업보다 이런 쓸데없는 일에 더 심취해서 살기도 한다.

우리 사회는 예부터 근면으로 자수성가한 이들을 높이 평가했다. 반면에 그 반대 부류의 사람들에게는 게으름뱅이, 천덕꾸러기, 놈팡이 같은, 좋지 않은 호칭으로 부르며 홀대했다. 철들기 시작하면 '게으름은 죄악'이라 배우고 익혀야 하는 사회풍토 탓이었다. 그런데 언제부터인가 이런 경향은 사라지고 오히려 여유를 부리며 한가하게 사는 사람을 부러워한다. 먹고 살기에 부족함이 없어지면서 생겨난 변화다. 다도나 취미생활과 같은 쓸데없음을 중시하며 살아가는, 쓸데없는 것들에 반전이 일어난 것이다. 이제는 성공 여부를 성취로만 따지지 않는다. 부지런히 일만 하며 사는 삶이 진정으로 성공한 삶이라 할 수 없다는 인식에서다. 문화적으로도 굶주리고 영혼마저도 메마르게 된다고 믿는다. 진정한 성공은 여가 생활을 즐기며 그것을 통해 더 우아하고 지적인 휴식을 누릴 수 있는지의 차원에서 평가하고 판단하는 추세다.

이제 우리의 삶은 게으름의 과정을 거치지 않고는 진정으로 풍요로울 수 없다. 게으름은 어쩌면 고상하게 시간을 보내는 여유라 할 수 있다. 문화나 예술도 게으름이나 쓸모없음의 바탕에서 생겨나고 발전한다. 우리의 삶이 다도나 여행, 취미활동과 같은 여가를 즐기며 게으를 수 있다는 건 그만큼 성공한 삶이란 반증이다.

노동이나 부지런함만을 쫓아 거기에 매달린다면 혹사에 찌든 병든 육신과 거친 영혼만을 안게 된다. 따라서 지금은 게으름과 같은 쓸데없는 것에 더 기대려 한다. 이것과 더불어 여유와 호사를 누리며 사는 것을 행복이라 여긴다.[102]

92. 고독은 나의 친구

공자의 제자 자공이 공자에게 "자장과 자하 중에 누가 더 낫습니까?"라며 물었다. 그러자 공자는 "자장은 지나치고, 자하는 미치지 못한다."라고 답했다. 다시 자공이 "그럼 자장이 낫다는 말씀입니까?"라고 재차 물으니, 공자는 "지나침은 미치지 못한 것과 같다."라고 답해 주었다. 공자의 이야기에서 비롯된 과유불급(過猶不及)이라는 고사성어는 지금 이 시대 '관계'에도 여전히 유용한 통찰력을 제공한다.

마르쿠스 가브리엘의 책 '지나치게 연결된 사회'에서는 과도하게 연결된 세상의 다양한 문제들에 대해서 심도 있는 접근을 택한다. 사람은 너무 많은 동식물과 접촉하면서 더 많은 바이러스를 연결하게 했다. 글로벌 팬데믹을 만들어 낸 코로나가 대표적인 사례다. 국가와 국가는 서로 확인되지도 않은 가짜 뉴스와 음모론으로 본질을 바라보기보다는 허상에 뒤엉켜 해결책을 찾지 못하고 갈등이 고조되는 경우가 생긴다. 올바른 질을 만들어 내기 위해 양만 무작정 많으면 좋은가에 대한 고민은 늘 존재한다.

개인과 개인 사이의 연결은 어떨까? 과거 그 어느 때보다도 우리는 소셜미디어를 통해 연결되었다고 믿는 세상에 살고 있다. 기술적으로는 맞는 말이다. 그러나 과도하게 연결되면서 우리가 놓치고 있는 것은 무엇일까? 소통을 통해 우리가 느끼고 배우는 것도 있지만 과도한 노출과 소셜미디어의 인위적 교류가 만들어 내는 그림자 역시 다양한 모습으로 존재한다.

첫 번째로는 확증편향성을 강화한다. SNS는 우리가 우연히 관심 있는 주제를 찾으면 그 가치관과 비슷한 콘텐츠를 묶어 다시 제공해 사람을 계속 더 자신의 서비스에 오래 머물게 한다. 사람들은 다시 비슷한 사람들끼리 더 모여 우리가 다수고 바른 생각을 하고 있다는 착각을 불러일으킨다. 이곳에서의 나는 점점 더 '우리의 평균'이 되어간다. 이 그룹에서 그렇지 못한 사람이 되면 불편한 존재가 되기 때문이다. SNS의 플랫폼은 자신의 수익을 위해 사람의 행동을 한쪽으로 몰고 고착화 시키는 역할을 디지털 시대 이전보다 더 정교하고 충실히 수행한다.

두 번째로는 내가 원하는 모습인지 통찰하기도 전에 그들이 원하는 나로서 몰릴 수 있다. 한 유튜버가 라이브 방송을 하다가 우연히 팬들 앞에서 자신의 라이벌을 욕했다고 가정해 보자. 순간 유튜버는 자신이 그동안 배웠던 가치관에 의해 속으로 움찔해 욕설을 내뱉은 걸 사과하려는 순간 라이브 방송을 지켜보던 팬들이 댓글 창에 그 유튜버를 환호하며 속 시원하다고 말하거나 바로 후원금을 보내 계좌에 돈이 순식간에 불어나는 경험을 한다. 이후 유튜버는 그래도 이건 아니라며 돈을 다시 돌려줄까. 아니면 다음 방송에 점점 더 수위를 높여 험한 말을 내뱉는 방송을 하게 될까.

게다가 사람은 두 가지 이상의 반대되는 믿음, 생각, 가치를 동시에 지닐 때 정신적 스트레스나 불편한 경험을 느끼게 되어 '그래, 원래 나는 욕을 하는 걸 좋아하는 사람이었어.' 하면서 자신을 속이기 시작한다. 인지부조화를 겪고 싶지 않은 인간의 자연스러운 본성이다.

타인과 너무 많은 관계와 연결을 추구하다 보면 진짜 나를 발견하거나 돌아보는 시간을 놓치게 된다. 지혜롭게 살아가기 위해서 우리는 우리 자신을 잘 알아야 한다.

불교에서는 "확고한 자기가 있다는 생각을 버리는 게 자기를 발견하는 길이다."라는 말이 있다고 한다. 가만히 시공간을 만들어 나를 돌아보자. 어떤 때 나는 행복한가? 혹시 타인의 소음과 주장에 파묻혀 나도 그들과 같을 거라고 착각한 적은 있지 않은가?

인생은 혼자 왔다 혼자 간다. 혼자 있는 외로운 순간을 의미 있는 시간으로 만들지 못하면 우리는 늘 과도한 연결을 추구하며 살지 모른다. 그리스 출신의 샹송 가수인 조르주 무스타키(Georges Moustaki) 노래 '나의 고독 Ma Solitude' 한 구절을 떠올려 본다.[103]

93. 나의 게으른 텃밭 일지

내가 사는 수녀원 마당 한쪽에 텃밭이 있다. 지난봄, 나도 농사를 좀 지어볼 요량으로 밭 한 이랑을 얻었다. 폭 50㎝, 길이 4m 정도의 작은 밭에 상추와 아욱과 흰 당근 씨앗을 심고, 토마토 모종 5주도 밭 가장자리에 심었다. 생각해보니 지금껏 다른 사람 농사를 도왔지 '내 밭'에 거름 주고 씨 뿌린 건 처음이다.

텃밭을 드나드니 몇해 전 돌아가신 아버지가 생각났다. 아버지는 겨울을 빼곤 거의 매일 아침저녁 집 근처 공터의 텃밭에 나가셨고 현관에는 언제나 삽, 호미, 곡괭이 같은 흙 묻은 농기구가 있었다. 아버지는 상추, 파, 감자, 들깨, 배추, 무 등 여러 가지 작물을 기르셨고 가을엔 김장해서 자식들에게 나눠줄 만큼 소출도 상당했다. 벼는 농부의 발걸음 소리를 듣고 자란다는 말처럼, 풍성한 소출은 농사 경험보다 아버지가 밭에 들인 정성 덕분이었을 것이다. 텃밭에 대한 아버지의 지극정성을 떠올리니 내 생애 첫 번째 텃밭의 결실에 대한 호기심은 컸지만 기대는 이내 접었다.

씨를 흙에 넣고 꽤 시간이 지났는데 아무 소식이 없다. 슬슬 조바심이 나려는데 싹이 텄다. 어제만 해도 아무것도 보이지 않던 밭에 여기저기 싹이 살포시 올라왔다. 상추다. 저 여린 새싹들이 어떻게 흙을 밀고 올라왔을까, 볼수록 신통하고 신비하다. 내가 한 거라곤 해거름에 흙에 물 준 게 다인데, 상추는 하루가 다르게 쑥쑥 자란다. 여린 상추를 조금 따서 샐러드를 해봤다. 훌륭하다. 상추가 웃자라 더는 먹기 힘들 때까지 수시로 따서 먹었다. 그 작고 딱딱한 씨앗에 이렇게 풍요롭고 부드러운 생명이 깃들어 있다니.

땅은 씨앗을 품고 그 안에 잠든 생명을 깨워 세상에 내놓는다. 성서는 이렇게 말한다. "어떤 사람이 땅에 씨를 뿌려 놓으면, 밤에 자고 낮에 일어나고 하는 사이에 씨는 싹이 터서 자라나는데, 그 사람은 어떻게 그리되는지 모른다. 땅이 저절로 열매를 맺게" 한다. 일해서 소출을 내는 건 사람이 아니라 땅이다. 사람은 옆에서 도울 뿐이다. 땅에 몸 붙여 사는 이들이 땅을 '어머니'로 여기고 공경했던 까닭일 테다.

가. 성서는 땅의 배타적 소유 금지

사람은 땅 없이 아무것도 할 수 없다. 아무리 뛰어난 기술도 무용지물이다. 사람('아담')은 흙('아다마')에서 나왔다는 성서의 관점에서 보면 당연한 이치다. 땅은 누구나 절대적으로 필요하다. 하지만 인간은 땅을 만들 수 없으니 땅의 소유권을 거슬러 올라가면 그 기원은 결국 점유에 있고, 소수의 과점은 필시 강제 점유일 테다. 불의다. 자기가 만들지도 않은 것을 자기 것이라 주장하는 오만과 탐욕이 온갖 갈등과 폭력의 뿌리다. 성서는, 땅은 하느님의 것이라 선언하여 인간이 땅을 영구적, 배타적으로 소유하는 것을 금한다. 오늘날 토지 공개념의 '원조' 격이다. 지금 팔레스타인 가자지구에서 자행되는 무차별 학살도 이스라엘의 폭력적이고 불법적인 땅의 점령에서 시작됐다. 땅에 대한 성서의 정신을 정면으로 부정하며 팔레스타인 강점의 정당성을 성서에서 찾는 이스라엘은 **뻔뻔한** 건지 무지한 건지 모르겠다.

텃밭에 내가 심지 않은 들깨가 나왔다. 지난해 심었던 게 올해 다시 자라서 깻잎이 무성해지는 것을 보니 성서의 '안식년' 생각이 난다. 7년마다 땅을 묵히는 안식년의 소출은 "너희뿐만 아니라 너희의 남종과 여종과 품팔이꾼, 그리고 너희와 함께 머무르는 거류민의 양식이 될 것이다. 또한 너희 가축과 너의 땅에 사는 짐승까지도 땅에서 나는 온갖 소출을 먹을 것이다".

땅은 인간뿐 아니라 뭇 생명체를 살리려고 일한다. 안식년은 적어도 7년에 한 번은 땅을 쉬게 하고, 그해 땅의 결실은 모든 생명체에게 돌리라 한다. 땅이 관대하듯이 우리도 관대해지라고 요청한다. 그러나 땅이 거저 내주는 걸 독차지하려고 온갖 모진 짓을 서슴지 않는 욕망에 찌든 인간들은 땅까지 망가뜨리기 일쑤다. 거저 받은 깻잎을 몇 사람과 나누었다.

나. 텃밭서 받은 것 못잖게 많이 배워

토마토 줄기가 조금씩 올라와 그 옆에 버팀목을 세웠다. 예전에 괴산의 솔뫼농장 농부들과 지낼 때 토마토 순 땄던 건 기억하는데, 하도 오래전이라 어떻게 따는지 생각이 잘 나지 않는다. 알아봐야지 하며 시간만 보내던 어느 날, 짠하며 토마토가 나타났다. 순을 제대로 따주지 않아서인가 씨알이 작고 아직은 푸르른 그러나 분명한 토마토다. 벌써 새들이 쪼아먹는다. 다 익길 기다리다 맛도 못 볼라, 눈에 잘 띄는 데 있는 토마토부터 따서 집 안 양지바른 곳에 놓아두었다. 며칠이 지나자 토마토가 조금씩 익어간다. 수줍은 듯 발그스레 변하는 모습이 참 예쁘다. 그냥 먹기가 미안하다.

땅은 누구에게나 자기가 할 수 있는 만큼 내어준다. 올해 텃밭은 게으른 내게도 풍성히 베풀어주었다. 땅의 마음일 것이다. 텃밭에서 받은 것 못지않게, 배운 게 많다. 내년엔 텃밭에서 마음 농사도 부지런히 지어야겠다.[104]

94. 목소리의 목소리가 되자

내가 신문에 글을 쓴다는 것을 알고 나서 어머니는 그런 당부를 하셨다. 미움받게 쓰지 말고 좋은 말만 쓰라고. 왜 그런 말씀을 하셔요? 어련히 알아서 잘 쓰겠냐마는 세상이 하도 야박하니 안 그러냐. 하지만 엄마, 글 쓰는 사람이 그런 마음을 먹으면 글도 망하고 세상도 망해요. 나는 대답했다. 황반변성으로 시력을 거의 잃은 어머니는 이제 글을 읽지도 못하는데, 마음이라도 편하시도록 네, 엄마, 그렇게 할게요, 그러고 말 걸 후회도 했지만, 어쩌면 저 대답은 나 자신에게 하는 다짐의 말이었는지도 모른다. 4년 가까이 이 지면에서 4주에 한 번 칼럼을 썼고, 오늘 마지막 칼럼을 쓴다. 나에게 이 지면의 의미가 무엇이었고 어떻게 써왔는지, 돌아보는 글로 최종 마감을 하려고 한다.

여러 장르의 글을 쓰고 있지만 나에게는 신문 칼럼이 가장 쓰기 어려운 글이었다. 특히 독자를 특정할 수 없다는 점이 힘들었다. 독백이 아닌 한, 말은 늘 대상을 향한다. 다른 매체에 쓰는 글은 청탁할 때부터 주제를 한정하여 청탁을 하고, 글을 읽어줄 대상도 어느 정도 그려진다. 하지만 신문의 독자 대중은 범위가 너무 넓고, 허공에 대고 말하는 것처럼 어색했다. 방법을 찾아야 했다. 누가 이 지면을 필요로 하고, 지금 여기에 어떤 글이 쓰이길 원하는가. 세상에는 잘 들리지 않는 목소리, 하지만 나에겐 너무나 크게 들리는 목소리가 있다. 그 목소리를 듣고 쓰자. 그러고 나니 막막함이 어느 정도 가셨다. 그러면 누구의 목소리로 말할 것인가가 가장 중요해진다. 훌륭하다 생각하는 다른 필자들을 보면서 배웠다. 그들은 때로는 살해당하는 동물이 되고, 잘려나가는 나무가 되고, 부당하게 해고당한 노동자, 추방당하는 외국인 노동자가 되었다. 그들의 말은 보이지 않는 존재가 아니라 보지 않으려는 존재가 문제이며, 말할 수 없는 자가 아니라 들을 수 없는 자가 있을 뿐임을 증명했다.

그런데 목소리를 듣고 쓰기는 다른 곤란함을 야기한다. 목소리가 하나가 아니기 때문이다. 이걸 써야 한다, 이것도 꼭 써야 한다, 목소리들이 싸우기 시작하는 것이다. 매번 칼럼 때마다 주제의 경합이 생겼다. 며칠 전부터 준비한 초고가 있는데, 갑자기 어떤 사안이 돌발하기도 한다. 그럴 때는 판단을 해야 한다. 준비된 글을 안전하게 보낼 것인가, 아니면 지금 난입해 들어온 새로운 목소리로 주제를 바꿀 것인가. 대체로 아우성치는 목소리를 외면하지 못했다. 오피니언 지면은 말 그대로 여론의 형성에 조금이라도 영향을 미치려고 쓰는 장이니, 그래야 마땅하기도 했다. 그런 날은 마감 하루 전에 주제가 바뀌기도 하고, 조금 아쉬운 상태로 글이 나가기도 하지만, 그래도 칼럼은 완성도보다 타이밍이 중요하다고 이제는 확신한다.

가장 큰 어려움은 검열에 대한 두려움이었다. 독재국가 정보기관의 검열보다 더 무서운 것이 자본국가의 시장 검열이다. '이렇게 써도 될까'를 생각하며 문장을 고칠 때마다 이런 것이 자기검열이 아닌가 하는 두려움을 떨칠 수 없었다. 누구도 상처받지 않기를 바라는 마음이라고 두둔할 수 있지만, 누구도 상처받지 않는 안전한 글이란 것이 과연 가능한 것일까, 나아가 바람직한 것일까, 스스로 안전한 글쓰기의 전략을 그렇게 변명하고 있는 것은 아닐까 물어야 했다. 자기 이름을 걸고 공개적으로 쓰는 일은 '야박한 시대'에는 '무서운 시대'와는 다른 의미에서 감수해야 할 위험이 많았다.

어머니는 어떻게 아셨을까. 나는 아무 말도 하지 않았는데. 참담한 댓글도, 득달같은 항의도, 갑작스럽게 강의가 취소되고, 열광하며 다가왔던 사람들이 차갑게 돌변하는 일도.

오늘날 한국 사회 어느 분야에서든 작동하는 소비자주의는 언론에 대해서도 여지없이 작동한다. 듣고 싶은 말을 해주지 않는 매체는 구독을 철회하고, 듣기 싫은 소리를 하는 필자는 읽지 않으면 되는 것이다. '구독'과 '좋아요'가 곧 돈으로 환산되는 시대에 구독 철회는 투자 철회와 같은 의미다. 전문가 지식인이라 하는 이들의 글이 점점 오락화·연성화되고, 민감한 쟁점을 회피하거나, 중립이나 양비론, 애매한 화합론으로 마무리하는 경향은 시장의 구조적 강압과 무관하지 않은 현상이라고 생각한다.

이 강압에서 해방되는 길은 지배 언어를 거스르는 목소리로 말하기 시작하는 것이다. 기업이 아니라 노동자의 언어로, 부자가 아니라 빈자의 언어로, 북반구가 아니라 남반구의 언어로, 인간만이 아니라 비인간 존재의 목소리로 말할 수 있는 사람들이 늘어날 때, 우리는 자본의 언어에서 해방될 수 있을 것이다. 그동안 함께 목소리의 목소리가 되어주신 독자 여러분께 감사드린다.[105]

95. 노벨 평화상 시상식, 빈 의자에 피어난 수선화

지난 10일 노르웨이 오슬로 시청에서 2023년 노벨 평화상 시상식이 열렸다. 이란의 인권운동가 나르게스 모하마디가 올해의 노벨 평화상 수상자로 선정되었다. 하지만 불법 시위 혐의로 10년9개월형을 선고받고 수감 중인 그는 시상식에 직접 참석하지 못했다. 시상식에는 8년째 어머니를 만나지 못한 17세 쌍둥이 자녀가 대리 수상자로 참석했다. 그리고 자녀들 사이에는 빈 의자가 놓여 있었다. 모하마디를 위한 자리였다.

노벨 평화상 수상자인 이란 인권운동가 나르게스 모하마디의 딸 키아나 라흐마니와 아들 알리 라흐마니가 2023년 12월 10일(현지시간) 노르웨이 오슬로 시청에서 열린 노벨 평화상 시상식에 참석해 있다. 게티이미지

모하마디는 옥중에서 이란 정권을 '폭압적이며 반여성적 종교 정부'라 비판하며 중동에서의 여성으로서의 정체성을 강조했다. 그는 자신을 "풍성한 문명의 중심에 있었던 여성이지만 지금은 전쟁, 테러리즘, 극단주의의 불 가운데 있는 종교 출신"으로 규정하며, 이란 국민에게 장애물과 폭정에 맞서 투쟁할 것을 촉구했다. 노벨 평화상 시상식에는 이란 인권과 민주화를 위해 활동해온, 이란에서 망명하거나 이주한 여성 영화배우, 운동선수, 변호사를 비롯해 현재 조국에서는 공연을 할 수 없는 여성 가수 마흐사 바흐다트가 '희망의 반짝임'이라는 곡을 선사했다. 그 자리에 있는, 조국을 떠날 수밖에 없었던 여성들은 기쁨의 눈물을 함께 흘렸다.

2003년 노벨 평화상을 받은 이란 출신 인권변호사 시린 에바디도 참석했다. 모하마디는 에바디의 오랜 동지였다. 모하마디는 에바디와 함께 인권수호센터에서 부소장으로 일하면서 이란 시민들의 인권을 위해 싸웠다. 하지만 그 결정은 큰 대가를 치러야만 했다. 국가안보에 반하는 행위, 집회 및 사형 폐지 운동을 벌인

혐의 등으로 모하마디는 구속과 석방을 되풀이했다. 모하마디는 총 31년의 징역형을 선고받았다. 2009년 여권 압수를 시작으로 구속과 석방이 반복적으로 이뤄졌는데 그 과정에서 모하마디의 건강은 계속 나빠졌다.

노벨 평화상 수상자인 이란 인권운동가 나르게스 모하마디의 딸 키아나 라흐마니와 아들 알리 라흐마니가 2023년 12월 10일(현지시간) 노르웨이 오슬로 시청에서 열린 노벨 평화상 시상식에 참석하고 있다. 게티이미지

하지만 모하마디는 무너지지 않았고, 감옥 안에서 단 한 번도 침묵하지 않았다. 일생을 이란인들의 인권과 자유를 위해 연구하고 활동했던 모하마디는 교도소에 구금된 여성들을 대상으로 그들의 인권 상황에 대해 기록하기 시작했다. 그리고 동료 정치범들에 대한 기록과 그들의 진술을 2022년 〈백색 고문〉이라는 책을 통해 세상에 알렸다. 그는 〈백색 고문〉에 4개의 벽과 작은 철문이 모두 흰색으로 칠해진 독방에서의 고통스러운 순간들을 담아냈다. 그는 "투쟁의 대가는 고문과 투옥일 뿐만 아니라, 모든 후회로 부서지는 마음과 뼛속까지 파고드는 고통"이라고 힘든 심정을 토로하기도 했다.

하지만 그의 투쟁은 아직 끝나지 않았다. 나르게스 모하마디의 몸은 비록 감옥에 갇혀 있지만, 그는 결코 저항의 목소리를 낮추지 않을 것이다. '나르게스'는 페르시아어로 수선화라는 뜻이다. 혹독한 겨우내 구근 속에 있다가 봄이 되어 화려하게 꽃을 피워내는 수선화라는 자신의 이름처럼 이란의 여성, 생명, 그리고 자유에 대한 모하마디와 시민들의 투쟁과 희망은 곧 꽃을 피워낼 것이다. 또한 모하마디의 노벨 평화상 수상은 이란 여성들뿐만 아니라 차별과 인권탄압에 고통받는 지역의 여성들에 대한 국제적인 인식을 높이는 계기가 되리라 기대한다. 초등학교 이후의 교육 기회를 박탈당한 아프가니스탄 소녀들처럼 지금도 억압받고 있는 여성들에게 모하마디의 강인한 희망의 메시지가 전해지길 바란다.[106]

96. 명예의 전당

생쥐로 태어나 얼마 지나지 않았을 즈음 깨달았다. 나는 보통의 표준적 생쥐로 살아갈 수 없는 운명이라는 것을. 환생하는 과정에서 일어난 오류 탓에 나의 뇌에는 한 인간의 기억이 버그로 남았다. 전생이니 환생이니 하는 말에 코웃음 치던 어리석은 인간에게 이것이 바로 인과응보가 아니면 무엇이란 말인가.

나는 무너져가는 도서관 속에서 헤매고 있다. 날마다 자라나는 앞니로 책 속에서 찾아낸 낱말 몇 개를 갉아먹는다. 평생 도서관을 제집처럼 드나들다가 마침내 열람실 책상에 엎드려 종말을 맞이한 인간의 기억을 여전히 지니고 있기에.

폐허가 된 도서관은 거대한 미로다. 수백개의 서가들, 꽂혀 있는 수천만권의 책들, 그 속에 적힌 깨알 같은 낱말들이 수천만 갈래의 길을 만들고 있다. 검은 글자들과 하얀 빈자리가 만들어내는 길이다. 오래전에 이미 사라진 존재가 머릿속에서 중얼거리며 끼어든다. 책 속에 길이 있다고? 길 따위는 없어. 평생 진실을 찾아 헤맸으나, 결국 아무것도 발견하지 못했어. 책 속에는 길을 방해하는 길, 출구 없는 미로가 있을 뿐이야. 무슨 뜻이냐고?

위대한 작가를 인터뷰한 책을 읽은 적이 있어. 작가는 책을 쓰려고 나무, 나비, 인간과 같은 살아 있는 존재로부터 무언가를 훔치는 짓을 해서는 안 된다고 했어. 그것은 달콤한 꿈속에서 인간을 유혹해 생명의 정수를 빼앗는 서큐버스들이나 하는 짓이라고. 누구나 자기 삶에 대한 소유권과 특허권이 있기에 그것은 저작권 침해와 마찬가지라고. 나는 생각했지. 고귀한 진실이 담긴 말이구나.

작가가 쓴 책을 찾아서 읽어 보았어. 노예로 태어나 노예로 살아온 여자가 두 살배기 딸의 목을 톱으로 긋는 이야기였어. 여자는 노예로 살아가야 할 딸의 미래가 어떤 것인지 너무 잘 알았던 거야. 끔찍하지. 오랜 세월이 지나 살인의 대가를 치르고 집으로 돌아온 여자에게 너무나 사랑해서 죽인 딸의 유령이 찾아와.

어떻게 이런 이야기를 쓸 수 있지! 마치 신이 직접 말하고 있는 것 같구나! 하지만 책 뒤에 붙은 해설을 읽고 생각이 달라졌어. 실제로 1856년에 켄터키의 농장에서 자녀들을 데리고 탈출한 여자 노예가 있었는데, 신시내티에서 숨어 살다가 노예 사냥꾼에게 잡히기 직전 제 손으로 딸의 목을 베었다는 거야. 작가는 출판사에서 일할 때 흑인 노예의 역사를 다룬 책을 편집했어. 그래서 그 사건을 알게 된 거지. 나는 의심에 사로잡혔어. 살아 있는 존재의 삶을 훔치면 안 되지만, 죽은 이의 고통은 훔쳐도 괜찮은 건가. 한 사람의 삶은 어디까지가 온전히 그의 것인가. 태어난 사회와 옭아매고 있는 관습과 제도, 연결된 사람과 사물은 누구의 것인가. 어떤 사건을 목격한 이의 삶은 결국 자신이 목격한 장면과 뒤섞이는 게 아닌가.

작가는 하마터면 묻힐 뻔한 심장의 고동, 흐르는 눈물, 일그러진 근육과 내지른 비명, 터져 나온 폭소 같은 것들을 살려냈어. 타인의 고통을 지나쳐버리는 무관심의 굳은살을 예리한 문장으로 도려내고, 피 흐르는 생살에 공감이라는 소금을 마구 뿌려댔지. 흑인 노예에게도, 여느 인간에게나 있는 감각과 감정과 마음이 있음을 보여줬어. 독자들은 작가의 시적 문장과 인간의 본질에 대한 통찰력에 찬사를 보냈지. 나는 또 길을 잃었고. 고통스러운 진실 위에서만 작가의 위대한 명예가 솟아오르는 건가.

인간의 기억은 속삭인다. 평생을 따라다니던 검은 글자들의 길에는 곳곳에 도사리고 있는 의혹뿐이었다고. 출구를 찾을 수 없는 미로에 지나지 않았다고. 진실이든 뭐든 무엇인가가 있다면, 그것은 글자들의 길이 아니라 여백의 길에 있을 것이라고. 그것이 바로 생쥐의 몸에 인간의 회한을 담은 채 살아가는 내가 이제 아무도 찾아오지 않는 도서관에서 살고 있는 이유이다. 명예의 전당에 남은 고대의 유물 속 글자들을 갉아 먹으며, 누렇게 삭아버린 미로에 숨겨져 있는 진실을 언젠가 찾아낼 수 있으리라 믿으며. 나 홀로.[107]

III. 인간 문화의 속

인간(人間)은 생물학적 견지에서 보면, 영장류(靈長類)의 인간 과(hominidae)에 속하는 동물로, 진원류(眞猿類)라는 아목(亞目)에 속한다. 현생의 인간은 호모 사피엔스(homo sapiens)의 일종으로 분류되며, 인간에 가장 가까운 유인원(類人猿)에 비교하면, 해부학적으로 그 차이는 먼저 두골(頭骨)의 형태에서 보여지며, 기타 체구(體軀) 및 사지(四肢)에도 그 특징이 있는데, 이것들은 직립보행(直立步行)에서 유래한다고 설명된다.[108]

문화(culture, 文化)는 한 사회의 개인이나 인간 집단이 자연을 변화시켜온 물질적·정신적 과정의 산물이다. 문화라는 용어를 한 마디로 정의하기란 불가능하다. 문화는 그것이 속한 담론의 맥락에 따라 매우 다양한 의미를 갖고 있는 다담론적 개념이다.

서양에서 문화(culture)라는 말은 경작이나 재배 등을 뜻하는 라틴어(cultus)에서 유래했다. 즉, 문화란 자연 상태의 사물에 인간의 작용을 가하여 그것을 변화시키거나 새롭게 창조해 낸 것을 의미한다.[109]

요컨대, 지역 간에 시대적으로, 개인 간에 집단 간에, 민족 간에 국가 간에 문화 양상이나 문화 의식은 어느 부분 같으면서 어느 부분 서로 다르다. 인류 문화의 보편성과 다양성을 성찰하여 인류 공동의 문화를 질적으로 향상시키고 양적으로 풍부하게 함으로써 자연을 개작(改作)하고 문양을 새기는 일로부터 시작된 인류의 문화는 인류 자신을 형성 개작해 간다. 그리고 인류 문화가 형성 발전되어 가는 그만큼 인류의 역사는 진전한다.

어떤 사람들은 일반 자연의 세계처럼 인간의 사회 문화도 변화 변이할 뿐 발전이나 진보는 없으며, 그런 만큼 서로 다른 문화 형태들 사이에도 차이가 있을 뿐 우열은 없다고 주장한다.

그러나 이러한 주장은 궁극적으로는 일체의 가치(價値)를 부정하는 것으로, 인간과 짐승, 천사와 악마 사이에도 한낱 서로 다름이 있을 뿐, 품격(品格)의 차이란 없다는 주장을 함축한다. 그러나 우리는 여러 가지 기준에 따라 선악, 시비(是非), 곡직(曲直), 우열을 가릴 수 있고, 선진과 후진을 평가할 수 있으며, 발전과 답보와 퇴보를 논할 수 있다.

한 사람이 자유로운 사회보다는 여러 사람이 자유로운 사회가 분명히 진보한 사회이며, 여러 사람이 자유로운 사회보다는 모든 사람이 자유로운 사회는 분명히 더욱 더 진보한 사회이다. 그리고 인류 역사는 그런 방향으로 진행되어 왔다. 짧은 시기에서는 그 방향이 역전된 적도 있고, 머뭇거린 적도 없지 않지만, 대세는 진보적이었으며, 우리는 지금도 그러한 가치를 지향하고 있다. 수많은 사람들이 아직도 굶주리고 있지만, 그러나 그 상황은 현저하게 개선돼 가고 있으며, 모든 사람을 빈곤의 질곡에서 벗어나도록 하는 것이 상선(上善)으로 알고 우리는 그 목표를 향하여 노력하고 있다.

세상에는 가치 있는 일이 있고, 해서는 안 될 일이 있음을 깨우치고, 인간이 세대를 이어가면서 가치 지향적 활동을 하는 한, 인간 사회는 문화 역사의 사회이며, 그런 한에서 인간은 이성적 동물로서 과학 기술적·정치 사회적·유희적·예술적·형이상학적·종교적 동물일 뿐만 아니라, 역사적 동물이고, 그런 의미에서 문화적 동물이라 할 수 있다.[110]

1. 미래로 가는 문턱에서

"우리는 뒷걸음질로 미래에 들어선다." 프랑스의 시인 폴 발레리는 다가오는 시간에 당당히 마주하지 못하고 주저하는 우리의 모습을 이렇게 표현했다. 미래는 희망과 설렘을 주기도 하지만, 동시에 불안과 두려움을 안겨주기 때문이다. 요즘처럼 하루가 다르게 급속도로 변화하는 세상 속에서 나름 발버둥을 치지만 다가오는 시간을 따라잡기는 여간해선 쉽지 않다. 이에 더해 우리 눈앞에 펼쳐진 현재의 풍경들은 어딘가 모순적이고 난해하다. 이맘때쯤이면 으레 각계각층에서 한 해를 대표할 만한 사건 혹은 의미를 근사한 핵심어로 제시하곤 한다. 개인적으로는 지난 한 해를 상징하는 단어로 '인공지능'과 '전쟁'이 떠오른다. 언뜻 생각해보면 인간 지성의 첨단을 상징하는 인공지능과 인간 야만성의 극한인 전쟁이라는 두 단어는 서로 어울리지 않는다. 물론 요즘에는 인공지능이 개발되자마자 제일 먼저 군사적으로 이용할 궁리부터 하니, 따지고 보면 두 단어 사이의 온도차가 그리 크지 않은 것도 사실이다. 그럼에도 이 두 가지 이질적인 개념에 내재된 상반된 감정의 뒤엉킴은 낯설고 당혹감마저 느끼게 한다. 이렇듯 어울리지 않는 두 개념이 혼재하는 시공간을 살아가는 우리에게는 미래를 어떤 태도로 살아내야 하는가라는 물음이 또 하나의 무거운 화두가 된다.

우리는 '비동시성의 동시성'이라는 시대를 살고 있다. 독일의 철학자 에른스

튼 블로흐는 각기 다른 시대에 존재하는 사회적 요소들이 같은 시대에 공존하는 현상을 이른바 '비동시성의 동시성'이라고 규정한 바 있다. 현재 지구 한편에서는 우크라이나-러시아 전쟁을 비롯한 이스라엘과 하마스 간의 원시적이고 야만적인 살육전이 진행 중이다. 여전히 키이우와 가자지구 하늘에서는 미사일이 하루에도 수백발씩 날아다니고, 군인과 민간인을 가리지 않고 무자비하게 죽이거나 죽임을 당하고 있다. 그런가 하면 다른 한편에서는 챗GPT를 비롯한 생성형 인공지능이 일상으로 상용화되기 시작했다.

이제 인공지능은 미래가 아닌 현재의 이야기가 되었고, '인공지능'이라는 용어 자체도 더 이상 특별히 사용되지 않을 거란 전망도 꽤 설득력 있게 들린다. 앞으로는 우리 주변에서 인공지능이 상용화, 일상화를 넘어서서 인간의 삶과 하나가 되기 때문이다. 이뿐만이 아니다. 미국의 민간 우주 기업 스페이스X는 매주 한 번씩 로켓을 우주로 쏘아 올리면서 화성 개척의 야심을 드러내고 있다. 어쩌면 이다지도 어울리지도 않고, 공존할 수 없다고 여겨지는 광경이 동시대에 지구라는 같은 장소에서 벌어지고 있는 것일까. 같은 시공간, 다른 사건들이 종횡으로 난장을 부리는 듯하다.

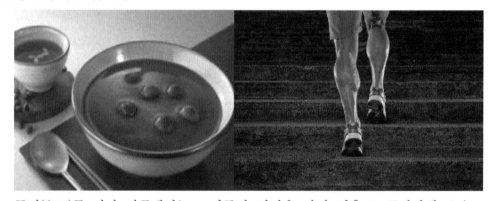

동지(冬至)를 맞아 산중에서는 스님들이 정진을 잠시 멈추고, 공양간에 오순도순 둘러앉아 팥죽에 들어갈 새알을 빚는 운력을 한다. 가야산 추위가 매섭지만, 스님들은 두 손바닥으로 반죽을 빙글빙글 돌려가며 새알심을 능숙하게 빚어낸다. 그 와중에 입담 좋은 스님의 이야기를 듣다 보면 얼굴에 절로 웃음꽃이 피고 시간 가는 줄을 모른다. 동지가 되면 이 새알심을 넣어서 팥죽을 쑤고 부처님께 공양을 올리며 불공을 드리는 풍습이 여전히 절집에는 전해 내려온다. 마을에서는 동지를 '작은 설날'이라고도 부르는데, 추운 겨울을 나면서 병고에 시달리지 않고 잘 견뎠기 때문에, 기운을 보충하고 새해 건강을 기원하면서 팥죽을 끓여 먹는다. 민간신앙에서는 귀신이 싫어한다는 붉은색의 팥으로 만든 죽을 먹음으써 질병과 귀신을 물리칠 수 있다고 믿었다고 전해진다. 동짓날을 기점으로 낮이 길어지고 밤이 짧아지기 시작하기 때문에 고대인들은 태양이 다시 살아나는 날로 여기고 태양신께 제사를 올렸다고 한다. 이처럼 우리는 인공지능 시대를 살아가면서도 농경시대의 풍습과 민간신앙이 오늘날까지 일상 곳곳에 스며들어 있음을 알 수 있다.

인공지능이 시를 쓰고 작곡을 하며 그림을 그리는 이 시대, 우주 공간에 인터넷 망을 깔고 화성 개척을 준비하는 시대이지만 동시에 동지 팥죽을 끓여 먹으면서 귀신을 쫓고 건강을 기원하는 마음들이 혼재하는 비동시대의 현상들이 동시대에 공존한다. 미래를 향한 우리의 뒷걸음질과 머뭇거림 혹은 주저함은 아마도 이런 모순과 부조화에서 비롯한 것이 아닐까. 하지만 이 시대가 주는 모순과 난해함에도 불구하고, 우리는 이 시간들을 어떻게든 살아내야 한다. 다가오는 새해는 뒷걸음질로 주저하다가 어쩌다 보니 열리는 문이 아니라, 희망과 기대 속에 당당히 활짝 열어젖힐 미래의 문이 되기를 기도해 본다.[111]

2. 재판 지연의 해소 방책

전임 대법원장의 임기가 다할 무렵부터 재판 지연에 대한 논의가 눈에 띄게 늘었다. 신임 대법원장도 재판 지연을 사법부의 가장 심각한 문제라고 말했다.

보수 성향의 언론에서는 재판 지연의 문제를 보도하면서 늘 야권 정치인들에 대한 재판이 늦어진 것을 예로 꼽는데, 정치인들이 당사자인 사건의 재판이 꼭 요즘 들어 지연된 것은 아니다. 예를 들어 선거재판이 늦어지는 것은 이미 수십 년래의 일이다. 그런데 국민의 법률생활을 생각할 때 정말 심각한 것은 민사재판, 그중에서도 소송가액이 5억원을 초과하는 민사합의사건의 재판 지연이다. 나 자신도 2013년에 제기된 소송의 피고에게서 사건을 맡았는데 2022년에 들어서야 1심 판결을 선고받은 일이 있다.

기실 재판 지연은 우리나라에만 있는 것이 아니다. 외려 우리 법원의 사건 처리 속도는 외국의 예에 비해 현저히 빠른 편이다. 우려스러운 것은 재판 지연의 추세가 나빠지는 쪽이라는 점이다. 또 재판 지연은 요즈음만의 문제도 아니다. 구약성경의 출애굽기에는 모세의 장인 이드로가 모세에게 재판 지연을 막기 위한 방법을 말하는 장면이 나오고, 3세기 초 편집된 유대교의 문헌 피르케이 아보트에도 재판 지연의 후과를 경고하는 문구가 담겨 있다. 영국의 법률가 코우크의

'정의의 지연은 정의의 거부'라는 법언이 실린 저작물이 나온 때는 17세기 초였다. 1953년에 나온 미국의 논문에는 뉴저지주의 어느 판사가 심리종결 후 12년이 지나서야 판결을 선고한 사례가 실려 있고, 인도에서는 대법원장이 눈물을 흘리며 그 나라 총리에게 재판 지연의 개선을 위해 판사 증원을 애원한 이야기도 있다. 세계 각국의 법원엔 제대로 처리하지 못할 분량의 사건이 넘친다. 재판 지연은 동서고금의 고질병이다.

오늘날 재판 지연은 왜 일어나며 어떻게 해결해야 하나? 우선 사건 자체나 당사자에게 원인이 있을 수 있다. 전반적으로 요즘 사건은 점점 어려워지고 변론과 증거가 넘쳐 심리하기 어렵다. 또 우리나라의 형사고소 건수는 일본에 비해 절대수로 50배가 넘는다. 게다가 당사자들은 판결에 잘 승복하지 않는다. 상소심의 일이 많아질 수밖에 없다.

인적 요소로 눈을 돌려 보면, 과거처럼 사법연수원에서 오랜 기간 강도 높은 판결 작성 교육을 받은 후 젊은 나이에 바로 임관하던 것과는 달리 법조 일원화 제도의 시행 과정에서 신임 판사의 평균 연령이 높아져 업무 수행 능력이 떨어진다는 견해가 있다. 밤낮을 가리지 않고, 주중과 주말을 가리지 않고 그저 죽어라 일하던 과거와는 달리 요즘의 젊은 판사들이 워라밸의 생활태도를 견지하고 있는 것이 원인이라는 주장도 나온다. 고등부장 제도가 없어지면서 중견 판사들의 업무 긴장도가 떨어진다거나 법원장이 선거로 뽑히다 보니 판사들에 대한 업무 독려가 여의치 않다는 것이 원인으로 지적되기도 한다. 그런데 이런 현실은 이제 대부분 받아들여야 하거나 되돌리기 어려운 것이다. 근본적인 문제는 법원의 고질적인 인력 부족, 즉 판사 수의 부족이다. 판사 수를 유례없이 늘리지 않으면, 단언하거니와 재판 지연 문제는 절대로 해결되지 않는다. 판사의 과로와 사명감만으로 재판 지연을 막을 수는 없다. 하지만 법관 정원의 확대와 그에 따른 예산 증액은 국회의 입법사항인데, 국회는 이 문제에 잘 협조해주지 않는다. 법원의 오랜 과제였건만 늘 그래 왔다. 금년에도 관련 법안은 통과될 전망이 없다.

그런데 재판이란 본래 숙고의 과정이다. 시급한 과제라고 하여 재판 지연의 해소 방책이 졸속으로 흐르면 그것도 위험하다. 예를 들어 지연 원인 중 재판 방식에 문제가 있다면서 개선하자는 논의가 있지만, 자칫하면 재판의 신속을 위해 충실한 심리가 희생될 수 있다. 그렇지 않아도 1심과 2심에서 증거조사를 충분히 해주지 않는 것에 대해 불만이 높은데, 법원에 신속한 재판 드라이브가 걸리면 무슨 일이 벌어질지 모른다. 나는 과거 어느 대법관으로부터 법원 상부에서 재판이 늦어진다며 무슨 조치를 하면 곧바로 대법원에 올라오는 하급심 판결들의 질이 떨어진다는 말을 들은 일이 있다. 물론 법원이 감정서의 제출을 독려하지 않거나 후속 절차에 필요한 결정을 자꾸 미루는 예에서 보듯 심리 지연에 신경을 쓰지 않는 것은 다른 문제다.

신임 대법원장은 인사청문회에서 "재판 지연의 원인이 한 곳에 있지 않은 만큼 세심하고 다각적인 분석을 통해 실타래를 풀어 나가겠다"고 말했다. 옳은 태도다. 다만 신속한 재판을 위한 환경은 신속하게 조성되지 않는다. 급조된 몇 가지 방책을 내놓고 자족하지 않아야 할 텐데, 조금 걱정이다.[112]

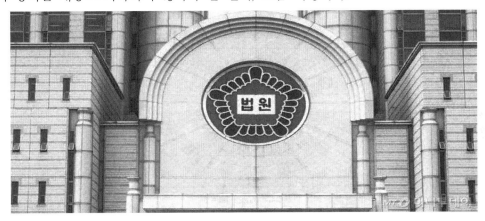

3. 아직도 왕으로 살고 싶나요?

손바닥에 '王'(왕)이란 글자를 새기면서까지 왕이 되길 원했던 그는 국민주권 국가의 왕이 되었다. 대통령 국정 지지도 부정평가가 60% 수치를 보임에도 불구하고, 그는 타협 없는 제왕의 길을 고집한다. 민심을 읽는 것이 정치이고, 배반한 민심엔 하늘도 군주를 버린다고 맹자는 말한다. 권력의 정점에 섰던 조선의 왕도 독단의 정치를 고집하진 않았다. 왕과 신하의 적절한 대립과 갈등, 협력과 경쟁을 통해 조선은 500년 이상을 이어올 수 있었다.

화합과 다독거림이 없는 화난 얼굴. 시시때때로 어퍼컷을 날리는 대통령의 모습은 보기 민망하다. 민심을 어루만지며, 국민 대통합을 이뤄야 하는 책무는 어디 가고, 대통령 입에서 나온 "가짜뉴스" "날조" "허위선동" 등의 거친 언어가 대한민국 사회를 갈라치고, 양극화시킨다. 이태원 참사 현장을 둘러보는 자리에선 "여기서 그렇게 많이 죽었단 말이야?" 라는 한마디로 희생자 가족과 슬픔에 젖은 국민의 가슴을 후벼판다. 지금까지 누구 하나 참사의 책임을 사과하는 정부 관료가 없어, 이태원 참사 진상규명 특별법 제정의 국회 본회의 통과를 외치는, 눈밭 언 땅에서 벌이는 유가족의 오체투지가 눈물겹다.

영국 주간지 이코노미스트는 지난해 4분기부터 올해 3분기까지 근원물가지수와 인플레이션 품목 변화율, 국내총생산(GDP) 성장률, 고용 증가율, 주가 수익률 등을 바탕으로 경제협력개발기구(OECD) 소속 국가별 순위를 매겼다. 우리나라는 그리스에 이어 2위를 기록했다. 윤석열 대통령은 "정부가 견지해 온 건전재정 기조하에서 민간 주도, 시장 중심의 경제를 복원하기 위해 노력한 것에 대한 평가라고 생각한다"라고 말했다. 그러나 2순위에 드리운 그림자는 어둡기만 하다. 가계부채는 계속 늘어, 2017년 이후 5년간의 GDP 대비 가계부채 증가율이 16.2%를 기록해 세계 1위를 나타냈고, 올해 2분기 말 가계부채 비율은 101.7%를 기록했다. 중국, 일본, 미국의 60~70%대 수준과 비교하면 꽤 높은 수치다. 늘어난 부채와 고금리는 서민의 삶을 더욱 팍팍하게 만든다. 순댓국과 소주 한 병 기울일 여유조차 힘들고, 적금과 보험을 깨서 살아야 하는 고달픈 삶이 계속되는 것이다.

대통령 배우자는 도이치모터스 주가조작의 의혹을 받는가 하면, 고가의 명품가방 수수 논란이 있는데도, '법치주의'를 외치던 대통령이나 대통령실은 침묵으로 일관한다. '반법치행위 엄단'을 내뱉던 한동훈 전 법무부 장관은 이를 몰카공작이라 에두르며, 국민의힘 비대위원장이 되었다. 용산 출장소란 별칭의 여당 또한 존재감 없기는 마찬가지다.

엑스포 유치 참패 후 기업 총수를 대동한 떡볶이 먹방은 참 유치했다. 한·미·일 3국의 밀착 외교는 다변화하는 국제정세에서 입지를 좁게 만들었다. 친목계를 방불케 하는 정부 인사는 탕평이 무색했다. 정녕 왕이 되고자 했다면 조선의 역사에서 교훈을 얻었어야 했다. 지금의 난국도 조선의 역사에선 이미 경험했던 일이다. 마지막 칼럼을 쓰면서 간략히 되짚어 본다.

성종은 왕비가 내조하는 공이 없고 투기하는 마음이 강하고 덕이 없어 폐위하고 사약까지 내렸다. 광해군은 내치와 외교에 능했다. 대동법을 시행하여 집집이 부과하던 세금을 토지에 부과하여 지주의 부담은 늘리고 서민의 부담은 줄여 주었다. 명(明)과의 외교는 유지하되, 신생국 후금(後金·청)을 자극하지 않는 절묘한 실리 외교 덕분에, 조선은 후금의 침략을 피할 수 있었다.

광해군 이후 인조가 보인 친명배금(親明排金) 정책의 결과는 정묘년과 병자년 두 번의 호란을 가져왔다. 영조는 노론과 소론의 강경파 인물을 배제하고, 두루 화합하는 탕평인사를 실시했다. 영조는 평생 얇은 옷과 거친 음식을 먹으며 서민 군주로 남았다. 정조는 규장각을 세워 정파나 신분에 구별 없이 인재를 모아 개혁 정치를 구현했다.[113]

4. 나의 직업은 텔레마케터였다

지난 시절 나의 직업은 무엇이었을까. '시인'이었다는 생각은 들지 않는다. 2011년 한진중공업 희망버스로 수배받던 시절 어느 보수언론 기자가 나에 대한 심층 기사에서 시인의 탈을 쓰고 평택대추리 미군기지 이전확장 반대, 기륭전자 비정규직 투쟁, 용산 철거민 진상규명 투쟁 등 현장만 쫓아다니는 전문시위꾼이라고 한 게 오히려 나의 정체성에 어울렸다. 시인을 가장한 전문시위꾼에 이은 나의 직업은 오히려 텔레마케터에 가까웠다. 무제한 요금제가 없던 시절에는 전화통화료만 20만원 넘게 나와 절망하던 때도 많았다. 하루에도 똑같은 이야기를 앵무새처럼 되뇌다 보면 입이 돌아가려 하기도 했다. 세 번째 직업이라면 외판원이 맞다. 시도 때도 없이 투쟁 기금 마련을 위한 티켓과 물품을 팔아야 했다.

그리고 네 번째 직업이라면 부끄럽지만 자해공갈단 비슷한 것이었다. 가증스럽게 여차하면 병원행이었다. 평택대추리에서는 머리 조금 깨진 것을 가지고 죽겠다고 드러누워 병원으로 실려가며 연행을 피했다. 기륭전자에서는 갑자기 침탈해온 공권력에 대항해 포클레인 붐대 끝으로 올라 눈을 감고 전깃줄 몇 가닥에 매달린 채 3시간여를 대치하며 죽겠다고 협박한 적도 있다. 한진중공업 희망버스 수배 당시에는 내가 있는 곳이 꽤 높은 9층이고 나는 충분히 어떤 결단을 가질 수도 있는 정신없는 놈임을 경찰 라인 등에 흘리곤 했다. 세월호 진상규명을 외치며 보신각 사거리 방송차 위에 올라 경찰과 수시간을 대치하다가 끌려갔을 때는 연행 당시 갈비뼈에 살짝 금이 간 것을 대명천지에 고하는 것으로 구속을 면하기도 했다.

그런 자해공갈단으로 본의 아니게 살게 된 내가 네 번씩이나 입원하며 폐를 끼쳤던 곳이 녹색병원이었다. 두 번은 수술까지 받아야 했고, 두 번은 25일 단식과 47일 단식 후 실려갔다. 얼마 전 이재명 민주당 대표가 단식 와중에 실려가면서 전국적으로 알려졌지만 지난 20여년 한결같이 나처럼 절박한 이들이 끊이지 않던 사회적 야전병원이었다. 내가 입원하지 않더라도 연례행사처럼 해마다 몇 번씩은 문병을 가야 하던 병원이었다. 서울 목동 열병합발전소 75m 굴뚝 위에서 2년간 고공농성을 해야 했던 파인텍 해고노동자들이 실려간 곳도 녹색병원이었고, 94일 동안 단식했던 기륭전자 김소연과 유흥희 등이, 서울고용노동청 앞에서 46일 동안 단식했던 기아차 비정규직 김수억이 실려간 곳도 녹색병원이었다. '해고는 살인이다'라는 것을 증명이라도 하듯 36명의 동료들이 죽어가는 것을 보며 세 번씩이나 단식을 해야 했던 쌍용차 김득중과 김정우가, 공장 철탑과 굴뚝 위로 올랐던 한상균과 문기주와 이창근이 매번 실려가던 곳도 녹색병원이었다. 광화문 세월호 농성장에서 죽겠다고 단식을 하던 유가족들이, 중대재해기업처벌법 제정을 요구하며 국회에서 단식하던 청년비정규직 김용균의 어머니 김미숙님이 실려간 곳도 모두 녹색병원이었다. 그렇게 우리는 해마다 수많은 현장에서 녹색병원으로 향하는 구급차를 보며 피눈물을 흘려야 했다.

그런 녹색병원이 올해 20주년을 맞아 '전태일의료센터'를 새롭게 만들겠다고 한다. 울컥하는 마음이다. 전 세계적으로도 흔치 않은 공공병원이다. 1990년대 초반 경기 구리에 있던 원진레이온에서 이황화탄소 중독으로 사망자 8명에 장애판정자 637명이 발생했지만 정부와 노동부 등은 인정조차 하지 않으려 했다. 지금은 세계보건기구 국장으로 일하는 김록호 당시 사당의원 원장과 양길승 선생 등 진보적인 보건의료계와 노동·시민사회가 함께 싸워 진실을 밝히고 1993년 유가족과 피해자들이 함께 마음을 모아 설립한 공공의료병원이 현재의 녹색병원이다. 사회적 약자에 대한 의료 연대·지원 활동을 기본으로 하고 산하에 '노동환경건강연구소'와 '직업병·환경성질환센터' 등을 두어 참된 건강사회를 만들기 위한 각종 연구·조사·대안 마련 활동을 해오고 있다.

그마저도 고맙고 귀한 일이었는데 이젠 '전태일의료센터'를 새롭게 세우겠다고 한다. 시민·노동자의 힘으로 함께 만들자고 한다. 나는 어떤 마음과 힘을 보탤 수 있을까. 그간 피눈물을 흘리며 녹색병원으로 실려가야 했던 수많은 노동자·민중들, 국가폭력·자본폭력의 피해자들이 먼저 나섰으면 좋겠다. 이 병원이 나의 병원이라고 소리쳐주면 좋겠다. 50여 년 전 자신의 차비를 털어 어린 '시다'들에게 풀빵을 사주고는 몇 시간을 걸어 집으로 가던 전태일의 마음을 기억하고 오늘 다시 연대를 실천하는 '전태일의료센터' 건립이라는 눈물겹고 뜨거운 일을 함께 이루어보면 참 좋겠다.[114]

5. 나란히

　새벽의 오한은 어깨로 오고 인후와 편도에 농이 오고 눈두덩이가 부어오고 영은 내 목에 마른 손수건을 매어주고 옆에 눕고 다시 일어나 더운물을 가져와 머리맡에 두고 눕고 이상하게 자신도 목이 아파오는 것 같다고 말하고 아픈 와중에도 그런 것이 어디 있느냐고 웃고 웃다 보면 새벽이 가고 오한이 가고 흘린 땀도 날아갔던 것인데 영은 목이 점점 더 잠기는 것 같다고 하고 아아 목소리를 내어보고 이번에는 왼쪽 가슴께까지 따끔거린다 하고 언제 한번 경주에 다시 가보았으면 좋겠다고 하고 몇 해 전의 일을 영에게 묻는 대신 내가 목에 매어져 있던 손수건을 풀어 찬물에 헹구어 영의 이마에 올려두면 다시 아침이 오고 볕이 들고 그제야 손끝을 맞대고 눈의 힘도 조금 풀고 마음의 핏빛 하나 나란히 내려두고
　- 시 '나란히', 박준 시집 〈우리가 함께 장마를 볼 수도 있겠습니다〉
　엊그제는 면 소재지에 있는 우체국에 다녀오다, 달포 전 윗니를 뽑고 제법 돈이 든다는 이 시술을 앞둔 맹보살 집에 들렀다. 마침 재가노인지원 복지사가 다녀가고, 인지워크북이라고 써 있는 공책이 펼쳐져 있었다. 쟁반에 동그란 떡이 그려져 있고, 그 위에 미운 놈 ○ 하나 더 준다, 누워서 ○먹기다 등등이 써 있었다. 빈칸에 연필로 떡을 써넣어 빨간 색연필로 큰 동그라미를 받은 흔적도 보였다.
　거의 다 동그라미를 받았는데, 호랑이 그림에만 칭찬용 동그라미가 없었다. 내가 보기엔 대한민국 지도같이 생긴 호랑이인데 맹보살은 새우란다. 아, 새우여서 왼편에는 색칠을 안 했구나 싶었다. 다시 보니 새우랑 흡사하기도 했다. 연잎차에 만두를 먹으며 맹보살이 칠하다 만 호랑이 새우를 함께 완성하고, 자목련집 언니네를 들렀다. 언니는 올해 내내 아프다. 특히 겨울 들어 더 심해지고 있다.
　이눔의 팔이 암것도 못하것어, 행주도 못 짠다니께, 눈이 오니께 더 에리네, 인저 봉사도 못 다니겄어. 끙끙 앓으니께 아저씨가 자다가 팔을 주물르고, 자다가 깨서 만져주고 허는디, 날이 푹해져서 그런지 어젯밤은 좀 잔 거 가텨…. 언니 말을 들으며 나도 언니 팔을 주무른다. 만지고 누르는 데마다 작은 신음이 흘러나온다. 그 많은 고구마 다 캐고 그 많은 고추 다 따고 그 하많은 마늘 다 심었으니 안 아픈 게 이상하지…. 나는 속엣말로 중얼거린다. 의사가 어깨에서부터 만져가며 악, 소리 나게 아픈 부위에 주사기를 찌른다 했다. 아저씨랑 아들내미는 이 추운데 밖에서 저렇게 일하는디, 한번 병원 가면 10만원 푹 나가고 뭐 하나 찍으

믄 몇십만원 푹 나가고, 미안해 죽겠어…. 물 질질 흐르는 행주를 싱크대에 걸쳐 놨다더니 부엌은 정갈했다. 동생이 와서 언니를 앉혀놓고 설거지하고 청소해주고 한참 있다 갔다 했다.

올핸 "마음의 핏빛"이 맺힌 날들이 유난히 많았다. 막 꽃몽울 터트리려는데 우박이 쏟아지고, 나무가 클 만하면 서리가 내렸다고나 할까. 가까이 지내는 사람들도 많이 아팠다. 가까운 사람이 아프면 비슷한 증상이 따라오는 것 같다. 착하고 고생하고 돈까지 아쉬운 사람이 아프면 전염속도가 한층 빠르다. 아픈 와중에도 얘기하고 "웃고 웃다 보면 새벽이 가고 오한이" 가기는 가겠지. 새삼스레 꿈을 꾸어보기도 하고, 과거를 "묻는 대신 내가 목에 매어져 있던 손수건을 풀어 찬물에 헹구어" 옆 사람 "이마에 올려두면 다시 아침이 오고 볕이 들" 기도 하겠다.

사철나무와 대나무와 측백나무 울타리에 희푸른 잎꽃이 피었다. 가장자리를 빙 둘러 서리를 올린 채 빛나는 잎들과 발목에 눈토시를 덮은 나무들이 햇빛을 받고 있다. 비닐하우스를 들추니 시금치와 근대와 상추마저 쌩쌩하게 살아 있다. 비닐 두 장 덮었을 뿐인데, 영하 18도 내려가던 강추위에도 푸릇푸릇하다. 마당에 서서 중얼거린다. "손끝을 맞대고 눈의 힘도 조금 풀고 마음의 핏빛 하나 나란히 내려두"는 아침이 오기를. 돌아가며 아픔을 돌보다 보면, ○○야 놀자, 친구처럼 봄이 문밖에서 소리쳐 부르기를.[115]

6. 어떤 이야기를 원하십니까?

가장 오래된 옛날 '상고시대'를 상상하여 구현한 드라마 〈아라문의 검〉은 최초의 국가 '아스달'을 통해 문명과 인간의 길을 묻는다. 이방인과 소수자를 혐오하고 인간을 착취하고 자연을 훼손하는 문명, 무고한 생명을 희생시키는 약탈적 전쟁, 공포와 불안을 이용하는 정치와 종교 등 드라마가 보여준 세계는 '오늘'이 품고 있는 문제와 크게 다르지 않다. 다행히도 '예언의 아이들'이 나타나 거대한 문명과 맞서 싸워 승리하여 폭력과 공포, 차별과 착취의 세계를 끝내고 새로운 세계의 문을 열며 드라마는 끝난다. 그 결말은 새로운 이야기의 출발점이기도 하다. 인간의 역사란 갈등과 저항, 퇴행과 진보가 뒤숭숭하게 얽힌 이야기의 연속이기 때문이다. 우리가 만나는 세계는 그런 이야기의 결과물이기도 하고 앞으로 쓸 이야기의 첫 페이지이기도 한 것이다. 그러므로 우리에게는 이런 질문이 필요하다. 우리는 어떤 이야기를 원하는가? 어떤 이야기를 만들어야 할까?

드라마는 각 인물 간의 적절한 갈등과 어느 정도의 자극적 상황이 배치될수록 좋은 이야기로 인정받기 마련이다. 현실은 반대다. 별일 없이 사는 게 최고다. 개운한 마음으로 눈뜰 수 있고, 해야 할 일이 너무 많지 않게 있으며, 적절한 온도의 호의를 주고받을 이들이 곁에 있고, 건강한 긴장감으로 인해 생활의 탄력이 유지되는, 감당할 수 있을 정도의 외로움과 깨끗한 보람 속에 별다른 죄책감이나 내일에 대한 두려움 없이 잠들 수 있는 일상. 이게 드라마라면 지루해서 금세 화면을 꺼버릴지도 모르지만, 나는 이렇게 심심한 이야기를 원한다. 그리고 다른 이들도 이런 이야기 속에서 살면 좋겠다. 그러나 이게 얼마나 불가능에 가까운 일인지 안다. 우리가 매일 경험하는 현실은 '드라마'보다 더 지독할 때가 많다. 그 현실 속에서 우리는 쉽게 분노하고, 필요 이상으로 절망하며, 그런 분노와 절망을 외면하기 위한 자극을 끊임없이 갈망한다. 그리고 그 자극은 결국 누군가를 사회로부터 밀어내거나 죽음으로 내모는 연료가 된다. '막장 드라마'가 별건가. 그래서 나는 종종 '세상이 빨리 망했으면' 하고 기도한다. 오늘도 세상은 망하지도 않고 그저 망가진 채로 굴러가지만.

이런 각박하고 위험한 상황 속에서도 세상이 망하지 않는 이유는 뭘까? 폭력과 공포, 차별과 착취적 세계관에 저항하며 애써 다른 이야기를 발견하고 이어가려는 이들이 있기 때문일 게다. 환대와 애정에 헌신하며 서로를 돌보고자 애쓰는 이들이 우리의 일상과 세계를 힘겹게 떠받들고 있으며 우리는 이런 이야기에 빚지며 하루를 살며 내일을 이야기한다.

나는 이런 이야기들을 애써 주목하고 싶(었)다. 지난 5년 동안 이 지면에 보낸 이야기들은 그런 '애씀'의 기록이다. 물론 나의 생각이 비현실적인 낭만으로 여겨질 수도 있다. 그러나 누군가를 죽이는 이야기의 속도감에 압도된 세상이라면, 차라리 더 적극적으로 낭만의 브레이크를 걸고 멈춰 서서 시선을 돌려 위태롭게 흩어진 이들의 이야기를 발견하는 일에 내 조그만 힘을 보태고 싶다. 이 글을 읽는 이들도 그러면 좋겠다. 이 작고도 넓은 지면에서 나눈 나의 이야기는 여기서 끝나지만, 2024년에는 지금 우리에게 어떤 이야기가 필요한지 고민하며 '좋은 이야기' 속에서 서로를 발견할 수 있기를 바란다.[116)]

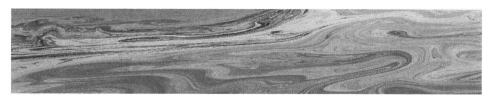

7. 모든 인간은 시작이다

괴테의 〈파우스트〉에 등장하는 악마 메피스토는 말한다. "시간을 이용하시오. 시간은 아주 빨리 사라지니까! 질서가 당신에게 시간을 버는 법을 가르쳐줄 거요." 악마는, 시간은 이용해야 하는 것이고, 시간을 벌기 위해서는 질서를 따라야 한다고 말한다. 시간을 잘 통제하지 못하고 허비하는 것은 죄라는 것이다. 메피스토의 세계에서 향유를 위한 멈춤은 허용되지 않는다. 꿈을 꾸는 사람이나 사랑에 빠지는 것은 시간을 낭비하는 것이다. 정말 그러한가? 한 해의 끝자락에 섰다. 시간을 타고 사는 것 같았지만 실은 시간에 떠밀리며 살았다. 조급증에 시달리며 질주해 온 우리 발자취가 어지럽다.

해변에 떠밀려온 부유물 같은 시간의 흔적을 살펴본다. 지난 일 년 동안도 크고 작은 많은 일들이 일어났다. 신림동과 서현역에서 일어난 세칭 묻지마 칼부림 사건, 강남 학원가 마약 음료 사건은 충격적이었다. 우리 사회가 더 이상 안전하지 않다는 사실을 상징적으로 보여주었기 때문이다. 힘 있는 학부모들의 갑질과 서이초 교사 순직 사건 또한 우리 사회의 병적 단면을 보여주는 것이었다. 오송 지하차도 침수 사건, 물살에 휩쓸려 죽어간 해병대 채모 상병 사건, 새만금잼버리 사태는 우리가 여전히 안전불감증에서 벗어나지 못했음을 입증해주었다. 국제적으로는 튀르키예의 강진으로 수많은 인명 피해가 발생했고, 러시아와 우크라이나 사이 전쟁은 여전히 현재 진행형이다. 파괴와 죽음이 일상이 되었다. 이스라엘과 하마스의 전쟁으로 인해 가자지구는 폐허로 변하고 있다. 맹목적인 증오가 인류에 대한 사랑을 압도하고 있는 형국이다.

날이 갈수록 다양한 이해집단 사이의 갈등이 심화되고 있다. 서로를 향해 쏟아붓는 거친 언어들이 사람들의 가슴에 깊은 상처를 남긴다. 조롱과 냉소가 따뜻하고 친절한 말을 압도하고 있다. 공론장은 가짜뉴스에 의해 장악되고, 사람들 사이에 마땅히 있어야 할 신뢰는 회복되기 어려울 정도로 파괴되었다. 고의로 잘못된 정보를 유포하는 이들이 생겨나고, 그들의 선동·선전에 기꺼이 속으려는 이들이 많아질수록 진실이 설 자리는 좁아진다. 전국의 대학 교수들을 대상으로 설문조사를 하여 뽑은 올해의 사자성어는 견리망의(見利忘義)이다. 이익을 보면 의를 잊는다는 말이다. 이익 동기가 진실을 압도하고 있다는 말이다. 시장으로 변해버린 세상에서 인간의 존엄은 보장되지 않는다.

영국의 콜린스사전이 뽑은 올해의 단어는 AI이다. 인공지능을 가리키는 영어 약자이지만 콜린스사는 이것을 "컴퓨터 프로그램을 통해 인간의 정신적인 기능을 모델링하는 것"이라 소개한다. 챗GPT를 비롯한 생성형 AI 열풍이 불었다. 인생의 길을 찾기 위해 경전을 보기보다는 AI에게 묻는 이들이 늘어나고 있다. 바야흐로 포스트 휴먼 시대 혹은 트랜스 휴먼 시대가 열리고 있는 것이다. 지난 세기두 번의 세계대전을 겪으며 사람들은 '인간이란 누구인가'를 물어야 했지만, 이제 그런 질문은 잊히고 있는 것 같다. 신적 능력을 간직한 인간의 출현을 오히려 반기는 것처럼 보인다. 이러한 낙관론이 유지될 수 있을까?

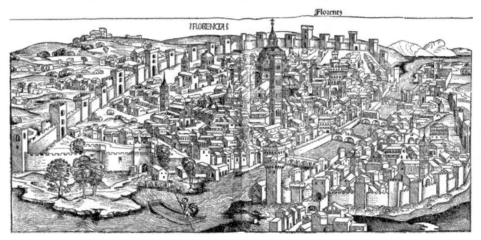

기후위기라는 전대미문의 상황이 우리 앞에 놓여 있다. 우리 모두의 고향인 지구가 몸살을 앓고 있다. 임계점에 거의 도달했다고 보는 이들이 많다. 경제 발전이라는 세이렌의 달콤한 노래에 이끌려 인류는 파멸을 향해 질주하고 있다. 도스토옙스키의 소설 〈악령〉은 19세기 말 허무주의와 급진주의에 사로잡힌 이들이 만들어내는 혼돈의 공포스러움을 보여준다. 소설의 제사에 도스토옙스키는 악령에들린 돼지떼가 비탈길을 내리달아 바다에 빠져 죽는 누가복음의 이야기를 소개하고 있다. 자기 시대를 보여주는 적절한 예라고 생각했기 때문일 것이다. 우리 또한 지금 몰락의 비탈길을 질주하고 있는 것은 아닐까? 멈출 수 있을까? 비관적전망이 많지만 희망을 섣불리 버릴 수도 없다.

한나 아렌트는 나치즘과 스탈린주의의 뿌리를 파헤친 〈전체주의의 기원〉의 마지막 문장에 희망의 씨를 하나 남겨놓았다. 모든 역사의 종말은 반드시 새로운시작을 포함하고 있다는 것이다. 시작할 수 있는 능력이야말로 인간이 가진 최상의 능력이다. 그는 "시작이 있기 위해 인간이 창조되었다"는 아우구스티누스의말을 인용한 후 방점을 찍듯 말한다. "실제로 모든 인간이 시작이다." 한 해의끝자락에서 이 문장을 꼭 붙든다. 다시 시작할 수 있는 시간이 우리에게 도래하고 있다.[117]

8. 그럴수록 앞을 보세요

새해를 맞아 운동을 새로 시작한 독자들을 응원하며 나의 운동에 관한 이야기를 나누고 싶다.

어릴 적 의료사고로 장애를 갖게 된 이후로 서른 살 가까이 되도록 운동을 제대로 해본 적이 없었다. 장애인이 갈 수 있는 운동 시설조차 찾을 수가 없어, 모니터 앞에 앉아 유튜브에 '장애인 체조'라고 검색하고는 5분 동안 손목을 이렇게 저렇게 돌리며 만족하는 것이 내가 아는 운동의 전부였다.

어느 날 운이 좋게도 뒤틀린 몸의 회원 등록을 받아주는 헬스장을 찾게 되었고, 더 운이 좋게도 나를 대상으로 개인 수업(PT)을 도맡겠다는 운동 선생님까지 만날 수 있었다. 지금은 천장 누수로 영업을 하지 못하고 있는 당시 첫 체육관의 첫 헬스 트레이너 선생님은 운동에 입문하는 나를 향해 한 가지 지도를 끝없이 반복했다. "그럴수록 앞을 보세요"라는 간결한 명령.

운동을 처음 배울 당시, 누구나 쉽게 들 법한 무게의 아령조차 나에게는 벅찼다. 무엇이든 무겁다 느껴지는 것들 앞에 나는 두 눈을 질끈 감고 아등바등 힘을 끌어올려야만 했다. 그럴 때면 내 옆에 선 채로 운동 자세를 봐주시던 선생님은 근육이 아닌 표정을 보며 "눈 감지 마세요. 그럴수록 앞을 보세요"라고 단호하게 말하곤 했다. 그의 호통 아닌 호통을 마주할 때마다 깜짝 놀라 이내 눈을 뜨긴 했지만, 다른 동작을 시도할 때가 되면 다시 눈을 감고 말았고, 그는 나를 향해 한동안 같은 경고를 반복해야만 했다.

올바른 자세만 취하면 되지 표정까지 그다지도 중요할까 싶은 마음에 선생님께 짜증을 섞어 물었다. "왜 자꾸 눈을 감지 못하게 하는 거죠? 저는 눈을 감고 집중해야 힘이 덜 들어요." 그가 내게 말했다. 운동 경험 없는 사람이 무거운 기구를 들어 올리는 게 간단치 않다는 걸 안다고. 그러나 그럴 때일수록 무게에 휘둘려 균형이 무너지기 쉽다고. 힘들수록 눈을 감지 말고 떠야만 자세를 놓치지 않는다고. 자신의 모습을 쉼 없이 마주할 수 있어야만 위험을 방지할 수 있다고. 눈을 뜨는 건 곧 나를 지키기 위함이라고. 그는 늘 시야를 앞에 둘 것을 강조했다. 정면을 향한 두 눈과 숙이지 않은 목. 어려운 동작을 수행할수록 시선을 놓치지 않는 것이 몸과 마음을 지키는 첫걸음이라 말했다.

힘든 상황이 닥칠 때마다 체육관의 풍경이 뜬금없이 기억나곤 한다. 중요한 작품 발표를 앞두고 예고 없이 떨려오는 긴장에 온몸의 힘이 다 풀리는 것만 같을 때도 운동하던 순간을 기억하며 앞을 볼 것을 스스로 주문한다. 또, 끊어진 연 속에 겨우 연락이 닿은 어머니와의 전화통화 속에서 당신이 암에 걸렸다는 사실을 알게 되었을 때도, 핸들을 그대로 놓칠 것만 같은 가파른 봉천고개 낡은 도로 위에서 그의 조언이 들리는 것만 같았다. "눈 감지 마세요. 그럴수록 앞을 보세요." 그때 눈물을 닦으면서 다짐했다. 앞으로 나를 지키기 위해서 눈을 뜨자고. 고개를 꺾지 말고, 눈도 감지 말고, 앞을 잃지 말자고.

다가올 한 해, 감당하기 힘든 힘겨움이 닥쳐오는 순간 당신의 시선만큼은 잃지 말기를 바라며. 균형을 잃지 않은 채로 당신이 당신을 지킬 수 있도록.[118]

9. 대통령이라는 자리

1987년 6월 민주항쟁 이후 윤석열 정부처럼 스스로 국가 기강을 어지럽히고 국정운영을 엉망으로 하는 정권은 경험하지 못했다. 엄연한 삼권분립 민주공화국에서 대통령이 집권여당을 떡 주무르듯 농단하는 뉴스가 넘쳐나고, 국회의원 선거 차출을 위해 3개월짜리 장관, 6개월짜리 차관이 양산되고 있다. 곳곳에서 부실한 국정운영으로 국민의 삶이 각박해지고 나라가 어려움에 빠지고 있다.

상투적인 비난이 아니다. 최근 외교안보 분야 뉴스만 봐도 그 예가 차고 넘친다. '박빙 승부와 역전승'을 예고하며 국민 기대를 부풀려 놓고 '29 대 119'라는 외교적 참변으로 끝난 엑스포 부산 유치 작전, 정보부서 책임자급 간부 대부분을 대기·교육·지원 근무 등 형식을 통해 떠돌이 신세를 만들어 놓고 주야장천 권력투쟁에 몰두한 국가정보원 수뇌부, 항일 독립영웅 홍범도 장군을 욕보이더니 끝내 영토 보존의 신성한 의무마저 망각하고 독도를 분쟁지역으로 표현한 얼빠진 국방부, 마치 거친 상대방을 다루는 특별한 비방이나 있는 듯이 한껏 목청을 높이고 힘을 과시했으나 결과적으로 '언제 물리적 충돌이 발생해도 이상할 게 없을 정도로 위험한 상황'으로 내몰린 남북관계! 이러고도 나라가 돌아가고 있다는 것이 신기할 정도다.

이런 난맥상엔 여러 원인이 있겠지만 그중에 윤 대통령이 대한민국 공동체의 보편적 이익이 아니라 특정한 정파적 이익을 '정의'로 인식하고 행동하는 게 크다고 본다. 정작 자신이 검찰 정권으로 상징되는 '용산 카르텔'을 꾸려 나라를 위험하게 만들면서도 툭하면 "자기들만의 이권과 이념에 기반을 둔 패거리"라며 이러저러한 '카르텔 척결'을 주창하는 정신세계를 보면 더 그런 생각이 든다.

윤 대통령은 노무현 전 대통령을 존경한다고 한다. 대선 후보 시절 '제주 해군기지' 건설을 추진한 노 대통령을 회상하며 "고뇌와 결단을 가슴에 새긴다"며 울먹이기도 했다. 그래서 노 대통령을 보좌했던 참모로서 대통령의 고뇌와 결단에 대해 생각해본다.

나에게 비친 노 대통령의 고뇌는 '내 생각이나 기질 혹은 내 개인의 이익이 국익과 배치되는 것'이었으며, 결단은 이때 자신을 버리고 국익을 선택하는 것이었다. 2003년 9월 노 대통령은 허버드 주한 미국대사와의 대화에서 이라크 추가 파병이 자신에게 미치는 영향에 대해 솔직하게 말했다. "나를 지지하는 대부분 사람은 파병에 반대하고 있습니다. 내가 만약 파병하기로 하면, 이 중 절반 정도가 나에 대한 지지를 이 이유만으로 철회할 것입니다. 나머지 절반가량은 나를 위해 '파병 반대'를 철회할 것입니다. 또 지금 파병에 찬성하는 사람들은 하나같이 정치적으로 나의 반대자들입니다."

이처럼 노 대통령은 지지자의 절반을 잃을 줄 알면서도 추가 파병을 결정하였다. 한국 경제의 경쟁력 강화를 위해 대통령이 결단한 한·미 자유무역협정(FTA) 체결 때도 그는 많은 지지자를 잃었다. 시간이 흘러 역사는 이라크에 파병된 자이툰 부대가 단 한 명의 사상자도 안 내고, 원래의 대국민 약속대로 이라크 평화 재건을 도왔으며, 한·미 FTA는 급변하는 국제 경제 환경 속에서 한국 경제 발전에 크게 이바지했음을 증명하였다. 그러나 당시 이러한 일들이 누적되면서 노무현 정부는 낮은 국정 지지율을 면하지 못했다.

노무현에게 대통령이라는 자리가 어떤 것이었기에 이런 '고뇌에 찬 결단'을 했을까? 나는 2003년 어버이날에 노 대통령이 쓴 '국민에게 드리는 편지' 속에서 그 답을 찾는다. "저는 개인적으로는 힘있는 국민의 목소리보다 힘없는 국민의 목소리가 더 크게 들리는 체질입니다. 그러나 대통령으로서 국정을 할 때는 그 누구에게 혹은 어느 한쪽으로 기울 수 없습니다. 중심을 잡고 오직 국익에 의해 판단할 수밖에 없습니다. 왜냐하면, 중심을 잃는 순간 이 나라는 집단과 집단의 힘겨루기 양상으로 갈 것이기 때문입니다. 정치와 통치는 다릅니다. (중략) 저는 인기에 연연하지 않고 국익이라는 중심을 잡고 흔들림 없이 가겠습니다."

이처럼 국익을 위해 자신을 버렸기에 많은 국민이 지금 노무현 전 대통령을 국민 전체를 대표하여 나라를 이끈 통치자로 기억하는 것이다. 윤 대통령이 이런 말을 귓등으로도 들을 것 같지 않지만, 그래도 반대파가 아니라 국민의 한 사람으로서 주장한다. 대통령이라는 자리는 당파적 이해를 관철하고자 하는 정치인이 아니라 국민 전체를 대표하여 나라를 이끄는 통치자의 자리다. 대한민국 공동체를 포용하는 눈으로 봐야 참된 국익이 보인다.[119]

10. 벽 너머로 낯선 소리가 들려올 때

연말연초가 되면 늘 떠오르는 이야기가 있다. 프랑스 작가 로맹 가리의 책 〈새들은 페루에 가서 죽다〉에 수록된 엽편소설 '벽 – 짤막한 크리스마스 이야기'이다.

소설은 작가인 '나'가 의사인 친구에게 가볍게 하소연하며 시작한다. 그럴싸한 교훈적인 이야기를 써서 신문사의 편집장에게 주기로 했는데 크리스마스가 다가와도 어떤 영감도 떠오르지 않는다는 것이다. "마치 벽에 부딪힌 것 같다니까!" '나'는 탄식한다.

그러자 의사인 친구가 말한다. "벽이라고? 그렇다면 자넨 이미 멋진 주제를 찾아낸 것 같구먼." 친구는 어느 해 12월31일 빈민가에서 벌어진 일을 이야기해준다.

살아가는 모든 이들에게 사랑과 따뜻함이 필요한 연말이었다. 그만큼 홀로인 사람은 더욱 사무치게 외로워지는 날이기도 했다. 의사는 슬프게도 일찌감치 생을 마감한 젊은 청년의 사망 확인을 위해 가난한 동네를 찾아간다. 혹독한 추위가 몰아치는 밤이었다. 도착한 방은 너무나 초라하고 싸늘했고 그날 밤 목을 매서 자살한 스무 살가량의 청년이 싸늘한 주검이 되어 기다리고 있었다.

방 안에는 청년이 남긴 유서가 있었고 자신이 왜 죽음을 택하는지에 대한 이야기가 적혀 있었다. 내용인즉슨, 나는 고통스러운 고독과 세상에 대한 총체적인 혐오감으로 죽는다는 것이었다. 유서의 내용은 격정에 휩싸여 이어졌다. 청년은 자신의 바로 옆집에 사는 여자를 좋아하고 있었노라고 고백했다. 그 아가씨가 어찌나 천사같이 아름다운지 감히 말도 붙이기 어려웠다고 말했다.

그러나 하필 자신이 참을 수 없는 외로움에 몸부림치던 그날 밤 그때에 벽 너머로 '독특한 소리'가 넘어왔다. 침대의 삐거덕거리는 소리, 젊은 여자의 신음 소리가 얇은 벽을 사이에 두고 청년이 사는 허름한 방 안으로 들려온 것이다. 청년은 벽 너머로 들려온 소리와 그럴수록 커져간 자신의 분노에 찬 절망을 유서에 세세히 묘사해 놓았다.

소리는 한 시간이 넘게 이어졌다. 자신이 감히 말 한마디 못 붙였던 아름다운 아가씨의 격정적인 신음 소리는 순수하고 외로웠던 청년의 마음에 일격을 가했고 청년의 절망감은 극대화되어 커튼줄을 빼 목을 매기에 이르렀다.

사망 확인을 마치고 청년의 방을 나서던 의사는 이상한 호기심이 생겨 옆집 아가씨의 방문을 두드려본다. 여러번 문을 두드려도 아무도 대답하지 않자 의사는 짐작한다. 사랑의 유희를 끝내고 달콤한 잠에 빠져들었구나. 혹은 두려움에 빠져 둘이 꼭 끌어안고 떨고 있을까? 그렇게 뒤돌아서려는데 아가씨의 방문을 열고 들어간 집주인이 꽥 소리를 지른다. 달려가 확인해보니 의사는 죽은 청년이 아가씨에 대해 완전히 오해했다는 것을 알게 된다.

아가씨의 방에는 몇 시간 전 비소 중독으로 고통스럽게 죽어간 여성이 있었다. 그리고 탁자 위에는 자신의 자살 동기를 분명하게 밝히는 유서가 놓여 있었는데, 그 동기란 것은 고통스러운 고독과 삶에 대한 총체적인 혐오감이었다. 이야기는 이렇게 끝이 난다.

살아가는 모든 이들에게 사랑과 따뜻함이 필요한 연초다. 어쩌면 벽이 있다는 것, 벽 너머에서 원치 않은 소리가 넘어온다는 것은 당신 곁에 누군가가 있다는 뜻일지도 모르겠다. 벽 너머에서 정말로 무슨 일이 일어나고 있는지 확인할 기회가 오기나 할까? 당신은 영원히 벽을 넘어갈 문을 찾지 못하고 그곳에서 들려오는 소리를 통해 타인을 짐작할 수밖에 없을지도 모른다.

　다만 할 수 있는 것은 그 벽을 마주했을 때 어떤 이야기를 만들 것인지다. 청년은 아가씨의 신음 소리를 듣고 있다고 생각했지만 사실은 그녀에 대해 쓰고 있었다. 벽 너머로 신음 소리가 들려올 때 당신이 만들어낼 이야기, 그럼으로써 당신을 살리거나 죽게 할 이야기란 어떤 것일까.[120]

11. 혁신

　'혁신'은 풍속, 관습, 조직, 방법 따위를 완전히 바꾸어서 새롭게 한다는 뜻이다. 긍정적인 결과를 얻은 '발명'만이 혁신으로 간주된다. 비슷한 단어로 '개혁'이나 '쇄신'을 떠올릴 수 있으나, '잘못된 묵은 것'을 버린다는 의미의 '쇄신'이나 '개혁'이 '과거의 잘못' 위에 두 발 딛고 있다 보니 '혁신'이 더 미래 지향적이다. 그래서 기술 분야에는 '혁신'이란 단어가 자주 붙는다. 혁신을 뜻하는 영어 단어인 '이노베이션'(innovation)은 기업의 사명부터 부서명까지 인기가 높다.

　미국소비자기술협회(CTA)가 주관하는 세계 최고 수준의 산업 기술 박람회인 시이에스(CES)는 해마다 최고의 제품을 선보인 기업에 '혁신상'을 준다. 세계를 선도할 혁신 기술과 제품에 주는 상으로, '시이에스 최고의 영예'로 불린다. 올해 행사는 9일부터 12일에 미국 라스베이거스에서 펼쳐지는데, 전세계 151개국에서 몰려든 3천여 기업이 열띤 경쟁을 벌인다.

　이 행사가 시작한 1967년부터 해마다 전시장에 등장한 '혁신'은 우리 삶을 바꿔왔다. 1967년 휴대용 트랜지스터라디오와 리모컨은 우리에게 라디오나 텔레비전 감상 중 움직임의 자유를 줬다. 1968년 컴퓨터 마우스의 등장으로 입력 장치의 신세계가 열렸고, 1970년 등장한 비디오카세트리코더(VCR)는 우리가 영화를 감상하고, 좋아하는 프로그램을 저장하는 방식을 크게 바꿨다. 특히 당시 필립스가 시이에스에서 선보인 브이시알 'N1500'은 가정용으로 크기를 줄이고 가격을 크게 낮춰 '비디오 시대'를 열었다.

　1981년 캠코더는 가족과 친구들의 추억 기록 방식을 바꿨다. 1982년 시이에스에 전시된 '코모도어64' 컴퓨터는 '개인용 컴퓨터'(PC) 시대를 열어젖혔다. 물론 우리 기억 속, 집 안에 컴퓨터가 '생긴' 사건은 대개 1990년대에 벌어졌지만 말이다. 1996년에는 '디지털 다목적 디스크'(DVD)가, 1998년에는 아날로그

전송 방식에서 벗어난 고화질(HD) TV가 등장해 위성 디지털 방송 시대가 열렸다.
이렇듯 기술의 혁신은 우리 삶의 풍경을 바꾼다. 오는 12일까지 라스베이거스
에서 펼쳐질 혁신의 향연은 또 이후의 삶에 큰 영향을 미칠 것이다. 행사장에 전
세계의 시선이 쏠려 있는 이유다.[121]

12. '조폭 마누라'를 찾아서

남자들은 크고 여자들은 작다. 생물학적 차이에서 비롯된 이 통념은 위계의 근
거이자 오래된 차별의 수단이었다. 초등학생 땐 남자, 여자 할 것 없이 모든 아이
들의 몸집이 고만고만했다. 오히려 남학생보다 성장이 빨라 키와 몸집이 큰 여학
생들이 적지 않았다. 나도 그중 한 명이었다. 5학년 때 키가 165㎝까지 자란 나는
비슷한 몸들 사이에서 우뚝 솟아 있었다. 덩치는 또래보다 큰데 2차 성징을 겪지
않은 여자아이의 삶. 남보다 커다란 몸에 대한 부끄러움 따위는 없는, 오직 빨리
자란 나의 몸이 자랑스럽기만 한 여자아이의 짧은 한때. 그 시기의 나는 '무
적'이었다.

남자애들은 여자애들을 괴롭혔다. 학기가 바뀌고, 학년이 바뀌고, 담임이 바뀌
고, 다니는 학교가 바뀌어도 저것만은 바뀌지 않았다. 어른들은 여학생들에게 그
것을 '호감의 표현'이라 일렀다. 지겨운 괴롭힘에 여자아이는 울고 남자아이는
멀리 도망간다. 바로 그 순간, '덩치 큰' 무적의 여자아이가 등장한다. 나는 긴
다리로 성큼성큼 뛰어 남자아이의 옷자락을 움켜쥐면서 말했다. "내가 하지 말
라고 했지." 이 얼마나 짜릿한 대사인가. 내 말이 곧 법이자 질서이니 하찮게 죄
를 묻지도 않겠다는 두목의 위엄. 반쯤 술래잡기처럼 까불대며 도망치던 놈들도

그 말 한마디에 몸을 늘어트린 채 항복을 외쳤으니 내가 서 있던 그곳이 바로 위계의 꼭대기였던 것이다…!

　그러나 세상은 나에게 '무적'이나 '두목'이란 타이틀을 허락하지 않았다. 그 무렵 전국 초등학교 교실에 있는 '두목 여학생'들은 의로움이나 파괴력의 정도와 관계없이 모두 '조폭 마누라'가 되는 비극을 겪었다. 모두 2001년에 개봉한 영화 〈조폭 마누라〉 때문이었다.

　'조폭'이면 '조폭'이지 '조폭 마누라'는 대체 무엇이란 말인가? '의적' 활동을 하며 애써 잡은 권위도 번번이 "조폭 마누라!"라는 빈정거림에 상하고 말았으니, 나의 명예를 더럽힌 그 영화를 내가 어찌 원망하지 않을 수 있겠는가? 내 머리엔 줄곧 〈야인시대〉(2002)의 사운드트랙이 흐르고, 내 심장은 '긴또깡' '시라소니' '쌍칼' '구마적' 같은 이름을 원하고 있는데 고작 '조폭 마누라'라니.

　은퇴한 종합격투기 선수 정찬성이 제작한 〈좀비 트립: 파이터를 찾아서〉에는 싸움 잘하기로 소문난 전국 각지의 '길거리 파이터'들이 등장한다. 200만, 300만 조회수를 기록한 이 콘텐츠 속엔 수많은 흥행 요인과 논란들이 있지만, 나는 그것을 분별해내기도 전에 참가자들의 별명 앞에서 먼저 무릎을 꿇는다. '인천 파쇄기' '순천 피바다' '신림동 수면제' '강릉 돌감자'…. 듣기만 해도 심장이 뛰는 엄청난 '파이터 네임'을 보라! 곧이어 이 무시무시한 남자들이 격투기 선수들과 스파링을 한다. 스텝으로 몸의 리듬을 만들고 주먹을 받으면 다시 주먹으로 되갚으면서.

　그러나 프로선수를 상대로 그런 게 쉽게 될 리가 있겠는가. 열에 아홉은 치명타를 맞고 어지럼증을 호소하며 싸움을 포기한다. 앞서 허세 가득한 무용담을 늘어놓던 얼굴은 온데간데없다.

　〈좀비 트립〉의 인기는 이렇게 모두 참가자의 허세와 위악에 대한 응징에서 비롯된다고 봐도 과언이 아니다. 나는 이름에 어울리지 않는 그들의 초라한 실력에 실망하지만 동시에 안도한다. 타고난 신체가 아니라 오직 훈련된 정신만이 진짜 힘을 얻는다. 그리고 진짜 힘을 가진 자만이 힘의 허망한 속성을 안다. 아무리 거창한 이름을 붙인다 한들 컨트롤하지 못한 힘은 어설픈 위악에 불과하며 이것이 위계를 결정짓는 수단이 될 수 없다는 것을. 그래서 나 '조폭 마누라'는 중학생 때 은퇴한 '주먹의 세계'로 다시 돌아가고자 한다. 진정한 힘을 길러 더 이상 '시라소니' 같은 이름을 부러워하지 않기 위해. 일단 줄넘기부터 시작하리.[122]

13. 어떤 동행

지난 연말 서울시가 재정을 투입해 만든 일자리에 종사하던 수백 명 노동자들이 파업에 들어갔다. 서울시가 예산을 편성하지 않는 방식으로 사업 자체를 폐기함으로써 정리해고를 단행했기 때문이다. 노동자들은 파업에 돌입했고 복직을 요구하는 투쟁을 벌이고 있다.

정리해고, 파업, 복직 투쟁. 비극적이기는 하지만 흔히 들을 수 있는 뉴스이다. 그런데 이번 사태와 관련해서는 이 흔한 뉴스를 그대로 전하는 언론이 거의 없다. 기사에는 정리해고도, 파업도, 복직 투쟁도 없다. 간혹 이 말들을 쓰는 경우에도 당사자들이 그렇게 주장한다는 식이다. 이들이 엄연한 임금노동자이고, 정리해고가 된 것, 파업에 돌입한 것, 복직 투쟁에 나선 것이 모두 사실임에도 그렇다. 이는 이들이 중증장애인이라는 사실과 무관치 않을 것이다. 중증장애인이 무슨 노동을 하느냐는 생각이 밑바닥에 깔려 있기에 해고가 해고로 보이지 않고 파업이 파업으로 보이지 않는 것이다.

사실 서울시가 이번에 폐지한 '권리중심 중증장애인 맞춤형 공공일자리' 사업은 발상부터 획기적인 것이었다. 사업명이 의미를 잘 반영하고 있다. '권리중심'이라는 말은 이 사업이 장애인을 '대상'으로 한 복지시책이 아니라 장애인이 '주체'로서 행사하는 '권리'임을 밝힌 것이다. '중증장애인 맞춤형'이라는 말은 이것이 중증장애인이 잘할 수 있고 중증장애인만이 잘할 수 있는 일임을 나타낸다. 여기에는 비장애인 중심으로 맞춰진 우리 노동 개념 자체를 깨뜨리자는 뜻도 담겨 있다. 또 '공공일자리'라는 말엔 공공기관이 창출한 일자리라는 것만이 아니라 이 노동의 공적 성격을 인정한다는 뜻도 들어 있다. 이 노동이 사적 이윤을 발생시키지는 않지만 공공의 가치, 이를테면 우리 사회를 더욱 다양하고 참여적이며 인권친화적인 사회로 만든다는 걸 인정하는 것이다. 이 사업에서 중증장애인들은 인권차별을 증언하는 '장애인 인식 개선 강사', 장애인을 차별하는 각종 장벽들에 대해 시정을 촉구하는 '권익옹호 활동가', 자신들만의 노래와 몸짓을 표현하는 '문화예술가' 등으로 활약해왔다.

이 사업에 참여했던 조상지씨는 국회에서 이렇게 증언했다. "일을 하면서 나도 사회에서 필요한 사람이라는 생각이 들어 자신감을 갖게 되었고, 세상에 태어난 의미를 찾게 되었습니다." 그는 이날 못다 한 증언을 잡지에 기고하기도 했다. 그는 장애인 자식을 낳았다며 가슴앓이를 하던 엄마가 이제는 친구나 친척들에게 자신을 자랑하고 다닌다고 썼다. 첫 월급을 드리던 날, "너 죽은 후에 내가 죽어야 하는데"를 되뇌던 엄마는 "너는 오래오래 재밌게 살다가 오라"고 했다. 그가 얼마나 기쁜 표정을 지었을지 상상이 된다. 어쩌면 더 이전이었을지도 모르겠다. 그는 인권 강의를 하면서 자신이 세상을 더 낫게 만들고 있다고 느꼈을 것이고, 그런 자기 존재의 소중함도 느꼈을 것이다. 가치를 생산하는 자는 무엇보다 먼저 자기 자신을 가치 있는 자로 생산한다. 그런 존재는 타인 앞에서 빛난다.

그런데 서울시는 이 사업을 폐지하고 '장애유형 맞춤형 특화일자리' 사업이라는 것을 제시했다. 말은 첨단이다. 청각장애인에게는 예민한 감각을 활용하는 '인공지능데이터 라벨러', 근육장애인에게는 '불법 저작권 침해 콘텐츠 모니터링' 직무를 맡긴다고 한다. 지체장애인은 스포츠센터 같은 곳에서 라커 키 나눠주기와 수건 정리 등 보조업무를, 발달장애인은 택배 물품 상하차 보조업무를 한다. 장애인 인권을 개선하라며 손팻말 들고 시끄럽게 굴거나, 불협화음에 알아들을 수도 없는 소리를 질러대는 공연보다는 이런 것들이 일다운 일이라는 것이다.

'인공지능' '스포츠센터' 같은 폼 나는 말에 속으면 안 된다. 핵심은 거기 붙어 있는 '보조'라는 말에 있다. '스포츠센터'에서 일하는 건 맞지만, 거기서 하는 일은 '라커 키 나눠주기'인 것이다. 말하자면 비장애인들이 하는 일 중 중요하지 않은 몇 가지 일을 떼어주는 식이다. 장애인이니까 하는 심정으로 눈감아주고, 그 정도면 잘한 거라고 박수 쳐주는 일들, 중증장애인들로 하여금 끊임없이 자신이 못난 존재임을 확인케 하는 일들 말이다. 이마저도 내가 아는 중증장애인들 대부분은 잘 해낼 수가 없다. 그런데도 서울시는 보도자료까지 뿌리며 이것이 시정 목표인 '약자와의 동행'을 실현한 거라고 자랑한다.

과연 중증장애인들과 동료로서 산다는 건 어떤 것일까. 그들을 우리 곁의 소중한 존재로 느끼는 것은 언제일까. 스포츠센터 입구에서 라커 키를 나눠줄 때일까,

상지씨처럼 "욕실로 기어가 바닥에 있는 물을 핥아 먹었던" 시설 경험을 들려주며 우리 사회의 인권 상황에 대해 말할 때일까. 아마도 서울시의 국어사전에는 '동행'의 뜻이 '함께 간다'가 아니라 '데리고 다닌다'로 적혀 있는 것 같다.[123]

14. 고통도, 갈등도 없는 유토피아는 없다

"부족함 없이 환락만 누리면 행복할까. 인간은 '고통의 의미' 알 때 행복 느껴"

고통도, 갈등도 없는 유토피아는 없다이른바 유토피아라고 한다. 아무런 부족함도 고통도 갈등도 없는, 오직 지복(至福)으로만 가득한 세계가 있을까? 상상이기는 하지만, 오감에 쾌락을 안겨주는 가상현실 체험기계가 발달해서 만인의 행복을 의무화하는 국가가 국민에게 평생토록 이 기계에 접속해 있으라고 명령한다면 따를 것인가? 다시 현실로 돌아와서 나날을 아무런 부족함 없이 여유와 환락을 누리면서 살 수만 있다면 과연 행복할까?

미국 예일대 심리학 교수인 폴 블룸은 《스위트 스폿(The Sweet Spot)》에서 단연코 "아니다"라고 말한다. 고통이야말로 인간 행복의 필수불가결한 조건이기 때문이다. 사람이라면 어디서나 겪을 수밖에 없는 중노동, 부상, 질병, 핍박, 파산, 싸움, 이별과 그로부터 오는 온갖 심신의 고통, 분노, 좌절, 슬픔. 어쨌든 한결같이 피하고 싶은 것들이다. 맞다. 하지만 이를 나쁜 것이라고 무조건 부정하기 전에 이 모든 고통이 지니는 의미를 이해하고 그 긍정적 효과를 수용해야 할 필요가 있다.

고통과 행복감은 대립하는 것이 아니라 함께 다닐 수밖에 없는 필연적인 상보현상이다.

제러미 벤담과 한계효용학파 이후 경제학자들은 효용주의 내지 쾌락주의의 틀로 이 모든 행동을 설명한다. 하지만 그들이 행복 일변도를 말하는 것은 아니며, 이면에 반드시 고통이라는 대가가 있어야 한다는 사실을 강조한다. 이른바 공짜점심은 없다는 금언이 이를 표현한다.

그러나 이 고통은 어디까지나 감내할 수 있는 수준의 고통이어야만 한다. 사람들이 미래의 효용을 얻기 위해 현재의 고통을 감내하는 것은 기대가 있기 때문이다. 고통스런 불가마에 기꺼이 들어가는 이유는 몇 분 뒤에 나올 수 있다는 예상이 있기 때문이다. 개인이 갇혀서 나올 기약이 없게 되는 끔찍한 일은 말할 것도 없고, 더 나아가 다수가 겪는 비선택적 고통으로서 몰살, 기근, 전쟁 같은 상황에 이르는 일은 어쨌든 피해야 할 것이다. 대신에 우리가 허용해야 할 것은 선택적 고통(chosen sufferings)이다.

인간으로 하여금 선택적 고통을 기꺼이 감내하도록 이끄는 동기는 고통에 대한 보상으로서 효용에만 있는 것은 아니다. 거기에는 순수한 도덕, 그리고 삶의 의미와 목적이라는 동기도 개입한다. 부모가 그 힘든 고통을 감내하면서 자식을 키우는 일, 이웃과 공동체를 위해 자신의 안위를 돌보지 않는 일, 오지에서 험난을 무릅쓰고 봉사하는 전문가들, 연구자나 예술가가 남들이 별로 알아주지도 않는 힘겨운 작업에 매진하는 일. 여기에 경제적 보상에 대한 기대나 진화생물학의 번식 동기 같은 게 전혀 없는 것은 아니지만, 단지 그것만은 아니다.

유토피아가 정말로 온다면 그것은 아무리 좋게 봐도 지루한 세계에 불과할 것이다. 지루하다는 것은 진정한 즐거움도, 삶의 의미도, 도덕도 사라져버렸다는 것을 의미한다. 지루함은 정신을 각성시키지도 삶의 의미를 부각시키지도 못한다. 그 역할을 하는 것은 오직 힘겨움과 고통이 뒷받침되는 삶밖에 없다.

정치인들은 언제나 만인이 행복한, 살기 좋은 세상을 만들겠다고 외치지만 사실 그런 세상은 올 수가 없고 와서도 안 된다. 영화 '매트릭스'에서 스미스 요원은 모피어스에게 이렇게 말했다. "매트릭스는 애초에 아무런 고통도 없고 행복만으로 가득한 완벽한 인간 세상을 만들려고 설계된 것이다. 그러나 이야말로 대재앙이 되고 말았다. 인간은 원래 비참과 고통을 통해 현실을 정의하도록 되어 있는 존재다. 완벽한 세상이란 인간의 뇌가 이따금씩 일으키는 꿈에 불과하다."

고통이 충분히 허용되는 사회를 받아들여야 할 이유가 여기에 있다. 모든 혁신과 개선이 바로 이런 상태에서 나오기 때문이다. 하지만 도처에서 일어나는 모든 소소한 사회적 고통 비용을 단박에 없애겠다고 성급한 법 제정, 처벌, 보조금 등으로 막으려 한다면 예상치 않은 끔찍한 지옥을 맞이할 가능성이 더 크다. 어느 정도까지는 그냥 당사자들이 감내하도록 놓아두는 게 낫다. 그때 사람들은 스스로 해결책을 찾고 그 앞에 또 다른 새로운 길들이 하나씩 열릴 것이니 말이다.[124]

15. 음모론과 가짜뉴스

음모론과 가짜뉴스가 판치는 세상이다. 몇 가지 예를 들어보자. 이재명 더불어민주당 대표의 피습 사건은 민주당원이 휘두른 나무젓가락에 목이 세게 눌린 자작극이다. 유명 연예인들에 대한 마약 의혹 수사는 윤석열 정부의 실정을 덮기 위한 공작이다. 문재인 전 대통령은 북한 공산당이 내려보낸 고정간첩이다. 박근혜 후보가 당선된 2012년 대선은 투표지 분류기를 조작한 부정선거다.

안타깝게도 괴담, 악성 루머, 가짜뉴스는 전 세계를 어지럽힌다. 다시 예를 들자. 코로나19 백신은 빌 게이츠가 사람들에게 마이크로칩을 몰래 심어서 조종하려는 술책이다. 미국 민주당은 워싱턴DC의 피자가게 지하에서 아동 성매매 조직을 운영한다. 9·11 테러는 미국 정부가 저지른 내부 소행이다. 인간의 활동으로 인한 지구온난화는 허구다. 지구는 공 모양이 아니라 평평하다.

왜 사람들은 이처럼 터무니없는 유언비어에 휘둘릴까? 흔히 우리가 생각하는 '정답'은 이렇다. 대중은 본래 어리석어서 남의 말에 잘 속아 넘어가기 때문이다. 영화 〈내부자들〉에서 배우 백윤식이 말한 명대사가 있다. "어차피 대중은 개, 돼지입니다. (중략) 적당히 짖어대다가 알아서 조용해질 겁니다." 대중은 우매해서 (물론 자신만 빼고) 남의 말을 너무 쉽게 믿는 경향이 있다는 설명은 오랫동안 인지심리학과 사회심리학에서 폭넓게 받아들여졌다. 이를테면, 길이가 다른 세 선분 가운데 주어진 선분과 길이가 같은 것을 고르는 쉬운 문제를 줬을 때, 다수가 먼저 특정한 오답을 고르면 참여자는 눈을 멀뚱히 뜬 채 엉터리 오답을 그대로 따른다는 동조 실험이 유명하다.

그러나 '대중은 원래 잘 속아 넘어간다'는 일반적인 통념은 틀렸다. 장구한 인류의 진화 역사를 보면, 남이 하는 말이라면 무턱대고 참말로 믿었던 조상은 성공적으로 자손을 남기지 못했다. 호구로 찍혀서 남들에게 실컷 이용만 당했을 것이기 때문이다. 우리는 주변 사람들로부터 자신의 번식에 도움이 될 만한 양질의 정보를 잘 골라내고, 미심쩍은 저질 정보는 피했던 조상의 직계 후손이다(외부의 실재를 100% 정확하게 반영하는 정보가 아니라, 먼 조상의 번식을 높였던 정보임에 유의하자). 대중은 우매하다는 연구 결과들은 대부분 과장되었다. 정치 선동가, 설교자, 광고 기획자, 선거운동원 등 실생활에서 일반 대중을 설득하려 애쓰는 사람들은 거의 언제나 폭삭 망한다.

진화적 시각을 따르면, 대중은 별로 어리석지 않다. 이는 첫머리에 제기한 문제를 더 풀기 어렵게 한다. 왜 남의 말에 잘 설득되지 않는다는 사람들이 한편으로는 음모론과 가짜뉴스에 빠져드는가?

첫째, 앞으로 닥칠 위협과 관련된 정보는 우리의 마음에 설치된 방호벽의 높이를 낮추어 마음속에 들어온다. 인류의 조상은 살면서 포식동물, 전투, 자연재해, 전염병, 독소 등 수많은 위협과 맞닥뜨렸다. 조심해서 나쁠 건 없다. 죽고 나서 후회하지 말고 지나치게 조심하자. 특히 '복어알을 먹으면 죽는다'처럼 치명적인 위협에 대한 경고는 복어알을 직접 먹고 그 진위를 시험할 수도 없다. 그저 믿고 따를 수밖에 없다. '코로나 백신을 맞으면 죽는다'처럼, 대다수 괴담과 가짜뉴스는 당장 행동하지 않으면 커다란 재앙이 벌어지리라고 경고한다. 야당 대표가 칼에 찔렸다는 자작극을 능숙히 연출할 정도로 거대한 악의 세력이 있음이 분명한데, 애국 시민이 분연히 나서야 하지 않겠는가(노파심에서 덧붙이면, 이 문장은 내 생각이 아니다)?

둘째, 마음속에 들어온 어떤 믿음은 자신이 현재 소속된 집단에 얼마나 헌신하고 있는지 동료들에게 알리는 '충성의 배지'가 되기 때문에 구성원들 사이에 전파된다. 인간은 공동의 목표 달성을 위해 한 팀을 이뤄 경쟁 팀을 물리치려는 연합 심리를 진화시켰다. 좌우 정파, 직장 내 파벌, 조기 축구팀, 중·고교 일진, 교전 당사국 등이 그 예다.

내가 우리 부족에 정말 충성하고 있음을 입증할 방법은 무엇일까? 한 가지 방책은 터무니없고 비합리적이어서 오직 부족 내에서만 통용되는 견해를 선뜻 받아들이는 것이다. 누군가 '지구가 평평하다'고 당당하게 주장한다면 대다수 외부인에게 웃음거리가 되기 쉽다. 하지만 평평한 지구 학회의 구성원들 사이에서는 충성스러운 회원으로 인정받아 지위가 높아진다. 극단적인 믿음일수록 오히려 부족에 대한 충성을 더 효과적으로 알리는 신호가 된다는 사실은 우리에게 서늘한 경각심을 일깨운다. 음모론과 가짜뉴스에 어떻게 대처해야 좋을지는 다음에 이야기하자.[125]

16. 정말 두려워해야 할 것들

바야흐로 정치의 계절이 다가왔다. 대한 추위가 무섭지만 정치권은 뜨겁기 이를 데 없다. 거대 양당의 틀 안에서 달음질하는 이들도 있고, 새로운 정치를 표방하며 판을 다시 짜느라 이합집산하는 이들도 있다. 출사표를 낸 이들은 저마다 경세가를 자처한다. 좋은 세상을 만들려는 순정한 마음으로 나선 이들도 있고, 허망한 열정에 들떠 나서는 이들도 있다. 유권자들의 분별력이 그 어느 때보다 요구되는 상황이다.

박석무 선생의 〈다산의 마음을 찾아〉를 읽다가 우리 시대를 비춰주는 것 같은 한 대목과 만났다. 다산은 퇴계가 제자 이중구에게 보낸 편지의 한 구절에 주목한다. 퇴계는 '세상이 나를 알아주지 못한다'고 한탄하는 사람들을 보며 그런 탄식이 자기에게도 있다고 고백한다. "나의 경우는 학문이나 능력이 텅텅 빈 사람인데도 그런 줄을 알아차리지 못함에 대한 탄식이라네." 대학자의 겸허한 자기반성이다. 다산은 그런 퇴계의 글을 읽다가 문득 두려움을 느낀다. 그는 자기 재능이 부족하다고 느끼는데 사람들은 도리어 그의 '기억력이 뛰어나다'고 칭찬했기 때문이다. "이런 말을 들을 때마다 모르는 사이에 땀이 나고 송구스럽다. 이를 태연히 인정하여 남들이 속아줌을 즐기다가 진짜 큰일을 맡기는 경우 군색하고 답답함에 몸 둘 곳이 없을 터이니 매우 두려운 일이다." 성경의 한 지혜자도 같은 취지의 말을 했다. "은금의 순도는 불에 넣어 보면 알 수 있고, 사람의 순수함은 조금만 이름이 나면 알 수 있다." 무서운 말이다. 자기가 한 일보다 더 높은 평가를 받는 사람은 불행하다. 그 평가는 언제든 냉혹한 적대감으로 변할 수 있기 때문이다.

사람들은 저마다 자기 능력을 과시적으로 드러내려 한다. 은인자중하는 이들은 비존재 취급을 받는 세상이기 때문이다. 정치의 장에선 특히 사람들의 시선을 끌기 위해 자극적이고 서슬 퍼런 언어를 함부로 사용하는 이들이 많다. 최소한의 품격이나 역사의식조차 못 갖춘 이들이 사람들의 눈과 귀를 어지럽히는 일이 다반사다. 품성이 모질지 못해 말을 조심스럽게 하는 이들은 대중의 시선을 받지 못한다. 흉기가 된 말들이 세상을 떠돈다. 무심히 지나던 이들도 그 말에 찔려 상처를 입기도 한다. 우리 가슴엔 그런 말들에 베인 자국이 무수히 많다. 상처의 기억이 누적될수록 마음의 여백과 정신의 회복탄력성은 점점 줄어든다. 조그마한 차이도 용납하지 못하는 것은 그 때문이다.

플라톤의 철인왕까지는 기대하지 못한다 해도 인문적 교양을 갖춘 이들이 국민의 대표가 되었으면 좋겠다. 복잡하고 다양한 인간의 실상을 깊이 통찰하고, 주변화된 이들의 소리를 귀담아듣고, 역사가 지향해야 할 방향에 대한 분명한 입장을 가진 사람이 필요한 시대다. 그는 또한 우리 시대가 직면한 다양한 위기를 직시하고 그 위기를 헤쳐 나갈 실천적 지혜를 갖추기 위해 부단히 노력하는 사람이어야 한다. 그의 사고는 유연해야 하고, 인간 존중이 그의 심성 가장 깊은 곳에 자리해야 한다. 다른 사람들을 깎아내리는 것으로 자기 존립 근거를 삼으려는 사람들, 버럭버럭 피새를 부려 다른 이들의 입을 막아버리는 사람들이 역사의 무대에 오른다면 역사는 퇴행하게 마련이다.

막스 베버는 〈소명으로서의 정치〉에서 정치에 대한 소명을 가진 사람은 희망의 좌절까지도 견뎌낼 수 있을 정도의 의지를 갖추어야 한다고 말한다. "자신이 제공하려는 것에 비해 세상이 너무나 어리석고 비열하게 보일지라도 이에 좌절하지 않을 자신이 있는 사람, 그리고 그 어떤 상황에 대해서도 '그럼에도 불구하고'라고 말할 수 있는 사람"이 절실히 필요한 시대이다. 이런 책임 정치를 하려는 이들이 많아져야 한다.

정치는 어지럽고 경제는 어렵고 남북관계는 악화일로다. 기후위기는 이제 징후를 넘어 일상적 현실이 되었다. 머리를 맞대고 지혜를 짜내어도 난마처럼 얽힌 현실의 실타래를 풀기 어렵다. 오만하고 무지하고 무정하고 남의 소리를 겸허하게 들을 생각이 없는 이들에게 우리 주권을 맡기는 것은 섶을 지고 불 속에 뛰어드는 일과 다를 바 없다. 두려운 일이다.[126)]

17. 오디션과 이데올로기

한국 사람들은 정말 노래를 좋아하는 듯하다. 방송 채널을 이리저리 돌리다 보면 흔히 보는 게 가수 오디션이다. 게다가 다 죽어가던 어떤 보수 방송의 연예 분야가 트로트 가수 오디션을 통해서 기사회생하자 그에 질세라 몇몇 방송들이 기를 쓰고 흉내를 내고 있다. 이런저런 음악 오디션에 참가를 신청하는 사람들이 몇십만명을 넘어선다니 애청자들까지 합치면 한국인들 몇백만명이 가수 뽑기에 몰입하고 있는 셈이다. 하기야 6·25전쟁 때도 남북한 군인들이 낮에는 목숨을 걸고 싸우다가도 밤이면 맹렬하게 가무를 즐겼다는 증언을 접한 적이 있다.

그런데 침착하게 생각해보면 이런 현상이 과연 단순히 노래 사랑, 가수에 대한 열광에 그치는 것일까 하는 질문, 또한 이런 몰입에 신나는 박수만을 쳐야만 하는가에 대한 의문이 생긴다.

음악 오디션은 학맥, 인맥, 정치적 사회적 '빽'과는 거리가 먼 것처럼 보인다. 실제로 심사에 참여하는 뮤지션들은 공정하게 심사하려 하고 애청자들도 주관적 취향에 따라 선호하는 가수가 다르긴 하지만 최종 결과를 놓고 시비를 심하게 걸지는 않는다. 오디션이 나름대로 공정성을 확보하고 있기 때문이다. 그렇다면 뭐가 문제일까?

가수 오디션은 사람들에게 한국 사회의 치열한 경쟁을 통한 성공 혹은 실패가 개인의 실력이나 노력의 문제라는 인식을 심어주는 경향이 있다. 이를 통해 사람들은 음악을 넘어서 전체 사회적 차원에서도 '무한경쟁'을 불가피한 것으로 인식하고 그 결과에 대해서도 대체로 승복하게 된다. 오디션이나 신문 박스 기사에 자주 등장하는 드라마틱한 '성공 신화'는 초점을 개인에 맞추고 사회경제구조나 제도의 문제를 전혀 건드리지 않는다. 이런 현상은 기득권을 가진 엘리트 및 사회상층부의 지배와 권력 독점이 정당한 것이라는 암시를 끊임없이 생산/재생산

한다. 최근 몇년 유행하는 개념을 빌리면 '능력주의(meritocracy)'가 한국 사회에서 강고하게 자리를 잡았다는 증거다. 한 개인의 성공은 그 사람의 부단한 노력의 결과라고 보는 사고방식 말이다.

최근 극성을 떠는 학벌에 대한 과도한 집착도 어떻게 보면 이러한 능력주의의 한 모습이다. 최상위 대학교에 들어간 사람들은 그럴 만한 이유가 다 있고 그들의 '승리'는 부단한 노력의 당연한 결과라는 인식 말이다. 머리 좋고 공부 열심히 한 사람은 유명대에 들어가고 그렇게 하지 않은 사람은 별로 알아주지 않는 대학에 갈 수밖에 없다는 게 상식으로 자리잡고 있다.

하지만 '능력'이란 무엇인가? 냉정하게 해부해보면 그것은 부모(요즘은 조부모들까지 포함)가 제공하는 경제적, 사회적, 문화적 자본과 밀접한 관계가 있다. 돈, 네트워크(연줄), 문화적 소양이 뒷받침되는 사람과 그것이 극심하게 부족한 사람 간의 격차는 불을 보듯 뻔하다. 능력주의를 신봉하는 사람들은 '기회의 평등'이라는 말을 쉽게 쓴다. 출발선이 같으니 평등하고 따라서 결과는 정당하다고 생각한다. 하지만 한쪽은 최신식 운동화, 전문가의 체계적인 지도로 무장되어 있고 다른 한쪽은 맨발에 아무런 조언이나 사전 트레이닝 없이 달리기 시합을 한다고 가정해보자. 누가 이길까? 답은 뻔하다. 하지만 우리는 그것을 조건보다는 노력과 재능의 문제로 오인하면서 승리와 패배에 정당성을 부여한다. 세습보다는 능력을 우선시한다는 점에서 능력주의를 좀 더 나은 현상으로 간주하지만, 사실은 능력 안에는 이미 세습적 요소가 들어 있다. 가장 큰 문제는 우리는 이미 능력주의라는 이데올로기를 상당히 내면화하고 있어 세속적으로 성공한 사람들이 누리는 특권과 지배를 당연시하는 경향이 있다는 점이다(한 예로 국회의원을 자유롭고 자발적으로 선출하는 선거 경쟁에서도 사람들은 '명문대' 출신을 매우 선호한다. 높은 수능 및 내신 점수와 정치인의 유능함과는 별 인과관계가 성립하지 않는데도 말이다. 참고로 21대 국회의원 중 SKY 출신 비율은 37%, 20대 국회에서는 SKY 비율이 47.3%!).

가수 오디션은 그 자체로는 죄가 없다. 물론 과도한 경쟁 속으로 참가자를 몰아넣어 시청률을 높이려는 전략은 문제가 있다. 예술 관련 오디션에서는 다른 분야보다 '재능'이나 '끼'가 상대적으로 더 중요한 것을 모르지 않는다. 특히 가수 오디션과 일반 분야에서의 사회적 경쟁은 성격이 아주 다르다. 하지만 우리가 음악계가 아니라 한국 정치/사회까지 오디션이라는 프레임으로 바라본다면 특정 집단의 부당한 지배를 벗어나기 힘들고 엘리트들이 누리는 특권 구조는 은폐되기 마련이다.[127]

18. 중대재해기업처벌법을 둘러싼 역학 관계

1994년 이후 통계가 제공되는 2016년까지 23년 동안 경제협력개발기구(OECD) 국가 중 대한민국의 산재사망률은 21번이나 1위를 차지했다.

기업이 안전보건 조처를 제대로 하지 않아 노동자가 사망했을 경우 사업주가 받는 처벌이 편의점 사장이 청소년에게 담배를 팔다 걸려서 받는 처벌보다 미약하다면 어느 사업주가 노동자 안전보건에 신경을 쓰겠는가?

2018년 12월 국회에서 통과된 산업안전보건법을 우리는 '김용균법'이라고 부른다. 2018년 12월 충남 태안 화력발전소에서 하청회사 소속 비정규직 노동자 김용균씨가 홀로 밤샘 근무를 하다가 숨진 사건이 산업안전보건법 개정 논의를 촉발시켰기 때문이다. "28년 만의 대폭 개정"이라는 언론의 찬사를 받으며 떠들썩하게 국회를 통과했지만 다 아는 것처럼 "김용균 없는 김용균법"이 되고 말았다.

이보다 앞서 2016년 서울 지하철 구의역에서 홀로 스크린도어를 수리하다가 숨진 '구의역 김군 사건'(아직도 우리는 그이의 이름을 감히 입에 올리지 못한 채 '김군'이라고만 부른다)도 김용균씨 사건과 함께 법 개정의 필요성을 상징하는 사건으로 자주 거론됐다.

"위험의 외주화 금지" 또는 "죽음의 외주화 금지"가 당시 산업안전보건법 대폭 개정의 필요성을 나타내는 표현이었다. 민주노총 공공운수노조에 따르면 2012~16년 동안 5개 발전회사에서 발생한 산업재해 346건 중 하청 노동자가 당한 것이 337건으로 전체의 97.4%를 차지했다. 하청 단계를 거칠수록 책임 소재가 불분명해질 수밖에 없으므로 위험한 작업은 아예 하청회사에 도급을 주지 못하도록 하자는 것이 당시 법 개정의 가장 중요한 화두였다.

그럼에도 어떻게 김용균씨가 담당했던 전기사업 설비 운전 및 점검·정비·긴급복구 업무와 구의역 사건의 김군이 담당했던 궤도 사업장의 점검 및 설비 보수 작업이 도급 제한은커녕 도급 승인 대상에서조차 빠져 버리는 황당한 일이 벌어질 수 있었을까? 노동자들이 도급을 엄격하게 제한해야 한다고 주장했던 많은 사업들이 도급 제한 대상에 포함되지 않았다.

지난 4월, 한익스프레스 이천 물류센터 신축 현장에서 화재가 발생해 노동자 38명이 숨지고 현대중공업에서 일주일 새 2건의 끼임 사망사고가 발생하는 등 올해에만 벌써 5명의 노동자가 안타깝게 목숨을 잃은 것 등은 바로 그 혹독한 대가를 지금 노동자들이 치르고 있다는 증거다.

이러한 일들이 과거 이명박·박근혜 정부에서 벌어졌다면 모르되 '김용균법'이나 관계 법령 제정은 모두 문재인 정부 아래에서 추진된 일이다. 문재인 정부의 좋은 뜻이 보수 야당의 격렬한 반대에 부딪혀 좌절된 것처럼 알고 있는 사람들이 많지만 꼭 그렇지는 않다. 정부 안에서도 반대하는 세력이 만만치 않게 있었다. 노동부에서 마련한 '노동부안'이 국무회의를 통과한 '정부안'이 되면서 노동자 보호 조처가 축소됐고 국회 환경노동위원회에서 통과된 '국회안'은 '정부안'보다 더 후퇴한 내용이었다.

정부 내각 구성을 보자. 기획재정부·산업통상자원부·국토교통부·중소벤처기업부·과학기술정보통신부·농림축산식품부·해양수산부 등은 기업의 입장을 대변할 때가 많다. 노동자와 서민의 입장을 대변하는 부처는 고용노동부·보건복지부 정도뿐이다. 기업의 눈치를 살피는 정치인·관료의 수가 노동자와 서민의 눈치를 살피는 정치인·관료의 수를 압도할 만큼 많다는 뜻이다.

여당이 국회 내에서 과반수를 차지하고 있다는 것은 정부 여당이 더 이상 이쪽저쪽 눈치 보지 않고 소신껏 정책을 밀어붙일 수 있는 상황이 됐다는 뜻이기도 하다. 정부 여당 내에 노동자와 서민의 눈치를 살피는 사람들보다 기업의 눈치를 살피는 사람이 훨씬 더 많다면 그 소신껏 밀어붙이는 정책들이 과연 누구를 위한 것일지 쉽게 짐작할 수 있다. 대통령의 선택과 결단이 중요한 영향을 끼칠 수밖에 없는 상황이다.

나라마다 통계 산출 방법 등이 달라 단순 비교하는 것에 주의가 필요하다는 것을 고려해도 "대한민국은 세계 최악의 노동재해 국가"라는 표현은 과장이 아니다. 1994년 이후 통계가 제공되는 2016년까지 23년 동안 경제협력개발기구(OECD) 국가 중 대한민국의 산재사망률은 21번이나 1위를 차지했다. 2015년 10만명당 노동재해 사망자 수가 영국은 0.4명인 데 반해 한국은 10.1명이었다. 한국 노동자는 일 때문에 사망할 확률이 영국 노동자보다 25배나 더 높다는 뜻이다. 영국과 한국의 분명한 차이 중 하나는 중대재해기업처벌법이 있는 나라와 없는 나라라는 것이다. 매년 2천명 이상이 노동재해로 사망하는 현실을 개선하기 위해서는 노동자의 안전보건을 지키지 않는 사업주에게는 사업 운영에 막대한 지장을 받을 수밖에 없도록 강력한 처벌을 하는 것이 가능해야 한다. 기업이 안전보건 조처를 제대로 하지 않아 노동자가 사망했을 경우 사업주가 받는 처벌이 편의점 사장이 청소년에게 담배를 팔다 걸려서 받는 처벌보다 미약하다면 어느 사업주가 노동자 안전보건에 신경을 쓰겠는가?[128]

19. "건축은 공공재, 개인은 사용권만 가질 뿐"

승효상(69) '이로재' 대표는 한국에서 가장 유명한 건축가로 손꼽힌다. 건축가협회상, 김수근문화상 건축상, 대한민국 문화예술상 등 건축 분야의 굵직한 상을 휩쓸었고, 2002년 건축가로는 최초로 국립현대미술관이 주관하는 '올해의 작가'에 선정됐다. 2008년 베니스비엔날레 한국관 커미셔너, 2011년 광주디자인비엔날레 총감독, 2014~2016년 서울시 초대 총괄건축가, 2018~2020년 국가건축정책위원회 위원장 등을 역임했다.

승 대표가 설계한 '작품' 가운데 상당수는 대중에게도 친숙하다. 유홍준 전 문화재청장 집 '수졸당'(1992)을 비롯해 '웰콤시티 사옥'(2000), '고(故) 노무현 전 대통령 묘역'(2009), '하양 무학로교회'(2018), '사유원 명정'(2019)에 이르기까지 대표작만 꼽기에도 숨이 찰 정도다.

최근 여기 추가할 만한 건축이 하나 더 생겼다. 4월 경남 고성군에 완공된 빈민운동가 고(故) 제정구(1944~1999) 선생 기념관이다. '제정구 커뮤니티센터'로 명명된 이 건물은 9월 초 '2021 한국건축문화대상' 사회공공부문 대상작으로 선정됐다. 승 대표는 소감을 묻는 질문에 "나이가 들어도 상을 받는 건 여전히 기쁘더라"며 너털웃음을 지었다.

그와 마주 앉아 대화를 나눈 곳은 서울 동숭동 나지막한 언덕 위에 있는 '이로재'다. 승 대표의 자택 겸 건축사무소인 이 건물은 2002년 완공 당시 우리나라 최초로 내후성 강판(코르텐 스틸)을 외장재로 사용해 화제가 됐다. 내후성 강판은 승 대표가 노무현 전 대통령 묘역에도 쓴 재료다. 시간이 흐를수록 표면이 부식되며 색이 달라지는 게 특징이다. 검은색으로 출발한 '이로재' 외벽은 차츰 붉은색으로 변해가다 이제는 암적색이 됐다. 승 대표는 "기억을 담기에 이만한 소재가 없다"고 했다. 문득 그가 2012년 펴낸 책 '오래된 것들은 다 아름답다'의 한 대목이 떠올랐다.

"모든 도시와 건축은 사라지게 마련이다. 세운 자의 영광을 나타내기 위해 아무리 튼튼하게 지었다고 해도 중력의 힘에 의해 건축과 도시는 반드시 무너지고 만다. 때로는 경제적 이유로 붕괴되고, 더러는 자연재해로 혹은 테러나 사고로 모두 무너져 결국은 땅의 표면 위에 가라앉아 사라지고 만다. 영원한 것은 우리가 같이 그곳에 있었다는 사실이며 그 기억만이 진실한 것이다."

수많은 건물이 저마다 웅장함, 화려함, 독특함을 뽐내려 하는 현대 도시에서 승 대표는 이렇게 "그 이후의 기억"에 주목해 온 건축가다. "진짜 좋은 건축물은 잘 보이지 않는다"라는 건축관을 지키며 도심에서 조금 비켜난 골목길 속, 빛바랜 건물에 '이로재' 둥지를 틀었다. 그 안에서 승 대표가 지난 20년간 지어온 건축물을 관통하는 철학을 꼽자면 '빈자(貧者)의 미학'이라 할 수 있다. 그가 1996년 펴낸 동명의 책에는 이런 문장이 있다.

"여기에선 가짐보다 쓰임이 더 중요하고 더함보다는 나눔이 더 중요하며 채움보다는 비움이 더욱 중요하다."

승 대표는 '제정구 커뮤니티 센터' 역시 이런 철학의 바탕 위에서 설계했다고 말했다.

경남 고성군에 완공된 '제정구 커뮤니티센터'로 '2021 한국건축문화대상' 사회공공부문 대상을 받은 승효상 이로재 대표. 그는 "나이가 들어도 상을 받는 건 여전히 기쁘더라"며 너털웃음을 지었다(홍중식 기자).

가. 가난할 줄 아는 사람을 위한 건축

- 오랫동안 '가난'에 대해 이야기해 온 건축가가 '빈민 운동의 대부' 제정구 선생 기념관을 설계하게 됐다. 남다른 인연이라는 생각이 든다.

"나로서도 참 뜻깊은 일이다. 생전에 선생님을 뵌 적은 없지만 '가짐 없는 큰 자유'를 실천하셨다는 점에서 늘 마음으로 존경했다. 다만 내가 선생님처럼 가난한 사람을 위해 싸우지는 않았다. 건축은 기본적으로 돈 있는 사람에게 봉사하는 일이다. 나는 그분들에게 '빈자의 삶'을 기억하며 절제할 것을 권했다. '빈자'를 위한 건축이 아니라 '가난할 줄 아는 사람'을 위한 건축을 해왔다고 할 수 있다."

- '제정구 커뮤니티 센터'를 지으며 특히 주안점을 둔 부분이 있나.

"선생님 삶을 반영해 소박하고 절제되며 가장 본질적 형태의 건축을 하면 좋겠다고 생각했다. 그래서 단순한 박공집 하나를 설계했다. 그 뒤 하나만 있으면 외로우니까, 항상 연대를 주장하신 선생님을 생각해 비슷한 건물을 하나 더 두었다. 두 건물 사이로 보이는 풍경이 굉장히 아름답다. 그 외에 선생님을 기리는 작은 기념탑을 세우고, 정자도 만들어 전체가 하나의 마을을 형성하도록 했다."

- 주위에 나무도 심었다고 들었다.

"기념관 근처에 아름다운 저수지가 있는데 나무가 없었다. 그 지방에서 잘 자라는 백합나무 100그루를 심어 숲을 조성하고 그 안에 이 단순한 건물을 두기로 했다. 어떻게 보면 건물을 설계한 게 아니라 풍경을 설계했다고 하는 게 더 맞을 것이다. 그 공간이 모든 사람을 환대하는 작은 숲이 되기를 바랐다."

나. 모든 사람을 환대하는 작은 숲

- 1999년 파주출판도시 코디네이터를 맡아 새로운 도시 건설을 진두지휘한 것으로 안다. 특정 건물을 넘어 마을, 도시까지 염두에 두는 작업을 하는 이유가 있나.

"원래 건축이 그런 것이라고 생각하기 때문이다. 건축은 주어진 땅 위에 집 하나 짓는 게 아니다. 우리 삶을 어떻게 조직할 것인가 고민하는 일이다. 나아가 우리 삶이 어떻게 영위돼야 할 것인가 골몰하는 일이기도 하다. 건축가라면 건물 설계를 넘어 인류 전체의 살아가는 풍경에 집착해야 한다. 요즘 상당수 한국 건축가들은 너무 바빠 자기들 고유 영역을 다 잃어버렸다. 나는 좀 미련할지라도 건축의 본질을 놓고 싶지 않다. 나이 70이 되도록 이렇게 해왔으니, 이제 와 진로를 변경할 수도 없다. 앞으로 이 일에 더욱 박차를 가하는 게 나한테 주어진 소명이라고 생각한다."

- "70이 되도록" 계속해 온 '승효상표 건축'을 한마디로 소개한다면.

"공공성을 중시하는 건축이라고 할 수 있다. 나는 건축을 개인 소유로 보지 않는다. 개인이 자기 돈을 내고 지었다 해도 소유권을 가질 수 없다. 단지 사용권을 가질 뿐이다. 건물은 필연적으로 다른 사람에게 영향을 미친다. 잘 지었든 잘못 지었든 모든 건축은 태어나 죽을 때까지 파란만장한 세월을 지나며 인간 및 사물과 관계를 맺는다. 그래서 나는 건축이 가져야 할 가장 큰 덕목은 공공성이고, 건축은 누구나 공유할 수 있는 공유재가 돼야 된다고 생각한다."

- 돈을 내고 설계를 맡기는 건축주가 그 생각에 동의하지 않으면 어떻게 하나.

"대화하고 설득한다. '집을 큰길에 바짝 붙여 지어달라'고 하면 '그건 주변 사람들에게 좋지 않습니다. 좀 들여 짓는 게 좋습니다'라고 설명하는 식이다. 상대가 '무조건 내 뜻대로 하라'고 하면 나는 그 일을 맡지 않는다. 거절해야 할 때 거절할 수 있어야 올바른 건축이 가능하다. 건축가는 건축주의 하수인이나 시녀가 아니다. 건축가가 제 목소리를 내지 못하면 건축의 공공성이 확보되지 않고, 결국 우리 사회가 망가진다."

- 건축의 공공성에 대한 의견 차이 때문에 계약을 파기한 일이 있나.

"내가 어리고 이름이 없을 때는 그 문제로 종종 건축주와 틀어지곤 했다. 이제는 내가 성질 나쁘다는 소문이 다 났다. 돈 많은 분은 처음부터 나를 찾지 않는다. 그 덕에 큰 건물 설계할 일이 많이 줄었다. 지금 나를 찾는 분은 내 건축 철학과 공공성의 가치를 인식하는 분이다. 그걸 알기에 밤을 새워서라도 봉사한다."

다. 사람 영혼이 머물 수 있는 사유와 성찰의 집

승 대표는 '빈자의 미학'(1996) 이후에도 '건축, 사유의 기호'(2004), '지문'(2009), '오래된 것들은 다 아름답다'(2012), '묵상'(2019) 등 여러 권의 책을 통해 자신의 건축 철학을 대중에게 알려왔다. 그 과정에서 '어반 보이드(urban void·도시의 비움)' '문화풍경(culturescape)' '지문(landscape)' 등 '승효상표 건축'을 특징짓는 개념어를 잇달아 만들었다. 그 이유에 대해 승 대표는 '오래된 것들은 다 아름답다'에서 이렇게 설명했다.

"어떤 이들은 이를 두고 피상적이라고 일컫기도 하고 레토릭과 현학에 머무를 뿐이라고 매섭게 평하기도 했다. 모두 내게는 나를 다그치게 하는 격려였다. 건축은 결단코 레토릭이 아니고 피상적인 결과는 더더구나 아니다. 반드시 현실의 땅을 디디고 설 수밖에 없는 건축은 논리와 구조가 갖춰지지 않으면 성립이 불가능한 직능이며, 따라서 내 건축을 더욱 단단히 서 있게 하기 위해 나는 계속 말을 만들어야 했다."

최근 승 대표가 건축 설계의 열쇠 말로 삼는 건 '솔스케이프(soulscape)'라고 한다. 우리말로 풀면 '영성의 풍경'이다. 그는 "요즘은 집을 설계할 때 내부에 사람 영혼이 머물 수 있는 곳, 사유하고 성찰할 수 있는 공간을 만드는 데 많은 시간을 할애한다"고 말했다. "영혼이 거주할 수 없는 건축은 박제이고 세트일 뿐"이라고 생각하기 때문이다.

"우리 옛집엔 사당, 사랑방, 정자처럼 사유의 공간이 많았다. 그런데 언제부턴가 우리는 침실과 식당처럼 특정 기능을 수행하는 공간만으로 구성된 집에서 살고 있다. 생존과 생식, 생활을 위한 공간을 만드는 데 집중하느라 정작 영성을 맑게 하는 공간을 잃고 말았다."

승 대표는 이 대목에서 경북 안동에 있는 '독락당(獨樂堂)' 이야기를 꺼냈다. 조선 중종대 성리학자 회재 이언적(1491~1553)이 지은 이 집은 수많은 마당을 품고 있다고 한다. 승 대표는 "겉에서 보면 평범하기 그지없는 집이다. 그러나 문을 열고 들어가면 곳곳에 배치된 바깥마당, 앞마당, 건너마당 등의 연결 관계에서 특별함이 드러난다"고 했다. 승 대표의 설명이다.

"이 집의 모든 건물은 철저히 마당을 형성하기 위한 도구로 쓰인다. 각기 다른 마당은 각각 하나의 독립된 세계다. 낙향 당시 정쟁에 휘말려 서울을 떠날 수밖에 없는 처지였던 회재는 그런 마당 어딘가에서 '독락(獨樂)'하려 한 것으로 보인다."

- 조선 성리학자가 직접 이런 집을 설계했다는 게 인상적이다.

"우리 건축은 밖보다 안을 중요하게 여겼다. 한국 옛집은 형태적으로 보면 초가집과 기와집 두 종류뿐이다. 일견 다 똑같아 보이지만, 안으로 들어가면 집집마다 구조가 다르다. 그 공간 사이의 관계가 바로 윤리였다. 우리 선조는 자연과 인간 사이, 나와 다른 사람 사이의 관계를 바탕으로 집을 지었다."

- 서양은 달랐나.

"물론이다. 서양에서 기념비적인 건축으로 손꼽히는 '빌라 로툰다(Villa

Rotunda)'는 회재와 비슷한 시대를 산 건축가 안드레아 팔라디오(1508~1580)가 지은 것이다. 이 집은 이탈리아 북부 도시 비첸차 교외의 가장 높은 언덕 한가운데 우뚝 서 있다. 정방형의 평면 가운데 있는 '로툰다 홀' 중앙에 서면 동서남북 뚫린 통로를 통해 밖의 풍경이 한눈에 보인다. 정점에서 내려오는 빛을 받으면 마치 내가 세상의 중심이 된 듯한 느낌을 받는다. 나를 세계의 지배자로 만들어주는 이 집은 당대에 열광적인 반응을 얻었고, 이후 수많은 모작이 태어났다. 서양에서는 이처럼 특정 건축양식이 한 시대를 풍미했다. 그리스・로마 시대부터 시작해 고딕・르네상스・바로크・로코코에 이르기까지 시대별로 건축양식이 다 다르다. 건축을 미학적 오브제로 봤기 때문이다."

라. 덜 미학적인 것이 더 윤리적이다

승효상 대표는 "건축을 대할 때 눈에 보이지 않는 공간의 중요성을 인식한다면 건축 속에 사는 사람들 삶이 사뭇 달라질 것"이라고 말했다. [홍중식 기자]
- 공간 사이의 관계를 중시한 우리 건축이 미학을 추구한 서양 건축에 비해 가치 있다고 보는 듯하다.
"물론이다. 건물 외관은 내부 공간을 감싼 결과일 뿐이다. 부차적인 것이라고 할 수 있다. 우리는 지난 세기, 건축 분야를 현대화하겠다며 윤리를 버리고 미학을 좇았다. 그런데 이제는 서구에서 먼저 '미학이 아니라 윤리가 맞다'고 한다. 21세기가 시작되는 해인 2000년 베니스비엔날레 표어가 '덜 미학적인 것이 더 윤리적이다(Less Aesthetics, More Ethics)'였다."
승 대표는 외관보다 내부, 미적 화려함보다 공간 사이의 관계를 중시하는 철학이 개별 건물을 넘어 도시 설계에도 적용돼야 한다고 말한다. 그것이 신종 코로나바이러스 감염증(코로나19)으로 위기에 처한 현대 도시 문명이 새로운 길을 찾는 방법이 될 수 있을 것이라고도 봤다.
- 코로나19 이후 대중 사이에서도 도시 설계에 대한 관심이 부쩍 커진 듯하다.
"원래 감염병은 건축 및 도시 구조 변화에 큰 영향을 미친다. 약 100년 전 '스페인 독감'이 유행해 수많은 사람이 목숨을 잃은 뒤 비로소 도심을 주거지역・상업지역・공업지역 등으로 구분하는 흐름이 나타났다. 건축에 건폐율・용적률 등을 적용해 건물 간 간격을 떨어뜨리기 시작한 것도 그때부터다. 코로나19 또한 현대 도시 모습을 근본적으로 바꿔놓을 것이다. 지금은 많은 사람이 바이러스 퇴치에 몰두하고 있지만, 앞으로는 도시의 미래에 대해 진지하게 연구해야 한다고 본다.”

 - 좀 더 구체적으로 설명한다면.

 “현대 문명은 메트로폴리스(metropolis)를 중심으로 발전했다. 메트로폴리스는 라틴어로 어머니를 뜻하는 ‘meter’와 도시 ‘polis’를 합친 말이다. 생식의 주체인 어머니처럼 증식과 번영 성장을 강조하는 개념이라고 할 수 있다. 메트로폴리스는 수많은 위성도시를 거느리며 점점 팽창해 급기야는 지구 전체의 단일 도시화를 목표로 하는 ‘에큐메노폴리스(ecumenopolis)’라는 말까지 나왔다. 코로나19는 이 흐름이 지속될 수 없음을 알려줬다. 이제는 성장과 팽창 중심의 ‘메가시티(Mega City)’가 아니라 지속성과 관계를 중시하는 ‘메타시티(Meta City)’를 지향할 때다.”

 승 대표가 사용한 영어 접두사 메타(Meta)는 ‘더 높은’ ‘초월적인’ 등의 뜻을 갖고 있다. 그는 “메타시티를 우리말로 하면 ‘초(超)도시’라고 할 수도 있겠지만, 나는 ‘성찰적 도시’라는 풀이가 맞다고 본다”고 했다. “도시 팽창의 미망에서 벗어나 우리 삶을 성찰하고 관계와 공존을 바탕으로 공동체를 회복하는 것을 바탕에 두고 있다”는 이유에서다. 즉 건축 단계에서의 ‘솔스케이프’는 도시 차원에서 ‘메타시티’와 통한다. 승 대표는 앞으로 이 개념을 마음에 담고 건축 작업을 계속해 나갈 계획이라고 밝혔다. “내 건축을 통해 한 사람이라도 영성이 맑아진다면 더할 나위 없이 행복할 것”이라고도 했다. 그에게 마지막으로 하고 싶은 말을 물었다.

 “건축은 눈에 보이지 않는 거다. 눈에 보이는 건 큰 조각일지 몰라도 건축이 아니다. 건축을 대할 때 눈에 보이지 않는 공간의 중요성을 인식한다면 건축 속에 사는 사람들 삶이 사뭇 달라질 것이다. 이 이야기를 전하고자 줄곧 열심히 말씀드렸다. 내 뜻이 잘 전달됐다면 좋겠다.”[129]

 승효상 대표는 “건축을 대할 때 눈에 보이지 않는 공간의 중요성을 인식한다면 건축 속에 사는 사람들 삶이 사뭇 달라질 것”이라고 말했다(홍중식 기자).

20. '강릉 소녀들의 그 후'

경향신문이 6일부터 지방의 현실을 조명한 창간 기획 시리즈 〈절반의 한국〉을 게재하고 있다. 경향신문은 8일 〈절반의 한국〉에서 '강릉 소녀들의 그 후'를 다뤘다.

수도권 인구가 2019년을 기점으로 대한민국 전체 절반을 넘어섰으며 지역 내 총생산의 수도권 비중은 52.1%다. 경향신문은 "수도권 블랙홀에 빨려 들어가는 지방의 현실, 그로부터 벗어나려는 모색들을 살펴본다" 며 10회에 걸친 시리즈를 준비했다.

'강릉 소녀들의 그 후' 는 2008년 강릉의 A 여고를 졸업한 3학년 1반 동창생 36명과 전남 고창의 B 여고를 2014년 졸업한 1반 동창생 29명의 현 거주지를 파악했다. 졸업 후 이동 경로에서 '수도권 지향성' 이 확인됐다. 강릉 A 여고의 경우, 소재가 파악된 30명 중 16명이 수도권에 살고 있었다.

미디어스는 8일 강릉 A 여고 졸업생을 취재한 최민지 기자와 전화인터뷰를 진행했다. 아래는 최 기자와 나눈 일문일답이다.

경향신문 8일자 4,5면 기획기사

Q. 창간 기획으로 지방 문제를 택한 배경이 궁금하다

지난 7월 대대적인 조직개편과 디지털 전환이 진행됐으며 기획취재팀(스포트라이트팀)이 신설됐다. 기획회의에서 한국사회의 교육·노동·부동산 문제를 이야기하다 보니 결국 수도권 집중현상에서 비롯된다는 걸 깨달았다. 근본적인 문제를 건들자는 취지가 받아들여져 2명의 기자가 기획취재팀으로 파견 나오고 총 5명이 기획취재를 시작했다.

Q. 지방 고등학교 졸업생을 추적하기로 한 아이디어는 어떻게 나왔나

청년들이 수도권으로 이탈하는 게 지역 불균형 문제의 핵심이라고 생각했다. 하지만 청년이 지방에서 서울로 간다는 이야기는 수십 년 동안 나왔다. 이를 어떻게 보여줄까 생각하다가 졸업사진이 떠올랐고 추적해 보기로 했다. 무작위로 표본을 선정하기보다는 한 반으로 특정하면 의미 있는 결과가 나오지 않을까 싶었다.

Q. 강릉 A 여고와 전남 고창 B 여고, 두 고등학교를 선정한 이유는

원래는 지역별로 학교를 한 군데씩 뽑아서 하고 싶었지만 쉽지 않았다. 개인정보까지 물어보며 취재를 해야 하니 추적의 용이성에 따라 지방 출신 기자들에게 부탁해 표본을 선정하게 됐다. 의도치 않았는데 강릉은 시 단위이고 고창은 군 단위로 차이를 엿볼 수 있었다. 고창군 출신은 광주광역시를 거쳐 서울로 갔다. 광역시의 빈자리를 군 출신이 채우는 경향이 드러났다.

Q. 13년 만에 반 친구들에게 취재차 연락했는데 어려움은 없었나

올 여름을 흥신소에서 일하는 기분으로 취재했다. 36명 중 1명과 연락하고 있었다. 그 친구를 시작으로 SNS를 총동원해서 30명을 찾았다. 13년 만에 연락하다 보니 어색했다. 안 친했던 친구들도 있어서 갑자기 연락하면 경계할 수 있어 터득한 방법이 있다. 연락하자마자 바로 취재 목적을 이야기하는 것이다. 다행히 대부분 반겨줬고, 기획의도와 같은 문제의식을 느끼고 있었다.

Q. 소재가 파악된 30명 중 14명을 대면, 전화, 서면 인터뷰를 진행했다

직접 만나서 취재한 친구들은 7~8명 정도인데 회포를 푸는 것처럼 인터뷰했다. 지면 기사에 분량상 많이 내용이 삭제됐다. 한 사람당 짧게는 1시간 반에서 길게는 2시간 넘게 걸렸다. 인생을 죄다 털어놓는 수준으로 이야기했기 때문이다. 기사에 담기지 못한 인터뷰가 많지만 인터렉티브 기사에 한 명씩 인터뷰 내용을 조금이라도 담을 수 있어서 좋았다.

Q. 지방에서 사람이 빠져나가는 가장 큰 이유로 일자리를 꼽았다

친구 중에는 고향으로 돌아가고 싶은데 일자리가 없어 못 간다는 이들이 있었

다. 30대 초반이고 사회생활을 10년 정도 했으니 지쳐서 고향으로 내려갈까 고민하더라. 문제는 직장이 없다는 것이다. 이 친구는 영화마케팅 회사에서 일하는데 내려가면 일이 없다.

Q. 가장 큰 문제는 무엇인가

가장 마음이 아팠던 점은 청년들이 서울로 오는 걸 '주류사회로의 진입'으로 생각한다는 것이다. 그러면 필연적으로 지방에 남는 건 '낙오'가 된다. 지방에 있다는 이유로 '낙오'된 감정을 느낀다는 건 잘못된 일이다.(경향신문 〈 "서울은 '나쁜 심장' 같아요, 순환이 안 되잖아요"〉에서 서울 진학·취업 등을 목표로 삼다가 유턴한 이들은 "실패한 짝사랑", "실패해서 돌아가는 느낌"이라고 답했다.)

또 흔히들 젊은층이 서울로 간다고 하면 '허파에 바람들었다'는 식의 말을 하는데 오해다. 서울행은 본인의 성장 가능성과 생존을 위한 선택으로 볼 수 있다. 취재원 중 꿈이 없는 이들도 성장 가능성 때문에 서울을 택하는 이들이 많았다. 일자리뿐 아니라 대부분이 서울에 가야지만 기회를 찾을 수 있다는 것이다. 성장 가능성의 기회가 지방에 없는 게 문제다.

Q. 취재하면서 새롭게 알게된 사실이 있다면

청년들이 지방 출신이라는 정체성을 소중히 여긴다는 점이다. 물론 서울에서 태어난 사람들이 여러모로 유리하다는 건 인정한다. 그런데도 자기 고향을 사랑하고 출생지에 대한 애증이 있다. 일각에서는 '젊은 사람들이 고향을 배신하고 서울만 좋아한다'는 식으로 오해하지만, 사실이 아니라는 걸 새롭게 느꼈다. 저도 돌아보니 지방 출신이라는 정체성을 굉장히 소중하게 생각하고 있었다.

경향신문 인터렉티브 기사

Q. 인터렉티브 기사가 인상적이다. 졸업앨범 속 인물의 사진 위에 마우스를 올리면 졸업 후 이동 경로를 확인할 수 있었다

학생들이 학교를 강원도에서 다녀도 취업은 서울이다. 진학·취직 등 중요한 선택마다 왜 지방 출신이 서울로 갈 수밖에 없는지 경향성을 보여주고 싶었다.

Q. 준비된 후속 보도는

지방대학 문제와 의료격차 등 인프라 문제, 지방 혐오시설(원자력발전소) 건립 문제, 지방 빈집 문제 등을 차례로 소개할 예정이다. 이후 동남권의 메가시티 구상, 정치권은 어떤 역할을 해야 하며 지역에서 대안적인 삶을 추구하는 사람들을 조명할 계획이다.[130][131]

21. 새벽형 인간과 저녁형 인간

새벽형 인간이나 저녁형 인간으로 사는 것은 생활습관에서 비롯됨이 분명하다. 이 둘은 수면 습관이 반대다. 새벽형은 초저녁에 깊이 자고 새벽으로 갈수록 얕게 잔다. 반면 저녁형은 새벽부터 아침까지 깊이 잔다. 저녁형은 꿀잠을 잘 아침 시간에 억지로 눈을 뜨고 새로운 하루를 시작한다. 필자도 중·고등학교 시절, 분명히 새벽형 인간이었다. 그런데 건축사사무소를 운영하면서 직업의 특수성 때문인지 아침엔 잠이 부족하여 일어나기 아쉽고, 저녁이 되면 집에 돌아와 잠들기 전까지 미진한 업무와 다음날 일 준비를 반복하다 보니 어느틈엔가 저녁형 인간으로 적응되었다.

가. 저녁형 인간은 올빼미족?

올빼미는 단독으로 생활하며 낮에는 나뭇가지에 앉아 움직이지 않는다. 하지만 밤이 되면 두 눈에 불을 켜고 작은 짐승들을 잡아 먹으며 활발하게 활동하기 때문에 밤에 활동하는 사람을 올빼미족이라 빗대어 말한다. 영국, 스페인 등 대학 연구소는 저녁형 인간이 낮에는 생활을 위한 일을, 밤에는 독창적인 일을 하며 진화됐다며 똑똑한 사람일수록 더 늦게까지 깨어있도록 발달되었다고 분석했다. 또한 저녁형 인간은 감정적인 측면이 강하고 사회 규범을 따르려는 경향이 상대적으로 약해 창의적이라고 한다. 작가, 예술가, 프로그래머 등 창의적인 직업을

가진 사람이 많다는 것이다.

인간의 자율신경계는 밤이 되면 휴식의 임무를 띠고 있는 부교감 신경 기능이 활발해져 졸리게 되고, 아침이면 활동의 임무를 띠고 있는 교감 신경 기능이 활발해진다고 한다. 그러나 컴퓨터가 보급된 이후 컴퓨터 앞에 앉아서 업무나 게임을 하다보니 기계와의 교감에 익숙해져 사람간의 교감을 통해 시너지를 내야 하는 일에도 만남이 어색하고 회피하게 되기도 한다. 야행성 생활에 익숙하면 매일 아침 출근하는 일이 '죽을 맛'이고 이러한 생활은 다양한 스트레스로 인한 우울증 등을 일으켜 정신과 건강을 망칠 수도 있다.

나에게도 세월의 흐름이라는 마법이 작용한 것일까? 육십이 넘어선 3년 전부터 수면생활의 변화가 나타나기 시작했다. 새벽 5시정도 되면 어김없이 눈이 떠진다. 그리고 잠을 더 자려해도 잠이 안온다. 아무튼 2년전부터 내친 김에 삶을 바꿔보기로 결심하고 실천한 경험을 소개하려 한다.

나. 새벽형 인간은 여러가지 장점이 있다

'미라클 모닝'이라는 말처럼 일찍 일어나면 크고 작은 기적을 경험할 수 있다. 활동 시간이 늘어나 '시간 없다'라는 변명이 사라지게 된다. 여유로운 아침을 맞이할 수 있다. 바쁜 직장인 또는 워킹맘으로서, 바쁜 일상 속에서도 좋아하는 취미생활을 할 수 있고 짬짬이 책도 읽게 되어 자신감과 자존감을 갖게 되고 소극적인 마음을 물리칠 수 있다.

'아침을 보면 그 사람의 미래가 보인다'라는 말이 있듯이, 성공한 사람들은 모두 새벽에 깨어 있다는 특징이 있다. 새벽 일찍 일어나 하루를 준비하면 성공적인 인생을 살수 있는 것이라 생각된다. 뇌세포가 활성화되는 이른 아침의 1시간은 낮이나 밤의 3시간과 맞먹는다고 하니, 새벽형 인간은 하루 24시간이 아닌 30시간 이상의 가치를 창출할 수 있기 때문이다. 또한 공원에서 체조나 수영, 골프연습 등을 통한 동호인들과의 교류도 새벽이 주는 보너스일 것이다.

아침을 강조하는 가르침은 늘 있었다. '일찍 일어나는 새가 좋은 먹이를 얻는다', '신은 일찍 일어나는 자를 돕는다', '일찍 자고 일찍 일어나면 병을 모른다', '가난한 이는 늦도록 안자고, 부자는 일찍 일어난다' 등 속담은 새벽형 인간은 건강해지고 부유해지며 많은 것들을 성취할 수 있다는 것을 강조하고 이행할 것을 권고하고 있다.

물론 저녁형 인간이 감성적이고 비판적인 야행성 습관을 가졌다고 나쁜 것은 아니다. 다만 이성적이고 적극적이며 생활의 안정적인 모습을 보이며 세상과 자신의 삶을 긍정적 자세로 바라보게 된 필자의 경험상 올해에는 진정한 '워라밸'을 보장할 수 있는 새벽형 인간으로 한번 변화해 보기를 추천드린다.[132]

22. 적어도 한 사람은

"얼핏 여기 붙었다 저기 붙었다 하는 인간으로 보이잖아요. 근데 가만히 들여다보면 그 사람은 본인이 지향하는 특정한 가치만은 한 번도 버린 적 없어요. 가끔 존재하죠. 그런 사람들이." 제주에 출장 오신 선생님과 식사하던 중이었다. 이런저런 이야기 끝에 그분이 누군가를 두고 이렇게 평했다. 언급하신 그 공인에 대해 사실 그다지 관심 없었지만 저 말씀은 깊이 닿았다. 발화내용에 동의했다기보다 발화자의 시선에서 설명하기 어려운 위안 같은 걸 받았다. 다음날 커피 마시면서 텔레비전 채널을 돌리다 아침 방송에서 본 에피소드를 들려주셨다. 농담의 소재인 줄 알고 키득거릴 채비하던 내게 그분이 이야기했다. 겉으론 실리를 추구하며 세속에 젖어 사는 것처럼 보여도 혀끝만 정의로운 자들보단 세상에 무언가 더 보태는 이들이 있다고. 그런 일상의 삶들을 자신은 좋아하며, 지켜주고 싶다고.

난 '실리적' 혹은 '세속적' 보단 차라리 '몽상적' 이나 '착한 척' 같은 비판이 어울릴 부류에 속한다. 또한 여기 붙었다 저기 붙었다 하면서까지 추구할 어떤 가치를 품고 있지도 않다. 그러니 선생님이 지켜주시려는 대상 범위에 아마 포함되지 못할 거다. 그럼에도 스치듯 하신 저 두 이야기가 마음에 깃들어 지금껏 떠나지 않는다.

드물지만, 살면서 이따금 아름다운 결을 지닌 이를 만난다. 남루한 차림 속에서 형형히 빛을 발하는 깨끗한 얼굴 같은 사람. 반듯하고 견고한 자기 세계를 만들어 가진 사람. 단단한 갑옷 틈새로 무언가 닿으면 '잎새에 이는 바람에도 괴로워하는' 사람. 사회적 가면을 쓴 무리 안에서 그런 희소한 존재들을 감별해낼 줄 안다는 데에 난 자긍심을 가졌다. 그들이 세상에 머물고 있으며 내가 그들을 곧장 알아보았음을 상기하면 내면에 램프가 환하게 켜지곤 했다.

한편 누군가의 빈틈을 우연히 목도하기도 한다. 세련된 매너에서 어색함을 감추려는 몸짓을 읽었을 때나, 냉소 이면의 뜨겁고 서투른 열정을 보았을 때. 사람을 막연히 동경하는 건 상대의 매력과 장점 때문일지라도 그를 이해하여 받아들이는 건 저런 빈틈을 통해서였다. 더 나아가 내가 지닌 모종의 빈틈으로 타인의 그것을 알아차리고 '네가 바로 나구나' 확인하기도 한다. 특히 학생들과의 관계에서. 카리스마 넘치는 역할모델이나 근사한 멘토는 되지 못할지라도 군중의 틈바구니에 숨은 '수줍어 인사 못하고' '소심해서 예의 없는' 얼굴들을 알아보고 이해의 눈길을 보낼 수 있었다.

아름다운 결을 가진 존재들. 빈틈을 통해 가까워진 관계들. 나와 닮은 취약성을 지닌 이들. 이제껏 내가 세심히 살피며 다정한 시선을 보내온 대상 범위는 딱 거기까지였다. 저 세 범주 너머엔 너그러움을 가장한 채 관심 자체를 두지 않았다. 고백하면 일부에겐 경멸감을 품었다. 사촌이 땅 사면 배 아파하거나 동정심과 비분강개로 쉽사리 정의감을 표출하려 드는 이들을 속물로 치부했다. 그들 역시 여린 속내를 지녔을 테고 저마다의 상흔을 앓았을진대 이에 대해선 알려 하지 않았다.

이렇듯 내가 입술로는 예의 바른 웃음을 꾸며내면서 내심 경멸했던 존재들에게 누군가, 적어도 한 사람은 눈길을 두는 것이다. 알아보고 지켜주고자 하는 거다. 나보다 예민하고 날 서 있을, 나보다 좋은 사람임이 틀림없을 한 사람이. 그 사실은 힘이 되었다. 왜냐하면 시간이 흘러 젊음의 마지막 반짝임마저 지워질 때쯤 나 역시 대다수의 관심 바깥의 존재일 거니까. 연구자로서의 태도는 쓸데없이 진지한데 연구성과는 대단치 않은, 강의도 재미나게 못하면서 교육자적 애착만 강한, 집도 차도 없는 주제에 가진 걸 나눈다며 얇은 호주머니를 자꾸 여는 '몽상적'이며 '착한 척' 하는 자일 테니까. 그때 어딘가, 적어도 한 사람 정도는 그 볼품없는 삶을 들여다보리란 희망을 내 쪽에서도 품어볼 수 있으니 말이다.[133]

23. 어디로 돌아갈까요?

사월은 늘 어딘가 황망한 기분이다. 우선 날씨가 변덕스럽다. 이번에도 어느 날은 더워서 땀을 흘리다가 어느 날은 추워서 세탁을 다 해놓은 점퍼를 다시 찾아 입었다. 확진자 수가 정점에 이르면서 막막함을 더해가더니 사월 말인 지금 이제 코로나는 홍역, 수두와 같은 2급 전염병이 되었다.

그런 사월을 지난해 노벨 문학상 수상 작가 압둘라자크 구르나의 장편소설을 읽으며 보냈다. 구르나는 탄자니아 출신 영국 작가로 대중에게는 잘 알려지지 않은 작가다. 80년대부터 영국 켄트대의 영문학 및 탈식민주의 교수로 재직하며 열 권의 장편소설을 썼지만 정작 그의 작품은 영국 외의 국가에서는 거의 출간된 적이 없다고 한다. 한국에도 번역된 작품이 없는데, 다음 달 출간을 앞둔 장편소설의 추천사를 의뢰받아 미리 읽어볼 수 있었다. '바닷가에서' 라는 작품이다.

이 소설은 잔지바르 혁명 전후의 동아프리카에서 출발해 냉전 시기의 유럽을 거쳐 오늘의 영국에 이르는 긴 시간을 살아낸 이들에 관한 이야기다. 아프리카인, 유럽인, 아랍인, 페르시아인, 인도인 같은 다양한 인종이 공존했던 동아프리카의 섬 잔지바르(현 탄자니아)에는 왕성한 교류가 만들어낸 혼종의 문화가 있었고 그런 그들이 꿈꿨던 부와 욕망의 드라마가 펼쳐졌다. 때가 되면 수평선 너머로 교역할 물건을 싣고 나타나는 이국의 배들처럼, 욕망은 식민의 역사가 더해갈수록 강렬해졌고 그로 인해 파괴되어가는 삶의 면면들도 뚜렷했다. 하지만 이러한 불행의 날들마저도 작가의 섬세하고 감각적인 형상화 속에 애틋한 아름다움을 획득하는데, 그 과정을 따라가다 보면 인도양을 통과해 동아프리카로 불어오던 바람, 시장을 채우고 있는 진귀하고 이질적인 물건들과 함께 상륙한 그 매혹과 혼란의 시간들이 생생하다.

'바닷가에서' 를 읽는 것이 의미 있었던 또 다른 이유는 소설의 현재적 진행이 두 사람의 대화로 이루어졌다는 데 있었다. 소설의 두 주인공은 삼십여 년의 차를 두고 망명자가 된 잔지바르인들로, 둘은 고향에서 서로를 끝 간 데까지 모는 대립과 갈등 속에 놓여 있었던 관계다. 그러다 어린 망명자는 십대 때 유럽으로 건너가 고향에서의 일과 가족들을 지웠고, 오랜 시간이 지나 자기가 떠난 이후의 잔지바르에 대해 증언해줄 또 다른 망명자를 만난다. 그리고 두 사람은 대화를 해나가기 시작한다. 집으로 돌아갈 수 없는 상황에서도 그곳에서의 기억을 지우거나 부정하지 않고 찬찬히 되돌아보며 자기 삶을 재정립한다. 그러기 위해 필요한 존재가 자신과 완전히 반대편에 서있었던, 바로 그 적의의 대상이라는 아이러니가 소설을 인간적 삶의 진실로 이끈다.

엔데믹이라는 이야기가 나오는 지금, 우리가 누리지 못한 삶을 되찾으리라는 기대가 나오는 사월, 하지만 그렇게 해서 어디로 돌아가야 할지를 살펴보는 마음이 편치는 않다. 지금도 우크라이나는 전쟁 중이고 한국에서는 어느 때보다 타인에 대한 적의와 적대가 넘실댄다. '바닷가에서' 의 배경이자 작가 구르나의 고향인 잔지바르가 돌이킬 수 없이 황폐화된 것은 아프리카인과 그 외의 모든 이들을 가르고, 지금껏 이웃으로 살아온 이들을 제거와 축출의 대상으로 여기는 정권이 들어서면서부터였다. 그런 '나쁜' 가치 속에 공동체가 유지되기 위해서는 끊임없이 적대가 양산되어야 할 것이다. 한국도 다르지 않다. 인간의 가장 기본적인 권리를 이야기하는 데도 모멸과 적대의 대상이 되는 사회에서는 오늘은 그런 사람이 내가 아니지만 내일은 내가 될 수 있고 결국 누구도 안전하지 않은 곳이 된다. 하지만 엔데믹 이후 우리가 돌아가야 할 곳은 적어도 안전만은 보장되어야 하지 않을까. 우리가 서로의 안전을 위해 치렀던 대가를 생각해본다면 말이다.

쉽지 않은 상황에서도 새 삶을 모색해야 한다는 점에서 우리는 '바닷가에서' 속 주인공들과 같은 처지일지도 모른다. 낯선 공항에 도착해 불안한 마음으로 출입국사무소 직원 앞에 서서 어디로 가고 싶은지를 말해야 하는 사람들 말이다. '바닷가에서'의 인물들은 그렇게 낯선 땅으로 인계된 후에도 타자와의 대화를 포기하지 않았고 그것이 그들을 구해냈다. 이제 우리는 어떤 선택을 할까. 그 답을 위해서라도 이 소설을 꼭 읽어보기를 바란다.[134]

24. 살려고 뭉친다는데…소도시·농촌도 살림살이 좀 나아집니까

"농경사회에선 농장이 혁신의 컨테이너였고, 산업화 시대엔 기업이 그 역할을 했다. 앞으로는 도시 자체가 컨테이너가 되는 세상이 될 것이다."

세계적인 도시경제학자 리처드 플로리다 토론토대 경영대학원 교수의 의견이다. 대도시 예찬론자인 그는 "도시가 창의력의 산실이고 대도시에 자치권을 줘 발전을 촉진해야 한다"며 향후 세계경제는 '메가시티' 중심으로 재편될 것이라고 전망했다.

지역균형발전을 위한 대안으로 '메가시티론'이 급부상하고 있다. 국내에서 메가시티에 관한 담론이 본격적으로 논의된 지는 3년이 채 되지 않았지만 그동안의 균형발전 의제를 집어삼킬 만큼 새로운 패러다임으로 떠올랐다.

메가시티는 김경수 전 경남지사가 2019년 처음 제안했다. 당시 그는 "메가시티는 선택의 문제가 아닌 (지방이) 살아남기 위한 필수적인 길"이라며 부산·울산·경남(부·울·경)을 중심으로 한 동남권 메가시티 조성의 필요성을 주창했다.

2021년 10월 세종시에서 열린 '균형발전 성과와 초광역협력 지원전략 보고회'에서 문재인 대통령은 "수도권 일극체제를 타파하기 위해선 지금까지와는 차원이 다른 특단의 균형발전 전략이 모색돼야 한다. 초광역협력(메가시티)이 그것"이라고 밝혔다. 지방정부 차원에서 논의됐던 메가시티가 중앙정부의 균형발전 의제로 떠오른 순간이었다.

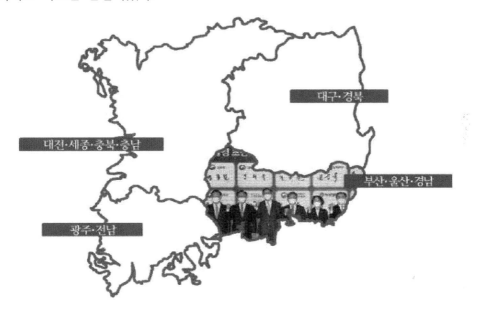

메가시티 의제는 윤석열 정부도 균형발전 정책의 한 축으로 바통을 이어받았다. 윤석열 대통령 당선인은 지난 3월 인수위원회에 지역균형발전특별위원회를 설치하고 위원장으로 지방자치 전문가인 김병준 국민대 교수를 임명했다. 김 위원장은 "윤석열 정부는 '지방화 시대'를 여는 정부가 될 것"이라며 향후 부·울·경 등 권역별 메가시티를 조성하고 강소도시 연계·육성을 검토하겠다고 밝혔다.

이런 상황에서 메가시티 의제는 과거와 달리 해당 지역에서 자발적으로 나서 제안한 '바텀업' 방식이라는 점에서 기대감이 커지고 있는 것이 사실이다. 전문가들은 메가시티 조성을 통한 지역 발전을 위해선 대도시 중심의 초광역권을 형성하고, 그 과정에서 지역 중심 거버넌스를 확립해 다양한 참여주체의 이해관계를 결집하는 것이 중요하다고 보고 있다. 그렇지 않으면 메가시티 역시 또 다른 토건 프로젝트에 머물 수 있다는 것이다.

가. 지역발전 성공모델 1개라도 만들어야

메가시티는 2개 이상의 거대도시가 생활·경제 등이 기능적으로 연계된 인구 500만명 이상, 경제 규모 3000억달러 이상의 광역 지역을 말한다. 유엔은 인구 1000만명 이상의 메가시티는 2018년 33개에서 2030년 43개로 증가할 것으로 전망했다. 인구 500만~1000만명 규모의 메가시티도 2018년 48개에서 2030년엔 66개로 늘어날 것이라고 내다봤다.

국내에선 지난달 18일 '부산·울산·경남 특별연합 규약안'이 행정안전부의 승인을 받으면서 전국 첫 특별지방자치단체인 '부산·울산·경남 특별연합'(부·울·경특별연합)이 공식 출범했다. 부·울·경특별연합은 부산·울산·창원·진주 등 4개 거점도시를 중심으로 주변 중소도시와 인근 지역을 생활권·경제권 단위로 연계해 발전시킬 목적으로 탄생했다. 부·울·경을 수도권과 같은 또 하나의 발전축으로 만들어 나가겠다는 것이다.

지역이 메가시티를 추진하겠다고 먼저 발벗고 나선 배경에는 절박함이 자리 잡고 있다. 4차 산업 등 신산업이 수도권에서만 성장하는 반면 그동안 중앙정부가 지방서 추진해온 도로 중심의 인프라 투자, 공공기관 이전 등의 전략은 지방 인구 유출을 막기엔 역부족이었다고 본 것이다. 이 같은 한계를 극복하기 위해 수도권에 대항할 수 있는 '또 다른 대도시권'을 만들자는 것이 메가시티의 핵심이다.

메가시티는 한국에서만 관심 갖는 의제는 아니다. 해외에서도 4차 산업혁명을 통한 연결구조가 힘을 받으면서 대도시 쏠림현상이 심화됐고, 이를 타개할 균형 전략 중 하나로 메가시티 구축을 택했다. 영국의 '맨체스터 지방연합', 프랑스의 '메트로폴', 일본의 '간사이광역연합' 등이 대표적이다. 영국은 2011년 맨체스터를 중심으로 지자체 연합기구인 '맨체스터 지방연합'을 설립했다. 맨체스터 시를 포함한 총 10개의 기초단위 지자체가 연합하면서 하나의 광역도시권이 탄생했다.

마강래 중앙대 교수는 "광역적 연계를 통해 규모의 경제가 작동하는, 혁신 인재를 모을 수 있는 대도시권을 구축하는 것이 중요하다"며 "그간의 균형발전 정책들이 번번이 실패하면서 지방에선 뭘 해도 안 된다는 낙인이 찍혀 있는 만큼 단 하나의 성공 모델이라도 만들어 지방도 성공할 수 있다는 것을 보여줘야 한다"고 강조했다.

메가시티 구축은 부·울·경을 넘어 다른 지역서도 논의가 진행되고 있다. 광역지자체로는 대구·경북과 충청권, 광주·전남권 등에서도 부·울·경 벤치마킹에 나선 상태다. 기초단체 차원에선 지리산권관광개발조합(전북 남원·장수, 전남 구례, 경남 하동·산천·함양)과 접경지역 시장·군수협의회(인천 강화·옹진, 경기 파주·김포·연천, 강원 철원·화천·양구·인제·고성) 등이 특별지자체 설치를 추진 중이다.

나. 네트워크 기반의 자족기능 구축이 관건

부·울·경 메가시티의 청사진인 '부·울·경 초광역권발전계획'은 산업·인재·공간 분야별 전략, 30개의 1단계 선도사업과 40개의 중·장기 추진사업 등 총 70개의 핵심사업을 담고 있다.

구체적으로는 지역의 3대 주력 산업인 자동차·조선·항공을 집중 육성하고 수소자동차·친환경 수소 선박 등을 중심으로 한 수소경제권 구축에 나선다. 아울러 1시간대 생활권과 경제·문화공동체 구축을 통해 수도권 집중을 해소한다는 구상도 내놓았다. 가장 눈에 띄는 부분은 단연 '교통'이다. 그중에서도 철도를 기반으로 한 대중교통의 중요성이 강조되고 있다. 누구나 비용 부담 없이 탈 수 있는 기차와 급행철도가 도입돼야 청년들이 일자리·교육·체험 등에 있어 다양한 사람들과 교류하고 이를 기반으로 지역에서 기회를 찾을 수 있다는 것이다.

전 경남연구원 연구위원으로 지방 문제를 연구해온 이관후 국무총리실 소통메시지비서관은 "수도권과 지방 사이 교통 격차의 핵심은 바로 철도망"이라며 "지역 거점도시를 중심으로 잘 연결된 철도망을 구축하면 그 사이 있는 소도시들도 자연스럽게 오갈 수 있는 여건이 마련된다"고 설명했다. 이를 통해 1시간대 생활권 안에서 교육·돌봄·의료 서비스와 일자리, 문화시설 등이 갖춰지면 지방도시를 떠날 가능성이 낮아지게 된다는 것이다. 일명 자족기능의 확보다.

기업들이 지방 대도시권에 올 수 있도록 하는 산업생태계도 구축해야 한다. 마 교수는 "지역에는 특화 산업을 넘어 기존 공간구조와 어울리는 핵심 산업을 확보해야 한다"며 "기업 유치를 위해서는 법인세 감면 등 기업에 대한 혜택뿐만 아니라 주택 제공 등 이주 근로자에 대한 다양한 지원책이 필요하다"고 말했다. 이 비서관도 "메가시티 전략이 각 지방정부가 하고 싶은 사회간접자본(SOC) 사업을 추진하기 위한 수단으로 전락해선 안 된다"며 "핵심 산업 콘텐츠를 중심으로 진행되지 않는다면 기업과 일자리는 없고 청년은 빠져나가는 문제가 되풀이될 것"이라고 지적했다.

다. 소도시 · 농촌 등 '진짜 지방' 소외 우려도

메가시티 의제를 둘러싸고 마냥 장밋빛 청사진만 있는 것은 아니다. 메가시티는 대도시 중심적인 시각으로 지방 소도시와 농촌은 이미 스러져가는 상황에서 이를 어떻게 활성화할지에 대한 고민이 부족하다는 지적이 나온다.

농촌경제연구원 김정섭 박사는 "지방 대도시 입장에선 메가시티 조성을 균형발전이라고 볼 수 있겠으나 이는 균형발전을 서울과 지방 대도시 간의 문제로만 본 반쪽짜리"라며 "메가시티는 오히려 국지적으로 지역 내 불균형을 심화시킬 수 있다"고 밝혔다.

마을연구소 '일소공도'의 구자인 소장도 "혁신도시와 마찬가지로 메가시티를 만들면 수도권 인구를 끌어오는 것이 아니라 인근 중소도시, 농촌의 인구를 흡수하는 부작용을 낳을 것"이라며 "도시는 농촌의 희생을 기반으로 많은 편익을 누리는 만큼 면 단위 지역에 대한 투자를 늘려야 한다"고 말했다.

균형발전을 위해선 메가시티가 아닌 '연방제'가 필요하다는 의견도 있다. 하승수 전 녹색당 공동대표는 "우리나라 국토의 73%가 면 단위의 농촌"이라며 "대도시 발전을 통한 (농촌의) 낙수효과는 없다. 농촌이 잘 살아야 도시도 살 수 있는 것"이라고 밝혔다. 이어 "권력의 중심이 아래로 내려가는 연방제를 통해 기초자치단체들도 의사결정권을 함께 가지고 각 지역 특성에 맞는 발전전략을 택할 수 있게 해야 한다"고 말했다.

이로 인해 메가시티 전략을 옹호하는 그룹에서도 제대로 된 균형발전을 위해선 메가시티 조성 과정에서 '자치분권 거버넌스'를 함께 확립할 것을 주문하고 있다. 최근 부 · 울 · 경 청사 소재지와 단체 · 의장 선출을 놓고 이견을 보이는 것도 지자체 주도의 거버넌스가 제대로 갖춰지지 못했기 때문이라는 것이다.

마 교수는 "우리나라는 자치분권의 역사가 일천해 지방정부의 역량이 부족한 것이 사실"이라며 "지역에서 의지를 가지고 주요 이슈에 대한 공론화 작업을 거치는 과정도 그래서 필요하다"고 말했다.

이 비서관 역시 "메가시티를 추진하게 되면 각각의 행정구역을 넘어 공동의 사업을 많이 해야 하기에 사업 참여 지자체들은 인구 비례가 아닌 동등한 발언권을 갖는 방식으로 공동의회를 만들어야 한다"며 "광역단위는 물론 시군 단위 지자체들도 균형발전에 참여시키면서 평등성을 기반으로 한 거버넌스를 같이 만들어가야 한다"고 말했다.[135]

25. '가족'이란…함께 시간을 보내고 감정을 나누며 있는 그대로의 '나'를 받아주는 것

가족은 부부를 중심으로 하여 그로부터 생겨난 아들, 딸, 손자, 손녀 등으로 구성된 집단. 또는 그 구성원. 혼인, 혈연, 입양 등으로 이루어지며 대개 한집에서 생활한다.

민법에 따른 가족의 정의가 법적 관점에서의 가족이라면, 건강가정기본법에 따른 가족의 정의는 정책적 관점에서의 가족이다. 실제로 건강가정기본법상 정의로는 명확히 가족의 범위를 특정하기 어려워, 법적 분쟁을 해결하기에 적절한 정의가 되기는 힘들다. 즉 건강가정기본법과 같이 법률에서 별도로 '가족'을 정의하지 않는 한, 타 법률에서 말하는 '가족'이란 민법상 가족을 의미한다. 다만, 실제 법률요건으로서는 친족이 문제되는 경우가 대부분이며 가족이 문제되는 경우는 드물다.

가. 어린이의 가족이 되려면

〈비밀 소원〉의 삽화. 사계절 제공

나. 가족이 필요한 진짜 이유

어린이에게는 가족이 필요하다. 대부분 어린이는 가족 안에서 돌봄을 받으며 성장한다. 가족이라는 사회가 어린이를 먹이고, 입히고, 재우고, 가르친다. 가족은 온갖 형태의 돌봄을 직접 제공하거나 연결하며, 한 어린이가 어른이 되어 독립적으로 생활하기까지 도와준다. 가족은 어린이의 양육에 있어 가장 소중한 사회다.

〈일요일의 아이〉(구드룬 멥스·비룡소·2006)는 고아원에 사는 주인공이 새 가족을 찾는 이야기로, 어린이에게 가족이 지닌 의미를 보여준다. 주인공은 일요일에 태어난 자신을 '일요일의 아이'라고 부른다. 하지만 일요일의 아이에게는 늘 행운이 따른다는 이야기를 믿지는 않는다. 고아원의 다른 아이들은 결연된 '주말 부모'가 있어 맛있는 음식을 먹거나 교외로 소풍을 나가 신나게 놀다 돌아오지만 자기에게는 아직 '주말 부모'가 없어서다. 일요일의 아이에게 일요일은 학교에 가는 게 더 낫다는 생각이 들 만큼 오히려 외롭고 쓸쓸해지는 날이다.

그러던 중 일요일의 아이에게도 드디어 주말 부모가 생긴다. 주말 부모, 정확히 말하면 비혼의 주말 엄마인 울라는 다른 주말 부모들처럼 자동차나 멋진 집도 없는 가난한 작가이다. 잠시 기대가 무너졌지만 곧 일요일의 아이는 활기찬 친구처럼 스스럼없이 다가오는 울라를 좋아하게 된다. 작은 실수를 두고도 혼날 일을 걱정하거나, 앞으로 자신을 만나고 싶지 않아 할 거라고 불안해하던 마음은 어느새 사라졌다. 별것 아닌 말도 가리고 조심하느라 늘 입안에서만 맴돌던 말들이 어느 날 여과 없이 툭, 하고 튀어 나왔을 때 아이는 생각한다. "그때 갑자기 내가 처음으로 아줌마한테 아무렇지도 않게 얘기를 했네 하는 생각이 들었다. 말하기가 이렇게 쉬운 걸 왜 못했을까." (〈일요일의 아이〉 108쪽)

이제 일요일의 아이는 일요일에 태어났어도 행운이라곤 찾아오지 않는 아이에서, 일요일마다 엄마가 생겨 행복한 아이가 된다. 울라는 아이가 으레 상상했듯 부자도 아니고, 아늑한 집에서 손수 만든 음식을 챙겨주지도 못하지만 어린이를 동등한 인격체로 대하며 마음을 나눌 줄 아는 사람이기 때문이다. 일요일의 아이는 사랑받으려면 잘 보여야 한다는 강박에서 벗어나, 조건 없이 사랑받고 사랑하는 관계를 신뢰하게 된다. 울라를 만나고서부터 책장 가득 넘실대는 아이의 기쁨을 보고 있으면 어린이에게 가족이 필요한 진짜 이유가 무엇인지 알 것 같다. 함께 시간을 보내며 서로에게 오롯이 관심을 쏟고 감정을 나누는 것, 일요일의 아이는 부모라는 이름에서 바로 그걸 애타게 갈망했다.

"이제 나는 울라 아줌마가 나랑같이 뭘 하기를 바란다는 걸 알게 되었다. 나도 그러고 싶다. 배가 간질거린다. 여름이 지나도 우리는 계속 함께 뭔가를 할 것이다. 한 해가 지나고 두 해가 지나도…… 배가 점점 더 간지러웠다. 그리고 간지러움이 목으로 올라왔다. 하지만 목을 타고 밖으로 나오려고 하는 건 전처럼 설탕 넣은 차가 아니라 기쁨이었다. 나의 울라 아줌마, 내 주말 엄마, 울라 아줌마는 일요일에는 앞으로 영원히 나만의 울라 아줌마일 것이다." (〈일요일의 아이〉 119~120쪽)

일요일의 아이. 구드룬 멥스 지음 ㅣ 김라합 옮김 ㅣ 비룡소 ㅣ 2006

다. '사랑'에 대한 갈망, '버림받음'에 대한 두려움

〈일요일의 아이〉는 가족이 없는 어린이가 가족관계에서 이루어지는 사랑을 간절히 바라는 마음을 보여주며, 어린이에게 가족이 필요한 가장 중요한 이유가 사랑이라고 말한다. '사랑'에 대한 갈망과 '버림받음'에 대한 두려움, 동전의 양면 같은 두 마음은 어린이의 마음 깊숙이 자리한다. 동전의 양면을 두고 따질 필요는 없을 듯하지만 아마도 '버림받음'에 대한 두려움이 더 먼저이고, 더 강렬하지 않을까 싶다. 유기 불안은 가족이라는 이름의 타인에게 전적으로 생존을 의지해야 하는 어린이들의 존재적 본능 같다.

인간 무의식에 자리 잡은 유기 불안을 잘 보여주는 서양 민담이 '헨젤과 그레텔'이다. 어린이의 유기 불안은 〈일요일의 아이〉 같은 유사 가족이나, '헨젤과 그레텔'처럼 계모로 구성된 가족 형태에서만 일어나지 않는다. '헨젤과 그레텔'은 계모와 자녀의 이야기라기보다 부모 혹은 가족과 어린이의 이야기다. 실제로 잭 자이프스를 비롯한 민담학자들은 '헨젤과 그레텔'의 1810년 초고본에서는 원래 '친모'였다가 1857년 최종본에서 '계모'로 수정된 사실을 밝혀내기도 했다. 수정된 이유에 대해선 어린이 독자의 심리적 충격을 완화하기 위해서라고 해석한다. 친모가 유기한다는 모티브는 끔찍하니 그걸 계모에게로 전가하고, 친부는 매우 유약한 캐릭터로 만들어 면죄부를 준 것이다.(김환희 · 〈옛이야기와 어린이책〉 · 302~304쪽 참조)

사실 '헨젤과 그레텔' 이야기가 겨누는 핵심은 '계모냐 친모냐'가 아닌, 어린이를 유기하는 사회 현실이다. 민담학자들이 이 민담을 어린이 심리에 긍정적 영향을 미친다고 보는 이유가 있다. 아동 유기, 유괴, 학대, 굶주림이 일어나는 현실에서 불안과 공포를 안고 살아가는 어린이들에게 위기 대처 능력 내지 생존

법칙을 가르쳐준다는 설명이다. 그러한 현실은 민담이 기록된 200여년 전은 물론 지금까지도 계속되고 있다. 혈연 가족이라 해서 어린이에게 심리적으로나 실제적으로나 항상 든든하고 안온한 울타리가 되어주지는 못한다. 슬프고 처참한 현실을 살아가는 어린이들이 여전히 우리 곁에 있다.

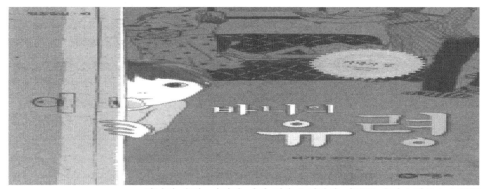

바니의 유령. 마거릿 마이 지음 | 햇살과 나무꾼 옮김 | 비룡소 | 2007

라. 가족 안에 머물 자리

〈바니의 유령〉(마거릿 마이·비룡소·2007)에는 어린이가 가족에게 온전히 받아들여지는 과정을 겪으며 자신의 유기 불안을 자연스레 떨쳐내는 이야기가 그려진다. 주인공 바니는 어느 날 학교에서 돌아가는 길에 문득 푸른 벨벳 옷을 입은 유령 소년을 만난다. 유령이 바니의 원래 이름인 '바너비'를 부르며 "바너비는 죽었어! 나는 너무 외로워질 거야"라고 외쳐대니 바니는 이를 자신의 죽음에 대한 예견처럼 느끼며 극심한 공포에 떤다.

하지만 바니는 가족 누구에게도 이 사실을 말하지 못하고 혼자 끙끙대기만 한다. 가족 가운데 자신을 가장 사랑해주는 새엄마는 임신한 상태였고, "아기를 가진 사람들은 단순하고 행복하게 생활해야 하며, 자기 아이가 유령을 본다거나 혹시 정신이 나갔을지도 모른다며 불안해하면 안 된다"(〈바니의 유령〉62쪽)고 여겼기 때문이다. 물론 사랑하는 새엄마의 안위를 염려하는 마음에는 친모가 자기를 낳으며 돌아가셨듯 또다시 엄마를 잃을지 모른다는 두려움이 깔려 있다.

바니는 자꾸 유령이 보이는 것만도 무서울 지경인데 자신의 죽음과 새엄마의 부재까지 두려워지는 상황으로 빠져든다.

유령이라는 환상 세계가 불러낸 바니의 공포는, 현실 세계에서 있는 그대로의 내가 가족에게 받아들여지지 않을지도 모른다는 두려움과 겹친다. 유령은 "우리 같은 사람들은 가족 안에 머물 자리가 없어”(〈바니의 유령〉 60쪽)라며 계속 바니를 겁주고, 바니를 가족에게서 떼어내 마법사들의 세계로 데려가려고 한다. 바니는 마음에서 계속 일어나는 이 질문으로 불안했을 것 같다. 유령은 내가 남들과 다르다고 하는데, 유령의 말이 사실이라면 과연 나는 지금처럼 가족 안에서 계속 사랑받고 수용될 수 있을까.

바니에게 유령이 나타난다는 사실을 결국 가족들이 알게 되면서부터 바니의 공포는 바니 집안의 비밀과 함께 풀린다. 유령은 집안의 마법사 콜 할아버지가 보낸 형상이었다. 어린 시절 콜 할아버지는 마법을 지녔다는 이유로 증조할머니에게 거부당했고 집에서 쫓겨나 죽은 사람인 양 지내왔다. 그는 다른 가족 몰래 유일하게 연락하던 형제인 바너비 할아버지가 죽고 완전히 혼자가 되자 집안에서 유일하게 마법을 지녔다고 생각한 바니를 억지로 데려가려고 했던 것이다.

콜 할아버지를 가족 밖으로 내쫓은 증조할머니의 태도는 가족의 비밀이 밝혀지는 과정에서 여러 인물의 목소리로 한결같이 비판된다. “곧게 자라는 장미를 키우듯 우리를 가지 치며 다듬었고, 결국 우리는 하나같이 반듯하고 곧게 살아갔단다”(〈바니의 유령〉 98쪽), “특별한 천성을 억누를 것을 강요하고 어떻게든 그 특성을 부수려고 하는 가정”(〈바니의 유령〉 148쪽), “마법을 인생에서 완전히 몰아내고 자신만의 특별한 개성을 파괴하기 시작했어요. 주위의 사물에 거짓 질서를 부여하고요. 정돈하고 정돈하고 또 정돈해서 자유로운 놀이들을 모조리 할머니만의 체스 게임으로 바꾸었어요.”(〈바니의 유령〉 175쪽)

바니를 절대로 콜 할아버지처럼 쫓겨나도록 두지 않고 바니의 모습 그대로 받아들이겠다고 반복하며 신뢰를 주려는 듯하다. 즉 이 동화에서 ‘마법’이란 어린이 저마다의 개성을 상징한다. 그 개성이 어떠하든 가족은 어린이의 존재 자체를 수용해야 하며, 그에 대한 믿음을 주어야 한다고 말한다. 그것이 어린이를 버리지 않겠다는 약속이라고.

마. 새엄마와 가짜 누이가 만든 진짜 가족

콜 할아버지가 바니를 억지로 데려가려 할 때 가족의 이름으로 적극 막아선 사람은 바니의 새엄마다. 마법사의 능력이 혈연으로 계승되는 태생적 성격인 데 비해 새엄마가 주장하는 가족의 핵심은 그와 다른 의미다.

“바니는 제 아들이에요. 우리 식구들은 서로에게 속해 있어요. 아니, 서로 잘 어울리고 있죠. 전 지금까지 일 년간 바니를 키웠어요. 셔츠를 다려주고, 도시락을 싸주고, 이야기를 들려주었죠. 바니가 입고 있는 잠옷도 만들어주었지만, 할아버진 지난주까지만 해도 죽은 줄만 알았던 분이에요. 어쨌든 가장 중요한 것은 바니가 우리랑 살고 싶어 하지 할아버지와 살고 싶어 하지 않는다는 거예요. 중요한 건 바로 그거예요." 〈바니의 유령〉 158~159쪽)

새엄마는 가족을 구성하는 핵심이 혈연이 아닌 돌봄에 있다고 한다. '돌봐주는 게 가족이다. 가족을 선택하는 데는 어린이 본인의 의지가 중요하다.' 가족의 비밀이 유령과 마법사의 판타지로 알 듯 말 듯 흥미롭게 흐르다가 마지막에 이르는 자리가 무척이나 통쾌하다. 새로운 가족 개념은 바니의 누나인 타비사가 "가족이란 다 우연히 만난 거예요" (32쪽)라고 말하는 데서도 드러난다.

신비로운 그녀, 아버지의 딸. E L 코닉스버그 지음 | 이보미 옮김 | 문학과 지성사 | 2014

〈신비로운 그녀, 아버지의 딸〉(E L 코닉스버그·문학과 지성사·2014)이 말하는 가족도 비슷하다. 이 소설에서 유일하게 하이디의 발달장애를 수용하며 교육한 사람은 부모가 아닌 가짜 누이 캐롤라인이었다. 캐롤라인은 17년 전 납치되어 행방불명되었다가 가족 앞에 갑자기 나타나며 엄청난 재산의 상속자가 된다. 소설은 내내 캐롤라인이 진짜 상속자인지 사기꾼인지를 좇다가 결말에 가서는 지금까지 서사를 스스로 배반한다.

캐롤라인이 친딸인지 여부보다 하이디의 성장을 응원하고 지지하는 관계인지 여부로 진정한 가족인지를 판가름한다. 자신의 정체가 담긴 서류를 앞에 두고 "내가 누구인지 아는 게 더 중요한지, 아니면 나라는 사람이 어떤 사람인가를 아는 게 더 중요한지" (〈신비로운 그녀, 아버지의 딸〉 169쪽) 알아서 결정하라는 캐롤라인의 당당함은, 오직 혈연만이 가족을 이루는 요소가 아니라는 걸 분명히 말한다.

비밀 소원 김다노 지음 ┆ 이윤희 그림 ┆ 사계절 ┆ 2020

　지금까지 살펴본 동화들은 1970년대 후반과 1980년대 초반에 출간됐으면서도 오히려 지금 우리 동화들보다 가족의 의미를 좀 더 다양하게 탐색한다. 우리 동화는 여전히 '정상가족' 이데올로기에 갇혀 있어서 다양한 가족의 모습을 만나보기 힘든 점이 있다. 한부모 가족, 조손 가족, 다문화 가족, 이민 가족의 어린이는 대개 결핍을 겪는 인물로만 등장하며 편견을 강화하기도 한다. 그중 〈비밀 소원〉(김다노·사계절·2020)은 부모님이 별거를 시작한 이랑과, 부모님이 사고로 돌아가신 후 외할머니, 비혼 이모와 사는 미래의 가족을 편견 없이 그려내어 돋보인다. 어떤 가족 형태로 지내든 각자 행복하기를, 새로 구성된 가족이 잘 살기를 바라는 이랑과 미래의 소원은 '정상가족'의 굴레를 벗어나야 비로소 꿈꿀 수 있는 희망을 어린이 독자에게 안겨준다.[136][137][138]

26. 전화위복은 나에게도

　우리는 어려서 운동회 날 달리기를 해본 경험들을 다 가지고 있다. 일등을 달리는 선수가 박수를 받기도 하지만 그보다 박수를 더 많이 받는 사람이 있다. 그건 넘어졌다가 바로 일어나 최선을 다해 달리는 사람이다. 하는 일에 좌절하지 않고 불굴의 투지로 최선을 다하는 사람한테 용기를 안겨주는 배려의 응원일 것이다.

　우리네 인생사에서도, 잘 달리는 선수가 우승을 하듯 분야별 각 실력자가 성공을 하는 경우도 있지만 그런 경우는 손가락을 꼽을 정도의 숫자에 불과하다. 설사 넘어졌더라도 다시 일어나 뛰는, 그런 사람이 성공의 확률이 높은 것이다. 필경 시도하는 일이 뜻대로 안 된다 하더라도 용기를 내어, 의지로 발버둥치는 사람이 최후 승자가 되는 것이다. 그런 사람이 성공한다는 것을 우리는 알아야 한다.

요즈음은 생존경쟁이 치열한 시대이다. 세상이 각박하다 보니 살기가 더욱 어려운 게 사실이다. 사람의 일은 자신의 하는 일이 마음먹은 대로 되는 것도 있지만 그렇지 않은 것이 더 많다는 것을 우리는 알아야 한다. 하던 일이 여의치 않을 때 절망하거나 포기하는 사람이 종종 있는데 그래선 안 된다.

그르친 일 모두가 실패의 결과로 통하는 것은 아니기 때문이다. 자신이 하던 일이 실수로 좀 어렵게 됐다 하더라도 낙심하거나 절망해서는 아니 된다. 거기엔 좋은 결과를 만들어 주는 희망적인 전화위복(轉禍爲福)의 복병이 도사리고 있기 때문이다.

알렉산더 플레밍이 페니실린을 발명한 것도 전화위복의 결과였다. 그는 당시 어린이들에게 유행하던 부스럼을 연구하다가 실수로 세균을 배양하는 접시 뚜껑을 닫지 못하고 퇴근했다.

다음날 출근해보니 뚜껑이 열린 접시에 푸른색 곰팡이가 많이 피어 있었다. 접시 안에 잔뜩 배양돼 있던 세균이 다 죽어버린 것이었다.

그는 곧 실수로 인해 생겨난 뚜껑 열린 접시의 푸른색 곰팡이를 연구하여 페니실린을 발명하고 노벨상까지 받았다. 실험실 접시의 뚜껑을 덮지 않은 결정적 실수가 곧 페니실린 발명의 길을 열어 준 셈이 된 것이었다.

우리는 하는 일이 어렵고 힘들더라도 절망하거나 좌절해서는 아니 되겠다. 전화위복(轉禍爲福)이란 행운의 복병이 나에게도 기다려 주고 있기 때문이다. 그런 행운이 나를 제쳐놓는 예외일 수는 없다. 그건 바로 희망과 투지와 용기를 가진, 땀 흘리는 사람한테 어김없이 찾아가는 단골손님이라는 이유에서이다. 그 단골손님이 바로 우리에게 희망을 주는 전화위복(轉禍爲福)인 것이다.

우리는 자신의 장래를 예측하기 어렵지만 전화위복은 분명히 나한테도 있는 것이다. 그러니 우리는 자신의 하는 일이 불가능에 가깝더라도 낙심하거나 절망에 **빠져**서는 아니 되겠다.

1980년대 초반 충고 내 반 학생 하나가 성실한 노력파로 공부를 잘하는데 집이 가난하여 고모님의 학비조달로 고등학교를 졸업했다. 학생은 4년제 대학 진학을 하고 싶지만 가정이 어려워서 상담 끝에 대전공업전문대학을 지원하기로 했다.

예상했던 대로 김○○는 진학한 대학에 적응을 잘하고 공부를 열심히 하여 좋은 학점을 받고 성실성으로 인정받는 학생이 되었다. 2학년 졸업반이 될 때까지 줄곧 장학생으로 학교를 다녔는데, 월등하게 좋은 성적으로 대전공전 개교 이래 제일 성적이 좋은 학생이라 했다. 거기다 나도는 소문이 김○○ 하면 공부 잘하고 성실한 학생으로 모르는 교수가 없을 정도 유명세를 탔다고 들었다.

사람의 일은 한 치 앞도 예측할 수 없다더니 일이 되느라고 그랬는지 학생이 2학년 졸업 말기에, 대전공전이 개방대로 바뀌어 김○○ 학생은 2년제 전문대학을 들어가서 4년제 대학을 졸업하게 됐다. 그 개방대가 바로 지금 한밭대학교의 전신이다. 김○○는 칭송받는 사람 됨됨이에 공부 잘하는 학생으로 인정받고 학교를 다녔다.

게다가 개교 이래 제일가는 성적과 성실한 학생으로 알려져 졸업 후에 모교 교수로 오라는 제안까지 받았다고 했다. 다만 교수가 되려면 박사 학위가 필요하니 자격을 갖추어 놓으라는 귀띔까지 해 주더라는 것이었다.

학생은 개방대를 졸업 한 후 1년이 지나도록 모교에서 아무 연락도 없었다. 학생은 약속이 무산된 줄로 알았다. 무턱대고 기다릴 수 없어 대전시 공채 9급 공무원 시험에 응시하여 합격을 했다. 발령받은 시청에서 근무하던 중 어느 날 모교에서 교수로 채용한다는 통보가 왔다. 담임했던 김○○가 어찌하면 좋겠느냐고 나한테 찾아왔다. 심사숙고 끝의 답으로 모교 교수로 가라는 귀띔을 해 주었다.

김○○ 학생은 최단기간에 모교의 교수가 되었다. 그것도 2난제 전문대를 들어가서 4년제 대학을 졸업하고 자기가 나온 모교 교수로 간 것이다. 정 코스로 4년제 대학을 들어간 사람보다도 출세 길이 **빨랐다**. 그는 성실성과 공부 잘하는 사람으로 인정받아 정 코스 4년제 대학을 나오고도 어려운 한밭대 교수가 되었다.

이것이 전화위복(轉禍爲福)의 선물이 아니고 무엇이겠는가! 나는 여기에서 깨달은 것이 있다. 용의 꼬리가 되는 것보다는 닭대가리가 되는 게 낫다는 속담을 실감했다. 성실하게 자기연마하는, 실력 있는 사람은 주머니에 들어 있는 송곳과 같이 숨어 있어도 저절로 사람들에게 알려짐을 뜻하는 낭중지추(囊中之錐)와도 같다는 것을 터득했다. 또 우리의 삶 가운데 악 조건이 전화위복(轉禍爲福)이 되어 그 힘든 환경 속에서도 희망을 잃어서는 안 된다는 사실도 덤으로 깨닫게 되었다.

전국, 아니 지구촌 도처에서 허덕이는 어려움에 절망하거나 포기하려는 이들이여! 우리 모두 함께 힘을 낼지어다.

제아무리 어둡고 긴 터널도 조금만 참아내면 광명한 대지를 볼 수 있는 것이다. 마냥 깜깜한 동굴 속에도 빛을 찾는 자는 틈새로 새어드는 빛을 볼 수 있는 것이다. 당장 숨 막혀 죽을 것 같은 절망에도, 하는 일마다 안 되는 일에도, 희망은 있는 것이다. 좋은 일에 마귀가 많이 낀다는 생각으로 어려울 때 우리 자위하고 힘을 낼 지어다.

전화위복(轉禍爲福), 호사다마(好事多魔)! 이 두 단어는 나에게도 해당하는 희망적인 말임에 틀림없다.

우리 어렵고 힘들어도 주저앉지 말지어다. 힘을 낼지어다. 좋은 일에는 마귀가 많이 낀다는 호사다마(好事多魔)는 우리에게 영약임에 틀림없다. 우리 모두 주먹 불끈 쥐고 의지의 발버둥을 쳐 볼 일이로다.[139]

27. 행복한 가정을 만들어가는 비결

5월은 가정의 달입니다. 가정의 달에 우리는 어버이날 고향에 부모님을 찾아뵙기도 하고, 어린이날 자녀들을 위해 놀이공원에 가기도 하고, 부부의 날 배우자를 위해 근사한 식당에서 데이트를 하며 거창한 선물을 준비하기도 합니다. 이렇게 가족들을 챙기다보니 5월은 늘 주머니 사정이 넉넉하지 않지만 그래도 마음만은 따뜻해지는 행복한 시간이지요. 그럼 오늘은 어떻게 하면 행복한 가정을 만들어 갈 수 있을지 독자 여러분들께 알려드리고자 합니다.

첫째 부모님께 감사를 표현해야 합니다.

나를 낳고 키워주신 부모님 덕분에 지금의 내가 있다는 것, 부모님께서는 우리를 언제나 사랑하신다는 것은 직접 부모가 되어 보면 충분히 알 수가 있습니다. 그럼에도 우리들은 자녀들 양육에만 몰두하느라 정작 부모님께는 감사를 표현하지 못하고 소홀한 경우가 많죠.

저는 부모님께 감사를 표현하기 위해 고향 제주도에 재판 일정을 만들어서 부모님과 함께 식사를 하는데요. 부모님께서는 자식인 저와 이렇게 가끔 식사를 하는 것이 너무 좋다고 하십니다. 그럴 때마다 제 마음도 좋아지고, 또 부모님께 작은 감사를 표현하는 것 같아 뿌듯한 마음이 들기도 합니다. 그래서 어떨 때는 재판 일정이 없음에도 불구하고 재판 일정이 있다고 하여 비행기를 타고 부모님을 뵈러 가는 경우도 있습니다.

둘째 자녀들과 함께 하는 시간을 가져야 합니다.

행복한 가정을 만들기 위해 우리는 자녀들과 함께 하는 시간을 확보해야 합니다. 저도 어린 시절 공직에 계신 아버지께서 자녀들과 함께 하는 시간을 많이 갖지는 않으셨지만 그래도 한 달에 한 번 외식을 하고, 여름방학 때는 계곡으로 캠핑여행을 갔던 기억이 선명합니다. 이렇게 가족들이 함께 하는 시간을 가질 때 가장 행복한 추억이 되는 것입니다.

최근에는 기업들도 가족과 함께 하는 시간을 가지라고 하면서 매주 일정한 날 강제 조기퇴근을 시키기도 하는데요. 이처럼 바쁜 와중에도 늘 자녀들과 함께 하는 화목활동을 소홀히 하지 않아야겠습니다. 저도 이번 연휴기간에 오랜만에 속초로 여행을 다녀왔는데요. 자녀들과 함께 맛있는 음식도 먹고, 산책도 하는 등 함께 하는 시간을 통해 가정의 소중함을 느끼게 되었습니다. 굳이 여행을 하지 않더라도 자녀들과 함께 같은 책을 읽고 그 느낌을 나누는 가족독서모임도 자녀들과 함께 하는 유용한 방법이 될 수 있겠습니다.

셋째 배우자를 사랑해야 합니다.

가정의 달 5월, 우리는 어버이날에 부모님께 감사하고, 어린이날 자녀들과 함께 하는 시간을 가지기는 하지만 21일 부부의 날은 덜 신경을 쓰고, 가정의 달이라고는 하지만 정작 배우자에 대해서는 많이 신경을 쓰지 못하는 것 같습니다.

그러나 부모님에 대한 감사를 표현하는 것도, 자녀들과 함께 하는 시간을 갖는 것도 모두 사랑스러운 부부관계에 기초할 때 의미가 있을 것입니다. 부부관계가 무너질 때 부모님의 마음도, 자녀들의 마음도 편할 수가 없다는 것입니다. 그렇기 때문에 우리는 평생을 같이하는 배우자와의 사랑스러운 관계를 위해서도 늘 마음을 써야 할 것입니다. 아내를 위해 거창한 선물도 좋고 값비싼 식당도 좋지만 이번 달 21일 부부의 날에는 배우자에 대한 사랑을 듬뿍 담은 손편지를 써 보는 것은 어떨까 생각해 봅니다.

가화만사성이라는 말이 있습니다. 가정이 화목해야 모든 일이 술술 풀리기 마련입니다. 5월 가정의 달을 맞이하여 행복한 가정을 만들어가기 위해 우리는 부모님께 작은 것이라도 감사를 표현해야 합니다. 그리고 우리 자녀들이 부모로부터 선한 영향을 받고, 좋은 추억을 간직한 채 성장할 수 있도록 자녀들과 함께 하는 활동과 시간을 확보해야 합니다. 무엇보다 사랑스러운 부부관계가 부모공경,

자녀양육에 가장 중요한 기초가 된다는 점 잊지 말아야 하겠습니다.

가정의 달 뿐만 아니라 늘 부모 공경, 자녀와의 친밀한 시간, 사랑스러운 부부 관계를 위해 시간과 마음을 내어 행복한 가정 만들어가는 독자여러분들 되시기를 진심으로 응원합니다.[140]

28. 건강의 첫걸음, 안전한 먹거리 생활

먹거리는 먹다의 '먹' 과 재료나 소재를 의미하는 의존명사 '거리' 를 합친 말로 음식에 대응한다.

실제로 음식을 대체하기 위해 순우리말로 만든 신조어이다. 경향일보 1981년 10월 3일자 기사에 따르면 독립운동 유공자로, 국제 식량농업기구 한국협회에서 간부로 활동했던 김민환이라는 사람이 1950년대부터 제안한 낱말이다. 오랜 기간 별다른 반향이 없었지만, 1980년대에 들어 김민환의 주장에 공감하는 사람들이 늘어났고 심지어는 한글학회까지 먹거리 사용을 긍정했다.

-유전자 변형 식품(GMO 식품) 수입 현황

우리나라는 전세계적으로 GMO 식품 수입량이 상위권에 속한다. 미국이나 브라질 등으로부터 수입한 콩기름, 카놀라유, 옥수수유 등은 여러 종류의 가공식품을 만드는데 활용되고 있다. GMO 식품을 많이 수입하게 된 이유는 외환위기 당시 IMF가 국가 부채를 탕감해주는 대신 농산물 시장을 개방하도록 유도했기 때문이다. IMF에 부채를 진 우리나라는 그들의 구조조정 프로그램 따르지 않을 수 없었다. 이때 우리나라 1위부터 3위를 차지했던 토종 종자기업들은 다국적 기업에 인수되었다. 그리고 이들이 한국 종자시장의 70%를 점유하게 되었다. 현재 우리나라 식량 자급률은 50%, 곡물 자급률은 20% 정도이다.

-식품 독점과 바나나 멸종 사태

GMO에 의한 식품 독점이 위험한 이유는 바나나를 통해 알 수 있다. 전세계에서 가장 많이 생산되는 과일은 바나나이고, 우리나라도 수입 과일 중 1위이다. 잘 먹고 있는데 무슨 문제냐고 물을 수도 있지만 과거 바나나는 한 차례 홍역을 앓은 바 있다. 당시 전세계적으로 유통되던 그로미셸 품종이 파나마병으로 인해 전멸되다시피 한 것이다.

바나나를 수확하고 나면, 그루터기에서 자란 생장지를 다른 바나나 밑동에 옮겨 심는다. 하나의 생장지가 감염된줄 모르고 다른 가지에 계속 옮겼을 경우 전염병이 전체로 번지게 된 것이었다. 초국적 식품회사에서는 다양한 품종을 개발하는 대신 이익을 극대화하기 위한 방편으로 하나의 품종에 올인하였다. 그렇게 나온 것이 우리가 먹고 있는 캐번디시 품종이다. 새로운 바이러스가 창궐한다면 또다시 바나나 재앙이 도래할 수 있다.

-GMO 식품 찬반 의견

GMO 식품 찬성론자들은 병충해에 강하도록 유전자 조작한 종자가 농토를 덜 갈게 함으로써 토양 침식을 줄이고, 무엇보다 다수확이 가능하다고 한다. 아울러, 세계 보건기구(WHO)와 같은 기관에서 안전성까지 검증받았다고 한다. GMO 식품은 고품질의 가성비 좋은 식품이라는 것이다.

반대론자들은 하나의 작물에 유전자를 조작하면 그것과 관련이 있는 잡초나 해충 등도 같이 영향을 받는다고 한다. 유전자를 조작한 씨앗을 심으면 해충 피해를 줄일 수 있다고 하지만, 해충 역시 살아남기 위해 면역력을 강화한다는 것이다.

종자는 크게 고정종자, 영양종자, F1종자로 나뉜다. 고정종자는 수확한 작물에서 산출된 씨앗을 파종하면 과거와 같은 작물을 얻을 수 있다. 영양종자는 감자와 같이, 수확한 작물 일부를 씨앗으로 삼는다. F1종자는 유전자를 조작하여 만들어낸 종자로, 터미네이터(terminator) 씨앗은 고정종자와 달리, 다음 번에는 활용할 수 없고, 트레일러(trailer) 씨앗은 특정 종자 기업에서 제작한 비료나 농약을 사용해야만 발아된다. 현재 많은 농민들은 토종종자에 비해 가격 및 수확량이 월등한 이 종자들을 사용하고 있다. 수익을 내야 하는 농가 입장에서는 선택의 의지가 없다.

－우리의 대응

루이 드레퓌스, 카길, 몬산토 등 현재 세계 3대 곡물 무역회사는 생산, 저장, 수송을 독자적으로 해결하면서, 전세계 무역의 75% 이상을 장악하고 있고, 이윤을 극대화하기 위해 자신들이 생산산 종자, 농약, 비료 등을 사용하지 않을 수 없는 시스템을 만들어 가고 있다. 사정이 이렇다 보니, GMO 표시 가능성은 점점 희박해지고 있다. 일부 시민단체에서는 완제품에 GMO 유전자가 잔존하지 않더라도 GMO 원료를 사용했다면 사용 여부를 표시하자고 주장한다. 이에 대해 식품산업계에서는 2차, 3차 가공되는 식품 모두에 완전 표시제를 하기란 현실적으로 불가능하고, GMO 완전표시제를 실시하면 식품 가격이 크게 오를 것이라고 한다.

GMO 완전표시제가 안된다면, 차선책으로 Non-GMO 표시라도 해야 한다. 소비자의 알권리는 존중받아야 한다. 아울러, 소비자들은 어떤 과정을 통해 이 식품이 밥상에 오르게 되었는지 관심을 가질 필요가 있다. 건강한 식생활은 공동체의 기본이다. 안전한 먹거리는 우리의 미래와 직결되기 때문이다.[141]

29. 두 청년의 '도전, 검정고시'

서울의 한 아동양육시설에서 장기간 지속적으로 아동학대가 자행됐다. 가해자도 피해자도 다수인 사건이다. 시설을 운영한 수녀회 소속 수녀들은 아동을 직접 폭행하기도 했고 보육사들에게 폭행을 지시하기도 했다. 수녀는 보육사의 폭행으로 한밤중 응급실에 실려 가는 아동에게 '장난치다 다쳤다고 말하라'고 지시하기도 했다.

부산에서 출생한 한 아동은 같은 수녀회가 운영하는 부산 소재 보육원에서 유년기를 보냈다. 유치원 때부터 학대는 시작됐다. 보육사는 아동을 눕게 하고, 다른 아동들에게 밟으라고 지시했다. 또 자신이 퇴근하기 전에 잠들지 않으면 혼내겠다고 경고했다. 아동은 무서워서 계속 잠든 척했고, 보육사가 나간 후 펑펑 울었다. 시설은 어느 날 갑자기 서울에 간다며 아동들을 버스에 태웠다. 예고도 설명도 없이 그날 이후 아동들은 서울에서 살게 되었다. 학대에도 불구하고, 유일한 가족인 친구들과 함께 부산에 머무르길 간절히 원했지만 생이별이었다. 이후 시설 아동들만 다니는, 보육원 내 초등학교로 진학했다.

아동은 초등학교 1학년 때 벽 보고 무릎 꿇는 체벌을 하도 많이 받아 2학년 무렵에는 세계지도를 다 외울 지경이 되었다. 축구부에 들어가서는 감독의 폭력이 심했다. 생활관과 축구교실이 인접하여 축구부원들이 맞아서 우는 소리가 다 들렸지만, 수녀들은 전혀 제지하지 않았다. 초등학교 3학년 때 보육사는 냉장고와 책상 사이 50㎝ 남짓한 공간에 아동들을 무릎 꿇리고 하루 종일 벽을 보게 했다. 하루에 한 명은 꼭 그 틈에 들어갔다. 보육사들은 아동이 토한 음식을 다시 그릇에 담아 먹게 하거나, 먹고 있는 라면에 쓰레기와 먼지를 넣기도 했다.

이 시설의 아동들은 성인이 되어 퇴소할 때까지 시설 내 유치원, 초·중·고교를 다녀야 했다. 다행히 2013년부터 외부 중학교에 다니게 되었고 2015년에는 시설 내 초등학교가 폐교되었다. 위 아동들이 중학교 2학년이 됐을 때 시설은 소위 문제아반을 만들었다. 문제아반 담당 보육사 2명 가운데 보육사 A의 폭력이 극심했다. 나머지 보육사 B는 교대할 때마다 A에게 아동들의 잘잘못을 전달했고, A는 교대하자마자 아동들을 폭행했다. 중3이 되자 시설은 문제아반을 하나 더 만들었다. 두 번째 문제아반의 보육사 C는 10kg짜리 역기봉으로 아동들을 때렸고, 맞은 아동들이 수시로 병원에 실려 갔다. 문제아반이 생긴 2년 뒤에야 A, C는 시설을 떠났고 형사처벌을 받았다. 중학교의 다른 교사에게 A의 폭력을 알렸던 아동은 즉시 다른 생활반으로 옮겨졌지만, 다른 피해아동들은 시설에서 퇴출당했다.

　가출한 아동들은 경제난을 겪다가 절도범이 되기도 했다. 학대의 트라우마로 고통받은 아동은 자신이 폭행범이 되기도 했다. 서울 소재 6호 처분시설에 보내진 아동들은 이 시설에서 자원활동을 하던 박 아무개 변호사에게 절도나 폭행 등에 대한 법률지원을 받았다. 박 변호사와 신뢰가 쌓여 가면서 아동들은 보육원에서 겪은 폭력에 대해 이야기했다. 같은 보육원 출신 아동들에게 생생하고 구체적인 증언을 들은 박 변호사는 보육사 A, C 외 폭력을 방조한 수녀회와 다른 가해자들의 책임을 물어야 한다고 생각했다. 박 변호사는 자신의 회원으로 있던 '정치하는엄마들'에 이 사건을 공유했고, 단체는 이들에 대한 법률비용 지원뿐 아니라 진단·치료·상담비용을 지원하기로 했다. 2021년 7월 정치하는엄마들은 수녀회와 가해자를 상대로 소송을 제기하여 재판이 진행 중이다.

　박 변호사는 이들이 촉법소년이라는 이유로 지원을 받기 어려웠다고 했다. '그럼에도 불구하고' 어긋남 없이 자란 청년들만 지원을 받는다는 것이다. 다행히 '작은공간'이라는 비영리민간단체가 이들의 일상을 두루 지원하고 있다. 정치하는엄마들은 이 사건을 통해 전국의 모든 보육원을 전수조사해서 시설 내 학대를 근절하고, 나아가 '아동탈시설'이라는 목표를 이루고자 지원을 결정했다. 피해 당사자가 나서주는 일이 거의 없기 때문에 이 사건에 거는 기대와 의미가 크다. 단체는 목표를 지향하지만 활동가들은 이 길에서 만난 사람들끼리 관계를 맺고 오순도순 기대어 살아갈 때 큰 기쁨을 얻는다.

　뜻밖의 소식이 들려왔다. 두 청년이 대학에 진학하기 위해 오는 8월 11일에 검정고시를 본다는 것이다. 검정고시라니! 물론 대학 진학 자체가 중요한 건 아니지만 '내가 선택한 도전'이라니 그 자체로 얼마나 멋진가. 진짜 보란 듯이 재미있고 행복하게 잘 살았으면 좋겠다. 늘 건강했으면 좋겠다. "시험 끝나고 밥 먹읍시다!"[142]

30. 이대로 살 순 없지 않습니까

"이대로 살 순 없지 않습니까." 좁은 철창을 간신히 빠져나온 목소리가 숨막히게 더운 공기를 뚫고 전해졌다. 이대로 살지 않겠다는 선언인 듯 이대로 살지 말자는 제안인 듯 육중하다. 대우조선해양 옥포조선소에서 파업 중인 금속노조 거제·통영·고성 조선하청지회 노동자들의 목소리다. 부지회장 유최안이 22년 경력의 용접기술로 자신을 가두고, 여섯 명의 노동자가 탱크 탑 구조물에 올라 고공농성을 한 지도 한 달이 되어간다. 14일부터는 산업은행 앞에서 세 명의 노동자가 무기한 단식에 들어갔다. 어떤 선언이고 어떤 제안이길래.

하청노동자들의 요구는 임금 30% 인상과 노동조합 인정이다. 30이라니, 튀는 숫자다. 물가상승률이나 기업의 영업이익 등을 고려해 소수점 아래까지 붙이는 임금인상 요구안과는 꽤 다르다. 뜻이 있겠거니 싶다. 노동조합은 인상이 아니라 원상회복이라고 설명했다. 조선업이 위기였던 2010년대 중반 이후 임금은 오르지 않고 상여금은 사라져 손에 쥐는 돈이 30%나 줄었다고 한다. 먹고살기가 얼마나 곤혹스러웠을지 짐작할 만하다. 그러나 선명한 숫자를 내걸며 회복하고 싶은 것이 임금만은 아닌 듯하다.

노동자들의 이야기에서는 "젊은 사람들이 일하러 오지 않는다"는 걱정이 곧잘 나왔다. 처음에는 어색했다. 모처럼 수주량이 크게 늘었는데 일할 사람을 구하지 못하는 기업이 할 법한 말이니까. 조선업 노동자 수는 2010년대 중반과 비교해 절반 수준이다. 구조조정으로 해고되어 떠난 사람들은 일감이 생겨도 돌아오지 않았다. 새로운 사람들도 찾아오지 않았다. 기업은 아웃소싱 업체를 만들어, 정부는 이주노동자 고용을 확대해 풀어보려고 한다. 노동자들은 달랐다. 떠나지 않아도 되는 일, 떠나고 싶지 않은 일이 되게 하고 싶다. 누군가 이 일을 배워서 이어주면 좋겠다. 기업이 아무렇게나 내버린 존엄을, 일에 대한 긍지를, 노동자들은 임금과 함께 회복하고 싶다.

정부는 파업 노동자들에게 점거를 풀라고 한다. 경제가 위태롭다며. 사실이다. 한국만의 문제가 아니다. 세계 경제가 휘청이고 있다. 경제 전망이 갱신될 때마다 성장률 전망치는 낮아지고 치솟는 물가는 아찔하다. 거슬러가면 2008년 경제 위기 이후 지속된 문제다. 배 만드는 노동자들은 그걸 온몸으로 겪었다.

조선업은 세계 경기에 특히 민감하다. 배를 필요로 하는 다른 산업의 경기나 환율의 영향도 크게 받는다. 호황과 불황 사이의 변동 폭도 크다. 2007년 미국에서 시작된 세계 금융위기가 2010년대 중반 한국 조선업의 대대적인 구조조정으로 이어진 이유다. 2000년대 들어 세계 최고의 위상에 이른 한국의 조선업도 기술만으로 세계 경제의 풍랑을 헤쳐나갈 수 없었다. 조선업 자체가 거대한 바다에 떠 있는 무거운 배와 같다. 외부 환경에 따라 서서히, 그러나 크게 출렁거린다. 그때마다 하청노동자들이 가장 먼저, 가장 많이 튕겨나갔다. 위험에 내몰려도, 일감이 없다며 내쫓아도, 어쩔 수 없다는 체념이 더 익숙했던 노동자들은 노동조합을 만나며 달라졌다. 그들은 자신의 일과 삶을 귀히 대하기로 했다.

거제에서 전해진 목소리가 내게는 이렇게 들린다. '우리 모두 풍랑을 만난 배에 있습니다. 키는 우리가 잡아야 하지 않겠습니까.' 주어진 세계 안에 자신을 욱여넣던 시간과 헤어지자는 제안. 채워야 할 것과 버려야 할 것, 지켜야 할 것과 끊어야 할 것을 우리가 분간하며 가자는 제안. 쉽지는 않다. 그러나 우리의 삶이 어디에 발 딛고 있는지 알기 어려운 지금, 삶을 지킬 유일한 방법이 아닐까.

배의 바닥에 단단히 붙박은 유최안의 철장은 이 세계의 흔들림을 온몸으로 마주하겠다는 각오인지도 모르겠다. 21일 발표될 인권보고서, 23일 출발할 희망버스가 제안을 보탠다. 함께 흔들리며 지키는 자리에서 새 땅이 다져질 것이다.[143]

31. 컨트리클럽에 농촌이 없다

80년대 '공일(휴일)' 특유의 풍경이 있었다. 전국노래자랑을 보면서 '땡!' 소리에 박장대소를 한다든가 권투와 씨름 생중계를 보는 풍경이 아련하다. 아버지는 텔레비전 화면에 대고 "잽잽! 어퍼컷!"을 외치며 훈수를 두곤 했지만, 이제 권투경기는 올림픽 때나 볼까 말까다. 대체로 소득이 올라가면 스포츠도 큰 자본이 얽힌 종목이 인기를 끌고, 골프도 그중 하나여서 생중계도 이루어진다. 스타

골프선수들도 많은 데다 특권층만의 스포츠가 아닌 대중스포츠의 면모를 갖추었다고도 할 수 있다. 골프 치는 예능프로그램도 많아지면서 더욱 친근해졌고, 이제 회식 뒤에 노래방 코스 대신에 '스크린골프' 문화도 낯설지 않다.

심지어 골프 업계는 코로나19 특수까지 누렸다. 실내 스포츠에는 여러 제약이 있던 탓에 야외활동을 할 수 있는 골프의 인기가 치솟고, MZ세대까지 골프에 유입되어 새로운 골프 소비계층이 창출되었다. 〈레저백서2022〉에 따르면 골프 인구는 564만명으로 전년 대비 20% 급증했고, 가격이 싼 동남아시아 골프 투어가 어려워지자 국내 골프장으로 방문객이 늘어나면서 영업이익률이 39.7% 상승한 것으로 나왔다. 한때는 아웃도어 모델이 톱스타의 상징이었지만 근래엔 골프의류 광고 모델을 거머쥐는 것이 기준일 정도로 골프 산업은 나날이 성장 중이다. 하지만 성장에는 그늘이 짙기 마련이다. 결국 골프장 문제가 남는다. 한국에는 골프장이 500곳 정도 있다. 수요에 비해 공급이 달려 이용료가 너무 비싸고 다른 선진국에 비해서도 턱없이 부족하며, 무엇보다 골프 산업이 갖는 경제성을 이유로 골프장을 늘려야 한다고 골프업계는 말한다.

하지만 골프장이 들어서는 곳은 대체로 농어촌이다. 해안가를 따라서 골프를 즐길 수 있는 곳들이나 풍경이 좋은 골프장은 인기가 높아 심지어 '죽기 전에 꼭 가봐야 할 골프장' 같은 순위를 매길 정도다. 다만 죽기 전에 변하지 않을 사실 하나는 골프장이 들어설 때마다 지역주민들은 갈등에 휩싸이고, 산을 깎고 농지는 훼손된다는 것이다. 내가 사는 남양주시에는 아직도 반딧불이가 나오는 곳이 있다. 축령산을 끼고 계곡도 맑은 수동면 내방리 일대다. 그런데 이곳에 무려 38홀짜리 거대 골프장이 들어서려 하자 갈등이 일고 있다. 또 전북 순창군 주민들이 가장 많이 모여 사는 순창읍에는 기존의 9홀짜리 골프장을 18홀까지 확장 공사를 하겠다 하여 끌탕을 하고 있다. 골프장 건설 계획이 알려지면 그때부터 '유치위원회'의 이름을 내걸고 지역발전, 세수확보 등의 명분으로 일부 인사들이 찬성운동에 나선다. 지역 정치인들은 여기에 힘을 보태고, 지역언론은 골프장이 큰손 광고주가 되어주길 바라면서 우호적인 여론을 만드는 데 끼어든다. 반면 골프장 지척의 주민들은 골프공도 날아오고 골프장에 뿌린 농약 피해를 고스란히 떠안게 된다며 극렬하게 반대운동을 한다. 골프장 문제로 어제는 형님아우, 오늘은 원수가 되어버리는 것이다. 그깟 공놀이 때문에!

골프장의 농약사용 논란 때문에 친환경 골프장을 만든다 해도 골프공을 잘 굴리려면 잔디만 남아야 하므로 제초제가 필수다. 여기에 어마어마한 양의 지하수를 쓰는데 농촌에서 지하수는 농업용수이자, 식수이기도 해서 물꼬 싸움까지 벌어진다. 지방세를 체납하던 제주도 골프장에 지하수를 막아 버린다 하자 득달같이 달려가 납부를 하는 걸 보니 골프 산업은 지독한 물 산업이기도 하다.

어디 남양주시 수동면과 순창군 순창읍뿐이랴. 이 지면에 일일이 열거하기 힘들 정도로 골프장은 전국 농어촌을 쪼개놓는 일등 공신이다. 골프가 대중스포츠가 되어간다고 하지만 그 어떤 스포츠가 이렇게까지 삶의 터전을 갈등으로 몰아넣는단 말인가. 골프장을 보통 CC, 즉 컨트리클럽(country club)이라 부르던데, 그 '컨트리' 들어서면 진짜 컨트리인 농촌은 괴롭다.[144]

32. 대통령과 서울시장은 상상력을 발휘하시라

지난해 허리케인 아이다가 뉴욕에 비를 쏟아붓던 날, 미국 폭스 뉴스의 기상전문 PD 그레그 다이아몬드가 트위터에 글을 올렸다. "센트럴파크 서쪽엔 폭우가 내렸지만, 홍수 피해는 없어."

이 트윗에 미국 누리꾼들의 집중 포화가 쏟아졌다. "고급스러운 동네에서 정보 알려줘서 고마워" "모든 도시가 다 똑같은 건 아니다"…. 날선 댓글들과 함께 영화 〈기생충〉을 캡처한 사진도 올라왔다. "오늘 하늘 완전 파랗고 미세먼지 제로잖아. 어제 비 왕창 온 덕분에." 차 뒷자리에 앉은 연교(조여정)의 통화 내용을 듣던 기택(송강호)의 표정이 싸해지는 바로 그 장면이다. 그 비가 왕창 온 덕분에 기택의 반지하 집은 침수됐고, 그의 가족은 임시대피소에서 고단한 밤을 보내야 했다. 현실이 아닌 '이야기'는 현실과 포개진다.

비가 또 왕창 왔다. 바람까지 세게 불었다. 이번에는 대통령도 퇴근하지 않았다. 태풍 '힌남노'가 한반도를 강타하면서 전국에서 인명과 침수 피해가 속출했다. 경북 포항의 피해가 가장 컸다. 포항의 한 아파트 지하 주차장에서는 세워둔 차를 옮기려다 주민 7명이 한꺼번에 목숨을 잃는 참사가 발생했다. 최근 주차 공간 부족 등으로 지하에 주차장을 만드는 경우가 일반적인데, 폭우로 물이 차오르면 지하주차장은 속수무책이다. 지하 공간 특성상 방수와 배수시설 확보가 필수적이지만 관련 법·제도는 사실상 전무하다고 한다.

가. 약자 존중 빠진 '반지하 일몰제'

올해 우리는 기후위기가 현실로 다가왔음을 온몸으로 절감하고 있다. 연초부터 이례적인 겨울 가뭄으로 대형 산불이 잇따라 발생했고, 폭염과 폭우 등 예측하기 힘든 날씨가 교차하고 있다. 한 달 전 수도권에 내린 폭우의 상흔이 채 가시지도 않았는데 추석을 앞두고 초강력 태풍까지 불어와 큰 피해를 입었다.

기후위기에 대한 심각성은 다른 문제들에 가려져 그동안 우리 눈에 잘 보이지 않았다. 기후위기로 인한 재난이 어떤 식으로든 눈에 보일 때는 혹독한 대가를 치른 후다. 지난달 8일 서울에 쏟아진 폭우는 1907년 기상관측 이래 최대치로, 겪어보지 못한 폭우였다. 도시 곳곳에서 침수 피해가 발생했고, 빗물에 취약한 지역도 드러났다. 서울에서만 5명이 사망했다. 이 중 4명은 반지하층에 거주하던 주거약자였다.

늘 그렇듯 재난은 우리 사회의 가장 약한 부분을 먼저 덮친다. 지하주차장 침수로 인한 인명 피해도 처음이 아니다. 집중호우 때마다 침수 방지시설 관련 지침 부재가 지하주차장의 인명 피해를 키우는 주요 원인으로 지적된다. 침수 피해를 예방하려 법과 행정 체계를 바꿨지만 반지하 거주자들의 참사를 막지 못했다. 묘안이 없을까.

최근 서울시가 주거약자를 위해 내놓은 '반지하 일몰제'는 얼핏 그럴듯해 보이지만 '약자'에 대한 존중이 빠져 있다. 게다가 서울시의 대책은 지난달 8일 밤 폭우로 반지하에 살던 일가족 3명이 참변을 당한 지 이틀 만에 나온 것이다. 무작정 반지하를 없애면 대체 어디로 가야 할까. 반지하 주택이라고 다 위험한 것도 아니다. 고시원, 쪽방 등 반지하보다 열악한 주거 형태도 많기 때문이다. 반지하에 거주하는 20만가구를 전제로 폭우 피해를 막기 위한 대책을 마련해야 한다는 얘기다. 그런 점에서 미국 뉴욕주가 같은 사안을 두고 정반대 대책을 추진하고 있다는 것은 눈여겨볼 만하다. 지난해 9월 허리케인 아이다가 몰고 온 큰 비로 뉴욕에서 많은 사상자가 나왔는데, 사망한 13명 중 11명이 지하층에 사는 저소득층이었다. 뉴욕주는 반지하 주택을 금지하고 있는데, 침수사고가 나자 이의 합법화를 추진했다. 현실을 인정하면서 안전을 확보하기 위한 방법을 택한 것이다.

나. 공감정책 없인 '따뜻한 나라' 없어

정부와 지자체는 기후위기 시대 자연재해에 의한 재난이 일상적으로 다가온다는 상황을 받아들이고 이에 대처하는 종합대책을 마련해야 한다. 이런 일을 하라고 정부가 있는 것이다. 다만 대책을 급조해서는 안 된다. 그리고 시작은 고통을 공감하는 것부터다. 지금 이 난리가 났는데 정책을 만드는 이들이 울고 있는 약자들에 대해 어떤 상상력도 가지지 못해서야 되겠는가.

한데 상황은 반대로 흘러간다. 침수사고가 반복되는 반지하 주택에 대한 논의가 뜨거웠던 게 얼마 전인데, 윤석열 정부는 내년도 예산에서 주거약자들의 주거상향에 효과적인 공공임대 관련 예산을 대폭 삭감했다. 윤석열 대통령이 제시한게 '따뜻한 나라' 아니었던가.[145)]

33. 감사를 통한 삶의 변화

사람은 어떤 일을 겪을 때 어떻게 반응하는가에 따라 그 결과가 달라진다. 어려운 상황이나 예측할 수 없는 난관을 만났을 때 그 상황을 어떤 관점에서 어떻게 반응하는가에 따라 상황이 바뀌기도 한다. 매사 일상생활에서 감사를 실천하면 삶의 긍정적인 변화가 온다고 한다. 미국의 실업가 중에 '스탠리 탠'이라는 박사가 있다. 그는 회사를 크게 세우고 돈을 많이 벌어 유명세를 타게 되었는데, 1976년에 갑자기 병이 들게 되었다. 척추암 3기라는 진단을 받았는데, 그 당시 척추암은 수술과 약물로도 치유가 힘든 병이었다. 이 사실이 알려지자 사람들은 그가 절망에 빠진 채 곧 죽을 것이라고 생각했는데, 몇 달 후 그가 병상에서 툭툭 털고 일어나 다시 출근을 했다. 직원들은 깜짝 놀라서 '아니 어떻게 병이 낫게 된 것입니까?' 하고 물었다. 그러자 스탠리 탠은 '아 네, 전 그저 매사에 감사만 했습니다. 병든 것도 감사하고, 병들어 죽게 되어도 감사했습니다. 모든 일에 긍정적으로 감사만 실천했습니다.' 매 순간마다 감사하고 감사했더니 암세포는 사라지고, 건강을 되찾게 된 것입니다. 그가 어려운 난관에서 회복하게 된 것은 '감사' 때문이었다. 요즘 미국의 정신병원에서는 우울증 환자들을 치료하기 위해서 약물치료 보다는 일명 '감사 치유법'을 더 많이 사용한다고 한다. 환자들로 하여금 자신의 삶에서 감사한 일들은 무엇일까를 찾아내게 하고 감사를 회복하도록 돕는 치료법이다. 그런데 놀랍게도 약물치료보다는 이 감사 치유법이 훨씬 효과가 탁월하다는 것이다. 이 감사 치유법은 단지 정신과 분야에만 효과가 있는 게 아니라, '스탠리 탠'의 경우와 같이 육체의 질병에도 대단한 효과가 있다고 한다.

사례는 또 있다. 일본 해군 장교인 가와가미 기이찌 씨는 2차 세계대전이 끝난 후 고향에 돌아오고 나서 하루하루 사는 것에 짜증만 났고 불평불만이 쌓여 갔다. 결국 그는 온 몸이 굳어져 조금도 움직일 수 없는 불치병에 걸리고 말았다. 그때에 그는 정신 치료가인 후찌다씨를 만나게 되었다. 후찌다씨는 그에게 "매일 밤마다 '감사합니다'라는 말을 만 번씩 하세요"라고 처방을 하였다. 기이찌 씨는 자리에 누운 채로 매일 밤 계속해서 '감사합니다'라는 말만 계속했다. 매일 '감사합니다'를 했기 때문에 감사가 몸에 배여 있게 되었다. 어늘 날 아들이 두 개의 감을 사 와서 '아버지 감을 잡수세요'라고 말했는데, 그때 아들에게 '감사합니다'라고 말하면서 손을 내밀었는데 신기하게도 손이 움직였고 차츰 뻣뻣하게 굳어져 있던 목도 움직여지게 되었다고 한다. 말로만 하던 감사가 실생활에 선포되고 불치병도 깨끗하게 낫게 한 것이다. 사람의 병은 대부분 스트레스에서 기인한다. 스트레스의 원인은 마음의 상처와 부정적인 생각이다. 그래서 감사의 마음을 가지게 되면 스트레스와 불치병을 극복하게 되는 것이다. 과학자들은 실제로 감사가 뇌를 물리적, 화학적으로 변화시킨다고 말한다.

올해에도 어김없이 추석(秋夕)이 찾아왔다. 한국인의 정서를 대변하는 언어는 '정(情)'이 아닐까 한다. 정 문화를 통해 가족공동체의 연대와 유대를 확인하는 대표 명절은 바로 추석이다. 유구한 세월 쌓아 온 한국인의 특유의 정(情) 문화를 대표하는 추석이야말로 우리의 가장 큰 심리적 자산이다. '정(情)'은 '우리'라는 공동체 안에서 오랫동안 쌓은 감정적 공유의식으로 상대방을 배려하는 마음이다. 굳이 말하지 않아도 서로 이해하고 아껴주고, 오랜만에 보면 반가운 마음의 표현이다. 다들 힘들고 어렵다고들 하는 추석 언저리다. 올해의 추석만큼은 온전히 감사하는 마음을 담아, '정(情)'으로 하나되는 뜻깊은 명절이 되길 소망해 본다.[146]

34. 머슴들의 잔머리 굴리기

자나 깨나 민생은 없고 잔머리 경연대회가 매일 열리는 섬이 터가 나쁜지 힘들어 보인다. 재주도 좋다. 하는 것 없이 세비만 축내는 인간들은 미안함도 모른다.

세비 지금 중단하면 어떤 일이 벌어질까 궁금하다. 한번 테스트라도 해보고 싶다. 불만 있으면 사비로 활동하면 되니 궁시렁 거리지 말자.

유럽 어느 나라는 명예직으로 하면서도 잘만 굴러간다는데 우리도 일단 한번 도전해 보자. 사람이나 분야를 가리시 않고 직급과 무관한게 노전성신이다.

걸핏하면 명절 밥상 위에 뭐를 올리느니 하면서 주인 알기를 우습게 아는 정도가 아니라 이번에도 이용할 가치가 있을까 눈치 살피는 머슴들 보면 밥맛도 없고 술 맛도 없다.

장자(莊子)께서 하신 말씀 중 습관적으로 저지르는 사람의 8가지 과오(過誤)가 있다고 하셨는데 이 나라를 걱정하신 귀한 말씀으로 들리니 머슴들도 잘 듣도록 하자.

1. 자기 할 일이 아닌데 덤비는 것을 '주착(做錯)'이라 한다.
2. 상대가 청하지도 않았는데 의견을 말하는 것을 '망령(妄靈)'이라 한다.
3. 남의 비위를 맞추려고 말하는 것을 '아첨(阿諂)'이라 한다.
4. 시비를 가리지 않고 마구 말을 하는 것을 '푼수(分數)'라고 한다.
5. 남의 단점을 말하기 좋아하는 것을 '참소(讒訴)'라 한다.
6. 타인의 관계를 갈라놓는 것을 '이간(離間)질'이라 한다.
7. 나쁜 짓을 칭찬하여 사람을 타락시킴을 '간특(奸慝)'하다고 한다.
8. 옳고 그름을 가리지 않고 비위를 맞춰 상대방의 속셈을 보는 것을 '음흉(陰凶)'하다고 한다.

한국의 정치판을 보는 국민들의 시선이 여야를 막론하고 장자의 말씀에서 자유로운 머슴이 있다고 보는가? 만일 있다면 이 나라의 보배임이 분명하다.

하루 이틀도 아니고 아까운 세월속에서 잔머리 굴리느라 피같은 국민들 세금을 당연히받아가는 부끄러움 속에서 얼굴이나 붉히는 표정을 보고 싶다. 그게 안 된다면 할 수 없이 머슴을 수입하는 쿼터제라도 운영한다면 국제간 주인들 유대도 강화하고 정보 교환으로 효율적일 것 같은 생각이 든다. 벌칙도 정해서 경우에 따라 바로 교체도 할 수 있는 주인들 속마음도 읽어보는 시대가 오지 않을까 기대해 본다.

이 지구상에서 가장 큰 가위는 대한민국에 있는 한가위 뿐이다. 잘 다듬어진 이런 가위가 주인 손에 쥐어졌으니 머슴들은 잘 새겨야겠다.

"천하의 내노라 하는 사람도 시간이 먹다 남긴 과자 부스러기에 불과하다"는 말을 깊이 새기고 낮은 자세로 임하기 바란다. 폼 잡지 말고.[147]

35. 명절 갈등 해소하는 방법

할아버지 기사님은 어린 시절 추석이 가장 좋았단다. 갖가지 음식을 배불리 먹는 날은 일년 중 추석이 유일했단다. 새 옷을 얻어 입는 날도 추석과 설날 두 번

뿐이었단다. 일자리를 찾아 상경한 뒤로도 추석과 설날만 기다렸단다. 고향이 외 딴 시골이라 명절 연휴가 아니면 갈 수가 없어서다. 이제 기사님은 추석이 아니 라도 배불리 먹고 따뜻이 입고, 연휴가 아니라도 언제든 고향에 갈 수 있다. 하지 만 수십년간 반복해 온 추석의 경험은 쉽게 잊지 못할 것이다. 노년층에 추석이 각별할 수밖에 없는 이유다.

반면 중장년층은 노년층과 같은 결핍의 경험이 없으니 추석이 특별할 이유가 없다. 모처럼 한자리에 모인 가족과 친척이 반갑기는 하지만, 번거롭고 부담스러 운 것도 사실이다. 추석 '노동'을 힘겨워하면서도 재래의 명절 문화에 익숙한 탓에 관성적으로 관습을 따랐다.

하지만 변화의 조짐은 이미 나타나고 있었다. 명절 연휴를 이용하여 해외로 떠 나는 '일탈'을 시작한 것이 중장년층이다. 청년층은 중장년층과 또 다르다. 개 인주의와 합리주의를 중시하는 그들에게 구시대적 공동체 문화가 좋게 보일 리 만무하다. 재래의 명절 문화에 대한 그들의 반응은 혐오에 가깝다.

노년층, 중장년층, 청년층이라는 세대 구분이 얼마나 유효한지는 의문이나 세대 간 명절 관념에 차이가 있다는 사실은 부정하기 어렵다. 이들이 한자리에 모이면 갈등이 생기는 것도 당연하다. 젊은이는 관습을 고집하는 어른이 불만스럽고, 어 른은 시큰둥한 젊은이가 불만스럽다. 그래도 대개는 갈등을 터뜨리기보다는 묵혀 두는 쪽을 택한다. 그렇게 켜켜이 쌓인 갈등이 명절마다 폭발할 조짐을 보인다.

성균관 유도회가 추석을 앞두고 발표한 차례상 음식 간소화 방안은 가족 갈등 과 전통문화 혐오를 완화하고자 마련한 고육지책이다. 아무리 그래봤자 차례상이 란 상다리가 부러지게 차리는 법이라는 관념을 고수하는 노년층은 요지부동이다. 하기야 서슬 퍼런 군사정권이 가정의례준칙이라는 이름으로 강요한 반강제적 의 례 간소화 방안도 결국 절반의 성공에 그쳤으니, 한낱 권고안이 효과를 발휘하리 라고는 기대하기 어렵다.

누군가는 강력한 입법으로 갈등을 뿌리뽑았으면 하고 바랄지도 모르겠다. 차례 상 음식은 다섯 가지 이하, 시가나 처가에 체류하는 시간은 8시간 이하, 불쾌감과 수치심을 유발할 수 있는 발언 금지, 가사노동 공평분담. 찬성하는 사람이 제법 많겠지만 법제화는 불가능하다. 국가가 사적 영역에 과도하게 개입한다는 비판을 피할 수 없다. 민주주의란 그런 것이다. 결국 방법은 두 가지뿐이다. 싸우거나, 설 득하거나. 불평불만을 늘어놓으며 누군가 바꿔주길 기대해봤자 소용없다.

박세당은 임종을 앞두고 3년상 기간 동안 아침저녁 망자에게 음식을 올리는 '상식'을 하지 말라는 유언을 남겼다. 예법의 취지에 어긋난다고 보았기 때문이다. 그는 당시의 보편적 관습을 벗어난 이 유언이 물의를 일으킬 것을 예상하고 자식들에게 당부했다. "너희가 만약 이 때문에 여러 사람에게 비난을 받더라도 내 유언을 어겨서는 안 된다." 옳다고 믿는 것을 실천하기 위해서는 불편과 비난을 감수해야 한다. 싸우고 설득해야 한다. 저절로 바뀌는 것은 없다.

청년세대는 명절 문화에 비판적이다. 기성세대 역시 그 비판에 어느 정도 공감하지만 관습을 벗어나길 어려워한다. 따라서 합의의 여지는 있다. 쉽지는 않을 것이다. 설득하지 못하면 싸우겠다는 각오도 필요하다. 싸울 용기도 없고 설득할 자신도 없다면 고생스러운 명절은 계속된다.[148]

36. 내 아이와 남의 아이

이 세상의 많은 부모들은 '내 아이'와 '남의 아이'를 나누어 생각한다. 내 아이와 남의 아이가 나란히 어려움을 겪게 되면 내 아이 걱정이 우선이다. 내 아이는 눈에 넣어도 아프지 않으며 아무리 엇나가더라도 무한한 사랑을 줄 수밖에 없는 존재다. 내 아이 중심의 가족제도는 어딘가에 고립된 남의 아이가 있을 가능성을 끈질기게 외면한다. 이뿐만 아니다. '아이'를 특정한 가족관계에 종속된 소유물로 보는 한 그 아이는 자기 자신으로서 살아가기 어렵다.

오랜 옛날 서양 사람들은 요정들이 종종 요람에 잠들어 있는 예쁜 갓난아기를 훔쳐간다고 생각했다. 그리고 그 자리에 흉한 모습을 지닌 요정의 아기를 남겨둔다는 것이다. 이렇게 뒤바뀐 아기를 일컬어 남자 아기는 샹즐랭, 여자 아기는 샹즐린이라고 불렀다.

프랑스 작가 마리 오드 뮈라이유의 동화 〈요정의 아이 샹즐랭〉은 태어나자마자 샹즐랭으로 지목된 한 어린이의 이야기다. 아기의 붉은 머리와 초록빛 눈동자를 불길하게 여겼던 부모와 이웃들은 "이 아이는 샹즐랭일 거야"라고 믿어버리는 것으로써 자신들의 안전을 지키려고 했다.

남의 아이로 여겨져 버려진 샹즐랭을 눈여겨보고 거두어들인 것은 성주의 아내였던 로자몽드 부인이다. 샹즐랭은 그의 돌봄을 받는다. 하지만 몹시 몸이 약했던 부인은 여자 아기 아리안을 낳고 얼마 지나지 않아 세상을 떠난다. 어린 샹즐랭에게 자신의 딸 아리안을 지켜달라고 부탁한다.

샹즐랭은 로자몽드 부인이 남기고 간 그의 '내 아이'를 돌보기 위해 그림자처럼 최선을 다한다. 부인의 아이, 아리안은 자라날수록 남달랐다. 말을 타고 전

속력으로 달리는 것을 좋아했고 유난히 독립적이었다. 정략결혼을 시키려는 성주의 명령을 거부하고 수도원에 들어가겠다고 우겼다. 복잡한 음모의 희생양이 될 뻔한 아리안은 샹즐랭의 기지 덕분에 살아남는다.

이 동화에서 샹즐랭은 자신을 '남의 아이'로 여기지 않고 돌봐준 로자몽드 부인에게 감사한다. 그리고 자신처럼 차별받는 '작은 사람들'은 '눈을 절반 남짓 감은 사람들' 앞에만 모습을 나타낸다고 이야기한다. 여기서 눈을 절반 남짓 감았다는 말은 틀에 갇힌 시선으로 세상을 보지 않으려고 노력한다는 뜻이다.

이 동화에 따르면 내 아이만 뚫어지게 보는 사람들은 눈을 떴더라도 눈을 질끈 감은 것과 다름없다. 책에서는 샹즐랭이 진짜 요정의 아이인지, 요정으로 오해받은 사람의 아이인지 정확하게 나오지 않는다. 확실한 것은 그가 좋은 사람이었다는 것이다. 그리고 샹즐랭이 끝까지 간직하는 비밀이 하나 있다. 로자몽드 부인이 세상을 떠나며 간곡하게 부탁했던 그의 '내 아이', 아리안은 정작 요정의 여왕이 바꾸어놓고 간 '남의 아이', 샹즐린이었다는 사실이다. 이 동화는 한 사람이 인간인지 요정인지, 내 아이인지 남의 아이인지 구분하는 일이 중요한 것이 아니라 한 사회가 그의 가능성을 발견하고 잘 성장하도록 돕는 일이 우선이라고 말한다.

동화작가 김진경은 2022년 비룡소문학상 심사평을 통해 이 위기의 세계에서 동화의 혁신을 말한다. "한국의 어린이 서사문학은 한국 사회를 가장 밑바닥에서 왜곡시키고 있는 '정상가족' 이데올로기에 갇혀 있는 게 아닐까"를 성찰해보자는 것이다.

그는 과거의 전통적 핵가족 구조를 유지할 수 있는 가정이 10%를 넘기기 어려운 오늘의 여건을 직시하자고 말한다. 이런 상황에서 전통적 핵가족을 '정상가족'이라고 강변하면서 나머지를 루저로 만들고 책임을 전적으로 개인에게 넘기는 현실을 비판한다. 아동문학은 이 사실을 인정하면서 다시 출발해야 한다는 것이다.

얼마 전 우리는 보호 종료 청소년들의 죽음을 지켜보아야만 했다. 내 아이 돌보기에도 힘겨워서 그들의 고통을 몰랐다는 것이 변명이 될 수 있을까. 다음 세대의 삶을 두루 살피는, 눈을 절반 남짓 감은 사람들이 있었다면, 우리는 그들을 살릴 수 있었을지 모른다. 우리의 아이들은 모두 샹즐랭과 샹즐린이다.[149]

37. '묵비사염(墨悲絲染)'의 교훈

묵비사염(墨悲絲染)! 실이 물드는 것을 보고 묵자가 슬퍼했다는 뜻이다. 묵자가 살았던 때(기원전 479년~기원전 381년)는 철기의 사용으로 생산력이 증대되자 농민 등이 신흥계급으로 부상하는 격동기였다. 여러 학자들이 수많은 학파를 만들어 사회 혼란을 극복하기 위해 동분서주했다. 묵자는 노자, 공자와 함께 춘추전국시대 초기 3대 철학자로 꼽힌다. 공자의 유가에 특히 비판적이었던 묵자의 사상을 크게 셋으로 나눌 수 있다. 첫째는 모든 인간을 자신처럼 사랑하라는 겸애설(兼愛說)이다. 유가의 사랑이 엄격한 신분 질서를 바탕에 둔 데 비해 묵가는 모든 인간을 무차별적으로 사랑하라고 설파했다. 둘째, 만민이 평등하다는 것이다. 내 몸처럼 다른 사람을 사랑한다는 묵자의 겸애는, 모든 인간은 동등해야 한다는 평등의 논리를 담고 있다. 셋째는 침략과 정복 전쟁을 반대하고, 방어 전쟁만이 '의로운 전쟁'이라는 반전론을 주장했다. 이외에도 절용 등 민생과 직결되는 어젠다를 던짐으로써 일반 서민들의 호응을 받아 한때는 유가 학파를 능가할 정도로 인기를 끌었다.

어느 날 묵자가 물감 들이는 현장을 목격했다. 아낙네가 흰 실 한 다발을 솥에 넣었다가 끄집어내니 바로 푸른 실이 되어 나왔다. 흰 실이 걸렸던 빨랫줄은 순식간에 노란색, 붉은색, 자주색, 검정색 등 오색실로 바뀌었다. 묵자가 아낙네에게 물었다. "푸른색으로 변한 이 실은 원래의 흰색으로 되돌릴 수는 없습니까?" 아낙네가 대답했다. "한 번 물 들이면 그것으로 그만입니다. 아무리 빨고 햇빛에 바랜들 흰색이 되지는 않을 겁니다." 묵자는 물감 들이는 현장을 빠져나오며 깊은 생각에 잠겼다. 이런 이치가 어찌 실을 물 들이는 데만 해당 되겠는가. 인간도 물들고, 나라도 물든다. 악에 물들어 포악한 정치를 한 임금도 있었고, 선에 물들어 선정을 베푼 임금도 있었다. 그렇다면 인간을 물들이는 그 바탕색은 어디에서 오는 것일까. 이 글은 『묵자』 소염편에 나온다.

특정 정치 이념에 치우친 교육을 하여 문제가 되는 사례를 종종 본다. 이 같은 뉴스는 어떤 사건보다 안타깝다. 아직 세상을 잘 모르는 어린 학생들의 영혼은 물들이기 전의 흰 실과 같다. 그런 바탕에 어떤 색깔로 물들이느냐에 따라 학생의 일생이 좌우된다. 물감 들이는 아낙네의 말처럼 한 번 물 들이면 원래로 돌아오기 어렵다. 학생들을 가르치는 분들께서 가슴 깊이 새기고, 새겨야 할 일이다. 학생들이 이해하기 어려운 어설픈 이념이나 편향된 사상을 의도적으로 주입 시키는 것은 돌이킬 수 없는 큰 실수나 죄악이 될 수 있다. 어린 학생들이 스스로 색깔을 선택할 수 있도록 지켜보고 도와주는 것이 어른들의 할 일이다. 『묵자』를 읽다가 손주 생각을 하며 썼다.[150)

38. 혐오의 시대

독일 연방 내무부가 2022년 2월 말부터 9월9일 사이 독일로 유입된 우크라이나 난민의 수를 100만8635명으로 집계했다. 난민이 사회 주요 이슈였던 2015년과 2016년의 시리아 난민 증가 추세를 훌쩍 뛰어넘는 수준이다. 우크라이나 출신의 난민들은 독일 입국 후 90일 동안 별도의 허가 없이 거주가 가능하다. 머무는 동안 장기 거주 허가를 얻으면 일자리도 어렵지 않게 구할 수 있다. 바로 이 점 때문에 독일에서는 정부가 출신 국가를 따져 난민을 가려 받는다는 비판이 일기도 했다. 나른 국가 출신의 난민늘은 거주 허가를 받기 위한 조건이 상대적으로 까다로운 탓이다.

한편 난민이 폭발적으로 증가하면서 행정력에 한계에 다다른 모양새다. 이미 독일의 16개 연방주 중 12개 주가 숙소 부족 등의 문제로 난민 수용에 어려움을 호소하고 있다. 그도 그럴 것이 사실 난민 수용 문제는 최근 몇년간 독일에서 논란이 큰 사회 이슈 중 하나였다.

앙겔라 메르켈 전 총리가 난민을 받아들이자고 주장하고 다른 정당에서도 이견이 없었던 2015년, 41%의 독일인들이 '그렇게 많은 난민을 수용하는 데 한계가 있을 것' 이라는 의견에 동의하고 있었다. 2017년 총선에서 강력히 난민 반대 입장을 표명한 정당 '독일을 위한 대안' 의 치솟았던 인기가 이를 둘러싼 사회적 논란을 상징적으로 보여주었다. 지금은 한 발짝 물러선 것처럼 보이지만 이 문제는 현재 진행형이다.

정부는 해결 방안을 찾기 위해 동분서주하고 있다. 난민을 위한 사회 통합 프로그램이 가동되었으며, 청소, 요리, 간병같이 인력난을 겪고 있는 분야에서 난민 고용을 적극적으로 늘린다는 실질적 계획도 세웠다. 실제로도 2013년 이후 독일로 들어온 난민의 49%가 일자리를 찾으며 노동시장에 합류하였다. 최근 증가한 우크라이나 난민에 독일 정부가 거는 기대는 조금 더 크다. 언어와 문화 차원에서 이질감이 적을 것으로 기대되는 이들을 최대한 노동 시장에 통합하겠다는 의지도 보였다.

사회 구성원이 된 이민자들과 함께하는 독일 사회는 계속 변화 중이다. 지난 6월 말, 슐레스비히 홀슈타인주에서는 29세의 흑인 여성 아미나타 투레가 사회부장관에 선출됐다.

투레 장관의 부모는 아프리카 말리에서 탈출한 난민으로, 그는 난민 캠프에서 어린 시절을 보냈다. 열두 살이 되어서야 독일 시민권을 취득했고 스무 살이 되던 해 녹색당에 입당했다. 이로써 투레는 아프리카 난민 가족 출신으로 독일 주 정부 장관에 오른 최초의 인물이 되었다. 여러 해 난민의 사회통합을 고민해온 그는 반인종차별과 평등, 이주, 여성 등의 문제에 방점을 두고 활동하겠다는 포부를 밝히고 있다.

계속해서 변화하는 독일의 난민상을 보며 생각난 것이 있다. 2018년 제주를 통해 입국했던 500여명의 예멘인들이 난민 지위를 신청한 사건이었다. 내전과 박해를 피해 온 그들은 난민 지위 불인정, 열악한 노동환경, 편견과 경계심에 고스란히 노출되었다. 우리는 이것을 계기로 우리 사회가 난민 문제를 얼마나 민감하게 받아들이는지 확인했다.

우리나라가 유엔난민협약에 가입한 것은 1992년으로, 2012년 대한민국은 아시아 최초로 난민법도 제정했다. 공표된 의지와 다르게 실제 난민이 들어오는 경우는 매우 적고 지위를 인정받을 확률도 낮다.

1994년부터 우리나라에 난민 지위를 신청한 사람은 약 7만5000명으로, 그중 난민으로 인정받은 사람은 1200명, 신청자의 1.5% 수준이다. 전쟁, 종교, 인종, 기후 위기에 이르는 다양한 문제로 난민이 늘어나는 지금의 우리에게 필요한 자세를 되돌아볼 필요가 있다. 정부는 난민 협약국의 명칭에 걸맞은 지원책을 세우고 꾸준히 관심을 쏟고 있는지, 시민들은 진정한 세계 시민으로서 뜻을 세우고 역량을 구축하는지.

독일 기자 바스티안 베르브너는 자신의 책 〈혐오 없는 삶〉에서, 피상적인 접촉이 난민에 대한 편견을 키우고 공포를 낳는다고 지적하고 있다. 오해를 앞세운 차별과 실체 없는 뉴스를 확산하는 각종 매체들이 극단적인 편견을 양산하고 혐오를 불러일으킨다는 것이다.

베르브너는 더불어 사는 사회란 결국 편견과 싸우겠다는 개개인의 의지에서 비롯된다고 설명한다. 우리는 공동체를 이루는 사회 구성원들과 관계를 맺으며 살아가야 하므로, 개인과 개인, 사람과 사람으로서 난민들과의 관계를 만드는 다양한 방법을 찾는 것이 결국 해결책이 아니겠냐는 것이었다. 그것은 혐오의 시대에 맞서 개개인이 할 수 있는 유일한 일이지만, 또한 개개인의 생각과 행동이 공동체의 새로운 물결을 만들게 할 유일한 일이기도 할 것이다.[151]

혐오의 시대, '톨레랑스' 사라진 한국 사회 곳곳 멍든다(아주경제. 2023. 01. 02, 우주성 기자·백소희 수습기자)

39. 감옥에서도 차별받는 외국인

구치소에 수감된 외국인 A씨의 변호인 접견을 마치고 서류를 정리하면서 구치소 생활은 괜찮은지 물었다. 묻고 나서 속으로 아차 싶었다. 아직 재판이 진행 중이긴 하지만, 잘못된 판단으로 범죄에 연루되어 먼 타국의 감옥에 갇혀 있는 삶이 괜찮을 리 없기 때문이다. 파키스탄 국적으로 한국어 대화가 서툴러 영어와 한국어 그리고 손짓 발짓을 섞어가며 이야기를 하는데, A씨는 옅은 미소를 지으며 괜찮다고 했다. 그러곤 잠시 망설이다, 배가 좀 고프다고 했다. 구치소에서 밥을 많이 안 주느냐고 물으니, 한국식이 아니면 한 끼에 빵 2개와 잼 1개를 받는다고 했다. 무슬림인 A씨는 종교적인 이유로 한국음식을 먹지 못하는 경우가 많고, 한국음식을 배식받으면 김치와 밥만 먹는데 그것도 양이 많지 않아 늘 배가 고프다고 했다.

오랫동안 개정되지 않았던 '행형법'을 2008년 수용자의 인권증진 및 권리구제를 강화하는 방향으로 전면개정해 지금의 '형집행법'이 되었다. 개정되면서 외국인 수용자와 관련한 내용도 처음 만들어졌다. 과거엔 차별금지 사유에 '국적'만 있었는데 '출신민족'이 추가되고, '(교도)소장은 외국인 수용자에 대하여 언어·생활문화 등을 고려하여 적정한 처우를 하여야 한다'는 근거 규정도 새로 마련되었다. '형집행법 시행규칙'에는 외국인 수용자 관련 세부내용이 더 있다. 음식 부분을 보면, 수용자에게 지급하는 음식물의 총열량은 1일 2500㎉ 기준인데 외국인 수용자에게는 소속국가의 음식문화, 체격 등을 고려해 조정할 수 있고, 쌀이나 빵 또는 그 밖의 식품을 주식으로 지급하되 소속국가의 음식문화를 고려한다고 정하고 있다. 현행 법령의 내용과 입법 취지를 고려할 때, 외국인 수용자에게 밥 대신 한 끼에 빵 2개와 잼 1개를 주는 건 양과 질 모든 면에서 조금 부족해 보인다.

국제기준에 비춰보면 부족한 부분이 더 보인다. 27년간 교도소에 구금되어 있었던 넬슨 만델라 전 남아프리카공화국 대통령을 추모하며 유엔에서 2015년 인준한 '유엔 피구금자 최저기준 규칙'(이른바 '넬슨 만델라 규약')에 따르면, 외국인 수용자에게는 필요한 경우 통역이 지원되어야 하고, 실질적인 외부교통권이 보장되어야 한다. 그러나 형집행법에는 외국인 수용자의 통역지원 내용이 전혀 없다. 시행규칙에서 '외국어에 능통한 교도관'을 전담교도관으로 지정하고 있지만 제한적이다. 구치소에서는 통역기 등 외부전자기기도 사용할 수 없어 재판을 준비하는 변호인 접견에서조차 손짓 발짓이 동원되는 상황이다. 가족이 모두 외국에 있어 사실상 가족의 방문접견이 불가능한 외국인 수용자의 경우 전화통화가 유일한 외부소통 창구인데, 내국인 수용자와 동일하게 한 달에 한 번씩, 3분 정도만 허용되고 있다. 2019년 외국인 수용자의 외부교통권 강화를 위한 국가인권위 의견표명이 있었지만 아직까지 변화는 없다.

2020년 기준 감옥에 수감되어 있는 외국인은 2451명이다. 앞으로 더 늘어날 것이다. 범죄에 대한 엄한 처벌은 마땅히 필요하지만, 단지 외국인이라는 이유로 지금처럼 수용시설에서 부당한 처우를 받는 것은 명백한 차별이고, 인권침해다. 감옥이 차별적인 공간이 되지 않도록, 시설 내 외국인 처우가 개선되길 바란다.[152]

40. 자기중심적 사고를 하게 되는 이유

우리가 당면하는 인간관계에서 갈등을 겪는 가장 중요한 이유는 오해나 이해부족, 즉 상대의 마음을 잘 알지 못하기 때문인 경우가 많다. 남에게 줄 선물을 고를 때에도 그 사람의 선호가 아닌 내 선호가 영향을 미치는 경우가 적지 않다. 관심의 초점이 다르면 편향된 정보에 주의를 기울이게 되고, 동일한 대상일지라도 해석 기준에 따라 달리 평가할 수 있다.

우리는 자신이 보거나 생각하는 것이 다른 사람들과 다를 수 있다는 것을 알지 못한다. 우리는 주변에 대한 자신의 영향력을 과대평가하면서 남들이 우리의 존재를 세심하게 인식하기를 기대한다. 누구나 무대의 주인공이길 바라지만 대부분 착각하고 있는 것이다.

사람들은 동일한 사건을 보더라도 각자의 지식, 경험, 의도, 태도에 의해 대하기 때문에 해석이 달라질 수 있다. 보수적인 사람들은 평범한 보통 사람들이 대체로 보수적이라고 믿으며, 선거 입후보자들은 기권자들이 투표했다면 자신을 지지했을 것으로 믿는 경향이 있다. 이처럼 대부분의 사람은 다른 사람들의 생각이나 믿음을 과장하는 경향을 보인다.

일상생활에서 간과하기 쉬운 사례는 전문 지식이 초보자의 이해와 판단을 방해하고 그르칠 수 있다는 점이다.

예를 들면, 의사의 전문적 설명을 환자가 잘 알아듣지 못하는 경우가 많고, 낯선 여행객은 현지 주민이 알려주는 방향을 찾는데 불편할 때가 많다. 타인이 우리를 어떻게 보는지 이해하려면 자신의 세밀하고 구체적인 면보다는 일반적이고 전체적인 특징에 관심을 두어야 한다.

　요약하면, 자기중심적 편향은 주의와 해석의 차이에서 발생한다. 해석의 차이는 타인 입장이 되어 보기 전에는 그 관점을 제대로 이해하기 어렵기 때문에 쉽게 해소되지 않는다.

　타인의 마음을 이해하려면 표정이나 몸짓, 관점의 상상에서 다소 도움을 받을 수 있으나 최선책은 상대가 자신의 마음을 스스럼없이 털어놓을 수 있도록 관계를 돈독히 맺는 것이다. 우리 감각은 한계가 있으므로 타인을 상상이 아닌 그 자체로 이해하는 겸손함을 지녀야 할 것이다.[153]

41. 세상 모든 것이 변한다지만

　그 무엇보다 가장 많이 자주 변하는 건 인간의 마음이다. 바람처럼 흔들리는 건 개인의 마음만 아니라 이념이나 사상에 따라 변하는 집단의 마음도 있다. 인간이 동물과 구별되는 지적인 활동, 글을 쓰고, 말을 하는 행위도 바뀐다.

　한국 역사와 유물 중에는 '낙랑'도 이렇게 말이 바뀌는 주대상이었다. 평양에 있었다는 낙랑은 한나라가 설치한 한사군 중 가장 오래 남아 있던 군현이었으니 달갑지 않은 존재였다. 평양에 설치된 낙랑군을 인정하고 싶지 않으니 이곳에서 발굴된 유물 역시 찬밥 대우를 받았다.

　1931년 고이즈미 아키오(小泉顯夫)를 포함한 조선고적연구회는 대동강 남안 석암리에서 동남향으로 이어지는 낮은 구릉을 이용한 고분을 발견한다. '남정리'에서 발견됐다고 해서 '남정리 제116호분'이라고 했는데 훗날 '그림이 그려진 대바구니'[채협(彩?)]가 발견됐다고 해서 채협총(彩?塚)이라고 불리게 됐다.

'채화칠협', 낙랑, 3세기, 39×18×17㎝. 평양 조선중앙역사박물관

고분(古墳; 사람의 시신을 매장한 시설물을 지칭하는 용어이다. 후기 구석기시대에 인간의 지능 발달과 함께 무덤의 기념물화가 시작되면서 시대와 지역에 따라 다양한 형식의 무덤들이 만들어졌다)은 전실과 현실(玄室)로 이뤄진 방 두 개짜리 이실(二室)묘였으며, 안에서는 3기의 목관이 나왔다. 묘실로 들어가는 입구인 연도에서 전돌이 출토돼 3세기경에 조성된 무덤으로 추정된다.

여기서 나온 유물 가운데 가장 주목을 받은 것은 채화칠협, 즉 그림이 그려진 대바구니였다. 질이 좋은 대나무 겉껍질을 가늘고 곱게 잘라 만든 폭 39㎝에 불과한 뚜껑 있는 바구니다.

사람들이 이 바구니를 주목한 것은 바구니 전체를 검게 칠하고, 가장자리에는 붉은색으로 무늬를, 뚜껑이 덮이는 윗부분에는 붉은색, 노란색, 녹색, 다갈색 등 다채로운 색으로 사람을 그렸기 때문이다. 가로로 긴 면에는 10명씩, 짧은 면에는 5명씩 모두 30명의 인물이, 뚜껑을 덮으면 밖으로 드러나는 아랫부분 모서리에는 각각 1명, 모두 8명이 있다. 더욱 중요한 것은 인물 옆에 일일이 인명을 썼다는 점이다.

인물들은 전한(前漢)의 은일 거사인 정자진(鄭子眞)을 비롯해 고사리를 뜯어 먹으며 살았다는 백이(伯夷), 효자 정란(丁蘭)과 위탕(魏湯) 등이 있다. 이들은 한나라의 화상석이나 벽화에도 종종 나오는 고사나 전설상의 인물들이다. 이전의 중국미술에서는 찾아보기 어려웠던 구체적인 인물 이야기가 한대부터 나오기 시작하는데, 그 주제는 충효를 강조하는 유교적인 이야기나 역사상의 고사, 서왕모와 같은 도교의 신선들이다.

'채화칠협' 부분, 평양 조선중앙역사박물관

한나라는 유교를 통치 이념으로 삼았던 나라답게 미술을 통해 역사의식과 충효 사상을 보급하려 했다.

하지만 중국식 옷을 입은 인물들은 옷 색깔과 자세는 달라도 한자로 쓰인 이름이 아니면 누가 누군지 전혀 알아볼 수 없을 만큼 비슷하게 생겼다. 인물을 그리기는 했지만, 개인의 개성이나 초상성은 전혀 없는 셈이다. 낙랑의 고분에서 발견된 바구니에 그려진 인물들은 단순히 사람 그림이 아니라 충효의 이념을 전달하는 매개라고 보아야 한다.

그러면 낙랑에서 발견된 바구니를 그저 중국미술이라고만 보면 될까? 낙랑은 한국사와 아무 관계가 없을까?

글로벌시대 한국에는 무수한 외국 물품이 수입됐고 사용되고 있다. 만일 미래의 고고학자들이 현대의 외국 물품들을 발굴한다면 어떻게 생각할까? 발견되는 물품에 따라 다르겠지만 그들은 다양한 해석을 내놓을 것이다. 흔히 과거를 통해 현재를 본다지만 때로는 미래를 상상함으로써 오늘을 풍성하게 만들 수도 있다.[154]

42. 그려본다…소수자들이 힘겹지 않은 세상을

SF의 여성 어린이·청소년 캐릭터

작품의 시작은 여느 동화와 비슷해 익숙함을 지나 평범하다. 은은이는 교실 맨 뒷자리에서 창밖을 바라보는 전학생을 빤히 쳐다보다가 전학생과 눈이 마주친다. 전학생의 이름은 민다영, 나이는 열두 살이다. 다영이는 사교적인 성격인지 같은 반 친구 나리와도 곧 반갑게 인사한다. 나리가 외모에 관심이 많다는 사실을 금세 눈치채기라도 한 듯 머리 모양이 예쁘다며 칭찬까지 한다.

여기까지 읽으면 어느 초등학교 교실의 평범한 풍경을 그리고 있는 듯하다. 하지만 이곳은 '아바타 학교'이며, 지금껏 서로 인사하고 이야기를 나눈 은은, 다영, 나리는 모두 홀로그램 아바타인 '홀로바타'로 만난 사이다. 코로나19 이후 비대면 수업에 익숙해진 어린이 독자에게는 이제 평범한 설정으로 느껴지겠다. 물론 작품이 말하는 건 이런 설정에서 끝나지 않는다.

내 여자 친구의 다리 정재은 지음 ┃ 모예진 그림 ┃ 창비 ┃ 2018년

어린이 SF 단편집 〈내 여자 친구의 다리〉(정재은·창비·2018)에 실린 동화 6편 중 3편에서는 신체 장애를 지닌 캐릭터가 등장한다. 그중 여성 어린이 캐릭터인 '아바타 학교'의 다영은 휠체어에 앉아 오직 왼손만 자유롭게 쓸 수 있다. '내 여자 친구의 다리'에서 발레리나가 꿈인 아홉 살 연이는 교통사고로 두 다리를 잃고 인조 다리를 갖게 된다.

이 책의 다영은 천체물리학자인 스티븐 호킹 박사를, 연이는 2013년 보스턴 폭탄 테러로 한 다리를 잃고 '스마트 의족'으로 무대에 다시 선 무용가 아드리안 하슬렛데이비스를 떠올리게 한다. 작중 인물과 실존 인물이 연결되는 데다 작품에 등장하는 과학기술 또한 현재 수준에서 좀 더 나아간 단계로 그려지다 보니 SF에 느낄 법한 막연한 거리감이 줄어든다. 먼 미래가 아닌 '근미래'의 친숙한 공간에서 신체 장애가 있는 여성 어린이 캐릭터를 등장시키며 작가는 무얼 말하려고 했을까.

'아바타 학교'의 다영이는, 정확히 말하자면 다영이의 아바타는 세 번 연속 덩크슛에 성공하고 팔씨름 시합마다 이기면서 최고의 아바타 운동신경을 가진 학생으로 학교에 알려지고 친구들의 선망을 샀다. 그런 다영이가 태어날 때부터 몸이 불편했고 왼손만으로 아바타를 움직였다는 사실을 은은이는 나중에야 알게 된다. 다영이가 아바타 체육대회가 아닌 '진짜' 체육대회에 나타나지 않은 이유 역시 그제서야 알게 됐을 거다. 은은이가 아바타 성형을 한 나리를 홍보하자 쪽지를 차단한 이유 또한 그렇다.

다영이와 다영이 아바타 사이의 거리는 다영이 신체가 살아가는 현실과 다영이가 창조한 세계 사이의 거리다. 이 동화는 흔히 어린이 미디어 교육에서 우려하는 현실세계와 가상세계의 정체성 차이를 비난하거나 비판하지 않는다. 현실의 정체성을 감추거나 바꾸는 행위는 가상세계의 작동 방식이며 자신을 소외시키는 게 아닌 새로운 정체성을 찾는 일로 긍정된다. '아바타 학교'에서 아바타는 본인의 신체 정보를 바탕으로 해야 한다고 규정되지만 다영에게 그건 현실의 장애를 가상세계에서도 연장시키는 구속일 뿐이다. 그와 반대로 다영이는 자신의 장애가, 장애가 되지 않는 세계에 대한 소망을 아바타로 이룬다. 실존 인물인 스티븐 호킹 박사에게서도 이미 구현된 그 세계는 과학기술로 가능한 세계였다.

'내 여자 친구의 다리'는 여기에서 한 걸음 더 나아간다. 연이는 똑바로 걷기조차 힘든 인조 다리에 적응하며 발레 동작을 하나씩 완성해나가다 6년 후 결국 최고의 발레단에 입단하는 관문인 콩쿠르에 출전한다. 사고 직후, 인조 다리로도 발레가 가능한지 묻는 연이의 질문에 생체로봇공학자 노서연이 "너에게 맞는 인조 다리를 만들어줄 수는 있"지만 "발레를 하고 싶으면 네가 해야겠지"(〈내 여자 친구의 다리〉 37면)라고 냉정히 답했듯 콩쿠르 출전은 연이의 노력이 이루어낸 일이었다. 하지만 연이에게 돌아온 건 인조 다리 발레리나는 가짜라는 여론과 "예술의 아름다움이란 인간의 노력과 고통에서 비롯되는 것"(〈내 여자 친구의 다리〉 45면)이라는 심사평이었다.

이 동화는 과학기술로 장애가 극복되는 서사에서 나아가 장애 자체를 질문한다. 비록 콩쿠르의 관객과 심사위원은 발레리나의 뒤틀린 발가락만을 인간다움으로, 웨어러블 로봇(wearable robot)을 인간 신체 바깥의 이물질로 규정했지만 독자가 연이를 응원하며 인간 신체의 경계가 변화할 미래를 기대하게 만든다.

포스트휴먼 논의가 제기하듯 기계와의 결합으로 확장되는 인간 신체의 경계와 그로써 새롭게 구성되는 인간 존재에 대한 질문은 또한 미래의 질문만이 아니라 현재의 질문이 된다. 현재 장애로 규정되는 정체성이 과학기술이 더욱 발달한 미래에서는 더 이상 장애가 아니라면 장애와 비장애를 가르는 현재의 경계는 의문에 부칠 수밖에 없다. 나아가 사회적으로 구성된 모든 경계와 그 경계로 규정되는 소수자성 역시 돌아보게 한다. 신체 장애를 지닌 여성 어린이 캐릭터는 그 질문이 겨누는 소수자성을 더욱 선명히 드러내는 존재이다.

원통 안의 소녀 김초엽 지음 ┆ 근하 그림 ┆ 창비 ┆ 2019년

청소년소설 〈원통 안의 소녀〉(김초엽·창비·2019)에서도 여성 청소년 캐릭터에서 포스트휴먼 논의와 소수자성이 연결된다. 지유는 대기 중 흩어져 있는 나노봇에 이상 면역반응을 일으키는 극소수 중 한 명으로, '프로텍터'라는 이름의 플라스틱 원통에 들어가 공기와 차단되어야만 외출이 가능하다. 지유가 소수자로 감각하는 자신과 세계 사이의 '벽'은 단지 상징적 언어가 아니라 플라스틱 원

통이라는 물리적 실재로 존재하는 셈이다. 그런데 지유를 원통 안에 가둔 원인인 나노봇은 지구온난화와 대기오염을 해결하려는 과정 중 발생한 사고로 공기에 분사된 것이었다. 다시 말해 사고가 일어나지 않았다면 지유는 남들과 다르지 않은 삶을 살 수 있었다. 연구원들이 자랑스레 인터뷰하는 방송을 병원에서 호흡 보조기를 단 채로 보며 지유는 "만약 그때 저 사람들이 실수를 안 했다면, 나는 지금 환자가 아니겠지"〈원통 안의 소녀〉 22면)라고 말한다. 지유의 독백은 그가 다름 아닌 과학기술의 피해자라는 사실, 그리고 피해자가 되는 일의 우연성을 암시한다.

하지만 지유는 피해자에 머무르지 않고, 자신과 같은 과학기술 사회의 피해자인 복제인간 노아와 연결되는 가운데 세계에 작은 균열을 낸다. 노아는 장기 기증을 위한 의료용 클론이지만 생산 과정상 오류로 뇌가 발달하는 바람에 불량 관리 규정대로 인큐베이터에 결박되어 삶이 없는 생명만 유지되던 상태였다. 노아가 "너처럼 원통 안에 갇힌 진짜 나를 생각하게 됐어"〈원통 안의 소녀〉 65면)라고 자각하자 지유는 노아를 탈출시킬 계획을 세운다. 지유가 '프로텍터' 덕분에 나노봇에 반응하는 인간 생체로 감지되지 않아 보안을 뚫는 장면은 오직 소수자의 정체성으로 현실을 전복하며 이루어낸 승리를 통쾌하게 그린다. '아바타 학교' '내 여자 친구의 다리'가 포스트휴먼의 상상력으로 소수자성을 질문했다면, 〈원통 안의 소녀〉는 더 나아가 소수자의 연대와 승리를 전망한다.

우리가 빛의 속도로 갈 수 없다면 김초엽 지음 ┃ 허블 ┃ 2019년

　김초엽의 첫 SF 작품집 〈우리가 빛의 속도로 갈 수 없다면〉(허블·2019)과 장편 SF 〈지구 끝의 온실〉(자이언트 북스·2021)에서도 다양한 연령대의 여성 캐릭터를 만날 수 있는데 그중 〈방금 떠나온 세계〉(한겨레출판·2021)의 수록작 '마리의 춤'에서는 가장 막강한 여성 청소년 캐릭터가 등장한다. 마리는 테러리스트다. 흔히 상상하는 폭탄 테러리스트와 달리 시지각 이상증을 일시적으로 일으키는 전환 물질을 자신의 무용 공연에서 관객에게 분사한다. '모그' 증후군이라고 불리는 시지각 이상증을 지닌 마리는 자신이 세계를 지각하는 방식을 결핍이 아닌 그저 또 다른 방식 하나로 타인들이 직접 겪어보길 원해서였다. '모그' 증후군은 해양오염 해결에 사용된 테트라마이드의 부작용으로 어린이들에게 발생한 피해이지만 마리를 비롯한 일부 '모그'는 이를 진화 혹은 진보로 받아들인다. 마리의 테러는 지탄받고, 피해자로 동정받던 '모그'에 대한 증오범죄까지 일어나는 한편 치료를 받지 않고 계속 '모그'로 살아가길 선택하는 이들도 나온다. 일시적으로 '모그'가 되어보니 그제야 '모그'를 이해할 수 있게 됐다고도 말한다. 테러라는 폭력적 사건의 재현은 마리가 '모그'로 경험해온 폭력을 동일한 무게로 돌아보게 한다.

　"중학생 때 합창단에 동원됐거든요. 모그 교육원을 홍보하는 자선 행사에서 우리에게 교육을 하라고 했죠. 기분이 나빴지만 선택지가 없는 상황이어서, 우리는 연습을 대충 했어요. 보란 듯이 가사도 다 틀리고 엉망진창으로 무대를 마쳤어요. 그런데 막상 반응이 어땠는지 알아요?" (중략)

　"자선 행사에 온 사람들이 울기 시작하는 거예요." (중략)

　"관객들이 훌쩍이고, 달려 나와 우리를 껴안았어요. 강당의 공기가 습해지는 것에 우리는 어리둥절해졌고요. 그 사람들은 왜 그랬을까요? 정말 누가 들어도 엉망진창인 공연을 했는데, 우리는 열다섯 살이었고, 열다섯 살은 어린 나이지만 때에 따라 탁월함을 기대받기도 하는 나이잖아요. 그날 저는 사람들이 우리에게 아무것도 기대하지 않는다는 걸 알았어요." -〈방금 떠나온 세계〉 78~79면

　'내 여자 친구의 다리'와 〈원통 안의 소녀〉는 포스트휴먼 논의를 바탕으로 인간 신체의 경계를 새롭게 상상하며 현재 경계 지어진 신체 장애와 소수자성을 되돌아보게 했다. 〈원통 안의 소녀〉에서 성공한 탈출은 '마리의 꿈'에서는 더욱 과격해지며 소수자성을 결핍이 아닌 포스트휴먼의 진화로까지 말하기에 이른다. 여성 어린이, 청소년 캐릭터가 지닌 이중, 삼중의 소수자성은 이렇게 SF의 포스트휴먼 논의와 만나고 있다.

　김초엽의 〈지구 끝의 온실〉에서도 인간 존재에 대한 SF적인 질문과 반성이 여

성 청소년 캐릭터를 통해 재현된다. 천선란의 〈나인〉(창비 · 2021)에서 식물과, 〈천 개의 파랑〉(허블 · 2020)에서 동물과 교감하거나 연대하며 인간과 다른 존재들의 공존을 모색하는 캐릭터 또한 여성 청소년이다. SF에서 새롭게 탄생한 여성 어린 이, 청소년 캐릭터가 현재의 경계를 의문하고 절연하는 미래에의 상상력을 열어 보이고 있다.

아동문학 작품 속에서 어른과 어린이가 좀 더 자주 만나고, 좀 더 가깝게 이어 지는 날이 올 수 있기를 바란다.[155)156)]

43. 경총이 먼저 해야 할 일

지금 한국 사회에는 어느 때보다 노동자들의 파업권과 관련한 논의가 한창이 다. '노란봉투법'의 입법을 위해서 노력해온 필자로서는 우선 이런 현상이 반 갑다. 대우조선해양 하청노동자와 하이트진로 화물노동자들의 파업 등으로 노동 자들에게 가해지는 손배가압류가 지나치게 가혹하다는 여론이 일었고, 국회에서 는 의원들이 노조법 제2조, 제3조 등의 개정을 위한 법안을 앞다퉈서 발의했다. 이러자 한국경영자총협회(이하 경총) 손경식 회장이 국회 환경노동위원회 위원장 을 만나 반대 의견을 전달했다.

노란봉투법을 반대하는 경총의 의견은 대체로 세 가지로 요약할 수 있다. 재산 권을 과도하게 침해한다, 불법파업을 허용할 수 없다, 외국에서도 불법파업에 대 한 손해배상이 부과된다는 것이었다. 이런 경총의 의견은 사실을 심각하게 왜곡 하고 있고, 거짓이 넘쳐나는 것이었다. 문제는 이런 경총의 의견을 보수언론들과 경제지들이 사실인 양 확인도 안 하고 보도했을 뿐만 아니라 여론을 호도하는 보 도로 증폭시키고 있다. 결국 경총의 편에 서서 경영계의 입장만을 도드라지게 옹 호하고 있다.

경총이 재산권 침해 운운하는 것은 참 어처구니가 없다. 먼저 그렇게 재산권을 중시하는 입장이라면 가난한 노동자들에게 어떻게 수십억, 수백억원의 손해배상 을 청구하고, 가압류까지 단행할 수 있었는가. 자신의 노동을 임금을 벌어서 가족 의 생계를 책임져야 하는 노동자들에게 지금까지 행해온 손해배상 청구행위부터 반성하고 이런 말을 하는 게 맞는 것 아닌가. 그리고 헌법 제33조가 보장하는 노 동3권의 행사는 애초에 사용자 측이 재산상의 손해를 입을 것을 예상하고도 노동 자의 권리로 인정한 것이라는 점을 애써 외면하고 있다.

가. 경총 의견, 왜곡과 거짓이 넘쳐나

자본주의 사회에서 사용자에 종속된 지위에 있는 노동자가 자신들의 근로조건이나 권리를 보호하기 위해서 사용할 수 있는 단결권, 단체교섭권, 단체행동권은 어떤 유보조항도 없는 기본적 인권이다. 그것은 집회와 시위의 자유가 민주주의 국가에서 기본권으로 보호하고 있는 이유와 같다. 집회와 시위를 하면 도로가 시위대에 점거되고 교통이 막혀서 수많은 사람들에게 피해를 줄 수 있음에도 이를 보장한다. 경총은 이런 기본권의 속성을 부정하면서 오로지 자신들의 재산권만 강조한다.

그리고 경총의 의견은 노동자들의 파업은 모두 불법파업이라는 딱지를 붙여온 그간의 관행의 연장일 뿐이다. 그들의 나팔수인 경제지와 보수언론도 그런 데 영향을 끼쳤다. 하지만 과연 그런가? 노동자들이 파업에 이르기까지 사용자 측은 어떤 행위를 했는지에 대해서는 침묵하고 오로지 노동자들의 과격성과 불법성만 부각시켜온 탓이다.

파업을 하면 무노동무임금의 원칙을 적용받는 노동자가 가장 먼저 손해를 보게 된다. 그럼에도 그들이 마지막 수단으로 파업에 나설 때는 그만한 이유와 과정이 축적되어 있었다. 단체교섭을 회피하고, 심지어는 대화 요구도 외면하고, 그것보다는 노동조합을 위축시키거나 약화시킬 방법에만 골몰해왔다. 창조컨설팅의 '노조파괴 시나리오'를 적극 활용하여 노동탄압의 수단으로 활용해온 게 그간의 경영계의 입장이었다.

해외에서는 노란봉투법과 같은 법이 없다는 말도 허구다. 영국이나 프랑스, 독일에서는 노동자들의 파업에 대해서 형사 처벌하거나 민사로 거액의 손해배상을 청구하는 일이 거의 없다. 오히려 적극적으로 노동자들의 파업권을 보호하는 게 다른 선진국의 사례다. 법이 있되 적용되는 경우가 거의 없음에도 불구하고 형식적인 비교를 통해 사실을 왜곡하는 것이다. 오히려 독일 연방노동법원은 "파업권이 없는 단체협약은 집단적인 구걸 이외에 아무것도 아니다"라는 입장까지 보이고 있다. 따라서 노란봉투법이 국제적인 기준이나 관행에 맞는 것이다.

나. 노란봉투법, 국제 기준에도 부합

노란봉투법은 '손배폭탄금지법'이다. 아울러 '진짜 사장 책임법'이다. 하청업체, 협력업체, 파견업체를 내세우고 뒤로 숨어서 아무것도 책임지지 않다가 막판에 등장해서 손배 폭탄을 쏟아부어서 노동자들의 삶을 파탄 내는 일은 이제 그만하자는 법이다. 경총이 가장 먼저 해야 할 일은 노란봉투법에 대한 왜곡을 중단하고, 지금까지 잘못된 손배가압류와 부당노동행위에 대해 사과하고, 노사가 서로 존중하는 문화를 만드는 일이다. 건강한 노동문화를 만드는 일에 노란봉투법은 반드시 필요한 법이다.[157]

44. 문화와 정치

경기도를 대표하는 복합예술공간인 경기아트센터의 사장 자리는 9개월째 공석이다. 최근 새 사장 공모가 마감됐으나 과정이 원활하게 진행된다 해도 최종 임용은 11월에나 가능하다. 이재명 경기도지사 시절 임용됐던 전임 사장이 올해 1월 이재명 대선 캠프 합류를 위해 임기를 마치지 않은 채 떠났고, 도지사 공백기와 대선이 맞물려 새 사장을 뽑지 못했다. 경기아트센터는 지난해 대략 짜두었던 공연 프로그램을 올 한 해 큰 무리 없이 소화했다. 하지만 대내외적으로 기관을 대표하고 조직을 혁신하며 새 비전을 제시하는 수장의 역할은 '직무대행 체제'로서는 해내기 어렵다. 잘해봐야 '현상 유지'다.

인물은 교체됐지만 당적은 같은 지자체장을 맞이한 경기아트센터는 사정이 나은 것인지도 모르겠다. 지자체장의 당적이 바뀐 곳에서는 조직 자체가 위기에 처하기도 한다. 강릉국제영화제, 평창국제평화영화제가 그렇다. 강릉과 강원도는 지자체장 당적이 더불어민주당에서 국민의힘으로 바뀌었다. 교체된 단체장은 전임 시절 신설된 영화제의 폐지 혹은 축소를 추진했다. 강릉시는 영화제 예산을 출산

장려정책에 사용하겠다고 했고, 강원도 역시 내년도 영화제 예산을 지원하지 않겠다고 밝혔다. 이 과정에서 영화제 관계자나 영화제를 찾은 시민의 의견은 반영되지 않았다. 두 영화제는 생긴 지 3~4년 안팎이지만, 26년 역사의 부천국제판타스틱영화제 폐지 논의도 시의회에서 나왔다는 점은 놀랍다.

☞ 예술 지원책엔 뭔가 문제가 있다

세계적 인기를 누리는 그룹 방탄소년단(BTS) 역시 국내 정치권의 영향력에서 자유롭지 않다. 2030년 부산 세계박람회 유치 홍보대사를 맡은 BTS는 내달 15일 부산 아시아드 주경기장에서 무료 콘서트를 연다. 그룹 활동의 잠정 중단을 선언한 BTS가 이례적으로 함께 무대에 서는 것이다. 게다가 이 콘서트를 여는 데 드는 비용 70억원까지 BTS 소속사인 하이브가 부담한다. 논란이 일자 하이브는 "국가와 사회에 기여하고자 하는 의지로 참여했다. 비용 문제는 우선순위로 두지 않았다"고 해명했지만, 정치인들이 BTS의 병역특례에 영향력을 행사할 수 있다는 점을 고려하면 하이브의 공식 입장 이면의 BTS 멤버 속내가 궁금해진다.

아무리 "난 정치와 무관하다"고 말해도 실제로 정치와 무관한 일은 없다. 정치는 미국과의 외교, 물가 상승, 검찰 수사권 조정 등 이슈뿐 아니라 출근길 지하철의 배차간격이나 퇴근 후 온라인동영상서비스(OTT) 관람 행태 같은 미세한 일상에도 영향을 미친다. 대통령의 국정 과제, 국회의 입법, 지자체의 정책 등이 모두 그렇다.

소수 정치인의 고집, 몽상, 욕심에 우리의 삶이 좌우되는 걸 가만히 두고 보자는 말은 아니다. 노자는 "최상의 선은 물과 같다(上善若水)"며 다음처럼 이었다. "(성인은) 정치를 하면 누구라도 편안하게 다스리며 일을 할 경우에는 능수능란하게 처리하며 시절의 변화를 그대로 탄다."

최상의 정치는 그 작동 방식이 눈에 띄지 않는다. 여러 분야에서 일하는 사람들이 자율적으로 제 역량을 발휘할 수 있도록 돕되, 중앙정부, 국회, 지자체의 영향력이 미쳤는지는 드러나지 않게 한다. 좋은 정책은 시혜적이지 않다. 정부 보조금으로 생활을 유지하고 작품 활동을 이어간 젊은 예술가가 훗날 위대한 작품을 만들어 큰 상을 받았을 때 가장 먼저 감사하고 싶은 사람이 보조금 정책 관련 공무원이라면, 이 지원책에는 뭔가 문제가 있다.

위에 언급한 세 가지 사례에서 정치는 물처럼 낮은 곳으로 흘러 만물을 이롭게 하기는커녕, 스스로 존재를 과시하고 영향력을 드러낸다. 문화 분야의 자율적 원리를 이해하려 하지 않고, 문화인들의 성취를 존중하지 않는다. 그저 문화를 정치권력의 전리품처럼 여기거나, 정치인을 돋보이게 하기 위한 장신구처럼 취급한다.

정치에 과몰입한 사람이라면 이런 상황을 이상하게 여기지 않을 것이다. 여기서 정치 과몰입은 극소수의 영웅적 정치인이 우리의 삶을 순식간에 개선시켜 준다거나, 집권당이 바뀌면 지상낙원이 펼쳐질 것이라 믿는 증상을 뜻한다. 가까운 일본, 중국, 북한과 달리 한국은 수차례의 정권 교체를 겪었지만, 그런 일은 일어나지 않았다. 이를 정치의 영향력은 크지만, 절대적이지는 않음을 방증한다고 봐도 좋지 않을까. 그러니 정치는 양지에서 별나게 스스로 드러내기를 멈추고, 음지에서 사람들의 삶을 돕는 것이 좋다.[158]

45. 폐허에서 살아가기

한 달 가까이 지났고 직접 본 것도 아니지만 머릿속에서 지워지지 않는 장면이 있다. 태풍 힌남노가 덮쳤을 때 포항의 한 아파트 주차장에서 일어난 참극이다. 중학생 소년과 엄마의 사연은 이미 전 국민의 눈시울을 적셨다. 모자는 아침 일찍 지하주차장이 물에 잠길 수도 있으니 자동차를 지상으로 옮겨달라는 관리사무소의 안내방송을 듣고 지하로 내려갔다. 차가 엉켜 기다리는 사이에 인근 하천이 범람하면서 물이 차기 시작했고 위기가 닥쳤다. 수영을 못하는 엄마는 아들을 보낸 뒤 파이프에 매달려 에어포켓에서 살아남았지만 "키워줘서 고맙다"는 말을 남긴 채 입구 쪽으로 헤엄쳐간 아들은 끝내 숨졌다.

그 짧은 순간은 너무 비극적이다. 물론 세계에는 수많은 비극과 죽음이 흘러넘치지만, 지하주차장의 참극은 평온하던 일상의 장막을 찢고 불현듯 출몰하는 비극의 실체를 보여주는 것 같아서 섬뜩하다. 이들은 서울의 반지하에 살던 여성 노동자 가족처럼 예측된 위험에 노출된 상태도 아니었다.

사랑하는 엄마와 이별하는 순간, 소년의 입에서 감사의 말이 나왔다는 것 역시 특별하다. 그 이후의 소식은 들려오지 않지만 나는 그 엄마가 어떻게 살고 있을지, 그 아파트 주민들이 얼마나 트라우마에 시달릴지 궁금하고 마음이 쓰인다.

최근 철학계는 이 같은 자연의 출몰에 주목하고 있다. 이른바 포스트휴머니즘 혹은 인류세의 철학이다. '인간 세계는 사물에 뿌리를 두고 있다'(한나 아렌트, 〈인간의 조건〉), '세계는 인간의 사유나 의식과는 무관하게 존재한다'(퀭텡 메이야수, 〈유한성 이후〉), '인간은 지구와 대기에 영향을 끼치는 존재가 되었다' (파울 크뤼천, 〈인류세〉), '인간은 지질학적 행위자가 되어 자신의 생존 조건을 교란시키고 있다'(디페시 차크라바티, 〈역사의 기후〉), '존재한다는 것은 항상 공존하는 것이다'(티모시 모튼, 〈생태적 사고〉), '인공세계의 구축을 통해 자연 환경을 통제할 수 있다는 생각이 산업혁명 이후로 우세하게 되었다'(그레고리 베이트슨, 〈마음의 생태학〉)…. 한마디로 인류세란 인공과 자연이 뒤섞이는 시기이다.

이 때문에 생물권(biosphere)이라는 말은 기술권(technosphere)이라는 말로 바뀌고 있다. 지금까지 지구에 살았던 1500만종의 생물이 무기물과 더불어 생태계를 이루었다면, 이제는 전통적인 화석 분류 방식으로 계산할 때 10억종이 넘는 인공물이 생물권에 뒤섞여 초거대한 존재의 사슬을 만들고 있다.

비닐봉지에 목이 졸린 거북이에게 비닐이 천적이라면, 부표로 쓰인 스티로폼에서 살아가는 따개비에게 스티로폼은 공생의 대상이다. 현재 인간이 만든 인공물의 양은 지구 면적 1㎡당 50kg에 이른다고 한다. 안정된 날씨에서는 뚜렷하고 단정하게 경계지워진 자연과 인공물이 재난이 닥치면 경계를 훌쩍 넘어 서로 엉겨붙는다.

최근 읽은 책 〈인류세의 철학〉(시노하라 마사타케 지음, 조성환 외 옮김, 모시는사람들)에서 저자는 인류세의 장면으로 2011년 동일본 대지진 이후의 폐허를 담아낸 가와우치 린코의 사진집 〈빛과 그림자〉를 소개한다. 사진은 집과 도로, 집기가 산산이 부서져 이리저리 나뒹구는 폐허를 담았다.

보통 관객들의 눈에 이 사진들은 분명 처참한 비극의 현장이며 자연이 할퀴고 간 상처, 비극을 잊기 위해 한시라도 빨리 치워야 하는 쓰레기, 사고가 나기 이전 말끔한 상태로의 복구 대상이다.

그러나 저자는 모든 것이 무너져내린 이 장면에서 경쾌함, 투명함, 청정함, 적막감 등을 느꼈으며 인간세계의 족쇄로부터 해방된 듯한 자유로운 분위기마저 느꼈다고 한다. 자연을 통제할 수 있다고 여겼던 문명의 허상을 깨닫고, 새로운 감각으로 진리에 한 발자국 다가섰다는 뜻이다.

폐허에서 살아가기는 물리적이든 정신적이든, 우리의 일상이 될지도 모른다. 이 글을 쓰는 동안 러시아와 독일을 연결하는 천연가스관 노르트스트림 1·2가 폭발해 전 세계 연간 탄소 배출량의 3분의 1인 50만 의 메탄가스가 대기로 방출됐다는 뉴스가 나왔다. 파키스탄에서 몬순기후 이상으로 국토의 3분의 1이 물에 잠긴 참사만큼 대형의 재난이다.

이제 자연재해는 인공물로 인해 가중되는 사회적 재난과 합쳐져 구조적 재난이 되고 있다. 그야말로 위험사회임을 실감하게 된다. 가을 하늘은 청명하고 수해 소식은 곧 잊히겠지만, 좀 더 예민한 감각으로 우리 주변에서 어떤 일이 벌어지는지 살펴야 하지 않을까. 우리 문명은 분명 감각의 변화를 요청하고 있다.[159]

46. 구두와 가난

"이런 싸구려 구두는 본드로 굽을 붙여서 아차 하면 부러져. 그러다가 아킬레스건 나가는 거지. 무게중심이 안 맞아서 조금만 걸어도 발이 아플 거야. 걸으면서도 불안해. 도무지 신발을 믿을 수 없으니까. 우리가 주는 돈으로 괜찮은 구두를 사. 안 그러면 평생 발을 질질 끌면서 사게 돼."

작가란 일상의 작은 사물을 통해 거대한 세계를 이야기하는 사람이라고 생각했는데. 정서경 작가가 쓴 드라마 '작은 아씨들'에서 나온 구두 이야기를 들으며 그런 내 생각이 틀리지 않았음을 확인했다. 이 드라마의 주인공인 가난한 집의 장녀 인주는 이 말처럼 싸구려 구두를 신고 직장 동료가 모처럼 한턱 쏜다고 해서 터무니없이 비싼 레스토랑으로 올라가는 길에 그만 구두굽이 똑 부러져 버린다.

그 장면을 보다 문득 엄마가 떠올랐다. 엄마는 내가 한참 모양을 내기 시작했던 20대부터 신발은 항상 좋은 걸 신어야 한다고 강조했다. 가볍고 발이 편해야 어디든 마음 놓고 갈 수 있으니 신발만큼은 값을 따져선 안 된다고. 엄마가 없는 살림에도 가격표를 보지 않고 사줬던 건 책과 신발 두 가지였다.

엄마는 말했다. 신발을 보면 그 사람의 많은 걸 알 수 있다고. 그때는 몰랐다. 젊었을 때 내가 데려온 남자친구들의 신발을 엄마가 유심히 살펴봤다는 걸. 오랜 세월이 흐른 후 그걸 알고 먹먹해졌다.

그래도 없는 돈은 어쩔 수 없어 젊은 날의 나는 모양만 그럴싸하지 통나무처럼 무겁고, 신다 보면 어느새 굽이 부러지거나 앞부리가 입을 쩍쩍 벌리는 구두나 샌들을 신고 힘겹게 거리를 쏘다녔다. 그래서 가난을 상징하는 구두에 대한 정서경 작가의 핍진한 대사에 새삼 몸서리가 쳐졌다. 가난은 아무리 감추고 또 감춰도 저렇게 노골적으로 드러날 수밖에 없다는 생각에 무서웠다.부자도 그렇지만 가난 또한 소리쳐 웅변하지 않아도 여러 가지 형태로 그 모습을 드러낸다. 가난은 퍼석퍼석하고 메마른 피부, 어딘가 빈티 나는 블라우스, 무겁고 불편한 구두, 무엇보다 항상 주눅 들어 굽은 어깨에서 나타난다.

드라마 '작은 아씨들'이 이렇게 금방 굽이 부러지는 싸구려 구두와 국내에 단 세 켤레밖에 들어오지 않았다는 명품 구두로 빈부 격차를 극명하게 대조시켰다면 그보다 훨씬 이전에 구두로 또 다른 가난을 묘사한 이야기도 있다. 작가 윤흥길이 쓴 '아홉 켤레의 구두로 남은 사내'라는 소설이다. 이 이야기에 나오는 권씨란 인물은 그 옛날(소설은 1977년 출간)에 무려 대학을 나오고, 출판사 편집자로 일하다 재개발 바람에 휘말려 사력을 다해 지은 집 한 칸을 날리고 임신한 아내와 두 아이를 데리고 셋방살이를 한다.

툭하면 밥을 굶는 처지에도 시간 날 때마다 유일한 자부심의 상징인 구두 아홉 켤레를 정성스럽게 닦아 광을 내며 구두 한 켤레로 버티는 집주인을 슬쩍 비웃는 권씨. 그러나 가난은 고작 구두 아홉 켤레로 막을 수 있는 만만한 것이 아니어서 어느 날 그는 여덟 켤레의 구두만 남겨 놓은 채 사라지고 만다.

과거에 '아홉 켤레의 구두로 남은 사내'에서 가난이 품어야 할 아픈 상처로 묘사됐다면 현재 방영 중인 드라마에서의 가난은 용서 못할 범죄처럼, 일단 태어나면 평생 안고 가야 하는 천형처럼, 절대 전염되면 안 될 몹쓸 전염병처럼 묘사된다. 이제 빈자와 부자는 서로 다른 세계의 사람들이란 말 한마디로 요란하게 격리된 것이다.

이 가난을 탈출하려면 그야말로 하늘에서 몇십억, 아니 몇백억 정도는 들어 있는 돈 가방이 뚝 떨어져야 가능할 것 같아 보인다. 그러니 도처에서 무기력이란 유령이 쉴 새 없이 출몰하는 건 어찌 보면 너무나 당연하다.[160)]

47. 삶이라는 기적

요즘 기분이 나아진 것은 순전히 쾌청한 가을 날씨 덕분이다. 보온성이 좋은 수면 양말을 신고 무명 이불을 덮고 잠드는 게 좋다. 새벽에 눈 뜨면 침대 한쪽에서 고양이가 몸을 동그랗게 말고 잠든 게 보인다. 고양이 등을 쓰다듬으면 고양이는 잠결에도 기분이 좋아 골골 거린다. 가을은 먼 곳에의 그리움이 속절없이 깊어진다. 상강 무렵 맑고 건조한 햇빛 아래 구절초 꽃은 피어 흔들린다. 먼 길 떠나는 자와 먼 길에서 돌아오는 자의 걸음이 우연인 듯 엇갈리는 계절이다.

소규모 살림이 나아질 기미는 희박하지만 견디며 살만 하다. 가끔 책을 덮은 뒤 강가에 나가 모래와 물을 물끄러미 바라보다 돌아온다. 자주 내가 누구인가를 묻는다. 날씨의 독재 아래서 구두는 낡고 양말엔 구멍이 난다. 낡는 게 죄가 아니라면 무엇일까? 내 안에는 감정과 욕망이 소용돌이친다. 삶을 생산하는 동력이면서 동시에 극단으로 흐를 때 해악이 되는 이것은 나를 빚는 중요 성분 중 일부다. 나는 이것들에 휘둘리며 고투하는 존재이다.

문득 전혜린을 떠올린다. 난방용 연료로 연탄을 태울 때 생긴 일산화탄소가 농밀하게 떠도는 서울의 탁한 공기를 들이마시면서도 독일 뮌헨의 가스등과 안개를 그리워하던 독문학도 전혜린은 '아무튼 낯익은 곳이 아닌 다른 곳, 모르는 곳에 존재하고 싶은 욕구가 항상 나에게는 있다'고 썼다. 먼 곳을 그리워함! 인간이 저 너머를 꿈꾸는 것은 발 딛고 사는 지금의 현실이 낙원이 아니라 고통과 불행을 낳는 자리라는 부정적 인식에서 시작한다. 1960년대의 젊은 지식인 전혜린은 제 조국의 가난한 현실과 척박한 지적 토양에 진절머리를 치며 저 서구의 나라를 꿈꾸었을 테다.

먼 곳을 그리워 함은 우리 안에서 작동하는 본성이고, 더 나은 삶을 향한 욕망이다. 모르는 곳에서 삶을 꾸리고 싶다는 소망이 가없는 꿈일지라도 그 달콤함에서 깨고 싶지는 않았을 테다. 이 마음의 바탕은 살아 보지 못한 장소에 대한 동경, 먼 곳을 향한 노스텔지어, 자유에 대한 갈망이다. 이 마음을 철부지의 호사 취미이자 향서 취향이라고 몰아세우는 것은 가혹한 일이다. 독일 유학에서 돌아온 전혜린은 대학에서 강의를 하고 독문학 책들을 번역하다가 돌연 이승의 삶과 작별한다. 그것은 너무나 급작스러운 일이어서 사회에 꽤 큰 파장을 남겼다.

생활에 너무 근접해서 사는 자에게 삶의 비루는 더 잘 보인다. 삶의 근경에 붙박여 살 때 우리 뇌는 더 비관으로 기운다. 별들을 바라보며 걷는 자는 필경 진창에 빠질 위험을 안고 있지만 우리는 마음의 근심을 떨쳐내기 위해서라도 먼 것을 꿈꾸고 바라본다. 먼 곳을 동경하는 사람은 그렇지 않을 사람보다 더 이상주의자일 것이다. 이상주의자란 짐승들이 으르렁대는 동물원에서 천국 보기를 포기하지 않는 자다.

로버트 브라우닝은 '사람은 반드시 잡을 수 없는 것을 향해 손을 뻗어야 한다'고 노래한다. 현실 저 너머의 환상을 빚는 뇌는 불가능한 것을 꿈꾼다. 우리는 이 궁극의 것을 쥐고 저 먼 곳에 도달하려고 노력한다. 게으른 사람도 근면한 사람도 다들 행복을 꿈꾼다. 하지만 대개는 행복이 무엇인지 딱히 모르고 산다. 나날의 삶이 기적이라는 대긍정에서 빚어지는 낙관적인 감정이 행복이 아닐까? 먹고 사랑하며 기도하는 나날들 속에서 아이들은 저절로 자라나고, 강물은 바다를 향해 흐르고, 계절은 영원히 순환한다. 이게 기적이 아니라면 무어란 말인가!

볕 좋은 가을날 나무 그늘 아래 벤치에 앉아 샌드위치를 먹는다. 근처에는 비둘기 몇 마리가 구구거리며 모이를 찾는다. 녹색 짐승 같던 활엽수는 가을로 들어서며 단풍이 든다. 나날은 되풀이하는 같지만 어느 하루도 똑같지는 않다. 우리는 날마다 다른 하루를 맞고, 날씨의 변화무쌍함과 계절의 순환을 받아들이며 산다.

삶은 기적이다! 이 기적에 기대어 우리는 덧없음과 허무를 넘어서고, 날마다 새로운 날을 맞는다. 가을엔 누구에게라도 지난해보다, 아니 어제보다는 좀 더 나은 사람으로 살아야겠다고 고백하고 싶다.[161]

48. '김건희 논문', 논란 종식을 바란다

표절은 맥락이 필요한 문제다. 서로 모르는 사람이 비슷한 생각을 하고 있었는데 한 사람이 먼저 발표했다면, 타인의 아이디어를 훔친 것일까? 어떤 지식도 사회의 자장 안에서 자유롭지 않다. 페미니즘도 마르크스주의도 시작은 자유주의였다. 하늘 아래 새로운 것은 없다. 인간은 사회적 존재, 언어로 연결된 문명 공동체이기 때문이다.

2015년, 신경숙의 표절 논란 즈음 나는 관련 글을 썼다가 장정일로부터 비판받은 바 있다(한겨레, 2015년 9월3일자 인터넷판). 그는 "당신(나)이 쓴 글 중에서 순수한 당신만의 생각이 얼마나 되는가"를 질문하면서, "영향과 모방은 물론 패스티시·인용·비유·패러디가 혼재된 문학 자체에 대한 논의 없는 표절 논쟁"은 문제라는 것이다.

전후 사정을 살펴볼 때 '진짜 표절'도 없지는 않지만, 그의 주장에 동의한다. 표절 논란은 문맥이 생략된 채, 소동으로 끝나는 퇴행의 반복이 되기 쉽다. 이래저래 쉽지 않는 문제다.

글쓰기가 생계이다보니 많은 고민과 사례 속에서 산다. 지식의 제국주의. 내가 열심히 공부해서 글을 썼는데, 알고 보니 영어로 된 책에 이미 나와 있는 내용이다. 한국사회는 영어책을 '원서(原書)'라고 부른다. 한국어로 된 책은 원서가 아닌가? 상황이 이러니, 우리는 자기 생각을 하기 전에 영어권 글을 먼저 읽는다. 이것이 비서구 연구자의 이중 노동, 식민 구조다.

나는 아내에 대한 폭력을 소재로 석사 논문을 썼다. 7년간 피해 여성 상담과 함께 많은 참고문헌을 읽었다. 그러다가 영어책을 보니, 내가 한 공부가 1970년대 미국의 래디컬 페미니즘 논의에 다 있었다. 분노, 허탈, 무기력….

나의 질적 방법(인터뷰)이 의미가 없는 것은 아니지만 아내 폭력의 특성상 미국과 한국의 상황은 크게 다르지 않았다. 영어가 지식을 대신하는 팍스 아메리카나 시대의 최전선에 대한민국이 있다. 만일 내 논문이 영어 번역이라고 주장하는 이가 있다면?

나는 한국사회의 남성성을 식민지 남성성이라고 개념화한 적이 있다. 탈식민주의 이론가 타니 바로의 식민지 근대(colonial modernity)에서 아이디어를 얻었지만, 의미는 다르다. 식민지 근대는 제국 내부에도 식민지가 있고, 제국주의는 필연적으로 식민주의를 동반한다는 논의다. 하지만 식민지 남성성은 (식민지에 사는 남성의 남성성이 아니라) 남성이 외세와의 관계에서 자신을 약자(여성화, 피해자화)로 규정, 국내나 가정에서의 성차별에 대해서 무관심, 무지하다는 의미다. 나의 식민지 남성성 공부에서 타니 바로의 개념은 유용했다. 하지만 이를 표절이라고 하는 이는 없을 것이다.

가. 급변하는 표절 개념

대학의 실적주의가 강화되고 교원들에게 논문 제출 압박이 심해지면서 '학교 밖 독자'를 상정한 인문학 저널 필자군이 급감했다. 한편 각종 커뮤니티 저널이 논문 등재지로 인정되면서, 논문 투고자와 심사위원의 경계도 흐려졌고 연구자가 많지 않은 조건에서 '정치적 성향이 맞는, 아는 사람들'의 글이 많이 실리는 상황도 자연스러워졌다. 나도 그런 저널에 심사위원을 한 적이 있다. 나는 대필도 많이 했다. 대가가 없었을 뿐이다. 20여년, 바쁘고 유명한 사회운동가 '어른'을 대신해 분업 차원에서 썼다. 나의 대필은 사회운동의 일환이었다.

세상은 완전히 달라졌다. 남의 글 몇 쪽을 출처 없이 썼다? 국내 연구자의 글이나 본인의 석사 논문을 번역해서 외국 박사 학위를 취득했다? 남의 글의 프레임이나 아이디어를 그대로 가져와 단어만 바꾸었다? 이제 표절은 이런 게 아니다. 이 정도가 표절이라면 너무 가혹하다. 당대 "표절"은 노동 강도(?)에 따라 짜깁기, 다운로드, 대필, 파일 전체 가로 채기이다. 이 정도가 되어도, 표절을 문제 제기하는 이들이 매장되는 구조다.

국가별, 대학별, 개인별 양상은 다르지만 대학도 여느 사회와 마찬가지로 다양한 부정의가 존재한다. 지위가 낮은 사람에게 번역을 시키고 임금도 지급하지 않고 이름도 올리지 않은 채 최종 점검도 하지 않은 가독성 제로 번역서, 평생 발표한 논문이 다섯 개인데 모두 남편이 편집위원장으로 있는 학회지에 실린 경우, 자신이 훔친 논문의 저자에게 표절을 뒤집어씌우고 해고하는 이들, 특정 대학과 지자체의 결탁…. 논문의 질의 다양성은 말할 것도 없다.

최근에 읽은 논문의 마지막 문장은 다음과 같다. "… 2020년 10월22일, 잠자리에서 ○○○ 할머니는 당신의 침대 위로 나를 올라오라 하시고 꼭 끌어안고 손은 잡으며, '이런 인연이 아니라 다른 인연으로 만났으면 더 좋았을 텐데…' 하신다. 하얗고 부드러운 그의 손에서 느껴지는 고통의 순간과 절규, 행복했던 순간과 웃음의 전율이…." 이는 논문 형식에도 맞지 않고, 사실을 오도하기 쉽다. "이렇게 만나지 않았더라면" 이라고 글쓴이가 직접 썼듯이, 관련학계에서 ○○○ 할머니와 기고자의 관계가 매우 좋지 않다는 사실을 모르는 사람은 없다.

한국의 대학원은 일반대학원, 전문대학원, 특수대학원으로 나뉜다. 대개 일반대학원은 전업 학생이 주간에 2년 혹은 3년 수업(코스 워크)을 이수하고 외국어 시험, 논문 자격 시험, 논문 프로포절 심사, 중간 발표, 1회 이상 국내 학술지 게재, 1~3회의 심사를 거쳐 석·박사 학위를 취득한다. 전문대학원은 의학, 법학, MBA 과정이다. 특수대학원은 교육대학원, 정책대학원, 사회복지대학원 등 원래 목적 자체가 관련 종사자의 재교육이다. 직장인이 많으므로 야간 수업이 많다. 최근에는 김건희씨가 관련된 '테크노디자인전문대학원' 같은 특수대학원이 증가했다. 석사 논문을 쓰지 않고 학위 취득이 가능하기 때문에 박사 학위 진학용으로 각광받고 있다.

나. 학생 신분을 유지하지 않음

2021년 교육부에 따르면 한국의 대학원 총수는 1174개다. 대학마다 여러 개의 대학원을 운영하므로 대학 수보다 훨씬 많다. 이 중 특수대학원이 805개로 가장 큰 비중(68.6%)을 차지한다.

나는 더 이상 김건희씨의 논문이 문제화되지 않기를 바란다. 지금 상황은 정쟁일 뿐이다. 그의 문제는 대학 개혁 차원에서 다루어져야 한다. 그의 학사-석사-박사 과정은 논문이든 출석이든 정상적인 상황이 하나도 없다. 그의 논문은 표절이 아니다. 그냥 학교를 다니지 않은 것으로 보인다.

문제가 된 "Yuji"는 학위 논문이 아니고 김명신·전승규의 공동명의로 2007년에 〈한국디자인포럼〉에 실린 글이다. 제목 '온라인 운세 콘텐츠의 이용자들의 이용 만족과 불만족에 따른 회원 유지와 탈퇴에 대한 연구'의 영문 초록에 그 유명한 "Yuji"가 나온다. 일단 한국어 제목 자체가 비문(非文)이다. 전문번역가 배동근에 따르면, "온라인 운세 서비스의 콘텐츠의 품질과 회원 증가 사이의 상관성 연구(Research on the Association between the Excellence of Contents of

Online Fortune-telling Services and the Growth of Their Membership)" 정도가 가장 근접한 제목이라고 한다.

어쨌든 "Yuji"의 책임은 국민대가 아니라 〈한국디자인포럼〉에 있다. 학교를 다녔다면 지도교수, 동료, 도서관 직원의 체크가 있었을 것이다. 결국 그가 정작 '유지' 하지 못한 것은 그 자신의 대학원생 멤버십이다.

2008년 김건희씨가 취득했다는 박사 논문, 〈아바타를 이용한 운세 콘텐츠 개발 연구: '애니타' 개발과 시장 적용을 중심으로〉를 보면 다섯 명의 심사위원이 나온다. 오승환(심사위원장), 전승규, 반영환, 송성재, 오명훈의 서명은 손 글씨인 데 서체가 동일하다. 한 사람이 썼다는 얘기다.

이런 간단한 문제를 두고 지식인 단체가 찬반에 휩싸이고 진상 규명을 요구하는 상황은 희극도 아니고 난센스다. 여야 간 정치 쟁점화를 멈추고, 논문 비리와 관련한 대학의 전수 조사가 필요할 뿐이다.

글로벌 자본주의 시대에 통치의 전제는 우중화다. 자본과 교육부는 공동체의 지식 생산에 고민이 없다. 계급 양극화처럼 지적 양극화가 필요할 뿐이다. 정치 성향을 불문하고 '똑똑한' 이들 몇몇이면 사회는 굴러간다. '김건희 박사'의 대량 생산은 부자와 대학에만 좋은 일이다. 대학 사회의 최소한의 상식, 이것이 핵심이다.[162]

49. 인구가족양성평등본부라니

이 글을 읽는 당신이 가만히 놔두면 죽어가는 것을 돌본 적 있는지 궁금하다. 내가 아는 한 중년 여성 활동가는 가족에 대한 금기를 부수며 살아온 반골이다. 그런 그가 일을 너무 많이 하다 아기를 먹이지 못하는 바람에 아기가 한없이 작고 말라지는 꿈을 꾼다는 얘길 듣곤 종종거리며 돌본 적 있는 사람의 무의식이란 비슷한가 보다, 했다. 작고 약한 사람, 동물을 잘 먹이지 못하거나 실수로 떨어뜨려 죽여버리고 진땀을 흘리는 꿈을 자주 꿨다. 내게 세상은 이 불안을 이해하는 '우리'와 이해하지 못하는 '그들'로 이루어진 곳이다. 이 사회는 후자가 지배하는데, 그게 나의 공포다.

요즘 공포스러운 장면들이다. 지난 6일 윤석열 정부는 여성가족부를 폐지하고 인구가족양성평등본부를 설치하겠다는 개편안을 발표했다. 지난달 오세훈 서울시장은 홍콩과 싱가포르처럼 '외국인 가사도우미'를 싼값에 도입하는 게 아이

‘때문에’ 일과 경력이 포기되지 않게 하는 해법이라고 주장했다. 조선일보는 청년의 이름으로 ‘지방 총각들’에게 “퇴근해 현관문 여는 순간 미소로 맞아줄 아내와 아이”가 필요하다는 칼럼을 게시했다. 시절이 하수상한데, 주변은 화를 내기도 지친다는 반응이다. 이 모든 게 거대한 농담 같다.

인구와 가족이라니. 여성이 일과 경력을 아이 ‘때문에’ 포기한다는 설명틀, 계급적 상향 이동을 하면 ‘가족’이 선물처럼 주어질 거란 믿음 모두 그들만의 것이다. 우리가 돌보는 존재에게서 눈을 떼면 죽을지도 모른다는 불안감이 우리에게만 있는 게 문제란 사실을 왜 말하지 않을까? 이 모든 게 그들에게 기업과 국가의 돈줄인 ‘인구’가 사라지는 문제이기만 할 때, 우리에게는 더 넓고, 깊고, 그래서 말하다 지칠 수밖에 없는 문제다. 아내와 더 취약한 여성에게 돌봄을 맡길 그런 가족을 꿈꾸는 남성, 정치인, 언론인들 ‘때문에’ 세상이 좋아지질 않는다.

돌봄은 어렵지만 그걸 통해 새로운 세계가 열리기도 한다. 아픈 식구를 혼자 24시간 지켜볼 수 없어 어떻게든 돌봄의 관계망을 만들어야 했다. 남이 나만큼 할 수 있나, 사고가 나지 않을까, 믿을 수 없어 혼자 아득바득해 보려 했지만 가능하지 않았다. 신뢰와 능력에 대한 모든 기준을 갈아엎으면서 난장판을 통과했다. 그때 익힌 관계와 소통에 대한 새로운 감각과 요령을 무엇과도 바꿀 수 없다.

오 시장이 ‘모범 사례’로 꼽은 홍콩에선 외국인 돌봄노동자들이 코로나에 걸리자 해고되어 거리로 내몰리는 사태가 벌어졌다. 돌봄을 탐구하며 부담을 나누는 것과 ‘외주화’ 하는 건 완전히 다르다는 감각을 확신하게 된 사건이다. 로이터의 올해 2월 기사는 2005년부터 일해 온 돌봄노동자가 한겨울 음식과 쉴 곳을 구할 수 없어 절망하는 인터뷰를 담고 있다. 홍콩과 싱가포르 ‘출산율’도 세계 최저 수준이다. 당연하지 않나?

양성평등이라니. 젠더는 평등과 정의를 다시 사유하기 위한 사회적 분석틀이다. 우리는 사회 주류인 그들과 일부 여성 간의 부당한 평등이 문제 해결이라고 생각하지 않아서 머리가 아프다. 그런 평등은 여성의 과로사라, “여성도 아내가 있었으면 좋겠다”고 농담하면 이 가족을 그냥 둔 채 돈 주고 ‘아내’를 사 오자고 한다. 정의란 무엇인가?[163]

50. 윤동주를 생각함

달빛이 찍는 창살의 실루엣이 이마와 콧마루, 입술, 가슴에 여민 손등에까지 간질인다. 달빛이 솔가지에 쏟아져 바람인 양 쏴- 소리가 날 듯한 기숙사, 옆에 누운 친구의 숨소리는 점점 거칠어지고 그는 사념에 잠긴다. 고향 처녀들의 영상도, 바다를 건너온 친구의 이해 못할 절교선언 편지도 떠오른다. 감상적인 그 친구에게도 필연코 가을은 온 것인가?

그는 어느새 정원에 나와 있는 자신을 발견한다. "귀뚜라미 울음에도 수줍어지는 코스모스 앞에 서서 닥터 빌링스의 동상처럼 슬퍼"진다. 민감한 옷깃은 달빛에도 서늘해지고, 선득선득한 이슬은 서러운 사내의 눈물처럼 느껴진다. 가을밤은 그의 몸뚱이를 옮겨 못가에 세워준다. "못 속에도 역시 가을이 있고 삼경이 있고 달이 있다"

그 찰나 가을이 원망스럽고 달이 미워진다. 더듬어 돌을 찾아 달을 향해 죽어라 팔매질을 한다. 달은 산산히 부서진다. 허나 일렁이던 물이 잔잔해지자 다시 얼굴을 드러낸다. 하늘을 쳐다보니 놈은 하늘 위에서 자신을 빈정대는 게 아닌가. 그 때 그는, 저 물에 비친 허상을 없앨 것이 아니라 하늘에서 자신을 비웃는 저 달을 겨누자고 생각한다. 마침내 꼿꼿한 나뭇가지에 띠를 째서 줄을 매고 좀 단단한 갈대로 화살을 만들어 "무사의 마음으로 달을" 쏜다.

윤동주의 산문 '달을 쏘다'는 애초 연희전문 문과 1학년 1학기 8월말 무렵 정인섭 교수의 '문학개론' 기말고사 시간에 써서 제출한 것인데, 약간 고쳐서 그해 10월 '조선일보' 학생란에 투고, 다음해 1월 23일자에 실린 작품이다. 더 놀라운 것은 "못 속에도 역시 가을이 있고 삼경이 있고 달이 있다"라는 구절에서 못을 '우물'로 바꾸면서 1년 뒤 그의 대표시 중 한 편인 '자화상'을 낳았다는 것.

스물한 살의 영혼은 왜 자정 넘은 시간, 달밤의 산책길에서 달을 향해 살을 겨누었을까? 김유신이 습관에 따라 천관녀의 집으로 향하던 애마의 목을 치는 심정이었을까? 차라리 50대말 지금까지의 모든 것을 던져버리는 '참회록'에 나타나는 톨스토이의 심정의 일단으로 비견하고 싶다.(그가 몇 년 뒤 "만 이십사 년 일 개월을/무슨 기쁨을 바라 살아왔던가"라는 '참회록'을 쓴 것도 예사롭지 않다.) 그러나 우리의 윤동주는 겨우 스물 하나.

이제나 그제나 대학 1학년이면 살가운 연애도, 감상도 치기도 부려 볼 나이. 그러나 그는 센티멘탈리즘을, 지금껏 대상이 자기에게로 이끄는 대로 살아온 삶을, 그 달밤의 한 복판에서, 송두리째 뽑아 내친 것이다. 가을이 원망스럽고 달이 미워진 것이 아니라, 기실 잘못 살아온 스물한 살 인생에 대한 선전포고를 하고 있는 것이다. 1938년을 기점으로 그는 동시 쓰기를 그만 둔다. 감상을 폐기하고 '나'라는 존재에 대해, 나를 둘러싸고 있는 식민지 현실이라는 '생활'에 대해 골몰하기 시작한다.

누구는 '지루한 세상에 불타는 구두를 던져라'고 했지만, 청년 윤동주가 아직 우리들 가슴에 살아 있는 것은 아직도 자신을 바꾸지 못하고 어쩡쩡 살아가는 중년들에게 매서운 화살을 들이대기 때문일까. 적막강산의 가을은 그 심정도 모르고 깊어만 간다.[164]

51. 디지털 전략과 국민 참여

제2차 세계대전과 한국전쟁을 겪고 미국과 소련이 자유와 공산의 양 진영으로 체제경쟁을 가속화하던 냉전 시대, 1957년 10월4일 소련은 스푸트니크 1호를 우주로 쏘아 올렸다. 이때 미국이 느꼈던 충격을 '스푸트니크 쇼크'라고 부른다. 연합군의 전쟁을 승리로 이끈 미국은 과학기술과 첨단 무기 분야도 미국이 선도하고 있다고 믿었다. 그런데 소련의 우주기술이 우주에 생명체를 보낼 정도로 발전하자 소련이 추진체의 방향을 바꿔 미국 본토에 핵탄두를 실어 나를 수도 있다는 걸 깨달은 것이다. 당시 미국 대통령인 케네디는 불안과 공포에 휩싸인 국민들에게 '미국은 달에 사람을 보내고 다시 안전하게 지구로 귀환시킬 담대한 국가전략을 추진하겠다'고 선언한다. 미국은 케네디 대통령의 구상과 선언 이후 10년이 안 되어 달에 사람을 보냈고 약속대로 안전하게 귀환시켰다. 미국 항공우주국(NASA)을 중심으로 하는 과감한 우주개발투자는 '돈 먹는 하마'라는 평가도 받지만 여전히 세계과학기술 패권국가의 지위와 더불어 첨단무기체계와 국방 과학기술의 전초기지로서 세계 유일의 안보역량을 과시하고 있다. 이뿐만 아니라 우주기술의 후방효과로 과학기술 기반의 산업 패권국가 자리도 여전히 미국의 몫이다.

윤석열 대통령은 디지털플랫폼정부 위원회 출범식에서 미국 케네디 대통령의 달 탐사 프로젝트를 소환했다. 한국이 세계 최고 수준의 정보통신인프라 강국인 것을 세계인들이 인정하는 마당에 인공지능과 데이터로 무장한 새로운 시대의 정부 모델을 구축하겠다는 것이다. 이 전략은 디지털 전환으로 세계를 선도하고 글로벌 중추국가의 지위를 확보하겠다는 지도자의 의지를 담고 있었다. 윤 대통령의 의지는 세계 최강의 인공지능과 데이터 인프라를 구축하고 정부 부문부터 디지털 기술을 혁신적으로 도입하는 것은 물론이고 민간의 역량을 중심으로 정부 혁신을 추진하겠다는 내용으로 구체화됐다. 케네디 대통령이 성공을 확신할 수 없는 달 탐사 도전을 담대하게 선언한 것처럼 우리도 인공지능과 데이터를 중심으로 세계 중추국가가 되고 디지털 전환의 새로운 시대를 여는 첫 국가가 될 수 있을지 확신할 수는 없다. 분명한 사실은 디지털 혁신의 충격파가 발 빠르게 전개되는 한국의 지도자가 담대한 도전에 나서지 않을 수 없다는 절박함을 호소하면서 디지털플랫폼정부 정책을 국가 전략산업정책으로 삼겠다고 선언했다는 점이다. 디지털 비전문가인 윤 대통령 앞에서 자신의 전문성을 바탕으로 한 수 가르치려 했던 민간 전문가들이 머쓱해지는 순간이었다.

돌이켜보면 윤 대통령의 디지털 구상은 시리즈로 이어졌다. 시간이 갈수록 진화하고 구체화된다. 그 담대한 구상은 작년 12월 발표된 윤석열 정부의 공약 발표에서 출발한다. '정부 조직의 디지털 전환과 플랫폼화'를 기치로 내걸고 정부와 민간이 데이터를 함께 활용해 문제를 해결하는 플랫폼의 일원으로 기능하자는 전략이 디지털 구상의 핵심 맥락으로 자리잡고 있는 것이다. 구체적인 혁신의 방향성은 올해 9월 디지털플랫폼정부 위원회 출범식에서 발표됐다. 정부의 플랫폼 구현(Platform in Government)을 넘어 플랫폼으로서의 정부(Government as a Platform)라는 변혁을 이 구상의 모습으로 표현했다. '디지털 데이터의 저장, 분석, 이동이라는 커다란 산업생태계 조성으로 플랫폼을 기획'한다는 목표는 기존의 전자정부와는 확연히 다른 지향점을 드러낸다. 이는 정부가 앞으로의 방향성에서 정부가 제공하는 공적 서비스의 투명성과 공정성을 넘어 세계 최고 수준의 행정효율화와 디지털 민주주의까지를 그 달성 목표로 두고 있음을 의미한다. 뉴욕 순방에서의 디지털플랫폼정부 구현 의지와 이를 구체적으로 실현하기 위한 전체적 로드맵으로서 제8차 비상경제민생회의에서 발표된 국가디지털전략은 이것이 선언적인 미사여구에만 그치지 않음을 보여준다.

윤석열 정부가 추진하는 일련의 디지털 정책은 내년 상반기에 국민 앞에 종합 청사진으로 제시될 예정이다. 이제 막 출범하고 진용을 갖춘 디지털플랫폼정부위원회에서 민간 전문가와 정부가 머리를 맞대고 힘을 모아 이 일을 추진하고 있다. 디지털 전략과 관련하여 역대 정부 중 가장 실질적인 힘과 역량을 갖춘 조직은 노무현 대통령 시절의 정부혁신지방분권위원회였다. 대통령의 동지적 연대와 지지를 얻고 있는 김병준 위원장이 이끌고 있었던 덕분인데 지금도 고진 위원장이 윤 대통령의 연대와 지지를 얻고 있다는 점에서 한국 디지털 국가전략은 새로운 기회를 맞이하고 있는 것이다.

디지털플랫폼정부로 첫 수를 둔 이 디지털 전략의 출발 과제는 국민의 참여로 그려낼 수 있는 진짜 혁신과 국민의 지지로부터 추진력을 확보하는 데 있다. 앞으로의 디지털 전략이 성공하려면 국민들의 삶을 구체적으로 개선할 수 있어야 한다. 우리의 일상이 변화하고 스스로가 체감할 수 있는 수준의 혁신이 함께 이루어져야 한다. 디지털 경제와 산업전략은 장기적이고 오래가는 그림을 그려낼 수 있어야 하지만 큰 틀에서의 디지털 전략은 국민의 체감에서 나오는 지속적인 지지에 힘입어야만 강력하게 추진될 수 있다. 국가 차원의 디지털 전략이 표면적인 수준에 그쳐서는 안 되는 이유다. 나아가 국가전략은 역동하는 세계의 질서를 우리의 질서로 그려내고 미래 세대를 위한 길을 뚫어야 한다는 시대적 소명을 담아내야 한다. 그래서 이제는 기존과 다른 디지털 전략을 구현해야 한다. 또 한 축은 주권자인 국민의 삶을 바꾼다는 점에서 국민의 직접적인 참여가 필요하다는 점이다. 이미 우리는 국민의 참여로 정책을 설계하고 변화를 실현해 온 경험이 있다. 디지털 전문가들은 코로나19 위기 대응을 위해 신뢰성 있는 공공데이터 개방을 제안했다. 시민들이 먼저 확진자 동선앱을 만들고 공적 마스크앱을 만들어 공개했다. 청년 일자리 정책에 청년의 목소리를 반영하기 위해 청년이 참여하는 위원회를 만들고 공론장을 운영하면서 실제 삶에 필요한 정보와 지원을 제공하고 있다. 제주도는 제주중앙초등학교 학생들의 의견을 수용해 아이스팩 수거함을 운영하고 있다. 국민이 체감할 수 있는 정책과 국민이 참여하는 정책은 동일선상에 놓여 있다. 디지털 전략과 정책의 설계과정에도 국민들이 참여할 수 있는 틀을 마련하고 국민에게 과감히 평가받을 수 있다는 각오도 구체적인 정책으로 구현해야 할 때다. 정부와 민간이 함께 설계하고 만들어가는 혁신 거버넌스를 세워보자. 국민과 직접 소통하는 디지털 전략을 실현해보자.[165]

52. 언어로 예술을 오염시키는 방법

기관의 자문이나 심사에 참여하는 일이 늘었다. 중년에 다다른 나이와 잡다한 직함들 때문일 것이다. 10여년간 사진에 대한 글을 쓰거나 책을 만드는 일을 해온 터라, 작가나 프로젝트에 대한 지원을 판단하는 자리에 가기도 한다. 물론 마냥 즐겁지는 않다. 지원서를 읽다 보면, 작가들이 해온 작업과 그들의 문제의식을 충분히 파악하고 있지 못하다는 사실을 뼈저리게 깨닫는다. 그래서인지 회의에서 만나는 심사위원들은 대체로 조심스럽다. 간혹 작업을 함부로 단정짓는 이들도 있지만, 그 말을 야멸차게 끊는 이도 나뿐만은 아니다.

심사와 지원 제도에는 근본적 약점이 있다. 작가와 작업을 이해하려면 그의 문제의식이 동시대와 어떻게 관계하는지를 세심하게 살펴야 한다. 몇 장의 지원서와 잠깐의 대화, 몇 줄의 심사평으로 작가를 평가할 수는 없다. 나는 언제나 터무니없이 젊은 나이에 휘적휘적 걸어와서 당대의 예술을 번쩍 들어다 다른 곳에 가져다 두는 작가를 기다린다. 그때 오늘 우리가 점잖은 척 나눈 대화는 웃음거리에 지나지 않을 것이다.

그럼에도 심사 요청이 오면 최대한 빠지지 않으려 노력한다. 고마움 때문이다. 나는 한 미술전문지의 격년제 공모에서 평론상을 받으며 비평을 쓰기 시작했다. 상금도 큰 힘이 되었지만 일과 생활에 떠밀릴 때마다 한 번쯤 글로 인정받은 경험은 나를 적잖이 지탱해 주었다. 사실 작가들 역시 마찬가지다. '이 세상이 나를 위한 준비조차 안 된 거'라고 마냥 생각할 수 있는 이는 드물다. 지원과 수상의 경험은 그들이 작업을 이어가는 데 큰 도움이 된다. 그러므로 요즈음의 사태는 실로 가볍지 않다.

나는 앞으로 벌어질 심사의 풍경을 상상할 수 있다. 둘러앉은 위원들은 소개를 하고 명함을 교환한다. 나이가 지긋한 교수가 심사위원장으로 호선된다. 그는 담당자에게 차분하게 묻는다. 심사할 때 저희가 고려할 점이 있을까요. 담당자는 진중하고 예의바르게 대답한다. 전혀 없습니다. 서류를 보시고 위원님들께서 판단해 주시면 됩니다.

그러나 이제 그는 조심스럽게 한마디를 덧댈지도 모른다. 위원장님께서 여쭤보셨으니 굳이 말씀드리면, 최근에 부천 쪽에서 정치적인 내용을 담은 작업이 선정된 일로 조금 이슈가 되는 일이 있었습니다. 사업 취지가 공적이고 다수의 시민을 대상으로 하는 것이니, 내년에도 사업을 이어가는 입장에서는 너무 정치적이거나 상업적이거나 선정적인 것은 조금만 고려해 주시면 좋겠습니다. 물론 의무는 아닙니다.

이 예의바른 말에는 숭숭 구멍이 뚫려 있다. 정치적인 것과 상업적인 것과 선정적인 것은 무엇이며, 누가 판단하는가. 그것들로부터 시민을 '보호할' 의무나 자격이 그들에게 주어졌는가. '순수한 공모전을 정치 오염 공모전으로 만들었다'는 장관의 말에서 '순수한'은 무엇이고 '오염'은 무엇인가. 예술은 순수한 것이며 정치적 요소를 넣으면 오염되는 것인가? 예술의 역사는 정치적 긴장감이 거세되었기 때문에 오염되어버린 예술들로 가득하다. 즉 이 말들은 모두 비평적 검토 없이는 쓸 수 없는 뒤틀린 언어다. 그러나 작품에 대한 비평이 있어야 할 자리에 행정의 조악한 언어가 활개를 친다.

그러나 위원들은 고민할 것이다. 소중한 지원 사업이 혹시 줄어들면 어쩌나. 조금 망설여질 때만 '덜 정치적인' 것을 지원하면 어떨까. 고작 이 정도 편향으로도 심사 결과는 많이 달라진다. 발표를 접한 작가들 역시 못 느낄 리 없다. 그들은 계획하는 작업들 중 '덜 정치적으로 보이는' 것을 먼저 하겠다고 마음먹는다. 지원을 총괄하는 장관이 부정적인 말을 꺼낸 상황에서 굳이 정치적 작업으로 복잡한 서류를 쓸 필요가 있을까.

보이지 않는 곳에서 더 강력한 지시가 오가고 있을지도 모르는데. 결국 우리의 예술은 예전보다 훨씬 덜 정치적인 것이 된다. 권력의 언어가 예술의 생태계를 심각하게 오염시키는 중이라는 것 말고는, 이 상황을 설명할 언어가 내게는 없다.[166)]

53. 종교의 영역까지 넘보는 인공지능

제4차 산업혁명의 핵심이라 할 인공지능(AI)에 일반인의 이목이 집중된 계기는 이세돌 9단과 '알파고'와의 바둑 대결이었다. 알파고는 4:1이라는 스코어로 이세돌 9단을 압도한 이후 1년 만에 중국 커제 9단과의 경기에서는 전승을 거둬 놀라움을 안겨줬다. 인공지능 바둑기사는 시작에 불과했다. 인공지능은 인간 실존의 근원인 종교의 영역까지 침투하고 있다. 독일이나 일본 등에서는 이미 인공지능(AI)을 장착한 로봇이 성당이나 교회에서 신도를 대상으로 설교하고, 절에서 스님을 대신해 설법을 하기도 한다.

\# 로봇 스님, 로봇 목사의 등장

2017년 마르틴 루터의 종교개혁 500주년을 기념해 종교개혁의 중심지였던 독일 뷔텐베르크에서는 '블레스유투(BlessU-2)'라는 로봇 목사가 등장했다. 가슴과 양 팔, 머리에 장착된 터치스크린을 눌러 언어와 목소리, 축복의 종류를 선택하면 '블레스유투'는 팔을 들어올리고 손에서 빛을 쏘며 성경 구절을 암송한 뒤 배경 음악과 함께 신의 축복과 가호를 전해준다. 이 로봇을 제작한 헤센나사우 교회관계자는 인공지능에 대한 신학적 논쟁을 불러일으키기 위해 개발했다고 가디언지에 밝혔다. 이 로봇은 1만명이 넘는 이들에게 축복의 메지시를 전했는데 후기를 남긴 2000명 중 절반이 긍정적인 반응을 보였다.

'산토(Santo)'는 가브리엘 트로바토 일본 와세다대 조교수가 개발한 사제 로봇으로 2018년 2월 로마에서 개최된 종교 예술 전시회에서 처음 소개됐다. 컴퓨터와 마이크, 얼굴 인식 카메라 등이 장착된 '산토'는 43cm 크기의 미니 로봇으로 사람들이 말을 걸면 성경 구절을 읽어준다. 월스트리트저널(WSJ)에 따르면, 산토는 울리는 목소리로 "마태복음에서는 이렇게 말한다. 내일의 일을 위해 염려하지 말라. 내일 일은 내일이 염려할 것이고 어느 한 날의 괴로움은 그날로 족하니라" 라고 대답했다고 한다.

2020년 2월 23일 일본 교토시의 400년된 고찰 고다이지(高台寺)에서는 휴머노이드 로봇 '민다르(Mindar)'가 첫 법회를 열었다. 183㎝의 키에 실리콘과 알루미늄 재질로 구성된 '민다르'는 이 사찰이 이시구로 히로시 오사카대 교수팀에 의뢰해 제작한 100만 달러 상당의 인공지능 로봇으로 관세음보살의 모습을 하고 있다. '민다르'는 반야심경을 외우며 왼쪽 눈에 내장된 카메라로 신도들을 확인하고 스스로 합장을 한다. 첫 설법의 주제는 '인간이란 무엇인가'였는데 요약하면 '상대에게 공감하는 마음은 로봇에게는 없지만 인간은 갖추고 있는 고유한 능력'이었다. 이 사찰의 한 승려는 "관음보살상은 사람들을 구원하기 위해 다양한 모습으로 변신하는데 이번에는 안드로이드 로봇으로 변신했다"고 말했다.

'영성'은 미래에도 인간의 고유영역으로 남을 것

종교학자들은 성직자 로봇이 창조론을 기반으로 하고 있는 기독교의 정체성을 흔들 가능성을 우려하지만 첨단 기술과 결합된 성직자 로봇의 개발이 종교의 가치를 전하고 종교를 전파하는데 긍정적인 역할을 할 수 있다는 주장도 있다. '산토'를 디자인한 트로바토교수는 "종교는 처음에는 구전을 통해, 이후 인쇄술과 디지털 미디어의 발명에 따라 발전해 왔다"며, "AI와 로봇은 종교의 확장에 도움이 될 수 있다"고 밝혔다.

우리는 지금 인간의 지시에 따라 반복되는 단순 업무를 처리하는 '약 인공지능' 시대를 거쳐, 수집한 빅데이터를 빠르게 계산·분석·추론하고 자가학습을 통해 인간에 근접하는 판단능력을 지닌 '강 인공지능' 시대를 향해 나아가고 있다.

AI 로봇 성직자들이 오랜 시간에 걸쳐 수많은 사람들과 대화와 상담을 통해 축적한 방대한 데이터를 분석해 한 차원 높은 수준의 답변과 지식을 제공하는 것은 가능할지 모른다.

AI 로봇 성직자가 탄생했더라도 종교 고유의 영역인 영성(靈性)과 신성(神性)은 마지막까지 범접할 수 없는 영역으로 남아있을 것이다. 복잡한 인간 감정과 영성은 알고리즘으로 대체할 수 없기 때문이다. 미래 사회 종교의 존재 이유는 인공 지능과 인간 사이의 빈 공간을 영성으로 채우는 데 있다는 고 이어령 문화부 장관의 말이 귓가에서 떠나지 않는다.[167]

54. 여전히 2018

그는 여전히 교단에 있다. 서울 모 고등학교에서 체육 교사의 탈을 쓰고 있는 성범죄자. 신입 동료 교사에게 "운동을 해서 보기 좋다"며 팔·가슴·허리 부위를 만지고, "성에 관심이 많아 보인다"며 콘돔을 건넨 그가. 학생들에게는 "선생님한테 그렇게 속살 보이면 안 된다" "여자가 함부로 허리 돌리는 것 아니다" "손가락 하나면 너희 아무것도 못하게 할 수 있다"라며 성희롱을 저지른 그가. 아직도 교사다. 그래서 우리는 2018년을 보내지 못한다. 보낼 수가 없다.

서울 양천구 금옥여자고등학교, 2018년 9월13일 스쿨미투 발생. 트위터 해시태그는 금옥여고_미투. 하루 전날 JTBC 뉴스에 선배 교사가 신입 교사를 1년 이상

성추행했고 피해 교사가 학교에 신고했으나 학교 측과 강서양천교육지원청이 무마했다는 내용이 보도됐기 때문이다. 학생들은 결코 좌시하지 않았다. 2018년의 분위기가 그랬다.

피해 교사는 2018년 초 징계위원회 소집을 요구했으나 학교는 "가해자와 직접 해결하라"고 했다. 이렇게 말한 학교장과 책임자 모두 징계받아 마땅하다. 금옥여고는 심지어 공립학교다. 가해 교사 감싸기는 공사립 구분이 없는 한국 교육의 패습이다. 피해자가 교사임에도 이 지경인데, 학생의 경우 과연 학교 안에서 누구의 보호를 받을 수 있을까? 성추행이 멈추지 않자 피해 교사는 재차 처벌을 요구했고, 학교 측은 가해 교사에게 "사과문을 읽어라"라고 지시했다. 학교 당국의 솜방망이 조치는 2차 가해를 불렀다. 가해 교사는 "벌을 받았으니 찾아가도 되겠냐?"라는 문자메시지를 보내는 등 반성의 기미조차 없었고, 결국 피해 교사는 서울시교육청에 신고했다.

관할 강서양천교육지원청은 8월10일 금요일에 특별장학을 나갔고, 13일 월요일에 특별장학 보고서가 나왔다. 보나마나 졸속인 보고서에는 "가해 교사는 학생 성 관련 과실이 없고 성실하고 동료 교원과도 사이가 좋다"고 적혀 있었다. 특히 지원청은 피해 교사와 연락이 닿지 않는다며, 학교 관계자와 가해 교사만 면담하고 특별장학 보고서를 작성했다. "학교의 사건 처리 절차에 문제가 있어 외부 조사를 받고 싶다"는 피해 교사의 요구는 묵살되었고, 보고서에 담기지도 않았다. 학생들은 분개했다. 보도 이튿날 금옥여고 곳곳에는 학생들의 지지문이 나붙었다. "성추행범에게 수업을 받을 수 없다! WITH YOU" "가해자 옹호하는 교장" "진상규명 하라! 가해자를 보호하는 학교가 웬 말이냐?" "우리도 알 권리가 있다" "우리도 본 눈이 있고 들은 귀가 있다. 모른 '척' 해줄 때 밝혀라. 학생보다 못한 어른 부끄러운 줄 알아라." 트위터에는 '금옥여고_미투'가 등장했고 가해 교사의 학생 대상 성희롱 발언들이 폭로되었다.

JTBC 보도(2018·9·12)에는 2018년 9월11일 서울시교육청이 정식 감사에 착수했다고 되어 있고, 한겨레 보도(2018·10·3)는 '교육청 감사가 진행 중'이라는 내용이 있다. 관련 보도는 그게 끝이다. 이후 사건이 어떻게 처리되었는지는 알 수 없다. 감사 결과, 징계 내용, 수사기관 고발 여부 등 사안이 어떻게 처리되었는지는 재학생과 학부모조차 알 수 없다.

2019년 3월 트위터에는 전국 각지에서 가해 교사들이 교단에 돌아왔다는 내용의 트윗이 올라왔다. 끔찍한 전개다. 정치하는엄마들은 전국 17개 시·도교육청에 스쿨미투 처리현황에 대한 정보공개를 청구했고 예상대로 비공개 답변을 받았다.

2019년 5월15일 스승의날에 스쿨미투 처리현황 공개를 위한 행정소송(정보공개거부처분취소의 소)을 제기하여 2020년 12월까지 1심·2심 모두 승소했다(조희연 교육감은 기어코 항소했더랬다).

승소 판결문을 가지고 다시 정보공개를 청구했지만 교육청들 답변은 형편없었고 약속한 듯 '학교명'을 비공개했는데, 패소한 서울시교육청도 마찬가지였다. 그래서 2021년 5월 서울시교육청의 학교명 비공개 처분이 부당하다는 행정소송을 제기했고, 2022년 4월29일 또 승소했다. 세 번째 승소 판결문을 들고 다시 정보공개를 청구했지만 아직도 비공개 일색이다. 재판에서 기각된 법리를 버젓이 내놓는다.

서울시교육청에서 가장 최근에 받은 자료에 금옥여고 소식이 한 줄이 있다. 가해 교사는 언어적 성희롱으로 가장 가벼운 징계인 견책(훈계 및 6개월 승급·승진 제한) 처분을 받고, 2019년 3월 학교를 옮겨 현재까지 서울 ○○고등학교에 재직 중이라고 한다. 교사 간 사안은 쌍방 합의로 무마된 것일까? 피해 교사는 무사할까? 학교는 아직 안전하지 않다. 그래서 우리는 2018년에 당분간 더 머무르기로 했다.[168]

55. 차별 정당화하는 신문 논설에 대한 시골 부인의 반박

1898년 11월7일, '제국신문'에는 여학교 교육에 관한 흥미로운 논설이 실렸다. 사람은 모두 평등하기 때문에 조선의 계급 간의 차별, 남녀 차별이 없어져야 할 악습이라는 비판으로 시작하는 이 논설이 실제 주장하는 바는 여학생들의 입학 조건을 제한해야 한다는 것이었다. 배경을 알기 위해서는 1898년 가을에 일어났던 일들을 되짚어볼 필요가 있다.

1898년 가을은 북촌 벌열가의 부인들, 외국인, 귀화인, 기생, 평민, 과부 등 다양한 배경의 여성들이 모여 만든 찬양회라는 여성단체가 형성되어 정치, 교육, 문화 등 다방면에서 운동을 시작하던 시기였다. 찬양회는 〈여권통문〉, 즉 여성의 교육권, 정치권, 경제권을 명시한 '여학교 설시 통문'을 발표한 뒤 연명 상소를 올리는 등 관립 여학교 설립을 위해 적극적인 정치활동을 벌인다.

그들은 남성이 중심인 단체들의 집회, 연설회, 토론회에 참여할 뿐만 아니라 자신들이 조직하기도 하고, 정치 사건이 발생하면 나가 다른 단체들과 함께 시위에 참여하였다. 그런데 이들의 활동에서 눈여겨봐야 할 것은 당시 여성들이 참여하는 사람들의 계급과 배경의 구분 없이 서로를 동료로 인정하고 보편적인 권리의 확장을 위해 적극적으로 움직였다는 점이다.

이런 상황에서 제국신문의 논설은 여성을 내부적으로 분리해서 "자격" 논쟁을 하게 만드는, 운동의 확장에 찬물을 끼얹는 사건이었다. 제국신문은 모든 여성이 같다고 말할 수 없다면서 여학교를 만들 때에는 반드시 원칙이 있어야 한다고 주장하는데, 그 원칙은 다름 아닌 첩들을 배제하는 것이었다. 첩은 하늘이 준 권리를 제대로 지키지 못한 사람이기 때문에 이런 부류의 사람들과 여성들이 자신을 구분할 때 평등을 말할 권리가 정당화된다는 것이다.

이러한 구분의 논리는 배경, 계급, 출신으로 사람들을 구분하고 나와 너를 가르며 나에게 주어진 권리를 다른 배경이나 계급의 사람들과 나눌 수 없다는 생각을 하게 만드는 데에서 그치지 않는다. 나보다 나은 배경, 계급, 출신의 사람과 만날 때 내가 남에게 했던 동일한 배척을 나 역시 당하게 될 것이기 때문이다. 제국신문의 평등을 위한 여성의 "자격" 논쟁은 결과적으로 차별을 정당화하는 논리에 지나지 않는다.

이 논설을 읽은 한 시골 여성은 논설의 논지를 비판하는 글을 제국신문에 투고한다. "어떤 유지각한 시골 부인의 편지"에서 이 여성은 첩제는 결국 구조와 관습의 문제이지 개별 첩의 문제는 아니라고 반박한다. 그녀는 논설처럼 자격을 논한다면, 그 기준에 따라 여자도 남자도 무수히 층위를 나눌 수 있다고 말한다. 그렇게 나눠놓고 보면 남자 중에도, 정실과 그 자식들 중에도 자격을 갖추지 못한 사람들이 나올 수밖에 없다. 첩이라는 존재들이 어떻게 구조적으로 만들어지는지에 대해 약술한 뒤 그녀는 이와 같은 구분과 특정 계급에 대한 폄하가 더 나은 사회를 만들기 어렵게 만드는 원인이라고 지적한다.

사회의 진보란 특정 여성들에게만 자격을 줄 때 이루어지는 것이 아니라는 점을 강조한 그녀는 여학교를 만들기도 전에 이런 논란이 생기는 것에 대해 유감을 표하고 모든 여성들이 교육을 받아 구조로부터 자유로워져야 한다고 주장한다. 그리고 그녀의 글을 읽을 독자들에게 11월7일에 발간된 제국신문의 차별적 논설을 기억할 것을 요구한다.

제국신문은 '별보' 란에 실은 그녀의 글 뒤에 짧은 설명을 부기한다. 제국신문 측은 사실 그 시골 여성에게 설득되지는 않았다. 그들에게 첩이 천하다는 것은 바꿀 수 없는 고정된 사실이었다. 그러나 입장은 다르다 하더라도 그녀가 추구하는 발전에 대한 생각에 감명되었고, 그래서 "편지를 쓴 부인의 뜻과 같이 진보하기" 를 바라며 글을 신문에 싣기로 결정하였다.[169]

56. 말이 안 통하는 세상

연초에 화제가 된 워들(wordle)이라는 게임이 있다. 여섯 번의 시도 안에 다섯 개의 알파벳으로 이루어진 단어를 맞혀야 한다. 사용자가 어떤 단어를 제시하면, 그 단어를 구성하는 알파벳이 정답에 포함되어 있는지, 그리고 위치도 맞는지 피드백을 준다. 사용자는 그 피드백을 바탕으로 정답을 추론하게 된다. 이 게임의 기본전략은 각 알파벳의 출현빈도를 고려하는 것이다. 예를 들어, E가 정답에 포함될 가능성은 Q가 정답에 포함될 가능성보다 훨씬 높기 때문에 초기에 E가 포함된 단어를 제시하는 게 유리하다. 알파벳의 출현빈도를 고려하는 전략은 암호 해독의 기본이기도 하다.

스무고개라는 놀이에도 기본전략이 있다. 이 놀이의 원리를 이해 못하는 아이는 행운을 기대하며 '얼룩말? 코끼리?' 같은 답변을 남발하지만, 똑똑한 아이는 '생물이야, 무생물이야?' 같은 추상적인 질문으로부터 점점 구체적인 질문으로 좁혀간다.

이러한 놀이의 근저에 있는 의사소통의 원리와 관련하여, 클로드 새넌이 창시한 새넌 엔트로피(Shannon Entropy)라는 중요한 개념을 최근에야 알게 되었다. 새넌은 메시지를 정확히 주고받는 데 필요한 정보의 양을 수학적으로 밝혔다. 예를 들어, 동전을 두 번 던진 결과에는 4가지가 있는데, 그 결과에 관하여 의사소통을 하려면 몇 비트의 정보가 필요한지 계산하는 것이다. 새넌은 메시지 통신에 필요한 최소 비트 수를 계산하는 공식을 제안했는데, 그 임계치를 새넌 엔트로피라고 한다. 이것은 메시지의 내용을 확인하는 과정에서 '예' 또는 '아니요'라는 답을 듣기 위해 던지는 질문의 수라고 할 수도 있다. 우리는 아무런 정보가 없는 상태에서도 스무 번의 질문이면 어떤 기발한 단어에도 근접할 수 있다. 놀이 제목이 서른고개나 마흔고개가 아닌 이유가 있는 것이다.

그러나 이것은 어디까지나 놀이, 정보기술 또는 이상적인 의사소통에 해당된다. 현실은 난감하다 못해 참담하다. 전혀 어려울 것 없는 메시지를 소통하는 것이 때로는 얼마나 어려운가? 조직에서 괴로운 것은 업무 자체보다도 의사소통이다. '이 단순한 의사소통이 왜 이토록 오해로 귀결되는가'라는 자괴감이 영혼을 잠식한다. 부부 사이의 의사소통을 보라. 새넌의 이론에 따라 해결할 수 있다면 가정법원은 문을 닫아야 한다. '설거지의 분담'이라는 기본 메시지조차 해결하지 못하고 쩔쩔매는 가정이 부지기수다. 의사소통은 논리의 문제를 넘어서 저마다의 경험과 욕망을 토대로 자아를 주장하는 문제이기 때문이다. 훌륭한 의사소통 능력은 지력 못지않게 인격과 비례한다. 개인의 의사소통이 이럴진대, 사회적 의사소통은 얼마나 어려울까.

'눈 떠보니 선진국'이라는 한국의 의사소통 능력은 비참하다. 집단적 의사소통 능력이 이 지경인데도 이렇게 발전했다는 게 기적이다. 정치적 의사소통은 불통의 대명사다. 같은 사안을 두고 이해하는 바가 너무 다르다. 지지자들도 자신이 지지하는 정치인은 지고지순하며, 경쟁자는 시쳇말로 생양아치라고 생각한다. 협치는커녕 '너 죽고 나 죽자'는 극한대결의 무한반복이다.

정치를 탓하는 언론도 난형난제다. 어떤 논란이 발생한다. '어떻게 된 일일까' 알아보려 온갖 매체를 살펴본다. 그런데 누가 옳은지 도무지 알 수가 없다. 사실은 실종되고, 진영과 인상비평만 남는다. '그만 알아보자'는 체념만이 남는다. 보통사람들의 의사소통은 어떨까. 나는 언제인가부터 댓글을 거의 읽지 않는다. 여론에 제법 영향을 주지만, 각자 제 말만 하고 있기 때문이다.

목소리가 크면 이익을 보는 뒤틀린 세상이다. 논란을 일으켜 인지도가 올라가면 돈과 권력을 얻는 허울 좋은 공동체다. 변호사로서 자주 처리한 업무 중 하나가 명예훼손이나 모욕 그리고 혐오발언을 일삼는 익명의 악플러들을 확인하고 벌주는 일이었다. 그들 중에는 정신적 문제를 안고 있는 사람도 드물지 않았지만, 오프라인에서는 멀쩡하게 살아가는 사람도 많았다. 곰곰이 생각해보면, 이것은 개인적 일탈의 문제만은 아니다. 사회적 의사소통 시스템의 총체적 실패가 그들이 번성하는 비옥한 토양이다.

새년의 이론에 따른 수학적인 의사소통은 바라지도 않는다. 철학자 하버마스가 기대했던 합리적 의사소통도 지금의 한국에서는 백일몽일 뿐이다. 정보를 종합하면 진실을 가늠할 수 있고, 적어도 몇 개 매체는 신뢰할 수 있으며, 정치인에게 평균보다 높은 지성과 품격을 기대하는 게 왜 이렇게 어려운가. 이 공동체는 이런 문제의 해결 없이도 계속 발전할 수 있을까? 천만의 말씀이다.[170]

57. 수학여행과 쇼트커트

수학여행을 하루 앞두고 아이가 미용실에 다녀왔다. 이쁘게 다듬은 머리를 보자, 문득 나의 수학여행 기억이 떠올랐다. 고등학교 2학년, 수학여행을 앞두고 나는 큰 고민에 빠졌다. 처음 가보는 단체여행에 설레어하며 머릿속으로 시뮬레이션을 돌려보니, 나의 긴 머리가 이 여행의 짐이 될 것이라는 결론을 얻었기 때문이다. 내 머릿결은 적어도 이틀에 한번은 감아줘야 하는데, 여러 명이서 방을 쓸 것이니 분명 머리 감기가 힘들 게 아닌가? 여기에 생각이 미치자 단호한 결정이 필요했다. 머리카락을 자르자! 그것도 감기 쉽게 쇼트커트로! 그때까지 긴 머리밖에 안 해보긴 했지만, 머리카락 길이에 연연해하는 성격이 아니기에 그다지 어려운 결정은 아니었다.

그런데 시원하게 머리카락을 짧게 자르고 등교한 날, 학교 선생님들이 내가 전혀 예상하지 못한 반응을 보이셨다. "역시 공부 잘하는 애는 다르구나! 공부에 전념하려고 머리도 이렇게 짧게 깎고." 이게 무슨 말씀인가. 나는 수학여행 때 편하게 놀려고 잘랐을 뿐인데? 거기다 머리카락 길이와 공부는 또 뭘 상관이란 말인가.

이때는 조금 당황하긴 했어도, 어른들이 공부 잘하는 나를 늘 긍정적으로 해석해주는 데에 익숙하긴 했다. 워낙 잠이 많아서 집에서 잘 만큼 자도 학교에서 늘 졸던 나를, 선생님들은 집에서 매일 밤새워 공부하느라 그런 줄 아셨다. 다른 학생이라면 한마디쯤 했을 법한 건에 대해서도 내가 그러면 별소리 없이 넘어가는 경우도 많았다. 교복 치마가 조금 짧아도, 반짝이는 화려한 머리끈으로 긴 머리를 바짝 올려 묶어도 말이다. 수학여행 이후 다시 머리를 길러 졸업 때까지 긴 머리를 유지했지만, 어느 선생님도 내 공부 태도와 머리카락 길이를 다시 연관짓지 않았다. 공부를 잘하면 이렇게 학창 시절이 편하다. 세상이 나의 모든 것을 선의로 해석해주니, 자신감도 넘치게 된다.

이런 학창 시절을 지나 성인이 되면 세상이 내 맘먹는 대로 돌아갈 것 같은 착각에 빠진다. 옛날에 과외했던 제자를 만나 담소를 나누다 "내가 그 분야를 했으면 그것도 잘했겠지만…"이라고 무심코 얘기한 적이 있었다. 그러자 제자가 신기하다는 듯 얘기했다. "명문대 출신은 무엇이건 자기가 하려고 맘만 먹었으면 잘했을 거라고 한다더니 선생님도 그러시네요?"라고. 그 얘기에 약간 당황했다. 그렇다. '나의 이 검증된 지능이라면, 뭘 한들 못했겠나' 하는 오만에 나도 모르게 빠져 있었다. 그래도 이 정도라면 조금 접어주고 갈 수 있다. 20대 때야 다양한 가능성이 열려 있었으니, 사법시험을 봤다면 훌륭한 판사가 됐을 수도 있고, 언론사에 들어갔으면 유명한 기자가 됐을 수도 있지 않은가.

그러나 늙어서까지 이러면 문제다. 다 늙어서도 '지금이라도 내가 하면 그 사람들만큼 못하겠냐'라고까지 생각한다면 말이다. 남들이 20년, 30년씩 쌓아온 전문성을 무시하고, 다른 분야는 그 분야 나름의 논리와 윤리가 있어 내가 쉽게 볼 게 아니란 걸 깨닫지 못하는 것이다. 여기다 학창 시절 시험 문제 잘 푼 지능을 지니고 있으니 지금도 권력을 쥐는 것이 당연하다고까지 여기면 사회적 재앙이 된다. 어떤 조직에서건 권력은 공적 의무감과 책임감을 지닌 자들이 다루어야 하거늘, 그런 건 쥐뿔도 생각해본 적 없는 사람들이 권력을 휘두르며 다른 이의 전문성까지 무시한다면, 그 권력은 제어받는 것을 거부할 것이기 때문이다.

내 아이는 즐겁게 수학여행을 마치고 돌아왔다. 성산일출봉은 생각보다 좋았고, 해물 오분자기는 너무 비렸다고 한다. 식구들은 인파로 북적대는 속에서 단풍 구경을 하며, 짧은 가을날을 누렸다. 이 모든 무사함에 나는 안도한다. 나의 안도함에 부끄러워하며 그러지 못한 이들을 위해 애도한다. 그리고 이 당연해야 할 무사함을 지킬 책임을 진 이들의 무책임함에 분노한다.[171]

58. 파리를 조문하는 글

정약용이 남긴 글 중에는 〈파리를 조문하는 글〉이 있다. 1810년 여름, 파리가 극성하여 온 집안에 득실거리고 점점 번식해서 술집과 떡가게가 있는 저잣거리는 물론 산골짜기까지 가득 차게 되었다. 노인들은 탄식하며 괴변이라고 하고, 소년들은 파리를 잡느라 정신이 없었다. 결국 사람들은 약을 쳐서 파리들을 전멸시켰는데, 정약용은 탄식을 하며 이 전멸된 파리들을 위해 조문하는 글을 쓴다. 그는 이 파리들이 그 전해 기근 때에 죽은 사람들에서 나온 것으로, 환생이나 마찬가지이기 때문에 죽여서는 안 된다고 말한다.

〈파리를 조문하는 글〉에는 정약용이 목도했던 재해의 참상과 그 재해를 제대로 관리하지 못한 정치에 대한 강도 높은 비판이 고스란히 담겨 있다. 사람들이 죽어가는데 관료들은 재해에 대처할 생각을 하지 않고 그저 자신들의 안위만을 생각한다. 그는 파리를 조문하기 위해 쌀밥에 국, 술, 단술, 국수, 기름진 고깃덩이, 초장, 찐 파, 농어회를 차려놓고 "그대의 마른 목구멍과 그대의 타는 창자를 축이”고 “얼굴을 활짝 펴라”고, 원래 누구였는지 모를 파리 떼를 부른다. 정약용이 살았던 18, 19세기는 유달리 재해가 많았다. 재해로 인한 백성들의 죽음이 정치와 무관하던 시대도 있었다. 그러나 조선은 그렇지 않았다. 재해를 정치적 실패의 동의어로 이해했던 조선시대 사람들은 한재나 수재와 같은 재해와 기근, 전염병 등의 발생은 통치의 정당성과 직결된다고 생각했다. 따라서 그들에게 재해에 대처하고 해결하는 것은 국가의 당연한 책무였다.

재해가 일어나면 가장 먼저 왕과 관료들은 자신의 정치적 무능으로 문제가 발생했다고 사죄하였고, 어떤 고위 관료들은 사퇴하기도 했다. 일견 자연재해와 정치는 무관해 보이지만 그렇지 않다. 자연재해를 국가가 처리하는 과정은 물론 쉽지 않다. 항상 재정난에 시달리는 전근대 국가인 조선은, 재해를 예상하더라도 그에 제대로 된 대비를 하지 못했고, 또 재해가 발생했을 때 피해 인구를 파악해서 공정하게 물자를 배분하고 구휼하는 것도 쉽지 않았다. 늘 행정에는 이런 빈 구멍이 나기 마련인데, 이때 사람들의 마음을 달래고 설득하며 재해로 망가진 공동체를 추스르고 나아가는 것이 바로 정치의 역할이다.

그리고 그 과정에 반드시 들어가는 것이 죽은 자들에 대한 위로였다. 죽음을 다루는 방식과 인간 존엄은 밀접한 관계가 있기 때문이다. 재해 시에는 이름을 알 수 없는 자들을 위해 국가가 지내는 제사가 있었다. 이 제사를 ‘여제(厲祭)’라 한다. 국가는 사람들을 동원해 신원이 분명하지 않은 죽은 자들을 묻어주고 사람들에게 기억되지 않을 이 사람들을 기렸다. 여제는 “제사 받아먹지 못한 귀신들”을 위한 제사로 봄철에는 청명, 가을철에는 7월 보름, 겨울에는 10월 초하루에 지냈다. 기본적으로 국가의 제사는 기본적으로 공덕을 기준으로 이루어지며, 길례, 즉 즐거운 예인데, 여제는 그런 제사가 아니었다. 누구인지 모를, 이들을 기억할 자손도 없는, 복의 근원이 아닌, 상서롭지 못한 ‘여귀’들에 대한 제사를 국가 의례에 포함시키고 1년에 세 번씩 제사를 올리는 것은, 국가가 환과고독(鰥寡孤獨)인 그들을 구휼하지 못함을 용서받기 위한 것이라 할 수 있다.

1810년, 정약용이 길게 써내려 간 파리를 위한 조문은 사실 분노를 표현하고 자신을 위로한 글이었을 것이다. 기근이 발생했을 때 대처할 방법과 해결책은 내놓지 않으면서 보리가 익었다고 구호소를 없애버리고 아무런 문제가 없다는 듯이 연회를 베푸는 자들, 죽은 사람들을 묻어주고 그들의 최소한의 존엄성을 지켜주기 위한 조처를 하지 않아 그들을 수많은 파리로 만든 그 관리들이 사람들을 다스리는 상황이야말로 좋은 제도와 행정에 대해 깊은 고민을 해왔던 정약용에게 고통스러운 일이 아니었을까.[172]

59. 공부, 쉽게 시작해 가볍게 그만두기

공부를 해야겠다고 마음먹는 사람은 많습니다. 그러나 많은 경우 모처럼 마음은 먹어도 무엇을 어떻게 공부해야 할지 모릅니다. 먼지 쌓인 책장의 책을 꺼내 들었다가 머잖아 원래 생활로 되돌아갑니다.

이런 이들에게 외국어 공부를 추천하며 자신도 그렇게 해온 사람이 있습니다. 삶에서 매일 공부하기를 꿈꾸며 이를 생활화한 여성 번역가입니다. 대학에서 국문학을 전공한 뒤 공공도서관 사서로 일하며 방송대 일본어과, 중국어과, 프랑스어과를 졸업했다고 하는군요. 우리 말 번역이 나오지 않은 영문 원서를 읽다 우연히 번역가가 된 뒤에는 독일어, 에스페란토어, 베트남어도 맛을 봤다고 합니다.

그가 말하는 외국어 공부의 장점은 많습니다. 다른 일이나 다른 공부를 하면서도 할 수 있고 자신의 생활에 맞춰 강도를 조절할 수도 있습니다. "왜 쓸데없이 그걸 공부하느냐"는 타박을 듣거나 다른 사람의 눈치를 볼 필요도 별로 없는 편입니다. 잘하지 못해도 흉이 되지 않고 엉성하게 공부해도 써먹을 수 있습니다. 이미 영어 공부로 많은 이들이 경험하고 있거니와 평생 아마추어로 머물러도 비교적 덜 부끄러운 게 외국어 공부입니다.

그가 공동체를 만난 것도 프랑스어, 독일어 같은 외국어를 공부하면서였습니다. 동안인 그가 여러 외국어를 배우는 것을 보고 처음엔 40대인 줄 알았지요. 그런데 어느 날 그가 썼다는 책 한 권을 받고 놀랐습니다. 제목이 〈카페에서 공부하는 할머니〉였거든요. 40대로 보았던 분이 60대 중반이었으니 사람 보는 눈에 문제가 있긴 했습니다. 그러나 억울한 점도 없지 않았습니다. 그가 공동체에서 보여준 모습에는 노인보다 청년의 특징이 더 많았으니까요.

무언가를 늘 공부하는 모습부터가 그랬습니다. 그의 공부는 자유로웠습니다. 어렵게 시작해 싫든 말든 버티며 견디어 내는 건 대체로 나이 든 사람들의 몫입니다. 그는 그렇지 않았습니다. 여러 가지에 호기심을 가지고 덤벼들었다가 아니다 싶으면 가볍게 그만두었습니다. 모름지기 공부란 깊이 파고들어야 한다는 강박도 없었습니다. 여러 세계를 자유롭게 들락거리는 그의 모습은 아이였습니다.

그에게 공부는 취미이자 놀이였습니다. 중요한 건 목표나 결과가 아니었습니다. 좋아하는 것을 느긋하게 즐기며 지속하는 과정이었습니다. 학교 다닐 때는 잘 놀지 못했으니 지금이라도 제대로 즐겨보자는 겁니다. 그에게 사회와 연결되기 위해 하는 모든 일은 공부였고 공부 아닌 게 없었습니다. 몇 년이나 파고든 일본어, 중국어, 프랑스어는 물론이고 문법만 배운 독일어, 에스페란토어, 베트남어, 맛만 본 뒤 밀쳐둔 바느질, 태극권, 수채화, 피아노, 기타, 바이올린이 그랬습니다. 그가 했거나 하고 싶은 공부는 많았습니다. 영화와 독서모임 서너 곳에 참여하는 것은 기본이었고 여러 가지를 동시에 배울 때도 많았습니다.

부담없이 시작했다가 하기 싫으면 가볍게 그만두기. 이런 그의 공부 원칙에는 장점도 많았습니다. 쉽게 시작했지만 재미가 나면 최선을 다했거든요. 그렇게 선택과 집중의 시기를 지나 특정 공부를 오래 즐기자 해당 분야에 대해서는 깊은 눈빛도 지니게 되었습니다. 이 원칙 덕분에 직장에 다니면서도 방송대를 3개 학과나 졸업했고 영어 번역가 겸 일본어 선생이 되기도 했습니다. 두껍고 난해하기로 소문난 제임스 조이스의 〈율리시즈〉와 마르셀 프루스트의 〈잃어버린 시간을 찾아서〉를 읽은 것도 즐겁고 가볍게 공부한 덕이었습니다.

대개 공부는 머리가 아닌, 엉덩이 힘으로 한다고 말합니다. 공부는 곧 수행이라고 하는 사람도 있습니다. 그도 이를 부인하진 않습니다. 하지만 그가 강조하는 건 다른 것입니다. 뭔가 시작했다가 금세 그만둬도 괜찮으니 일단 덤벼들라는 겁니다. 대충 시작하라, 최선을 다하는 건 그 다음이다! 평생 공부를 취미로 삼아온 그가 공부로 인생이라는 장거리 레이스를 잘 즐길 비결이기도 합니다.[173]

60. 아이고, 내 팔자야!

버스를 타고 시장엘 가는데 엄마에게서 전화가 걸려 왔다. 여보세요, 어디야, 밥은, 다음으로 이어지는 말은 언제나 "별일 없지?"다. 잘 먹고 잘 자고 잘 싸고 있으니 걱정하지 말라며 너스레를 떨면 "그래, 궁금해서 전화해 봤어" 하는 말로 통화가 마무리되는 것이 보통이다. 그런데 오늘은 무슨 중요한 얘기라도 하려는 듯 목소리를 한껏 낮추며 내 이름을 부르는 것이 아닌가. 괜스레 불안한 마음에 귀를 쫑긋 세웠다. 엄마는 국가 기밀을 전달하기라도 하는 것처럼 침을 한 번 꿀꺽 삼키더니만 이렇게 속삭였다. 닭 모양 브로치를 하나 사서 가방에 달고 다니라고 말이다.

"아니, 소랑 닭이랑 궁합이 좋대. 그래서 소띠는 닭 모양 액세서리를 지니고 다녀야 인생이 풀린다는 거야. 너 소띠잖아." 도대체 누가 그런 어처구니없는 소리를 다 했을까. 터져 나오려는 웃음을 애써 참으며 출처를 물었으나 돌아오는 엄마의 대답에 그만 박장대소하고야 말았다. "누구긴 누구야. 유튜브!" 엄마는 소와 닭의 찰떡궁합에 대한 일장 연설을 늘어놓더니만 닭띠 남자와의 선 자리를 마련해 봐야겠다는 이야기를 끝으로 수화기를 내려놓았다. 엄마의 이야기는 '기승전결'이 아니라 '기승전선'이라는 걸 알면서도 또 속은 내가 바보였다.

남들 다 하는 결혼을 왜 너만 못 하는 거냐며 엄마가 성화를 부릴 때면 한술 더 떠 노발대발 성을 내곤 했지만 요즘에는 "그러게, 왜 그럴까. 거참 희한하네" 하며 허허 웃고 만다. 당신의 과업을 이루기 위해 나를 아무 남자하고나 결혼시키려 한다는 오해의 시절을 지나, 험난한 세상을 혼자 힘으로 살아가는 내 모습이 안쓰러워 노심초사한다는 걸 이제는 알기 때문이다. 사정이 이러하다 보니 별일이 있더라도 엄마에게 사실대로 말할 수 없는 노릇이다. 불행 중 다행으로 감당할 수 없는 큰일이 닥친 건 아니다. 하지만 불쑥불쑥 솟아오르는 불안한 마음을 무슨 수로 막을 수 있을까.

비혼이니 뭐니 말은 많아도 내 주변에 결혼하지 못한 건 나뿐이고, 떨어진다 떨어진다 해도 여전히 비싼 집값에 내 집 마련은 꿈도 못 꾸게 생긴 데다가, 장수 유전자를 물려받은 덕에 백 살까지는 너끈히 살 것 같은데 그때까지 이 한 몸을 어떻게 먹여 살린단 말인가. 이리 보고 저리 보아도 인생이 풀릴 조짐이 보이지 않아 미치고 팔짝 뛰기 일보 직전이다. 이 시점에서 내가 할 수 있는 일이라고는 나와 궁합이 좋다는 치킨 한 마리를 사 가지고 집으로 돌아와 맥주 한 캔을 벗 삼아 불안한 마음을 달래는 것뿐이다.

그럼에도 불안감이 사그라들지 않을 때에는 휴대폰 앱 스토어에 들어가 사주 앱을 내려받는다. 혹자는 말한다. 한날한시에 태어난 사람의 운명이 똑같은 게 말이 되냐고. 상식적이지 못한 사람들이나 그런 걸 믿는 거라고. 타고난 사주가 어떻든지 간에 주체적으로 자신의 인생을 만들어 나가야 하는 거라고 말이다. 그렇다면 나는 이렇게 반박하겠다. 안다고. 그런데 어쩌라고. 친구에게 전화를 걸어

신세 한탄하거나 터덜터덜 편의점으로 걸어가 소주를 사 오는 것보다는 이게 낫지 않겠냐고 말이다.

사주 정보 입력란에 이름과 생년월일시를 차례로 넣고 확인 버튼을 누른다. 고객 서비스 차원인지 아니면 내 사주가 정말로 그러한지 몰라도 뜻밖의 장밋빛 미래가 펼쳐진다. '당신의 인생의 흐름은 초년에는 그 운기가 약하여 힘들고 고된 날을 보내게 되는 일들이 많지만, 시간이 흐를수록 인생의 성취가 매우 커서 사회적으로 인정을 받으면서 편안하고 안락한 세월을 보내게 됩니다.' 지나고 나면 다 괜찮아질 거라는 뻔하고도 무책임한 위로에 웃기게도 마음이 차분해진다. 아무래도 믿을 수는 없지만 속는 셈 치고 그때가 오기를 기다려 보자며 현재의 나를 다독인다.

"애, 닭 브로치 샀니?" 꼬끼오 하는 수탉의 울음소리 대신 엄마의 닭 타령으로 잠에서 깼다. 화성에 가느니 마느니 하는 시대에 그런 미신을 믿느냐고 퉁을 놓으려다가 간밤에 사주를 보고 편안하게 잠든 내 모습이 떠올라 말을 삼켰다. 엄마는 내 대답을 듣기도 전에 닭 브로치를 살 필요가 없게 됐다고 들뜬 목소리로 말했다. 괜찮은 닭띠 총각을 찾았다나 뭐라나. "예예, 잘 알겠고요. 이만 끊겠습니다." 엄마는 내 말에 아랑곳하지 않고 닭띠 총각의 신상을 줄줄 읊는다. 도대체 편안하고 안락한 세월은 언제쯤 오는 거야. 아이고, 내 팔자야!(174)

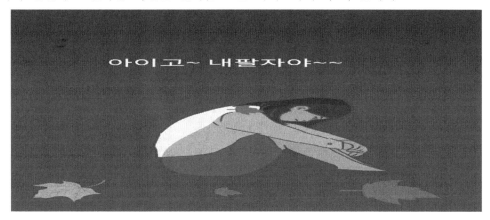

61. 달라진 민심, 숫자에 담긴 해법

지난 주말 아파트 주민위원회가 운영하는 단체대화방에 단지 내에서 이틀 연속 코로나19 검사가 진행된다는 공지가 올라왔다. 한 주민이 매일 의무적으로 검사를 해야 하는지 아니면 자발적으로 검사에 참여하면 되는지를 물었다. 주민위원회 관계자는 "매일 검사를 권장한다"고 답했다. 질문했던 주민은 "강제가 아닌 것이 좋다. 나는 국가를 위해 자원을 절약하고 싶다"고 말했다. 매일 주민 전수 검사를 하는 것이 자원 낭비라고 꼬집은 것이다.

지난 5월 베이징이 코로나19 확산으로 준봉쇄 상태에 있을 때만 해도 분위기는 달랐다. 거의 열흘간 매일 이뤄지던 주민 전수 검사에도 불평하는 이는 하나 없었다. 오히려 방역수칙을 잘 지키고 서로 협조해야 한다며 정부 방침을 적극 지지하고 옹호하는 이들이 많았다. 코로나19 팬데믹 초기 서구사회에서 마스크 착용 의무화에 항의하던 모습이 떠오르며 참 다르다는 생각을 했던 기억이 있다.

체제 순응적이라고만 여겨졌던 중국인들이 다른 모습을 보이고 있다. 현재 베이징의 여러 아파트 단지에서는 주민 서명운동이 벌어지고 있다. 코로나19 감염자가 발생할 경우 스스로 격리시설에 갈 것인지 자택에서 격리치료를 할 것인지 선택하도록 하고 주민들이 이를 지지하자는 내용이다. 서명 제안서에는 "합법적인 절차 없이 강제로 확진자를 격리시설로 이송하는 등의 불법행위에 대해서는 주민들이 단호히 맞설 것"이라는 내용도 있다. 감염자를 예외 없이 집중 격리시설에 수용하는 정책에 대한 저항운동을 조직하고 있는 것이다. 실제 일부 아파트에서는 천식을 앓는 두 살짜리 아이가 코로나19 양성 판정을 받아 '팡창(方艙)'으로 불리는 열악한 임시 격리시설에 끌려갈 상황이 되자 주민들이 몰려나와 막아서거나 갑작스러운 단지 봉쇄에 항의해 결정을 번복시키는 일들이 일어나고 있다.

주말 사이 베이징과 상하이 등 중국 주요 도시에서는 동시다발적인 대규모 시위가 벌어졌다. 곳곳에서 '봉쇄가 아닌 자유를 달라'는 외침이 쏟아졌다. '시진핑 하야' '영수 대신 선거권'이라는 정치적 구호도 등장했다. 중국에서는 상상하기 힘들었던 일들이 눈앞에 펼쳐지고 있다. 봉쇄 위주의 강력한 방역정책에 장기간 억눌렸던 민심이 폭발했다. 강력한 통제를 지탱했던 당과 정부에 대한 신뢰에는 이미 금이 갔다. 둑이 무너지는 건 한순간이다. 이제 막 집권 3기를 시작한 시진핑(習近平) 국가주석과 중국 정부는 쉽지 않은 선택에 직면한 것으로 보인다.

하지만 해법은 단순한 숫자와 민심에 숨겨져 있는지도 모른다. 중국에서 코로나19 발생 이후 최대 규모의 일일 감염자가 나오고 있는 지금 당국이 공식 발표하는 사망자는 하루 1명이 될까 말까 한다. 최근 시위의 도화선이 된 신장(新疆) 위구르자치구 우루무치(烏魯木齊)에서는 아파트 화재로 한 번에 10명이 숨졌다.

지난 9월 구이저우(貴州)성에서는 버스 전복사고가 발생해 격리시설로 이송되던 주민 27명이 한꺼번에 목숨을 잃었다. 전염병이 아니라 '제로(0) 코로나' 때문에 사람들이 죽어나간다는 분노가 터져나오는 이유다. 인민들은 '코로나 검사 대신 밥을, 봉쇄 대신 자유를 달라'고 요구한다. 정부가 출구전략을 찾을 명분은 충분하다.[175]

중국 수도 베이징 도심의 량마허 주변에서 지난 27일 시민들이 신장 우루무치 화재 참사 희생자를 추모하고 코로나19 봉쇄 조치에 반대하는 '백지 시위'를 벌이고 있다(로이터연합뉴스)

62. 전체를 보는 눈

'공감 능력'이 떨어지는 편이다. 예를 들어 지나가던 시민이 노숙인에게 외투를 벗어 주는 장면을 포착한 미담 기사 댓글창을 보면 불쾌했다. 감정을 설명하고 싶어 '전체를 보는 눈'을 길러 왔다. 한국 사회 전체가 어떻게 구성돼 있는지 조망하고, 그 안에서 나와 남들의 위치를 가늠해 보는 것이다. 그 결과 이해했다. 공감이 만들어지는 방식, 흘러가는 방향은 사회 구조를 반영한다. 공감 능력은 중요하다. '불쌍한' 사람을 보고 눈물을 글썽이는 공감 말고, 정확하고 공정한 이해를 기반으로 한 공감 말이다.

한국에서 공공임대주택에 살거나 주거 빈곤에 시달리는 사람들은 얼마나 될까? 대략 추산하면 인구의 약 12%, 건물주는 약 4%다(LH 토지주택연구원 2020·국토교통부 2019·국세청 국세통계 2019 참조). 객관적으로 주거 빈곤층의 '쪽수'가 3배인 셈이다. 한국이 민주주의 국가라면 부동산 시장을 중요하게 생각하는 만큼 공공임대주택에도 공정하게 관심을 두어야 한다. 현실은 그렇지 않다. 올해 1월부터 현재까지 5대 일간지에서 '부동산'을 포함한 기사를 검색해 보면 2793건, '공공임대'를 포함한 기사는 142건으로 차이가 열 배가 넘는다.

언론을 움직이게 하는 독자층은 누구일까? 2011년 영국에서 대규모 계급 조사가 실시됐다(GBCS). 초기 설문 응답자는 BBC 웹사이트를 통해 모집됐는데, 흥미로운 것은 BBC 주 시청자들이 중심이었던 16만명의 응답자 절대 다수가 영국 사회 평균보다 소득과 교육 수준이 높아 그들의 응답만으로는 '진짜' 영국 사회의 모습을 볼 수 없었다는 것이다. 한국 주류 언론사의 독자층은 어떨까? 필자들은? 그러니 내가 이 지면에서 집 없고 차 없고 매주 홈리스행동 아랫마을홈리스야학에 자원활동을 하러 가는 사람으로서 쓰는 것이 공정성에 기여하는 일이다.

지난 1일 홈리스의 권리를 다루는 토론회에 참석하려다가 건물 입구에서 쫓겨난 홈리스 당사자 로즈마리(활동명)는 아랫마을 학생이다. 그는 지난 10월10일 주거권대행진에서 이런 팻말을 들었다. "Give me a house like yours, 너네 집 같은 집 내놔!" 야학에 영어반이 생긴 보람이 있다.

아랫마을 사람들은 국회 앞에서 '내놔라 공공임대 농성단'에 참여하고 있다. 올해 국회 예산안 합의 시 공공임대 분야 삭감을 반대하는 자리다. 상황을 살펴보니 현재 민주당은 '청년'을 중심으로 주장을 펼치고 있다. 청년이 돈을 모아 분양을 받기까지 시간이 걸린다는 것이다. '쉬운 공감'을 이용한 주장이다. 더 넓게 보자. 공공임대의 다수인 국민임대는 50·60대 거주자 수가 과반이고 그중 다수가 1인 가구다. 청년층이 다수인 행복주택은 2년마다 심사를 해 내보내는 임시 주거지다. 우리는 모두 늙는다. 소득과 자산과 언론의 관심은 불평등하다. 집이 너무 비싸 못 사는 게 당연한 사람은 늘고 있고, 가족 규범이 바뀌는 현실 속에 더 많은 이들이 1인 가구로 오랜 시간 살아갈 것이 '현실'이다. 공공임대주택 문제를 열 명 중 한 명의 문제로 비중 있게 다루고, 더 나아가 우리 모두의 미래 문제로 여기는 게 '전체를 보는 눈'이다. 공정한 사회를 위해 공공임대주택 예산 삭감에 반대한다.[176)

63. 태양처럼 가릴 수 없는 말들

특정 단어를 언급하지 않고도 그것에 대해 말할 수 있을까? 어느 날 글쓰기 수업에서 나는 어린이들에게 마음에 드는 사진 한 장을 골라달라고 요청했다. 어린이들은 주섬주섬 자기 취향의 이미지를 들고 왔다. 사람일 수도 있었고 동물일 수도 있었고 물건일 수도 있었다. 어떤 사진을 골랐는지 서로 보여주지 않는 게 규칙이었다. 지금부터 그것에 대해 써보자고 제안했다. 다만 그것이 무엇인지는 언급하지 않기로 했다. 존 버거의 책 〈글로 쓴 사진〉과 비슷한 서술 방식을 연습하려는 의도였다. 글을 완성시킨 열두 살의 서영이가 사진을 가린 채 자기 문장을 읽어주었다.

"부글부글 타오르는 불을 상상해봐. 불은 말이지, 아주 뜨겁고 때로는 위험한 거야. 무언가를 강요하는 듯한 색깔이기도 해. 왜 그런 거 있잖아. 엄마가 화나면 튀어나오는 색 말이야. 하늘에 그 색깔이 있는 거야. 그런 걸 '노을'이라고 불러. 지금 네 앞에는 귤이 놓여 있어. 귤을 만져봐. 그런 걸 둥근 모양이라고 해. 이제 위에서 말한 노을 색을 둥근 모양과 합치는 거야. 이 모든 것은 매우 매우 커. 크다는 건 뭐냐면… 너의 집을 떠올려봐. 아무리 작아도 너보다는 크겠지. 하지만 이것은 집보다도 몇만 배 넘게 커. 어마무시하게 거대한 거지. 이게 있어서 우리는 살아갈 수 있어."

서영이가 들고 있는 사진 속엔 무엇이 담겨 있을까? 당신도 짐작하다시피 그건 바로 태양이었다. 태양을 이런 식으로 묘사한 글은 어디에서도 본 적 없지만 내 머릿속엔 이글이글 타오르는 커다랗고 둥근 태양이 아주 선명하게 그려졌다. 이 어린 스승은 대상의 이름을 언급하지 않고도 대상에 관해 설명하는 법을 이미 알고 있다. 대상과 유사한 특징을 가진 다른 개념들을 자기 삶에서 끌어오면서 그걸 해냈다. 서영이에게 태양은 실체보다 더 풍부한 의미를 지닌다. 태양이라는 단어에 다 담을 수도 없을 만큼 커다란 의미를 말이다.

가. 교과서의 퇴보 똑똑히 기억할 것

서영이의 삶은 태양과 관계 맺으면서 12년간 흘러왔다. 함께 볕을 쬔 사람과, 홀로 노을을 바라보던 저녁과, 해를 닮은 엄마와 과일과 사물이 그의 인생에 있었다. 언어는 이러한 관계를 설명하게끔 만든다. 어린이들은 말을 배우며 세계의 조각들이 서로 연결된 방식을 이해한다. 말이란 세계의 질서이므로. 나의 소설 〈가녀장의 시대〉 역시 주인공 아이가 가부장으로부터 말을 배우는 장면에서 시작된다. 아이는 가부장의 언어에 의구심을 품었다가 시간이 흐른 뒤 새로운 말들을 고안해낸다. 지난 시대의 말 중 어떤 것들은 현재의 세계를 정확히 담을 수 없다고 느꼈기 때문이다. 〈가녀장의 시대〉는 가족 서사일 뿐 아니라 언어투쟁에 관한 이야기이기도 하다.

11월9일 교육부는 2022 개정 교육과정 행정예고안을 공개했다. 그에 따르면 2025년부터는 초·중·고등학교 교과서에서 쓰이는 표현이 바뀐다. 우선 '민주주의'가 '자유민주주의'로 수정됐다. 자유민주주의는 이승만, 박정희, 전두환이 내걸었던 단어이기도 하다. 윤석열 정부가 즐겨쓰는 '자유'란 주로 시장과 기업과 자본가와 노동시장 상층부를 장악한 사람들을 향해 있다. 노동시장의 하층부, 빈곤층, 장애인, 성소수자, 여성, 어린이 등의 자유에 대한 무관심은 노골적일 지경이다. 노동하는 사람을 능동적 주체로 인정하는 '노동자'라는 말도 개정안에서 사라졌다. '성평등'과 '성소수자'도 사라졌다. 자유와 평등을 위한 그간의 치열한 투쟁을 지우는 변화다. 이를 두고 인권위는 인권 담론을 후퇴시킨다며 우려했으며 전국역사교사모임 소속 교사 1000여명이 반대 의견을 표명했다. 그러나 결정권은 국가교육위원회로 넘어갔다. 근미래의 교과서는 세계의 커다란 일부를 의도적으로 누락시킨 필독서가 될 터다.

나. 그에 맞서는 언어로 말을 부숴야

이것은 명백히 퇴보다. 그러나 현 정부가 퇴보하는 와중에도 어린이와 청소년은 자라난다. 이 퇴보를 똑똑히 기억할 것이다. 어떤 말이 지워졌는지 잊지 않을 것이다. 동시에 지워진 말을 아이에게 가르치길 멈추지도 않을 것이다. 그들의 사유가 편협하고 빈약한 언어에 한정되어서는 안 되기 때문이다. 이라영 작가는 〈말을 부수는 말〉에서 다음과 같이 썼다. "권력의 망언이 난립하는 가운데서도 이에 맞서는 언어들도 지치지 않고 생성된다. 바로 그 지점에 나는 아름다움이 있다고 생각한다.” 태양만큼이나 중대한 민주주의와 노동자와 성소수자를 가린 교과서에서도 어떻게 그것들을 똑바로 보게 할까? 언어가 모자라 보일 만큼의 관계 맺기를 어떻게 마련할까? 교과서 바깥의 어른들에게 남겨진 과제다. 우리는 손으로 가릴 수 없는 거대한 별의 일원이 되어야 한다.[177]

64. 좋은 책인데 왜 알려지지 않죠

한 해를 정리하는 방식은 여럿인데 근래 가장 자주 마주하게 되는 건 목록이다. 회사에서는 올해 나온 상품과 서비스를 출시 일정과 매출 순서로 정리하고, 각자는 올해 읽은 책, 올해 본 영화, 올해 다녀온 여행지 등등을 인상 깊은 순서로 나열하며 베스트 10을 꼽기도 한다. 책과 출판의 영역에서는 ‘올해의 책’이 가장 흔한 사례이고 겹치는 책도 적지 않다. 이를 벗어나고자 다른 의미를 담거나 목록을 구성하는 이의 취향과 선택을 강조하는 시도도 이루어지는데, 올해 눈에 띄는 사례 두 가지를 나눠보려 한다.

첫째는 온라인 서점 예스24에서 진행하는 ‘2022 책아 미안해’ 기획인데, 모든 출판사 담당자의 마음이 아닐까 싶은 “이렇게 좋은 책인데 왜 유명하지 않죠?”라는 물음으로 시작하여, 그렇다면 정성을 담은 손편지로 직접 그런 책을 알려보자는 제안이다. 실제로 마흔여섯 명의 편집자와 마케터가 올해 더 알리고 싶었으나 아쉬움이 남는 책을 다시금 알리는 편지를 썼는데, 공개된 내용을 읽다 보면 그야말로 ‘일의 기쁨과 슬픔’이 절절하게 묻어난다.

“안녕. 너는 내가 새롭게 합류한 회사에서 처음으로 마케팅을 담당한 책이고, 나는 너의 담당 마케터야. 조금이라도 더 많은 사람들에게 너를 알리고 싶어서 편지까지 쓰게 됐지만, 나는 이 수고로움도 어쩐지 기꺼운 마음이야”라며 책에게 다정한 인사를 건네기도 하고, “널 생각하면 어쩐지 마음이 편치 않았는데 이렇게 편지까지 쓰게 되니 그 찜찜함이 배가 되는구나. 출간 후에도 널 좀 재밌게 소개해 보려고 이런저런 애를 써 봤는데 녹록지 않았단다”라며 미안함과 아쉬움을 전하기도 하는데, 늘 서점, 언론, 독자에게 책을 소개하고 전하는 시선과 손길이 다시 책으로 향하는 이야기라니, (물론 소개된 도서의 판매 달성률을 이벤트에 포함하고 있지만) 책을 매개로 함께 일하는 이들의 마음을 아름답게 구현한 기획이라 하겠다.

두 번째 기획은 온라인 서점 알라딘에서 진행하는 ‘한 해를 마무리하며 읽고 싶은 책'인데 특히 작가가 한 권의 책을 꼽아 추천의 글을 붙인 대목이 흥미롭다. 참여하는 작가는 대체로 올해 신간을 내놓은 이들이니, 목록을 보면 자연스럽게 그 작가의 새 책을 떠올리며 추천한 책과의 연결을 그려보게 되는데, 안중근의 삶을 그린 소설 〈하얼빈〉을 쓴 김훈 작가가 문학평론가 신형철의 신간 〈인생의 역사〉를 추천했다니, 제목만으로 그 이유가 짐작이 되면서도 실제 이유를 읽어보고 싶게 만드는 작용이 일어난다. 그런가 하면 올해 부커상 인터내셔널 부문 후보에 올라 화제를 모은 〈대도시의 사랑법〉 박상영 작가는 김연수 작가가 9년 만에 펴낸 소설집 〈이토록 평범한 미래〉를 추천했는데, 김연수 작가는 (당연히 이를 알지 못했겠으나) 이를 이어받아 루이스 하이드의 〈선물〉을 권하니, 물 흐르듯 연결되는 이야기 속에서 작가의 신작과 작가가 추천하는 책을 연이어 읽고 나서 어떤 책을 떠올리게 될지, 독자로서 스스로가 궁금해지기도 한다.

김연수 작가는 〈선물〉을 추천하며 이런 글을 붙였다. "새해의 세 가지 결심은 기분 좋을 결심, 타인에게 다정해질 결심, 길을 잃은 곳에서 뭔가 챙겨올 결심이다. 그러기 위해 지금부터 읽는 책이 〈선물〉이다. 내가 가진 것을 주고 주고 또 주는 일에 대해 생각한다. 그게 예술가가 원하는 것을 얻는 가장 손쉬운 길이라고 이 책은 말한다." 올해의 책 목록과 무관하게 연말연시에 동료와 주변 사람들에게 책을 선물하는데, 올해의 '선물' 책은 이 책으로 정하려 한다. 이어질 책의 목록을 기대하면서.[178]

65. 내편의 감각

지금 나는 여행 가는 비행기에서 이 글을 쓴다. '힘든 여행'을 좋아한다. 말 한마디 통하지 않는 곳에서, 다음 끼니가 무엇이 될지도 모르는 미지의 세계에 안전망 없이 내던져지는 것이야말로 여행의 묘미 아닌가. 그러나 결국 그 '힘들었던' 여행에 무엇이 가장 기억에 남느냐 묻는다면, 나는 1초의 망설임도 없이 '내 편의 감각'이라 말할 테다.

단지 한국인이라는 이유만으로 낯선 나를 집으로 초대해 같이 월드컵 한국 경기를 보자는 베트남의 어느 할아버지, 행여 길이나 잘못 들진 않을까 험하고 외진 산길을 동행해 준 중국 호도협의 산골 아저씨, 길도 잃고 체력도 떨어져 길바닥에 주저앉기 직전 조금만 더 가면 버스정류장이라고 말해준 그리스의 한 시골 소녀까지. 낯선 땅의 외지인에게서 가족 같은 따뜻함을 발견하는 순간 세상에 나는 혼자가 아님을 깨달았다. 낯선 거리를 겁먹지 않고 거닐 수 있는 이유다. 이 연대의 감각을 느끼고 싶어 낯선 곳에 기꺼이 몸을 던진다.

말 한마디 안 통하는 곳을 향해 가고 있지만, 어쩌면 내가 태어나 사는 곳이 더 험한 세상일지 모른다는 생각을 한다. 지난 22일 국회는 예산안 처리에 합의하고 예산 부수 법안으로 지정된 세법 개정에 합의했다. 개정될 세법 내용을 요약하자면 법인세 인하, 상속증여세 완화, 다주택자 종부세 중과 완화, 금융과세 유예다. 어째 나와 관련된, 아니 나를 위한 법 개정은 하나도 없는 듯하다. 이 조치로 줄어든 세수가 복지 축소에 영향을 미칠 것은 불 보듯 뻔하다. 이 와중에 뉴스에는 하루가 멀다 하고 높아진 가스요금, 전기요금 인상에 대한 이야기가 나온다. 민생에 필요한 생활 비용은 점점 높아지고 일해도 빈곤한 날이 이어지니, 30년을 넘게 산 곳이라고 해외보다 편할 리 없다. 정치가 내 편이 아닌데 사회가 어떻게 편안할 수 있나.

그런데도 정치의 힘을 믿고 세상은 앞으로 더 좋아져야 한다고 말할 수 있는 여유는, 내가 느낀 '내 편의 감각'에서 나온다. 활동이 무엇인지도 모르고 활동가로 살았던 지난 6년이 나에겐 그런 순간의 연속이었다. 좋은 세상이 무엇인지, 변화를 위해 어떤 방향을 제시해야 하는지도 모른 채 더듬더듬 걸었다. 그런 나를 '진짜 활동가'로 만든 것은 개인적인 의지도, 전문성을 향한 공부도 아니었다. "간사님" 하고 나를 불러주던 수많은 청년, 회원, 시민, 동료 활동가들이었다.

내가 배운 또 하나의 이치는 세상 모든 부당함은 언젠가 이야기된다는 것이다.

모든 사람은 누구나 한 번쯤은 활동가가 된다. 그것이 제 일이든, 동료든, 가족의 일이든 결국 바뀔 일은 바뀌고야 만다. 설사 바뀌지 않더라도, 이야기된 순간 나의 부당함에 공감하고 함께 싸우는 든든한 동료가 생긴다. 나 혼자 세상을 바꿀 수는 없겠지. 하물며 시행령, 법의 한 줄 바꿀 힘도 없다. 다만 손을 잡고 같이 살아가자고, 이 세상은 아직 더 좋아질 수 있다고 함께 외치는 사람은 있다. 그리고 이를 위해 직접 싸우는 사람들이 있다. 이들은 여전히 시민사회단체라는 이름으로 자리에 남아 세상의 변화를 태동한다.

다시 걷게 될 낯선 곳에서 또 누군가의 손을 잡길. 내가 지금껏 잡고 걸어온 손을 기억하며 나도 기꺼이 누군가를 위해 손을 내밀어 주겠다고, 한 해가 저무는 지금 삶의 새로운 다짐을 해본다.[179]

66. 의대 정원, '좆빠가'에 맡길 것인가

정부가 의대 정원을 늘릴 계획을 밝히자, 진보 성향 커뮤니티들의 반응은 '팝콘각'이라는 게 주류다. 문재인 정부 시절 의대 정원을 늘리려다가 의사들의 극렬한 반대에 부딪혀 무산되어서 열받았었는데, 이제 윤석열 정부가 증원을 폭압적으로 밀어붙일 것으로 예상되니 팝콘이나 먹으며 재미있게 싸움구경을 하자는 것이다.

나는 정책의 기본 방향에 대한 찬반과는 별개로, 정책의 추진 방식에 우려되는 부분이 있다. 일단 증원의 규모가 예상보다 크고 급작스럽다. 문재인 정부 시절에 증원하려던 정원은 400명이었다. 그런데 윤석열 정부에서 증원하려는 정원은 2000명이다. 무려 다섯 배다. 현재 의대 정원이 3058명인데 갑자기 5058명으로 65%를 늘리는 것이다.

정부는 2000명이라는 숫자가 나온 배경을 설명한 바 있다. 2035년에 의사 수가 1만명 부족할 것으로 보고, 5년간 의대 입학정원을 2000명 늘려 유지하면 1만명이 채워진다고 본 것이다. 그리고 5년이 지난 다음에 다시 상황을 고려하여 정원의 향방을 결정하자는 것이다. 그런데 정부의 계획대로 2035년까지 1만명을 늘린다 해도 여전히 경제협력개발기구(OECD) 평균에 비해 인구당 의사 숫자가 적다. 고령화로 인한 의료 수요 증가를 고려하면 더더욱 모자랄 것이다. 정부는 '1만명 부족'이 "다수의 전문가들이 전망"하는 수치라고 간단히 밝혔을 뿐, 세부적인 근거를 제시하지는 않았다.

정부는 지난해 전국 40개 의대에 정원을 얼마나 늘리기를 희망하는지 조사했다. 그리고 11월에 수요조사 결과 증원 요청분이 2151~2847명에 달한다고 발표했다. 그런데 정부가 이런 수요조사를 하게 되면 각 의대 입장에서는 다소 무리한 숫자를 답할 가능성이 높다. 다른 의대와의 경쟁에서 밀리지 않기 위해서다. 그리고 이 같은 과정을 통해 집계된 증원 요청분은 공교롭게도 정부가 정한 정원 규모 2000명과 근접해 있다. 이것이 과연 우연일까?

물론 본격적인 의대 교육은 본과에서부터 시작된다고 볼 수 있으므로 예과 2년간에 해당하는 2025~2026년 사이에 준비를 할 수 있다. 하지만 의대 교육과정은 유난히 실습의 비중이 크고, 병원과 조율하거나 공동으로 준비해야 할 부분이 많다. 정부가 목표로 삼은 증가폭의 '평균치'가 65%인 것이니 일부 의대는 100%쯤 증가할 수도 있지 않은가? 그렇다면 이렇게 단번에 늘리는 것이 바람직한지 묻지 않을 수 없다.

의사들을 괘씸하게 여기며 '팝콘각'을 즐기겠다는 심리가 일어나는 것은 십분 이해가 된다. 문재인 정부의 '온건한' 의대 증원 정책에 맞서서 2020년에 일어났던 의사들의 반대운동은 국민들의 눈살을 찌푸리게 했다. 물론 이 투쟁에서 의사들은 승리했다. 코로나19 시기에 의료 공백에 따른 우려가 컸기 때문이다. 의사 국가고시를 거부한 의대생들은 구제되었다. 하지만 이 과정에서 의사들에 대한 여론은 악화되었다. 게다가 성비위·강력범죄를 저지른 의사에 대한 솜방망이 처벌, 수술실 CCTV 논란 및 대리수술 사건 등이 이를 심화시켰다. 지난해 12월 여론조사에서 의대 정원 증가에 찬성하는 비율이 무려 89.3%나 된 것은 상당부분 의사들의 자업자득이다.

가. '좋빠가' 방치는 민주주의 좀먹어

하지만 나는 묻고 싶다. 윤석열 대통령이 대선 후보 시절에 내놓은 캐치프레이즈는 '좋빠가'(좋아 빠르게 가)였다. 그런데 '좋아 빠르게 가'는 과연 좋은 것인가? 이번 '의대 정원 2000명 확대'는 여러 가지 면에서 '연구·개발(R&D) 예산 삭감'이나 '수능 킬러문항 배제', 그리고 지난 대선 공약이던 '여성가족부 해체'를 연상시킨다. 이른바 '사이다' 정책을 내놓고 이를 일방적으로 밀어붙여 인기를 높이고 지지자들의 마음을 사려는 태도가 엿보이는 것이다. 그런데 이것은 자칫하면 사회적 토론을 통해 상호 이해도를 높이고 대안을 공동으로 모색하는 과정을 봉쇄해 버릴 수 있다. 다른 말로 하자면 민주주의를 퇴보시킬 수 있다. 나는 이번 기회에 의대 정원 확대에 한정하지 말고 보다 폭넓은 사회적 공론화를 시도해봐야 한다고 생각한다. 문재인 정부 시절 우리는 두 차례 공론화를 경험했다.

하나는 2017년에 신고리 5·6호기 건설 여부를 결정하는 것이었고 또 하나는 2018년 대입제도에 대한 것이었다. 수백명이 장기간 참여한 토론 끝에 신고리 5·6호기는 계속 건설하기로 했고, 대입제도는 비교과를 축소하고 정시 정원을 30%로 늘리기로 했다. 모든 사람이 만족한 것은 아니었지만, 토론 과정을 통해 서로의 입장을 보다 자세히 이해할 수 있었다. 무엇보다 어느 집단도 결론에 대해 심각하게 반발하지 않았다.

내가 의대 증원을 공론화에 부치자는 것은 증원의 규모와 속도에 대해 보다 면밀한 검토가 필요할 뿐만 아니라, 증원과 밀접하게 연관된 (그러나 증원만으로는 해결되지 않는) 두 가지 주제가 반드시 함께 다뤄져야 하기 때문이다.

첫 번째 주제는 이른바 '필수의료 기피' 문제다. 지역적 의료 공백에 대해서는 문재인 정부에서 '지역의사제'(특정 지역에 10년간 의무 근무)를 추진하다 중단했는데, 윤석열 정부가 이를 이어받아 '지역필수의사제'를 추진하겠다고 밝힌 바 있다.

하지만 응급의학과, 흉부외과, 산부인과, 소아과 등 필수의료 기피현상에 대해서는 보완이 필요하다. 정부는 필수의료 영역의 건강보험 수가를 올리는 방안을 검토 중이라고 밝혔다.

하지만 건강보험 재정을 아끼기 위해 문재인케어도 없앤 마당에 과연 건강보험 수가를 얼마나 올릴 수 있을지 미지수다. 고령화로 인한 건강보험료 인상 일정이 예상보다 앞당겨질 수도 있다.

나. 비급여 진료 '밑 빠진 독' 될 수도

의대 증원과 함께 공론화에 부쳐져야 하는 두 번째 주제는 '비급여 진료' 문제다. 의대는 1997년 외환위기 이후 압도적인 인기를 자랑해왔는데, 최근 들어 인기가 한층 더 높아졌다. 그것은 의사 소득이 2010년대 이후 빠르게 높아졌기 때문이다. 국세청 통계에 의하면 2014년 대비 2021년 의사들의 평균 소득이 단 7년 만에 55.5% 증가했다(치과의사·한의사 포함). OECD 통계에 따르면 2021년 기준 한국의 개원의(전문의) 평균 소득은 노동자 평균 소득의 6.8배로 회원국 가운데 1위다. 그렇다면 최근 이러한 가파른 증가세의 이유는 무엇인가? 위 7년간 평균 국민소득의 증가는 22.0%에 불과하여, 55.5%에 달하는 의사들의 소득 증가를 절반도 설명하지 못한다. 그보다는 비급여 진료가 증가한 것이 큰 영향을 주었다. 실손보험이 보편화되면서 비급여 진료를 손쉽게 권할 수 있게 된 점, 그리고 피부과·성형외과 등에서 이뤄지는 미용 목적의 시술이 의사들의 수입을 대폭 증가시킨 것이다.

특히 비급여 진료는 '밑 빠진 독'이 되어버릴 수 있다. 지금처럼 비급여 진료가 확대되고 의사들이 피부과·성형외과로 빠져나가면 의대 증원의 효과는 반감될 것이다. 정부가 몇 가지 원론적인 대응방향을 제시하기는 했지만, 보다 폭넓은 대중적 토론과 사회적 합의가 시도되어야 한다.[180]

67. 정시의 종말

2028학년도 수능 개편안은 2018년의 되치기다. 수능을 불구화하고 정시를 수시화하려 한다

대중의 학종 혐오와 수능 선호는 그들이 가장 염원하는 '경쟁의 완화'를 일으키지 못한 무능한 엘리트에 대한 반감의 표출. 이를 '비교육적 반동'이나 '고소득층의 이해관계'로 간주하는 것은 안이하고 게으른 해석이다

수능에서 이과 수학이 사라진다. 지난해 12월 말 발표한 2028학년도 수능 확정안에서 심화수학을 빼버리고 문·이과 공통수학만 남겨둔 것이다. 수능에서 과학·사회 선택과목을 없애고 통합과학·통합사회(고1 과정)만 남기는 방안 또한 확정되었다. 글로벌 스탠더드에 역행하는 일이다. 세계적으로 대입시험은 주로 고교 후반에 배운 것을 중심으로 출제되고, 선택과목이 많다. 그런데 한국 수능의

경우 이과 수학은 없어지고, 과학·사회는 고1 과정만 남는다. 선택과목은 제2외국어만 남고 사라진다. 이제 수능은 불구가 되었다.

수능 개편안에 대한 교육부의 설명은 설득력이 없다. 선택과목에 따라 생기는 유불리와 불공정을 없애기 위해, 선택과목을 아예 없앤다니? 그렇다면 대입시험에서 선택과목을 많이 마련해놓은 다른 나라들은 뭐란 말인가? 교육부는 20년 전에도 중요한 원죄를 저지른 적이 있다. 당시 수능에 선택과목을 본격적으로 도입하면서 원점수를 없애고 상대평가 지표(표준점수와 석차등급)만 매기기 시작한 것이다. 3년 전 수능부터는 이 원죄를 시정하지 않고 더 꼬아놓아서 이른바 '문과침공'을 부추겼다. 수학에서 이과생(미적분 선택자)과 문과생(확률과통계 선택자)의 최고점수가 차이나도록 한 것이다.

한국 교육당국의 특징은 자신들의 잘못으로 학생들이 부조리한 상황에 놓이는 것을 아무렇지도 않게 생각한다는 것이다. 20년간 상대평가 지표를 유지한 결과 지난해 11월에 치른 수능의 경우 경제 선택자는 응시자의 1%, 물리학2 선택자는 응시자의 0.9%에 불과했다. 가장 중요한 과목들이 가장 많이 외면받는 것이다. 수학에서는 확률과통계 선택자의 최고점수가 미적분 선택자의 최고점수보다 11점이나 낮았다. 입시 전문가들은 '그냥 미적분을 선택하면 되지 않느냐'고 한다. 입시 컨설팅이라면 그걸로 족하다. 하지만 제도에 대한 비평이라면 제도의 어떤 부분이 문제인지를 적시해야 한다. 과목별 유불리와 불공정의 원인은 석차등급과 표준점수이지, 결코 선택과목제 자체가 아니다.

경제협력개발기구(OECD) 국가들의 대입시험을 전수조사해보면 놀라운 사실을 알게 된다. 표준점수나 석차등급은 한국에서만 쓴다. 다른 나라들은 원점수를 쓰거나, 보정점수(scaled score)를 쓰거나, 등급(절대평가)을 쓴다. 예외가 없다. 이들 세 가지 모두 소수 과목 기피현상을 방지하고 학생들의 소신에 따른 선택을 지지 한다. 즉 물리나 경제를 기피한다든가 아랍어로 쏠린다든가 하는 황당한 문제를 일으키지 않는다. 그리고 과목에 따라 최고점이 달라지는 표준점수와 달리, 어느 과목을 선택하든 동일한 최고점을 받을 수 있다. 세 가지 가운데 두 가지는 변별 력도 높다(원점수와 보정점수). 한국도 이런 방향으로 고치면 될 일이었다. 그런데 뜻밖에 교육부의 결정은 수능에서 선택과목도, 이과 수학도 없애버리고, 이 같은 변화를 '공정'이니 '융합'이니 하는 단어로 포장하는 것이었다.

가. 수능 불구화, 세계서 보기 힘든 유례

'수능의 불구화'는 세계 입시에서 유례를 찾아보기 힘든 현상이다. 그런데 교육계 안팎에서 이에 대한 비판을 찾아보기 어렵다. 이유인즉 이렇다. 이과 수학 은 수능에서는 빠졌지만 고교에서는 배울 수 있으니 상관없다는 것이다. 예를 들 어 이공계 전공으로 진학하기를 원하는 학생들은 고교학점제하에서 선택과목으로 이과 수학(미적분II 및 기하)을 배울 수 있고, 대학에서는 이를 학생 선발에 활용 하면 된다는 것이다. 가만히 들여다보면 수능과 내신을 합산하는 것을 당연시하 는 사고방식이다. 그리고 이런 사고가 대한민국 교육계의 주류다.

그러니 이제 정시는 끝났다. 수시전형보다 뒤에 치른다는 의미의 정시전형은 여전히 존재하겠지만, 수능 성적만으로 학생을 선발한다는 의미의 정시전형은 종 말을 고한 것이다. 2028학년도 정시전형에서는 수능과 내신을 합산하는 것이 확 정적이다. 수학뿐만 아니라 과학과 사회도 같은 사정 아닌가? 내신 성적만 합산하 는 게 아니라 어쩌면 학생부 전체를 반영하려 할 수도 있다. 이제 정시의 수시화, 어쩌면 정시의 학종화가 진행될 것이다.

수능의 영향력을 약화시키는 것은 한국 교육계의 오랜 목표였다. 김영삼 정부 시절 수시전형을 처음 도입할 때부터 그랬다. 노무현 정부가 시도했던 내신 중심 대입제도와 수능 등급제, 이명박 정부의 교육수장이던 이주호씨가 드라이브를 건 입학사정관제는 모두 수능의 비중을 낮추고 이를 다른 수단으로 대체하려는 시도 였다. 이주호씨가 수능 폐지론자라는 사실은 이후 스스로의 인터뷰 발언 등을 통 해 명백해졌다. 입학사정관제는 박근혜 정부 들어 학종(학생부종합전형)으로 개편 되었고, 이후 진보 교육계가 학종의 물결에 올라탔다. 수능 비중을 약화시키고 학 종 비중을 키움으로써 혁신교육을 대입과 연계시킬 수 있다는 희망을 걸기 시작한 것이다.

이제 2018년에 벌어진 대입 공론화 논쟁의 구도가 '진보 대 보수'가 아니라는 점이 명확해진다. 교육계 주류는 진보든 보수든 수능의 영향력을 약화시키길 원했다. '진보는 학종, 보수는 수능'이라고 생각한다면 큰 오류다. 2019년 여론조사업체인 리얼미터에서 정치성향별 대입 전형 지지율을 조사했는데, 정시(수능전형)에 대한 지지율은 진보층이 63%, 보수층이 59%로 오히려 진보층이 근소하게 더 높았다.

나. 2028 수능 개편안은 반민주적 행태

2018년의 논쟁은 '진보 대 보수'가 아니라 '엘리트 대 대중'의 논쟁이었다. 엘리트는 '교육적 가치'를 앞세워 학종을 내세웠고, 대중은 불공정과 부담을 호소하며 이에 맞선 것이다. 정치학에서 말하는 포퓰리즘의 전제, 즉 '엘리트'와 '대중' 사이의 대립 구도가 한국 역사상 가장 선명하게 드러나는 순간이었다. 진보 엘리트인 김상곤씨와 보수 엘리트인 이주호씨가 손을 맞잡고 한편에 서고(보수 교육감도 예외없이 학종을 지지했다), 학종에 염증을 느낀 대중이 이에 맞서고 있는 형국이었다.

2028학년도 수능 개편안은 2018년의 되치기다. 수능을 불구화시키고, 이를 통해 정시전형을 수능만으로 치르기 어렵게 만들고, 자연스레 수능 성적에 내신 성적을 합산시키고, 심지어 수능 성적에 학생부를 더하여 정시를 수시화 혹은 학종화하려 할 것이다. '교육적 가치'와 '대학 자율'을 앞세우며 광범위한 교육계가 이를 지지할 것이다. 하지만 이것은 반(反)민주적 행태다. 2018년 대입 공론화를 통해 성립된 사회적 합의를, 최소한의 사회적 토론도 없이 무효화하는 것 아닌가?

나는 2018년 대입 논쟁에는 참여하지 못했다. 라디오 시사프로그램을 진행하고 있었기 때문이다. 이후 진행자를 그만두고 나서 2019년 11월 '대중의 대입 정시 확대론에는 합리적 이유가 있다'는 칼럼을 내고 유튜브 '유시민의 알릴레오'에 출연했다가 진보 교육진영에서 큰 비난을 받았다. 하지만 당시 비방과 달리 나는 수능이나 사교육에 전혀 이해관계를 가지고 있지 않다. 학원강사를 그만둔 지는 20년이 넘었고, 창업 멤버로서 가지고 있던 메가스터디의 주식은 진즉 전량 매각했다. 2010년 서울시교육청 정책보좌관이 되면서 사교육업체의 주식을 갖고 있기가 께름칙했기 때문이다.

나도 수능을 싫어한다. 객관식 시험은 다양한 역량과 창의성을 키우는 데 심각한 한계를 보인다. 나는 15년 전부터 유럽 주요 국가들처럼 대입시험을 논술형·서술형 문항으로 전면 교체하는 것이 바람직하다고 주장해왔다. 다만 한국처럼 경쟁이 심한 환경에서는 사교육 대란이 벌어질 우려 때문에 이런 변화를 시도하기 어렵다고 본다(2021년 9월30일자 칼럼 '수능에는 죄가 없다' 참조).

내가 굳이 비난을 자초하는 입장을 취한 것은 브렉시트와 트럼프의 당선에서 비롯된 교훈 때문이다. 정치학자 샹탈 무페가 책 〈좌파 포퓰리즘을 위하여〉에서 역설한 것처럼, 우리는 포퓰리즘(대중의 이익에 호소한다는 의미에서)이 불가피한 시대를 살고 있다. 대중의 감성과 정의 감각의 변화에 무지하다가 영국 보수당 주류가 브렉시트를 당했고, 미국 민주당 주류가 트럼프를 당선시키지 않았는가?

한국 대중의 학종 혐오, 수능 선호는 20년간 쉴 새 없이 대입제도를 바꿔왔으면서도 정작 대중이 가장 염원하는 변화인 '경쟁의 완화'를 일으키지 못한 무능한 엘리트에 대한 반감의 표출임을 이해해야 한다. 이를 '비교육적 반동'이나 '고소득층의 이해관계'로 간주하는 것은 안이하고 게으른 해석이다.[181][182]

68. 역겨운 것은 바퀴벌레가 아니다

엉뚱한 질문 같지만 던져본다. 바퀴벌레에 대한 역겨움은 본능적인 것인가 학습된 것인가. 갑론을박하며 결론이 나지 않을지 모른다. 그런데 이 질문은 그 자체에 문제가 있다. '바퀴벌레는 역겹다'라는 것이 이미 전제되어 있기 때문이다. 마치 바퀴벌레가 역겨울 수밖에 없는 속성을 지니고 있다고 말이다. 그건 아마도 역겨움이 생각할 겨를도 없이 즉각적으로 발생했기 때문일 것이다.

얼마 전 영국 페미니스트 연구자 사라 아메드의 〈감정의 문화정치〉가 번역되어 소개되었다. 그는 특정한 대상이 등장하기 이전부터 이미 불쾌한 것으로 여겨지는 방식에 대해 탐구한다. 책에는 '바퀴벌레'가 등장한다. 흑인 페미니스트 오드리 로드의 〈시스터 아웃사이더〉에 나오는 일화이다. 로드가 엄마와 함께 지하철을 탔을 때 옆에 앉은 여성이 로드의 옷에 자신의 옷이 닿을까 신경질적으로 옷을 잡아챘다. 로드는 그와 여성 사이에 '바퀴벌레'와 같이 끔찍한 게 있다고 순간 생각했다. 하지만 여성의 '크게 뜬 눈' '벌름거리는 코'를 목격하며 이내 알아챘다. 그가 바로 바퀴벌레였다는 것을 말이다.

선거철이 다가오며 부정적 뉘앙스가 담긴 문구들이 자주 목격된다. OO보다는 국민을 먼저 챙겨야 한다, OOO의 민낯이 드러난다는 식의 표어들이 다시금 온·오프라인에서 굵은 글씨로 등장한다. 아메드의 지적처럼 모든 대상과 기호에는 특정한 방향성을 지닌 감정이 접착제처럼 끈적하게 붙어 있다. 그것과 마주칠 때 몸은 그 감정 접착제의 방향으로 이끌린다. 그런데 그 강도가 즉각적이고 강할수록(마치 바퀴벌레와 마주쳤을 때처럼) '감정의 역사성'이 소실될 수 있다. 즉, 구체적 역사적 흐름에 의해 OO에 들어갈 대상에 대한 부정적 감정의 방향성이 정해졌다는 사실 말이다.

지난 1월30일 '10·29 이태원 참사 특별법'이 결국 대통령에 의해 거부권이 행사되었다. 더 큰 문제는 바로 유가족과 협의를 거치지 않은 채 일방적인 지원 대책안까지 발표했다는 점이다. 유가족협의회는 2월3일 "특별법 거부권, 거부한다"를 외치며 집회와 행진을 이어갔다. 그 현장에서 어느 유가족은 "가장 모욕적인 방법으로 (특별법을) 거부한 것도 모자라, 저희를 댓글부대의 먹잇감으로 내던졌다"고 항변했다. 정부는 그간 '최선을 다해' 수사하고, 방지대책을 마련하며, 유가족과 피해자를 지원해왔다고 말했다. 나아가 이제는 '피해자 지원금, 의료·간병비 확대'를 앞장서 발표했다. 이 모든 말들에는 특정한 방향으로 감정을 이끄는 접착제가 묻어 있다. 그 접착제에 이끌린 익명의 시민들이 차마 입에 담을 수 없는 패륜적 발언들로 유가족과 희생자를 참담하게 만든 것이다.

아메드는 감정은 경제적 속성을 지니고 있다고 말하며, 이를 '정동경제'라 칭한다. 즉, 특정한 감정이 대상이나 기호에 실제로 내재하는 것이 아니라(즉, 바퀴벌레가 태초에 역겨운 존재가 아니라) 여러 대상과 기호 사이에서 순환하면서 마치 하나의 상품처럼 그 가치가 생산된다고 말한다. 이태원 참사 유가족에게 '최선을 다해왔다' '지원금 확대하겠다'라는 말들은 댓글 속에서 순환되면서 어느새 유가족에 대한 부정적 감정들(예, 불순세력·불온집단 등)이 부풀려지는 것처럼 말이다.

이처럼 감정 접착제를 통한 문화정치의 가장 무서운 점은 유가족과 같은 피해자들이 왜 그처럼 항변하며 집회를 여는지 그 '역사성'을 삭제해 버린다는 것이다. 그렇게 그들은 원래부터 불순한 집단이라는 혐오의 감정이름표가 붙어버린다. 아메드의 표현처럼, 이들은 바퀴벌레가 되어버린 것이다. 이것이 감정을 통한 문화정치의 또 다른 무서움이다. 즉, 피해자를 어느 순간 사회에 해로움을 주는 가해자로 전환시켜 버린다는 점 말이다. 그렇게 양지로 나오지를 못하고 음지에서 침묵하며 머무르게 만드는 것이다.

그렇지만 역겨운 것은 바퀴벌레가 아니다. 바퀴벌레를 역겨운 존재로 만들어간 오랜 역사 그 자체이다. 혐오의 정치가 일상까지 파고든 것은 어제오늘만의 일이 아니다. 아메드의 지적처럼, 우리는 특정한 감정을 대상의 본질적인 속성으로 간주하지 않을 때 비로소 문제의 답을 찾을 수 있다. 그리고 망각된 오랜 역사 속에는 부정적 감정뿐만 아니라 '경이로운' 긍정적 감정들도 채워져 있다.

이제 선거철을 앞두고 감정 접착제가 붙은 수많은 구호들이 난무할 것이다. 이때 필요한 것은 환멸과 외면보다는 그 속에 담긴 부정적 감정의 오래된 계보를 찾으려 하는 노력일 테다. 그리고 긍정적 감정들을 만들어낼 우연한 마주침과 그 결과 도래할 경이로운 새로운 역사를 고대하며 행동하는 것일 게다.[183]

69. 포괄적 성교육이 '무분별한 섹스'를 부추길 것이라는 어른들에게

세종대에서 학생을 가르치며 성 전문 패널 겸 칼럼니스트로 활동 중이다. 청소년과 대학생, 부모에 이르기까지 모든 세대를 아우르는 성교육을 20년 이상 해왔다. 이화여대에서 보건학 박사과정을 수료한 뒤 인제대에서 박사학위를 받았다. 사단법인 '청소년을 위한 내일여성센터' 상담부장과 연세성건강센터 소장, 한국양성평등교육진흥원 초빙교수 등을 역임했으며, 현재 대한성학회 명예회장이다. 저서로는 〈똑똑하게 사랑하고 행복하게 섹스하라〉 〈명화 속 성 심리〉 등이 있으며, 최근 〈십대를 위한 자존감 성교육〉을 펴냈다.

한국 사회는 성(性)에 대해 이중적이다. 성을 상품화하면서도 정작 성을 정면으로 언급하는 것은 꺼린다. 성에 대한 호기심이 넘치는 2차 성징기 아이들은 성착취 영상물 등으로 비뚤어진 성을 접하고 있다. 보수 성향의 정부가 들어선 이후 학교에서는 성교육이 후퇴할 조짐마저 보인다. 성교육이 무분별한 성생활을 부추길 것이라는 시각 때문이다. 과연 그럴까.

지난 20년 동안 성교육을 해온 배정원 세종대 겸임교수는 "네덜란드나 독일의 경우, 성교육을 했더니 첫 성경험 시기가 오히려 늦춰졌다"고 말했다. 배 교수는 "개인의 육체·정신·사회적 건강과 관계맺기를 아우르는 포괄적 성교육은 자아존중감 높은 건강한 시민을 길러낸다"며 "유네스코의 '성교육 가이드라인'은 성의 즐거움과 소통의 필요성, 개인의 다양한 성 정체성 또한 가르치도록 하고 있다. 이에 역행하는 교육은 아이들의 행복과도 멀다"고 말했다. 지난달 23일 서울 종로에 있는 개인 사무실에서 2시간 동안 배 교수의 이야기를 들었다.

– 한국 사회의 성이 혼란스럽습니다. 성매매도 공공연합니다.

"축복이자 행복, 즐거움과 재생산을 위한 건강한 성에 대한 담론이 매우 부족합니다. 육체를 저급하게 여기니 성을 더럽고 음란하다며 얕잡아 보는데, 성은 사실 인간의 근본이자 모든 것입니다. 기혼자들은 농담인 양 '가족(부부)끼리 그걸 어떻게 하나'고도 하는데, 저는 '가족 아니고 누구와 하시려고요'라고 묻습니다. 성매매나 외도를 합리화하는 자기기만적 결과로 이어질 입버릇은 경계해야 합니다. 섹스와 사랑은 굉장히 가깝습니다. 콩깍지 씌이는 열정의 시기가 지나면 의지로 사랑해야 하는 시기가 오는데, 몸과 마음으로 대화할 줄 아는 성숙한 커플은 그렇지 않은 커플보다 결속력이 훨씬 높습니다."

– 성폭력도 심각합니다. 지난해 인하대 성폭력 살인사건은 충격적이었어요.

"부축을 받아야 할 정도로 심신미약인 상태의 상대방과 성관계를 시도하는 건 범죄입니다. 자존심 있는 사람은 생각해서도 안 됩니다. 저는 '나를 사랑하거나, 사랑하지 않더라도 섹스를 명확하게 동의한 상대방과 하는 게 너의 자존심에 도움이 된다. 아니면 너는 폭행범'이라고 가르칩니다. n번방 사건처럼 성을 폭력의 도구로 사용하는 것도 보통 문제가 아닙니다. 어릴 때 또래집단과 스마트폰을 통해 왜곡된 성 인식을 갖게 된 아이들이 성범죄 가해자도, 피해자도 될 수 있습니다. 부모들은 내 아이는 성착취 영상을 안 볼 거라 믿고, 설령 본다 하더라도 어떻게 접근해야 할지 몰라 당황하는 경우가 많습니다."

– 성교육은 몇 살부터 필요합니까.

"미취학 아동에게 질, 자궁, 음경, 고환 같은 정확한 생식기의 명칭을 알려줘야 합니다. 성폭력을 비롯한 문제가 발생할 경우 아이가 경찰과 정확하게 의사소통하는 데 필요하기 때문입니다. '남의 성기 보거나 만져도 안 되고, 네 성기를 보여주거나 만지게 해서도 안 된다. 병원 등 특별한 장소와 상황에서만 허락해야 한다'고 말해줘야 해요."

– 최근 한 방송에서 계부가 어린 딸을 추행했다는 논란이 불거졌습니다.

"아무리 어려도 딸들은 아버지가 몸 만지는 걸 불편해할 수 있습니다. 딸의 의사를 존중해야 합니다. '내가 너 어릴 때 기저귀 갈고 목욕시키며 길렀다'면서 억지로 뽀뽀하면 아이는 자신의 성적 결정권을 어떻게 지켜야 할지 알지 못한 채 자라게 됩니다. 좋아하는 아빠가 나의 의사를 존중하지 않으니 혼란스러운 거죠. 훗날 자기가 원하지 않는 성관계인데도 파트너가 원하면 응해야만 할 것 같은 부담감을 갖게 됩니다. 결과적으로 나쁜 메시지를 주게 되는 겁니다. 아이가 어리더라도 '네가 싫다면 뽀뽀 안 할게. 네가 마음이 내키면 애기해줘' 라고 정확하게 말하는 게 옳습니다."

청소년 임신 소재를 다룬 tvN 드라마 〈우리들의 블루스〉의 한 장면. 임신중단한 여성을 '죄인' 으로 만드는 대사와 장면들로 논란이 됐다(tvN 제공사진).

- 청소년기 임신과 출산도 사회문제가 되고 있습니다.
"미혼부·미혼모에 대한 사회의 인식이나 지원 수준이 매우 낮습니다. '사고를 친' 자녀들의 부모는 당황하고, 학교와 사회의 태도는 자업자득으로 여기는 경우가 적잖습니다. 그런데 안전하게 임신을 중지할 수 있는 먹는 약물 '미프진' 의 국내 도입은 최근 무산됐어요. 수정란의 자궁 착상을 방지하는 방식으로 세계보건기구(WHO)가 지정한 필수의약품이자 전 세계 70여개국에서 처방되는 약인데, 수입약품 품목허가를 신청했던 제약사가 식약처의 거듭된 자료 보완 요청에 결국 자진 취하했습니다. 이러면 결국 청소년들은 위험한 불법 낙태약 복용으로 내몰리거나 원치 않는 출산을 하게 됩니다. 성교육도 제대로 안 하는 사회가 청소년들의 건강도 보호하지 않는 겁니다. 전반적 태도가 참 가혹합니다."
상황이 이런데도 한국의 학교 성교육은 그에 따라가지 못하고 있다. 피임기구 교육을 하려다가 학부모 항의에 직면하고, "선정적" 이라는 보수단체의 비판 때문에 학교에 배포된 '나다움 어린이책' 이 회수되기도 했다. 배 교수는 "어른들의 성 의식이 바뀌지 않으면 아이들의 성 의식을 바꾸기 어렵다" 고 말했다.

- 네덜란드는 성교육을 4세에 시작한다고요.
"전 세계 평균 첫 성경험 연령은 13.6세입니다. 그런데 네덜란드는 17세로 늦은 편입니다. 독일은 성교육을 강화한 이후 첫 경험 연령이 1년쯤 늦춰졌다고 합니다. 성교육을 통해 내가 언제쯤 성관계를 할 준비가 될지, 성관계를 지금 하는 것이 내 삶에 유리한지를 아이들이 더 신중하고 진지하게 고민하게 되기 때문입니다."

— 성교육이 아이들의 조기 성경험을 부추긴다는 일각의 주장과는 다르네요.
"섹슈얼리티 교육은 내가 나를 이해하고, 어떻게 살아야 하는지, 어떤 가치관과 판단력을 갖고 내 몸을 관리하고 상대방을 이해할 것인지를 가르치는 것입니다. 섹스는 그중 일부에 불과하죠. '성교육은 민주시민 교육'이라는 말도 있는데, 왜냐면 성교육을 통해 자신의 정체성에 대한 고민을 하면서 자아존중감이 튼튼해지기 때문입니다. 더불어 타인의 존재와 존엄성도 진지하게 고민하게 됩니다. 포르노적인 이미지가 넘쳐나는 사회야말로 아이들의 조기 성경험을 부추기는데, 이 아이들이 분별력을 갖고 자신의 성적 결정권을 신중하게 행사하도록 정확한 정보를 제공하는 것이야말로 진정한 '포괄적 성교육'의 취지입니다."

스웨덴 그네스타 지역에 위치한 프레야칼룬의 성교육 시간. '17세에 임신을 한다면'이라는 주제로 14~15세 학생들이 토론수업을 하고 있다(경향신문 자료 사진).

성교육 중인 아이슬란드 어린이들이 함께 손을 맞잡고 춤을 추고 있다. 아이들은 빨강과 파랑 중 원하는 색의 옷을 골라 입는다(경향신문 자료사진).

- 섹스(sex)와 섹슈얼리티(sexuality)는 어떻게 다릅니까.

"예전에는 '섹스'는 성별과 관계 등을 포괄하는 단어였는데 이제는 '성행위'라는 뜻에 잡아먹혔습니다. '섹스'라는 단어에 성기 중심의 포르노적인 생각을 떠올리는 이들이 오히려 더 문제 아닌가 싶어요. 대안적 표현이 섹슈얼리티입니다. 섹스를 비롯해 육체·정신·사회적 건강, 관계맺기, 인생의 발달과정 등이 그 안에 다 들어갑니다. '포괄적 성교육'은 섹슈얼리티 교육입니다. 낙태 예방과 순결교육 중심의 학교 성교육은 더 이상 시대에 맞지 않고 아이들의 행복에도 보탬이 되지 않아요. 2018년 유네스코는 신체접촉을 통한 즐거움과 성관계에서의 적극적 소통 필요성을 교육하라고 가이드라인에서 명시했습니다. 요즘 전 세계의 성교육 추세가 그렇습니다."

- 그런데 '2022 개정 교육과정'에서 중·고교 보건 교육과정에 수십년간 있던 '섹슈얼리티' 용어가 삭제됐습니다.

"보수진영에서 '섹슈얼리티'가 남녀라는 이분법적 성별이 아닌 포괄적 성별, 왜곡된 성 관념을 아이들에게 가르치는 것이라고 주장해 빠지게 됐다고 합니다. 섹슈얼리티는 성별의 개념만이 아닌데, 성을 둘러싼 다양한 사회적 차별을 인식하지 못하게 되는 결과로 이어질까 걱정입니다. 인권에 기반한 유네스코 가이드라인은 만 9~12세 청소년에게 개인의 성 정체성이 신체의 성과 동일하지 않을 수 있다는 점을 가르쳐야 한다고 짚고 있어요."

- 개정 교육과정에서는 '성소수자'라는 표현도 사라졌습니다.

"청소년 성소수자들은 학교에서 어려움을 많이 겪습니다. 존재를 인정받지 못하면 혐오나 차별에 더 많이 노출되기 마련이에요. 오랜 기독교 신자였던 저는 신의 사랑을 믿습니다. 인간 아버지도 내 자녀가 고달픈 삶을 산다면 등을 토닥일 텐데, 하물며 신께서 정체성 때문에 핍박받는 자녀를 끝내 벌하시겠습니까. 혹여 벌하신다 해도 그건 신의 영역이지 미약한 인간끼리는 서로 보듬고 돌보는 게 맞지 않을까요. 모든 사람은 다 다르고, 그 다름이 차별의 이유가 되어선 안 됩니다. 개정 교육과정의 현장 적용까지는 아직 1년 남았으니 재논의가 이뤄졌으면 합니다."

- '교육과정'은 왜 중요한가요.

"교육과정은 향후 교육의 방향과 범위를 가름합니다. 현재 일부 교육청과 학교장들이 국제기준에 맞춰 포괄적 성교육을 수용하고 있으나, 전체 학교로 확대되기 위해서는 교육과정이 변화해야 합니다. 하지만 학교 성교육은 전보다 오히려 후퇴하는 추세여서 걱정입니다. 성교육은 가정과 학교, 지자체, 정부가 합심해 건강한 미래세대를 키우는 데 꼭 필요한데 가정에서는 정보가 부족해 손 놓고, 학교는 보수화 때문에 손 놓으면 되겠습니까."

이배용 국가교육위원회 위원장(가운데)이 지난달 14일 국가교육위원회 제6차 회의를 주재하고 있다. 이날 회의에는 '성평등' 용어 등을 삭제한 교육부의 '2022년 개정 교육과정안'이 상정됐다 (연합뉴스 사진).

- 한국 사회가 유독 성에 대해 보수적인 이유가 무엇일까요.

"성을 보수적으로 억압하니 반대급부로 문란해지거나 변태가 많아집니다. 죄의식은 오히려 강박을 낳고요. 김누리 중앙대 교수는 한국은 독일의 '68학생운동' 같은 성 혁명이 없었고, 내면에 죄의식을 가진 시민은 정치권력 앞에서 굴종하기 쉬운 존재가 된다고 에리히 프롬, 마르쿠제 등의 이론으로 설명한 바 있습니다. 현재 논란이 되는 학교 성교육 관련 보수화 문제는 그래서 단순히 교육과정만의 문제로 보기 어려워요. 우리가 타인과 관계를 회복하고 유지하기 위해서는 평생에 걸쳐 건강한 섹슈얼리티를 가꿀 수 있어야 합니다. 거기에 삶의 온기가 있습니다."

☞ 섹스리스 사회의 '보는 연애' 신드롬

지난해 연세대 연구팀 조사에 따르면 서울 거주 성인 응답자 36%가 지난 1년간 성관계를 갖지 않은 '섹스리스'였다. 3명 중 1명꼴로, 20년 전에 비해 3배 넘게 늘었다고 한다. 19~29세로 좁히면 상황은 더 심각하다. 남성은 42%, 여성은

43%가 섹스리스였다. 이 같은 현상은 일반인이 출연하는 관찰형 연애 리얼리티쇼 급증과 대조를 이룬다. 〈솔로지옥〉〈돌싱글스〉를 비롯해 지난해에만 20여개가 쏟아졌다. '하는 연애'가 아닌 '보는 연애'의 시대라는 말까지 나온다.

배정원 세종대 겸임교수는 "'먹방' 유행과 마찬가지로, 인간의 가장 사적이고 내밀한 감정과 순간들을 보거나 보여주는 데 사회가 둔감해졌다"고 말했다. 그는 "코로나19 팬데믹과 거리 두기 영향 탓인지 직접 연애를 하기보다는 화면 속 타인의 연애를 평가하고 판단하는 상황이 강화됐다"면서 "정작 본인은 연애하지 않고 남이 하는 걸 보고, 남을 이러쿵저러쿵 비교하고 평가하는 데 미디어 소비자들이 익숙해지고 있다"고 지적했다. 그의 말대로 "인간의 오감 중에서 시각과 청각만 쓰는 사회가 되고 있는 셈"이다. 이 같은 단절 속에 사람과 사람을 연결하는 섹슈얼리티가 들어설 자리는 사라진다. 혼인율과 출산율 모두 떨어지는 게 당연하다.

젊은이들이 섹스리스가 되는 건 "섹스를 덜 좋아하기 때문이 아니라 피곤하기 때문"이라고 〈요즘 애들〉의 저자 앤 헬렌 피터슨은 지적했다. 경쟁이 심한 사회에서 연애는 사치일지 모른다. 배 교수는 "인간을 인간답게 하는 '감동'은 사라지고, 영화 〈허(HER)〉에서처럼 인공지능(AI)과의 연애로 대리만족하는 미래로 수렴될 수도 있을 것"이라며 "성에 대한 논의가 지금 꼭 필요한 이유"라고 말했다.[184]

70. 왕의 독백

왕이 새 옷을 지나치게 좋아한다는 이야기는 헛소문이다. 신하들의 정직성을 믿었을 거라는 추측도 사실이 아니다. 평민이 할 만한 상상일 뿐. 내가 어리석은 자의 눈에는 보이지 않는다는 옷을 입고 백성들 앞에 나선 것은 다른 이유 때문이었다.

왕에게는 새 옷에 대한 욕망이 없다. 화려한 옷 따위는 얼마든지 있고, 쉽게 새로 만들 수 있다. 게다가 몸치장은 사랑과 관심을 원하는 이들이 하는 행동이다. 왕은 사람의 층과 급으로 쌓아 올린 피라미드의 정점에 있다. 아니 그보다 더 위에 있는지도 모른다. 사랑과 관심에 목마를 새가 없다. 왕의 일 대부분은 백성에게 자기 모습을 드러내는 것이다. 그런 일에는 오히려 염증을 느낀다. 왕의 욕망과 평민의 욕망은 다르다. 차원과 규모가 다른 것이다.

왕으로 태어나지 않았으나 갑작스러운 운명에 떠밀려 꼭대기로 올라온 이들은 위치가 제공하는 욕망에 쉽사리 짓눌린다. 외할머니가 주도한 모의로 열네 살에 로마의 황제가 된 엘라가발루스가 하나의 사례이다. 소년은 무엇이든 가능한 권력을 놀이에 쏟아부었다. 만찬에 손님을 초대한 뒤, 유리나 대리석 혹은 상아로 만든 음식을 대접했다. 거미가 들어 있는 고깃국물이나 사자 똥이 들어 있는 디저트 같은 것이 식탁에 오르기도 했다. 황제의 비위를 맞추기 위한 손님들의 고역에 소년은 즐거워했다. 권력에는 그에 적합한 욕망이 따로 있다. 제멋대로의 기괴한 놀이에 몰두하던 소년 황제는 스무 살이 되기 전에 살해되어 티베르 강에 버려진다.

정직한 신하라니, 상상만 해도 끔찍하다. 왕에게 직언을 일삼는 자는 바보이거나 스스로를 과대평가하는 골칫덩이다. 정직은 상호 이해와 소통을 목적으로 하는 관계에서 필요하다. 왕과 신하 사이에는 명령과 복종이 원활하게 이루어지기만 하면 된다. 왕은 누구도 이해하고자 하지 않고 누구와 소통할 필요도 없다. 왕이 바라는 것은 정직이 아니라 두려움이다. 평범한 사람들이 두려움과 존경심을 자주 혼동하는 것은 다행한 일이다. '왕이 되는 것은 한때 보편적 소망이었다.' 소수가 누리는 호화로운 삶을 위해 제 삶이 고달파지자 사람들은 더 약한 희생자를 찾았다. 자식을 지배하는 아버지, 아내를 노예처럼 부리는 남편 같은 이들이 있었기에 불평등은 오랫동안 용인되고 지속되었다. 왕이 존경받는 것은 평범한 사람들이 마음속으로만 희구하는 권력을 그가 구현하기 때문이다.[185]

왕은 정직한 신하보다는 거짓말쟁이를 좋아한다. 이득을 얻기 위해 적극적으로 거짓말을 하는 이들과 목숨을 보전하기 위해 소극적으로 거짓말을 하는 이들은 권력을 떠받치는 기둥이다. 사기꾼들이 신비한 옷감을 들고 왔을 때, 나는 그들의 계략을 눈치챘다. 눈에 보이지 않는 옷을 입을 사람은 이 세상에서 왕밖에 없다. 보이지 않는 것을 보이게 하고, 없는 것을 있다고 믿게 하는 힘은 오직 왕의 권력뿐이다.

모두가 우러러보는 꼭대기에 서 있는 자는 늘 벌거벗겨진 것과 다름없다. 그러나 운명을 받아들이면 이용할 수도 있다. 아무것도 입지 않고 군중 속을 걸어갈 작정을 했을 때 내 나름대로 계산이 있었다. 백성들은 자기 눈보다는 왕의 권력을 믿을 것이다. 자신이 어리석지 않음을 증명하려 애쓸 것이다. 두려움과 선망의 눈은 벌거벗은 왕이 걸친 아름다운 옷을 볼 것이다. '믿음은 바라는 것들의 실상이며 보이지 않는 것들의 증거[186]'니까. 나는 행진이 끝난 뒤 감탄하는 백성들에게 왕이 입는 신비한 옷을 판매할 계획이었다. 돈은 권력의 토대이다. 100%의 이윤을 끝없이 뽑아낼 화수분 같은 상품이 필요했다.

　내 계획에는 치명적 오점이 있었다. 즐겁게 진실을 외치는 사람이 세상에 존재할 가능성을 예상치 못한 것이다. 왕으로 태어나 왕으로 키워진 나는 코흘리개 꼬마의 용맹함에 대해 전혀 몰랐다.[187]

71. 어느 날 밀양, 그리고 잔소리와 밥

　지난 주말 친구들과 함께 밀양에 갔다. 정확하게는 한때 '밀양의 전쟁'이라고 불렸던 탈송전탑 투쟁의 주역, '밀양 할매'들을 만나러 갔다. 더불어 2012년 이후 꾸준히 사람과 감과 책이 오가면서 정분을 쌓아온 단장면의 박은숙, 권귀영 등도 보고 싶었다. 여전히 밀양에는 한전의 보상금 수령을 거부하며 버티는 100여가구의 사람들이 남아 있지만, 할매들은 대부분 쇠잔해져 잘 모이지 못한다고 했다. 이번에 우리가 뵐 수 있던 할매도 덕촌 할매(89세), 동래 할매(82세) 두 분이었다.

　140㎝, 34㎏의 바싹 마른 삭정이 같은 몸으로 산꼭대기 움막 농성장에서 꼬박 7개월을 살기도 했던 덕촌 할매는 이제 더 작아진 몸으로 딸네 바로 옆의 작은 농막에서 지내고 계셨다. 우리를 잘 알아보지 못했지만 "멀리서 온 연대자"에 대한 반가움은 감추지 않으셨다. 동래 할매는 우리를 많이 기다리신 눈치였다. 집에 들어서자마자 손수 농사를 지었다는 땅콩과 생강꽃차 그리고 과일을 계속 내오셨다. 그런데 위암 수술로 15㎏이 빠져 너무 수척해진 나머지 더 이상 전국을 다니던 전투적 투사의 모습은 찾아볼 수 없었다. 올해도 농사를 지어 꽃차를 만들 수 있을지 모르겠다고 말하시는 목소리가 너무 힘없고 쓸쓸해서 난 좀 울컥했다.

　하지만 박은숙과 권귀영이 있었다. 물론 그녀들에게도 많은 변화가 있었다. 박은숙은 아이 넷을 거의 다 키웠고, 더 이상 농사를 짓지 않는 대신 '스리 잡'을 뛰고 있었다. 하나는 밥벌이로 노인 레크리에이션 강사, 또 하나는 밀양765㎸송전탑반대대책위원회, 마지막은 어르신 뜸 봉사. 그녀는 여전히 당차고 활기가 넘쳤다. 마을공동체가 산산이 무너진 후 홀로 산다는 이유로 마을에서 '왕따'를 당하던 권귀영은, 이제 더 이상 고립과 모욕을 감내하지 않는다고 했다. 무조건 마을 행사에 나가서 밥을 했고, 덕분에 보상받으라고 윽박지르던 이웃집과도 이제는 데면데면하게나마 말을 섞고 살게 되었다.

그리고 청년 남어진이 있다. 2013년 10월, 고등학생이던 그는 밀양 할매들이 포클레인 앞에서 목에 쇠사슬을 감고 있는 모습을 접하고 충격을 받아 밀양으로 향한다. 그 이후 어진이는 "매일매일 밥을 얻어먹어버렸고, 얻어먹은 밥만큼만 밥값을 해보려고 애쓰다가" 밀양 송전탑 반대운동을 하는 사람이 되어버렸다. 게다가 최근에는 작은 목공소도 열어 밥벌이를 하고 있다. 그런데 어진이는 요즘 좀 우울하다. 싸움의 대상은 분명치 않고 투쟁의 동력은 현저히 떨어졌기 때문이다. 그래서 자신을 "송전탑 반대운동을 하는 사람이 아니라, 운동 끝에 소멸하는 사람"이라고 소개하기도 한다. 하지만 이번에 우리가 만난 어진이는 탈송전탑 운동에서 기후정의 투쟁까지, 현장에서 버티고 사는 사람만이 갖는 구체적 식견과 통찰력을 보여주었다.

그러나 이번 밀양행에서 가장 재미있었던 것은 박은숙, 권귀영, 남어진 사이에서 벌어지는 '티키타카'였다. 감기가 잔뜩 든 어진에게 '귀영 엄니'는 밥을 먹으라고, '은숙 엄니'는 뜸을 놓겠다고 잔소리하는데, 어진이도 만만치 않아 계속 싫다고 도리질을 해댔다. 하지만 은숙 엄니는 결국 뜸을 놓았고, 귀영 엄니는 기어코 누룽지를 먹였다. 어진이는 우리를 보고 "내가 죽으면 아마 귀영 엄니 잔소리 때문일 거예요"라고 투덜거렸지만 내가 보기에 이들은 톰과 제리 이상의 찰떡궁합이었다. 실제 요즘 밀양 싸움을 전국으로 이어가는 것은 어진이와 박은숙, 권귀영 등이라고 한다.

헤어지기 전 어진이가 밀양 맛집에서 점심을 사겠다고 했다. 우리는 기꺼이 영세 청년 자영업자의 그 밥을 얻어먹었다. 그리고 돌아오는 차 안에서 든 생각. 잔소리로 서로의 삶에 개입하고, 밥으로 서로의 삶을 돌보는 이상 밀양 싸움은 결코 끝날 수 없는 것 아닐까? 할매들은 싸움의 일선에서 물러났지만, 땅을 돌보고 삶을 가꾸었던 할매들의 마음은 누군가 계속 이어가고 있었다. 우리는 4월에 다시 만나기로 했다. 이번에는 밀양 주민들이 우리에게로 온다. 우리도 멋진 밥을 지어놓고 기다릴 것이다.[188]

72. 도덕 손상 사회, 어른이 필요하다

도덕은 인간을 인간답게 만드는 존재의 요건이다. 도덕성에 큰 상처를 받게 된 후 심한 고통을 겪는 것은 당연한 일이며, 이때 인간은 자신의 존재 자체에 대해 번민하게 된다. 이런 도덕적 상처가 인간을 얼마나 괴롭게 하는지를 구체적으로 알게 된 것은 유대인 학살과 베트남 전쟁 이후부터다.

조너선 셰이라는 미국 정신과 의사는 베트남 참전 후 복귀한 병사들 중에 외상 후 스트레스장애와 유사하지만 다른 고통을 호소하는 일군의 병사들을 발견했다. 그들의 공통점은 다음 4가지였다.

첫째, 도덕을 위반하는 부당한 명령을 상관으로부터 받았던 경험이 있고, 둘째, 명령이라 따를 수밖에 없는 상황으로 인해 도덕을 위반하고 스스로를 배신한 고통을 호소하고 있으며, 셋째, 시간이 지나도 사라지지 않는 수치심, 분노, 죄책감으로 괴로워하고, 넷째, 그 괴로움으로 인해 자해, 자살시도, 혹은 중독, 도덕적 타락의 행동을 보이고 있다는 점이었다. 조너선 셰이는 이 그룹을 도덕 손상 집단이라고 불렀으며, 그 후 여러 동료 학자들은 도덕 손상 집단을 사회 곳곳에서 발견하게 되었다.

권위적이거나 강압적인 체계가 작동하는 비민주적 조직에서 도덕 손상을 경험하는 일이 많았으며, 특히 군대, 경찰이나 검찰에 더 많고, 병원과 학교 같은 기관들에서도 도덕 손상 집단이 존재한다는 것을 알게 되었다. 최근 코로나19 팬데믹 초기, 여러 병원 현장에서 환자들의 생사를 놓고 부조리한 지시를 따라야 했던 응급실, 중환자실 의사들이 자살한 사건이 여러 나라에서 벌어지며 도덕 손상 현상은 세계적으로 더 널리 알려지게 되었다.

전쟁 중 시민학살에 참여했다던지, 정권의 명령으로 시민을 고문했다던지, 돈 많은 환자를 위급한 환자보다 먼저 치료하라는 지시를 받았다던지, 힘센 학부모 집단 혹은 특권층 자녀에 대한 무리한 요구를 수용하라는 지시를 받게 되었다던지, 권세 높은 정치집단의 요구에 의해 조작된 언론이나 방송 프로그램에 참여한다던지 하는 일 등은 모두 그 일에 동원된 사람들의 양심과 도덕에 크게 상처를 줘왔다.

도덕 손상의 치명적 부분은 그 자신도 가해자의 일원 혹은 동조자가 되었다는, 자신도 더러워졌다는 정체성의 오염으로 인한 큰 고통이라고 한다. 또한 부당함을 거부하지 못했다는, 용기 없음에 대한 모멸감, 권력 집단에 느낀 굴욕감도 씻을 수 없는 상처가 된다고 한다. 그래서 도덕 손상 집단의 상당수가 존재가 무너지고 사라지는 경험을 하면서 더 이상 자신이 생존해서는 안 된다는 자해나 높은 자살충동을 호소하게 된다.

더불어 도덕 손상의 영향을 더 크게 받는 집단은 신참이거나 젊은이들인 경우가 더 많았다. 최근 우리나라에서 발생한 젊은 방송제작자나 PD들 그리고 교사들이나 영양사 등의 죽음을 설명하는데, 적어도 그 일부분은 도덕 손상으로 설명할 수 있다. 약자를 존중하지 않고, 사회적 차별을 조장하며, 거짓을 서슴지 않는 어른들이 많을수록 젊은이들이 받는 도덕 손상은 더 커질 수밖에 없다.

도덕 손상을 받지 않도록 치유가 되어주는 어른들, 즉 부당한 명령을 거부하는 지도자, 평등한 진료를 옹호하는 병원 운영진, 몰지각한 집단의 마녀사냥으로부터 교사를 지켜주는 학교 관리자, 거짓된 편파 방송의 편집을 거부하는 고참 PD들 등이 있어야 젊은이들의 생명뿐 아니라 사회의 도덕이 지켜진다.

제임스 길리건이라는 정신과 의사는 도덕이 아닌 힘과 양심으로, 정직이 아닌 거짓과 조작으로 사회가 운영될 때 수치심을 느끼는 국민이 많아지면서 도덕만 위태로워지는 것이 아니라 국민의 생명도 위태로워진다고 말했다.

도덕 손상이 만연해지고 있는 위기의 시대, 사회 곳곳에서 반전을 거듭하는 어른들이 도덕적 치유자로 출현하길 기대해본다.[189]

73. 깨달음도 다운로드할 수 있을까

나의 기억이나 생각을 인터넷에 업로드하거나 다운로드할 수 있을까? 최근 놀라운 뉴스가 전해졌다. 지난달 29일 일론 머스크는 자신이 설립한 뇌신경과학 스타트업인 뉴럴링크에서 "사지마비 환자의 뇌에 인공 칩을 이식하는 데 성공했고, 환자는 현재 무사히 회복 중"이라고 발표했다. 이 인공 칩은 이른바 '텔레파시'란 이름의 컴퓨터 칩 제품이다. 이에 앞서 뉴럴링크는 지난해 5월 미국 식품의약국(FDA)으로부터 임상시험 실시를 허가받았다. 인간의 생각만으로 컴퓨터 키보드나 스마트폰 같은 외부 디지털 기기를 작동시킨다는 구상은 오래전부터 있었지만, 영화 〈매트릭스〉에서처럼 상상 속 이야기였다. 이제 일론 머스크는 기어이 이 기술을 인간에게 적용할 심산인 듯하다.

이 기술은 이른바 '뇌-컴퓨터 인터페이스(BCI, Brain Computer Interface)'에 기반한다. 혹자는 '뇌 임플란트'라고도 부른다. 뇌에서 나오는 전기신호를 스캐닝하고 이 신호를 외부 장치에 전달하는 역할을 하는 일종의 컴퓨터 칩을 뇌에 이식하는 기술이다. 예를 들어 전신마비 환자들도 뇌 속에 칩을 이식하고 이 칩과 연결된 외골격 로봇을 장착하고 있으면 뇌의 전기 신호를 인식해 몸을 움직일 수 있게 된다는 것이다. 이와 반대로 외부에서 뇌에 신호를 주는 것도 가능하다. 일각에선 시각 피질의 신경세포를 모방해서 뇌에 전달함으로써 시력 기능을 회복하는 것도 가능하다고 주장한다. 일론 머스크는 향후 "우리가 특별하다고 믿는 것을 다운로드할 수 있다"고 주장한다. 예컨대, 외국어 능력 등 다양한 두뇌 정보나 기억 등을 외부에서 가져와 인간의 능력을 향상 혹은 증강할 수 있다는 것이다. 최근 이 기술 개발이 가속화된 배경으론 인공지능 기술의 비약적 발전이 거론된다. 일론 머스크는 인공지능을 인류의 큰 위협으로 간주하면서 인공지능이 세상을 장악하기 전 인류가 인공지능에 맞설 수 있는 초지능과 초운동능력을 갖춰야 한다고 주장한다. 하지만 일론 머스크의 이러한 접근이 바람직한 시도인가에 대해선 논란의 여지가 많다.

산승의 눈에도 이러한 변화가 당혹스럽긴 매한가지다. 고전적 종교 관념 속에서 보자면 더욱 받아들이기 어렵고 위태로워 보이기까지 한다. 또 다른 형태의 인간 욕망의 확장으로 보이기 때문이다. 유발 하라리도 그의 책 〈호모데우스〉에서 "인간의 몸과 뇌를 업그레이드하는 데 성공한다고 해도 그 과정에서 마음을 잃게 될 것"이라고 전망한다. 이 뉴스를 접하면서 문득 엉뚱한 생각이 들었는데, 고승들의 깨달음이라는 두뇌 정보도 업로드하거나 다운로드하는 시대가 오지 않을지 하는 의문이다. 만약 깨달은 스승의 깨달음이라는 상태를 이 기술을 통해 다운로드받을 수 있다면, 그 다운로드를 받은 자를 깨달은 자라고 할 수 있을까? 그리고 그 다운로드를 받아서 깨달은 자에게 우월한 종교적 권위 혹은 윤리적 지위를 부여하는 것이 정당할까? 예전 같았으면 어른 스님께 망상 피운다고 죽비로 한 대 얻어맞을 만한 의문이지만, 갈수록 만화 같은 이야기가 현실로 다가오는 것을 보면서 우려를 거두기가 어렵다.

　해인사에선 설 연휴가 끝나자마자 정초기도가 시작된다. 매년 이맘때면 전국
각지의 불자들 혹은 불자가 아니더라도 남녀노소 안 가리고 저마다의 새해 소원
을 마음에 품고 절에 와서 기도에 동참한다. 모두 불단 앞에서 합장하고 진지하
게 기도하는 모습이 간절해 보인다. 스님들은 매일 새벽부터 하루 네 번씩 차가
운 법당 바닥에 꿇어앉아 몇 시간씩 염불과 진언을 이어간다. 새해, 새 마음으로
온 세상 평화와 뭇 삶들의 행복을 기원하기 위해서다. 그렇다면 이렇게 마음을
내어 기도하는 그 마음, 그 발심(發心)도 과연 업로드할 수 있을까? 그것을 따지
기 전에, 잠시 스마트폰을 내려놓고 그 생각이 어디서 왔는지, 즉 그 두뇌 정보가
생성되기 이전 상태가 어떠한지를 참구해 보는 게 급선무일 것이다. 생각이 컴퓨
터와 연결되는 시대, 그 생각은 어디서 왔을까? 그 생각, 그 정보가 생겨나기 이
전 모습은 어떠한가? 입춘이 지났지만 가야산 새벽 공기는 여전히 시리고, 차갑
다.[190]

74. 기술이 우리를 건져낼 수 있을까

　"We are sinking." 지난 제26차 유엔기후변화협약 당사국총회(COP26)에서 남
태평양의 섬나라 투발루의 사이먼 코페 외무장관이 허벅지까지 차는 바닷속에서
연설하는 영상이 공개되었다. 기후변화로 인한 해수면 상승으로 물에 잠기고 있
는 투발루의 절박한 현실을 보여주기 위해 감행한 수중 연설이었다. 하지만 '석
탄발전의 단계적 감축'과 '화석연료 보조금의 단계적 폐지 노력'을 담은 글래
스고 합의문은 코페 장관이 다급하게 요청한 "내일을 지키기 위한 오늘의 과감
한 대안적 조치"에 비해 한가하기 짝이 없다. 합의문에 화석연료가 언급된 것
자체가 처음이라는 의미 부여도 안이하긴 마찬가지다.

　이번에 재확인된 것은 세계의 부국을 위시한 국제사회가 기후위기를 불러온
경제성장의 틀을 바꿀 의지도 성장 너머의 세계를 그릴 상상력도 없다는 것이다.
기후변화가 요구하는 우리의 변화는 번번이 성장 앞에서 멈추어 선다.

　COP26에서 '2030 국가온실가스감축목표(NDC)'를 종합한 결과는 2010년 대비
13.7% '증가'로 나왔다. 지구 평균기온 상승을 1.5도로 묶기 위한 '기후변화에
관한 정부 간 협의체(IPCC)'의 권고가 ''2010년 대비 45% 감축'이니 황당한
결과다. 이대로라면 지구 평균기온은 2.4도 이상 오를 것으로 예측된다. 내년 말
까지 2030 NDC를 다시 내기로 했지만, 문제는 시간이 없다는 거다. 길게는 100년

까지 지속하는 온실가스의 대기 누적 효과로 미적거리며 감축을 늦출수록 상황은 급해지고, 그럴수록 감축 노력보다는 기술의 유혹이 커진다. 우리나라의 탄소중립 시나리오도 '탄소 포집·활용·저장(CCUS)'이라는 불확실한 미래 기술이 없으면 불가능하게 되어 있다. 필요한 규모의 CCUS를 적기에 확보한다 해도 저장 장소의 안전성과 같이 기술 자체만큼이나 중요한 문제는 여전히 미결로 남는다.

경제성장에 사회적 재앙 심화기후변화 요구는 '바꾸라'는 것변하지 않으면 가라앉을 것이란진실을 외면하는 한 어떤 기술도기후위기서 우리 건져낼 수 없다

불완전한 인간이 만든 기술과 설비의 '절대 안전'은 모순어법이다. 실수든 재해든 사고는 일어나는 법이다. 그러나 지금 짓고 있는 석탄화력발전소 공사 '중단'과 정치적으로 들이민 가덕도신공항을 비롯한 공항 건설계획의 '포기'는 안전 문제가 전혀 없을뿐더러 당장 효과를 볼 수 있는 확실한 탄소 감축 방안이다. 그런데도 왜 '무엇을 하지 않는' 쉽고 확실한 길을 마다하고 '무엇을 하는' 어렵고 불확실한 길을 고집할까? 물론 명분이야 있겠지만, 결국 사업을 만들어내야 수익이 나기 때문일 것이다. 우리가 감당할 수 없는 '위험(danger)'이 있는 기술도 왜 '위험(risk) 평가'라는 절차를 거쳐 애써 채택하려고 할까? 그 기술이 뿌리치기 어려울 만큼 큰 수익으로 이어지기 때문일 것이다. 물론 기술이 가져다준다는 편익에 홀려 기술의 방관자로 전락한 우리의 탓도 크다. 그런데 이렇게 생겨난 수익은 누가 가져갈까?

성장 체제는 그대로 둔 채 기술로 온실가스만 없애겠다는 것은 단물만 빼먹고 대가는 치르지 않겠다는 심보다. 그러나 모든 것이 연결된 세상에서 공짜 점심은 없다. 지금 모를 뿐이지, 우리가 누린 편익의 대가는 누군가가 어떤 식으로든 치러야 한다. 부유한 소수가 누려온 화석연료의 편리와 풍요의 대가가 모두의 삶이 걸린 기후변화일 줄 그땐 몰랐다. 설혹 마법 같은 신기술로 온실가스 문제를 해결한다고 해도 지금은 알 수 없는 계산서가 언젠가는 반드시 날아온다.

"위선자들아, 너희는 땅과 하늘의 징조는 풀이할 줄 알면서, 이 시대는 어찌하여 풀이할 줄 모르느냐?"('루카복음') 이 시대에 대한 기후변화의 요구는 '바꾸라'는 것이다. 근대화, 산업화란 이름으로 인간이 벌여온 행태가 자연이 더는 받아줄 수 없는 한계에 이르렀으니, 생존하려면 바꾸라고 한다. 이것만이 잘 사는 길이라며 밀어붙인 경제성장이 사회적 재앙을 키워왔으니, 행복해지려면 바꾸라고 한다. 국제 여론조사업체 입소스의 '세계의 걱정거리' 10월 조사에서 '빈곤과 사회적 불평등'이 1위로, 기후변화가 10위로 나왔다. 이 둘은 성장이 곧 발전이고 진보라는 성장 이데올로기가 낳은 이란성 쌍둥이다.

기후변화가 요구하는 삶의 전환이 어떤 것인지 모른다면, 우리는 얼마나 무지한가. 알고 있다면, 성장 체제에 목매는 우리는 얼마나 어리석은가. 체제 변화 없이 기술로 해결할 수 있다고 생각한다면, 우리는 얼마나 교만한가. "We are sinking, but so is everyone else." 코페 장관의 말대로, 우리가 변하지 않으면 시기만 다를 뿐 결국 모두 가라앉을 것이다. 이 단순한 진실을 외면하는 한, 그 어떤 기술도 기후위기에서 우리를 건져낼 수 없다. 책임이 적은 사람과 지역이 먼저 기후변화에 희생되는 현실이 안타까울 뿐이다. 우리는 언제까지 우리가 앉아 있는 가지를 톱으로 자르고 있을 것인가(브레히트).[191]

75. 이젠, '너절한 연애' 직시해야

요즘 독자들은 언론에서 교제 폭력(데이트폭력)에 대한 보도를 자주 접하게 되었다고 느낄지도 모르겠다. 실제로 '안전이별'이 청년 여성들 간 주요 공유 키워드가 된 2010년대 이후로, 교제 폭력 신고 건수가 날로 증가 추세에 있다고 한다. 최근 들어 발생한 교제 폭력 사건의 경우 폭력의 양상이 급격하게 심화된 경우가 많아 언론의 주목도가 더욱 높아졌다.

교제 폭력과 같이 이전에는 사소하게 여겨지거나 개인적 문제로 치부되던 것을 사회구조적 문제로 바라보고 해결책을 함께 도모하는 데 언론의 역할이 있다. 하지만 최근의 교제 폭력 보도는 이러한 역할을 다하지 못하고 있는 것 같다. 여러 유형의 폭력 사건을 보도하는 데 있어 과거로부터 관행적으로 반복되어 온 '그림'이 있다. 대표적인 '그림'은 범죄자 연행 시점에서 화면 안으로 내밀어지는 수많은 마이크, 이를 더욱 극적으로 만들어주는 범죄자를 비난하는 주변의 격앙된 목소리, 하나라도 더 취재해야 하기에 다급하게만 들리는 기자의 질문들이다.

그런데 그 다급한 질문 내용이 범죄의 이유 혹은 범죄자의 현재 감정에 대한 것이다. 최근 사건 보도에서 취재진은 "연인 관계였는데 미안한 마음이 없나"라고 물었다고 한다. 살인이 미안한 마음의 문제인지도 의문이지만, 도대체 언론에서 범죄자의 미안한 마음을 확인하는 것이 왜 필요할까? 물론 범죄심리분석 수사관들은 가해자의 심리나 태도와 같은 것을 확인한다. 향후 범죄 유형을 파악하고 예방책을 세우는 데 필요한 전문성 영역이기 때문이다. 그러나 이는 언론이 취재하여 시민들에게 알려주어야 할 정보라고 할 수는 없다. 게다가 이 질문은 그 전제 구조가 기이하다. 가해자와 피해자가 연인 관계였다는 과거가 미안한 마음을 가지는 데 어떤 의미가 있는가? 여기서 연인 관계라는 말속에 상상된 것은 무엇일까. 더불어민주당 권인숙 의원은 친밀한 관계의 폭력 관련 법제도 개선을 추진하면서 교제 폭력 문제에서 연애로 겪는 고통을 포함하여 '너절한 연애'를 직시해야 한다고 강조한 바 있다.

연애는 낭만적이고 환상적인 어떤 것이 아니고, 교제 폭력이나 가정 폭력과 같은 범죄는 사랑이라는 이름으로 포장된 위계적이고 폭력적인 관계로부터 발생한다. 여성을 동등한 인격체로 바라보지 않고 자신의 통제하에 두겠다는 잘못된 인식, 공포와 위협을 통해 여성을 지배하려는 폭력적인 양상들이 '연인 관계'로 포장되기에 이제까지 이 폭력이 그저 "둘 사이 문제"로 치부되어 왔던 것이다. 교제 폭력의 원인과 속성에 대한 고민 없이 관행적으로 가해자의 말을 들으려는 보도는 철학자 케이트 만이 〈남성특권〉에서 주장한 바와 같이, 피해자가 받아야 마땅한 공감을 빼앗아 가해자에게 주는 것, 즉 힘퍼시(himpathy)가 자연스럽게 우리 사회에 내면화되어 있다는 것을 드러내어 주는 것이기도 하다.

미공개된 정보는 그 자체로 가치가 있을지에 대한 고민이 없는 점도 문제였다. 7월에 발생한 교제 살인 사건에 대한 몇몇 언론의 보도는 미공개라는 이유로 CCTV 영상을 과도하게 노출하면서 당시 피해자의 상황을 묘사하는 표현을 기사 제목으로 내걸기도 했다. 어쩌면 교제 폭력의 심각성을 알려야 한다는 것이 그러한 보도의 이유라고 주장할지도 모르겠다. 그런데 목숨을 잃은 피해자가 존재하는데 그가 어떻게 목숨을 잃게 되었는지를 세세하게 묘사해야 심각함을 알 수 있다고 생각한다면 그 자체가 문제는 아닐까?

교제 폭력 문제 해결을 위해 필요한 것은 현재의 법제도 개선 사항을 검토하고 시민의 인식 전환을 이끌기 위해 누가 무엇을 해야 할지 등을 다각도로 취재하는 것이다. 언론이 이러한 책무를 다하려면 관행을 벗어나 무엇을 질문해야 하는지 그리고 '그림'에 무엇을 담아야 하는지를 다시 질문해야 할 필요가 있다.[192]

76. 당신에게 웃을 용기

　새해의 희망과 다짐을 꼽아볼만한 즈음이다. 작년 이무렵에 쓴 일기를 보니까 다소간 축 처진 어조로, 어쨌거나 희망을 담아서, 다가오는 2021년에는 보고싶은 사람들을 마음껏 다시 만나고 싶다고 적었다. 외향성인 나에게 사회적 거리두기의 1년은 힘들었던 것이다. 몽골 여행을 가고싶다고 적은 부분은 지금 와서 다시 보니 그 순진한 바람이 너무 안쓰러울 지경이다.다시 1년이 흘러 코로나와 함께한 시간이 3년차에 접어들고 있는 요즘, 해외여행 같이 거창한 것을 섣부르게 바라서는 안 된다 치고, 작년에 바랐던 것의 절반만큼이라도 올해는 이룰 수 있을까? 야 오랜만이다, 그동안 어떻게 지냈어? 하고 반갑게 안부를 묻는 친구들의 모임들 같은 것 말이다. 작년까지만 해도 올해의 소망으로 꼽았던 것들을 다시 떠올리기 힘들만큼 내 마음은 위축되었다. 그런 걸 바란다는 사실이 알려지기만 해도 어디선가 철없다는 비난의 소리를 들을 것처럼, 나는 주변의 눈치를 보게 되었다.어느 날 엘리베이터 안에서 마주한 내 모습이 낯설어 보였다. 그렇다, 마스크를 깜박 잊고 나선 것이다. 동승자가 없는 것을 다행으로 여기면서 다시 집으로 돌아가 마스크를 챙겨 나왔다. 몇분 안 되는 사이에 누가 타기라도 할까 조마조마했다.불안해하는 짧은 와중에도 나는 거울에 비친 낯선 내 얼굴을 흥미롭게 보았다. 집 밖에서 이렇게 얼굴을 가리지 않은 상태였던 적이 없어서 중요한 속옷을 입지 않은 것처럼 거북할 지경이었다. 복도나 엘리베이터 같은 밀폐된 공간이 아니라 개방된 실외에서도 마스크 착용이 필수라고 느끼는데, 그것은 감염을 막기 위해서가 아니라 혹시라도 비난받을지 모를 가능성을 피하고 싶기 때문이다. 나에게 질병보다 더 두려운 것은 사회적 비난이다.일상회복은 해외여행·친구만남만은 아냐낯선 사람들과 경계심 없이 이야기 나누며별 뜻없이 미소 던질 수 있었던 기억들이다

　작년 이무렵 일기장 속의 나는 많은 사람들이 백신을 맞으면 코로나의 공격에서 다같이 보호받을 수 있을 것이라는 언론의 분석기사를 기록하고, 백신의 빠른 개발에 기쁨과 기대를 표시했다. 가족 중에 고령자와 지병을 가진 고위험군이 많았지만 용감하게 제일 먼저 팔뚝을 걸었다. 그렇게 백신접종률이 충분히 높아졌

지만 불행히도 집단면역이라는 이상향은 도래하지 않았다. 반갑게 맞이한 일상회복이 단 몇주를 견디지도 못하고 철회되고 오히려 추가접종이 줄줄이 이어질 것이라는 소식에는 속은 것처럼 멍한 기분이 되었다.

이미 여러번 기대와 실망을 반복했지만, 필연적으로 언젠가 우리는 코로나와 공존의 시도를 재개할 것이다. 그때 사람들의 마음엔 불안과 우려가 그득할 것이다. 하지만 잊지 않아야 할 일이 있다. 우리는 단시간 내 세계 최고 수준의 성인 접종률을 기록했으며 2년이 넘는 시간동안 성실하게 마스크 쓰기와 사회적 거리두기를 실천했다. 대다수의 사람들이 서로의 안전을 지키기 위해 이타적인 노력을 기울였다. 우리가 길에서 만나는 개개인들은 합당한 존중을 받을만큼 이미 노력한 사람들이라는 뜻이다. 그런데 우리는 그 사실을 너무 쉽게 잊고, 나 아닌 다른 사람들에게 쉽사리 의심과 질책의 눈빛을 보내곤 한다.새해 결심은 마스크 벗고 웃을 준비하는 것

우리가 그리워하는 일상의 회복이 해외여행과 떠들썩한 친구들의 만남만은 아닐 것이다. 내가 정말로 그리워하는 것은 거리나 복도에서 만나는 낯선 얼굴들에게 별다른 경계심을 가지지 않았고 그날 날씨에 대해 낯모르는 사람과 이야기를 나누며, 스쳐 지나가는 사람에게 별 뜻 없이 미소를 던질 수도 있었던 날들의 따뜻했던 기억들이다. 누군가 나에게 그렇게 웃어준 날은 하루 종일 기분 좋게 지내곤 했다. 모르는 사이에 주고받은 호의가 주는 행복감은 생각보다 강하다. 그 평범하고 소박한 순간들이 진심으로 그립다.긴 거리두기를 지속하는 새 우리는 바이러스에게 폐를 지키는 대신 마음을 잃고 있었는지도 모른다. 이제는 서로의 선택을 비난하거나 경멸하지 않고 존중할 때가 되었다. 바이러스와 긴 싸움을 지치지 않고 오래도록 해나가기 위해서는 서로를 믿고 따뜻하게 격려하는 웃음 짓는 얼굴들이 필요하다. 그러니 나의 새해 첫 결심은, 어느날 마스크를 벗은 얼굴로 마주친 낯선 당신에게 다시 웃을 준비를 해야 하겠다는 것이다.[193]

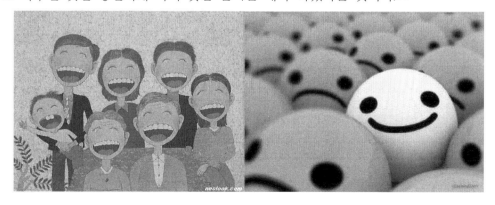

77. 문화와 삶

"선생님은 일할 때 사소한 데까지 마음을 담는 게 보여요. 세미나 공지메일 몇 줄에서 마음이 느껴지고요. 그게 인상 깊었어요." 갓 학위를 받고 연구소에서 일할 무렵 어떤 분께 들은 평이다. 그 말씀이 좋아서 아껴 간직했다. 때때로 혹자에게 순응적이라고 비웃음 사거나 '너무 애쓰며 살지 말라'는 핀잔을 듣고도 스스로의 행동방식을 바꾸지 않았다.

시간이 흐르며 할 일은 차츰 늘었다. 논문 외에 기한을 맞춰 써낼 원고나 심사평 등이 많아졌고, 수업 외에 참여할 회의나 작성할 기획서가 쌓여갔다. 교내식당 다녀올 시간을 못 내어 컵라면으로 끼니를 때워도 이것저것 일처리하다 보면 어느덧 해가 뉘엿뉘엿했다. 비슷한 연차의 동료들에 비해 격무에 시달리는 것도 아니면서 왜 이렇게까지 마감에 쫓길까. 시간과 에너지는 한정되어 있는데 모든 것에 일일이 마음을 담으려다 보니 항상 종종거리는 것일까. 사소한 문구를 고민하느라 논문 진도가 더뎌지고, 짧은 토론문을 되풀이해 다듬다가 사회적 관계의 도리를 못하는 식으로. 예전엔 "네" "그러죠" 같은 단답형 메일이 무례하다고 여겼지만 어쩌면 그건 무성의함이 아니라 상대적으로 덜 중요한 일처리를 미루지 않기 위한 방책일지 모르겠다는 생각이 들었다. 나의 지체된 답메일로 곤란했을 이들 역시 유려한 답변보다 차라리 '예/아니요'의 건조하되 즉각적인 답변을 더 원했을 테다. 보석처럼 품어왔던 저 평은 칭찬이 아니라 결함에 대한 지적이었을까. 혼란스러웠다.

그러다 몇 해 전, 폭설이 왔을 때다. 층계와 벤치는 물론 학생들이 만든 눈사람마저 눈 속에 폭 파묻혔다. 내가 재직하는 학교는 중산간에 위치한 터라 스노체인을 감지 않은 차량은 그럴 때 교내로 진입하기 어렵다. 따라서 이른 시각에 주변 도로상태를 알리는 단체문자를 총무과에서 발송해준다. 그해 겨울엔 달포가량 아침마다 그 알림음을 들으며 잠에서 깼는데, 언젠가부터 흥미로운 사실을 하나 발견했다. 통상 이런 종류의 공지는 기본문구를 '복사해 붙이는' 방식으로 발송될 법하지만 이 안내문자는 매번 조금씩 달라진다는 점이었다. 통행이 아예 불가능한지 아니면 다닐 순 있는지 등, 내용에 차이가 나는 게 아니라 '폭설이 내려' '계속 눈이 내려' '엄청 눈이 와' 식으로 표현이 미세하게 변주되었던 거다.

이를 눈여겨본 이유는 바로 내가 그렇게 하기 때문이다. 학회 공지메일을 보내거나 심사의견서를 쓰며, 심지어 일 관련 카톡을 보낼 때조차 단어와 어미를 고

치고 또 고치니까. 가령 '듯합니다'를 '같습니다'로, 다시 '같아서요'로. 동일한 어휘를 반복해 사용하기 싫고, 상대에게 적확하면서도 아름답게 닿을 표현을 고르고 싶어서 말이다.

하루는 새벽녘 '많은 눈이'로 시작되는 공지를 확인한 후 설핏 다시 잠들었다. 삼십분가량 지났을까. 알림음이 재차 울렸다. 휴대폰 화면을 보고 나도 모르게 웃음이 터졌다. '너무 많은 눈이'로 시작되는 문자가 그새 한 통 더 온 것이다. 짐작건대 담당 교직원 선생님이 단체문자를 발송한 후 출근해서 직접 보니 '이거 눈이 쌓여도 너무 쌓였군' 싶으셨던가 보다. 그래서 재빨리 단어를 추가하신 걸까. 그 장면을 상상하니 심장이 따뜻해져왔다. 내가 사소한 일 안에 담아낸 마음 또한 누군가에겐 이렇듯 온기를 품은 채 타전되었으리라. 그렇게 생각하기로 했다. 단편소설에서 읽은 다음 구절이 기억났다.

"동봉한 편지에 아버지는 '나는 너를 믿는다. 네 소신껏 희망을 갖고 밀고 나가거라. 어차피 인생이란 그런것이 아니겠냐'라고 써놓은 뒤, '아니겠냐'의 '겠'과 '냐' 사이에 V자를 그려놓고 '느'를 부기했다. 그 편지를 읽을 때마다 나는 '아니겠냐'라고 쓴 뒤에 그게 마음에 들지 않아 중간에 '느'자를 삽입하는 아버지의 모습을 떠올린다." (김연수, "뉴욕제과점")[194]

78. 사진과 독심술

사진 찍히는 것을 좋아하지 않는다. 사진에 담기는 순간도 인화된 결과물도 모두 거북하다. 단체 사진은 질색이다. 마지못해 찍힌 사진 속의 나는 대부분 못나게 웃고 있다. 양손의 V자는 어색함을 잘라내고 싶은 가위 같다. 제대로 설치된 조명 아래에서 촬영된 증명사진은 내가 포토제닉하지 않다는 사실을 증명한다고 믿었다. 믿음 덕에 실물의 미학적 평가는 유보될 수 있었다. 이렇게 오랜 시간 사진빨을 핑계로 사진을 기피했지만 사실은 보이고 싶은 나와 보이는 나의 괴리가 사진을 밀리하는 심리의 뿌리다.

유명인의 초상 사진에는 단 하나의 표정이 있다. 그들이 보이고 싶은 얼굴이다. 불멸의 의지를 표현하는 근엄한 초상이다. 오랜 시간 부동의 자세를 유지해야 하는 고통을 감내하면서까지 초상화를 남기고자 했던 귀족들의 한결같은 표정이 유전돼 있다. 주목받으며 살아온 존재감을 영원히 남기고 싶은 욕망의 매너리즘이다.

초상 사진으로 각광을 받던 필립 할스만은 유명인일수록 카메라 앞에서 굳어지는 것이 불만이었다. 특히 정치인, 예술가 등 유명인은 하나의 마스크를 돌려쓰는 양 엄숙했다. 눈물 흘리는 아인슈타인을 포착하는 행운은 자주 오지 않았다. 필립 할스만은 자신의 인장이라 할 만큼 유명한 사진 미학 '점프학(Jumpology)'을 창안했다. 촬영 대상 인물들에게 공중으로 뛰어오르라 요구한 뒤 공중 부양 상태에서 인물이 노출하는 무방비한 표정을 담는 촬영술이다. 유명인의 지엄한 가면을 벗겨 솔직한 내면을 잡아내기 위해 고안했다.

대표적인 인물은 배우 출신으로 모나코 왕비가 된 그레이스 켈리(왼쪽 사진)다. 왕가의 위엄과 기품을 연출해야 했기에 억제된 명랑한 성정은 할스만의 카메라 앞에서 잠시나마 개방되었다. 사진 속 그레이스 켈리는 유쾌한 소녀로 돌아가 있다. 또 한 사람은 부통령 시절의 리처드 닉슨(오른쪽)이다. 동심을 찾은 그레이스 켈리와 달리 입술이 살짝 올라간 어색한 표정이다. 무엇인가 감추고 있는 음울한 인물로 보인다. 워터게이트로 불명예스럽게 퇴진한 닉슨이어서 더 그렇게 보였을 수도 있겠으나 켈리와 크게 대비된다. 할스만의 촬영은 일종의 독심술이었다.

지난해 12월부터 필립 할스만의 사진전 '점핑 어게인'이 전시 중이다. 2013년 처음 전시돼 호평을 받은 바 있는 할스만 사진전의 기획자는 윤석열 국민의힘 대선 후보의 배우자 김건희씨다. 점프 촬영술로 국내 유명인 사진을 찍어 친근하게 연결했고, 점프하며 함박웃음을 짓는 문재인 대통령 사진도 홍보에 이용했다. 이 사진전은 김씨가 뿌듯해할 만큼 성공적이어서 앙코르 전시를 고려한다고 했었다. '점핑 어게인'은 어쩐 일인지 다른 회사에서 진행하고 있다.

김건희씨는 '대학에서 미술을 전공했고 경영학으로 석·박사 과정을 밟았다'고 한다. 문화사업가 김건희씨는 '일류가 아니면 사람을 속이는 것'이어서 일류를 선별해낸다. 일류가 창조하는 문화를 통한다면 '하루아침에 사람이 바뀔 수 있다'고 주장한다. 최고가 아니면 기만하는 것이라는 윤리관도 아리송하나 최고의 예술가를 소개하겠다는 전시기획자로서의 다짐이라 이해한다. 그러나 사람이 단박에 변화할 수 있다는 믿음은 신묘한 힘을 기대하는 주문이라면 모를까 조악한 자기계발서에서도 주저할 만한 께름칙한 신념이다. 김건희씨에 대한 세간의 소문과 연결돼 수상하게 읽힌다. 점프한다고 중력을 거스를 수 없듯이 사람도, 정치도 짧은 시간 안에 변화될 수 없다.

김건희씨의 점핑 사진을 상상해본다. 왕비 그레이스 켈리의 해맑은 표정일지, 불편한 닉슨의 얼굴일지 궁금하다.[195]

79. 시대정신 외면하고 행동 않는 지성은 곧 '인간다움'을 잃은 죄인

단테는 지옥에서도 받아주지 않으려 하는 최악의 죄인으로 '의지도 없고 실천도 없이, 비겁하고 무책임하게 사는 사람'을 꼽는다. 단테는 이들이 잠에 취해 어두운 숲속에서 길을 잃은 존재라고 본다. 이들은 지옥의 변방에서 벌거벗은 몸으로 파리 떼와 벌 떼의 공격을 받고, 피를 흘리며 벌레들에게 둘러싸이는 벌을 받는다. 그림은 프란시스코 고야의 '이성의 잠은 괴물을 낳는다'(1797~1799, 왼쪽), 귀스타브 도레의 '어두운 숲속의 단테'(1861).

우리 살아가는 길 중간에나는 어느 어두운 숲 속에 서 있었네. 곧은길이 사라져 버렸기에.......

어떻게 거기 들어섰는지 말하기 쉽지 않으나, 진정한 길을 잃어버렸던 바로 그때잠에 너무나 취해 있었다.

그러나 무서움에 내 마음이 찢겨 나간저 골짜기가 끝나는 그곳에, 어느 언덕 기슭에 이르고 나서야

위를 바라보았고, 그 등성이가 보였는데, 다른 자들을 각자의 길로 올바로 이끄는 행성의 빛줄기에 벌써 휘감겨 있었다.([지옥] 1곡 1~18행)

가. 잠든 지성은 괴물을 낳는다

곧고 올바른 길 강조한 단테에게 구원이란 섭리의 일방 작용이 아닌 인간의 지성이 스스로 만드는 것.

살다보면 곧은길에서 벗어나 앞이 보이지 않는 어둠 속에서 헤매는 때가 오기 마련이다. 누구나 그렇듯, 단테도 그랬다. 늦은 나이에 정치에 뛰어든 지 불과 5년 만에 피렌체를 대표하는 6인의 최고위원에 선출되면서 인생의 정점에 올라섰다. 당시 극도로 복잡하게 전개되고 있던 정쟁의 기본 구도는 황제와 교황의 대립이었다. 다른 도시들처럼 피렌체도 황제와 교황을 옹호하는 두 파벌을 중심으로 시민이 분열되는 양상을 보였다. 단테는 파벌의 대립을 소멸시키고 적법한 권력을 세울 때 비로소 피렌체에 안정과 번영을 가져올 수 있다고 생각했다.

그래서 세속 권력을 탐하던 교황 보니파키우스 8세에게 피렌체가 협력해서는 안 된다는 주장을 펼쳤고, 이 문제를 외교적으로 해결하기 위해 로마를 방문한다. 그런데 마침 그가 피렌체를 떠나 있는 동안 교황과 결탁한 파벌이 주도하는 쿠데타가 일어난다. 무력으로 집권한 새로운 정부는 단테를 배임 및 뇌물수수로 기소

하고, 궐석재판을 열어 추방을 선고한다. 피렌체에 복귀할 경우 화형에 처한다는 무시무시한 조항도 곧 추가되었다.

〈신곡〉을 시작하는 위의 인용문에서 "어두운 숲"은 당시 황제와 교황이 대립하여 생겨난 무질서와 혼란의 상태를 가리킨다. 단테는 "진정한 길"을 잃어버려 "어두운 숲"에 들어선 이유를 잠에 취해 있었기 때문이라고 분석한다. 그는 지금 잠에서 깨어 숲을 두리번거리며 헤매고 있다. 잠들었던 지성이 깨어나 행동을 시작하는 상태다. 지성은 그를 숲이 끝나는 지점까지 인도하며, 그곳에서 비로소 위를 바라보자 언덕 등성이를 휘감은 별빛이 눈에 들어온다. 그리고 그 별빛이 모든 사람을 올바른 길로 이끄는 것임을 알게 된다. 이제 그에게는 그 별을 향해 나아가는 일이 주어져 있다. 단테는 곧고 올바른 길을 거듭 강조한다. 앞으로 그는 길을 잃어버린 이유와 경위를 밝히고 길을 회복하는 과정을 들려줄 것이다. 그가 들려주는 이야기는 잠에서 벗어나 지성을 최대한 발휘하는 내용으로 이루어진다. 이것이 곧 그가 추구했던 구원의 길이다. 단테에게 구원이란 섭리의 일방적 작용이 아니라 인간이 지성을 발휘하여 스스로 만들어가는 일이었다.

나. 필요한 것은 용기다

결국 단테는 존경하던 작가 베르길리우스의 도움으로 황혼녘의 거칠고 쓸쓸한 길로 나선다. 그러나 살아있는 몸으로 지옥으로 내려가는 그 힘든 여행을 감당할 힘을 스스로 갖추고 있는지 의심한다. 베르길리우스는 그 의심 뒤에 도사린 두려움을 알아차리고 비겁하다 일깨워준다.

왜, 왜 주저하는가, 왜 마음속에 그리도 겁을 품는가, 왜 용기와 솔직함이 없는가?([지옥] 2곡 121~123행)

베르길리우스는 '왜'라는 의문사를 세 행에서 무려 네 번이나 거듭하며 단테를 다그친다. 주저하고 겁을 내는 이유를 묻고 판단을 촉구하는 것이기도 하지만, "주저"와 "겁"을 버리고 "용기"와 "솔직함"을 찾으라는 명령이 더 확연하게 드러난다. 베르길리우스는 주저와 겁을 버리기 위해 용기가 필요하고, 용기는 스스로에게 자존감과 내적 확신(이들이 "솔직함"의 숨은 뜻이다)을 불어넣어준다고 생각하는 듯 보인다.

용기는 무엇에도 얽매이거나 휘둘리지 않으며 과감하게 소신을 펼쳐나가는 기반이다. 베르길리우스의 촉구와 격려 덕분에 단테는 마침내 지옥으로 가는 발길을 떼어놓는다.

다. 치욕도 찬사도 없이 살았던 슬픈 영혼들

막중한 임무 회피한 당대 교황처럼 아무 일도 도모하지 않는 사람들 비겁하고 무책임한 죄인으로 간주.

단테가 지옥에 들어서자마자 별 하나 없는 어두운 허공에서 불어닥치는 회오리 바람에 모래알처럼 휩쓸리는 망령들이 나타난다. 이들은 지옥이 받아들이지 않기 때문에 지옥의 변방, 즉 아케론 강을 건너기 이전의 구역에 머물고 있다. 천국에 오르지도, 지옥에 떨어지지도 못하는 이들은 천국과 지옥이 모두 거부하는 최악의 죄인들이다.

치욕도 찬사도 없이 살았던 자들의 슬픈 영혼들이 이렇게 비참한 꼴을 당하고 있다.([지옥] 3곡 34~36행)

아무 일도 도모하지 않고 안락하게 사는 사람은 비난도 찬사도 받지 않는다. 단테는 이들이 의지도 없고 실천도 없이, 비겁하고 무책임하게 사는 죄를 저질렀다고 간주한다. 단테는 지옥이 벌하는 수많은 죄의 기본 유형을 부절제, 폭력, 사기로 분류하는데, 이들은 그 어디에도 속하지 않는다. 마땅히 죄를 저질렀다 할 수도 없건만, 단테는 지옥마저 이들을 비웃는다고 생각한다.

단테는 이들 가운데 한 사람을 알아보고, 그를 막중한 책임을 회피한 비겁한 영혼이라 부른다([지옥] 3곡 59~60행). 그 영혼이 과연 누구를 가리키는지 <신곡>을 읽는 시대와 사회에 따라 수많은 후보자가 거명되었는데, 가장 유력한 인물은 당시 교황이었던 켈레스티누스 5세다.

80대의 고령 은둔 수사로 명성이 높았던 피에트로 델 모로네는 1294년 4월4일 소집된 콘클라베(Conclave · 교황 선출을 위한 추기경 회의)에서 교황으로 추천되어 켈레스티누스 5세라는 이름으로 교황직에 올랐다. 그러나 공직을 수행하려는 열의가 부족하여 불과 5개월 만에 사임한다. 교황은 종신직이지만, 죽기 전에 교황직에서 물러난 사례가 있다는, 당시 교회법 전문가였던 추기경 카에타니의 거짓 조언의 힘이 컸다(나중에 단테는 지옥 밑바닥에서 사기범들 속에 섞여 있는 카에타니를 발견한다).

교황을 들쑤셔서 자리를 넘겨받은 추기경 카에타니는 보니파키우스 8세가 되었다. 물러난 교황은 다시 은둔 수사의 평온한 삶으로 돌아가기를 원했지만, 후임자에 의해 2년 남짓 감금된 끝에 사망한다. 1988년 그의 두개골을 엑스(X)레이로 촬영한 결과 5cm 크기의 구멍이 발견되었다고 하니, 그의 사망에 어떤 음모가 개입했다는 심증이 짙다.

황제와 다투면서 세상을 어지럽히고 사회의 공정성을 심각하게 훼손한 교황 보니파키우스 8세의 권력욕은 사실상 그가 끌어내린 전임 교황의 직무유기에서 비롯되었다. 그저 안온하게 숨어서 고행하는 은둔 수사의 삶은 사회의 엄중한 요청을 외면하는 죄였다. 그 비겁한 영혼은 사회의 혼란을 야기했고, 자신도 비참한 최후를 피하지 못하고 지옥의 변방에 떨어져 지옥이 비웃는 신세가 되어 있다.

구더기에 시달리는 비겁한 영혼들 정녕 살아있지도 않았던 이 비열한 자들은 벌거벗은 채, 거기 있는 거대한 파리와 벌 떼에게 무참히도 찔리고 있었다.

찔린 얼굴에서 피가 눈물과 뒤섞여 흘러내렸고, 지긋지긋한 벌레들이 다리에서 그것들을 거두어들였다.([지옥] 3곡 64~69행)

지옥의 영혼들은 모두 벌거벗고 있지만, 특히 이곳 지옥 변방에 머무는 비겁한 영혼들의 벌거벗은 몸은 설상가상으로 파리 떼와 벌 떼의 공격에 무방비 상태로 노출된 상황이니, 이를 보고 단테가 얼마나 경멸스러운 시선을 던졌는지 알 수 있다. 이 하찮은 미물들이 만든 상처에서 솟아난 피가 다리까지 흘러내리고, 그 피를 벌레들이 빨아먹는다. 여기서 벌레는 남의 살을 먹고 자라나는 구더기로 짐작된다. 비겁한 영혼들은 제 몸뚱이 하나 어쩌지도 못해서 구더기를 떼어내려는 엄두도 내지 못한다. 지옥 변방의 비겁한 영혼들은 구더기들조차 무시하고 비웃는, '인간'으로서 가장 경멸적인 존재들이다.

비겁한 영혼들이 구더기에게 생살을 파먹히는 이유는 스스로 행동하지 않기 때문이다. 단테가 말하는 비겁은 용기와 행동의 결여라는 점에서 부동과 침묵의 반지성주의에 직결된다. 직면해야 할 것을 회피하고, 귀 기울여야 할 때 안 들리는 척하고, 몸을 움직여야 할 때 도사리는 태도다. 살아 있지 않은 상태이며 인간답지 않은 모습이다. 천국의 빛으로 나아가기 위해 지옥의 어둠을 직면하는 일은 인간만이 할 수 있는, 해야만 하는 사명이다. 그런 의미에서, 비겁함은 인간을 인간답게 만드는 선(善)의 대척점에 서 있다.

라. 지성은 행동이다

자성 능력 잃은 집권 진보세력도 둥지 속에서 나와 비판 인정하며 시대의 새로운 요청에 응답해야.

선은 인간다움에서 나오고 악은 인간다움을 잃으면서 생장한다. 단테는 인간다움의 첫째 조건은 지성이며, 지성은 용기와 행동으로 이루어진다고 보았다. 아무것도 안 하는 것만으로도 지성을 잃고 악으로 기울어지며 인간다움을 잃는다는 말이다. 잠에서 깨어 지옥을 직시하고 용기를 내어 행동하는 단테의 모습. 이것이 인간다움을 추구하는 모습이다.

행동이 없으면 행동의 목표도 흔들린다. 우리 사회에서 진보 세력은 집권하기 시작한 이래 찬사만 있고 치욕은 없었다. 치욕은 상대에게만 해당된다는 생각, 자신은 늘 옳다는 확신과 자부심만이 가득했다. 그러는 사이, 지성은 퇴화하여 스스로를 돌아보는 능력을 상실했고, 일찍이 저항했던 배타적인 기득권 지배 권력이 되었다. 비겁하게 둥지 속에 도사리지 말고, 이런 비판을 인정하는 용기가 필요하다. 그래야 거듭날 수 있고 시대의 새로운 요청에 응답할 수 있다. 그 거듭나는 응답이 곧 행동이고 진보다. 진보의 시대정신은 여전히 필요하고, 수많은 미완의 개혁 과제들이 아직 우리 앞에 놓여 있다.[196][197]

80. 유해 콘텐츠 · 범죄 위험 널린 온라인… "청소년 '방어막' 만들어야"

"교복 모델 하실래요?" 박지호양(고 2)이 페이스북에 교복을 입고 찍은 사진을 올리자 한 가계정이 메시지를 보내 왔다. 거절했더니 '그러면 사진을 써도 되겠느냐'는 답장이 돌아왔다. 수상함을 느낀 박양은 계정을 신고하려 했지만 상대방은 그새 계정을 삭제했다. "많이 무서웠어요. 진짜로 제 사진을 그 사람이 썼다면 어디 떠돌아다니고 있는지 저는 절대 모르잖아요."

일러스트 | 김상민 기자

디지털 미디어 기술이 빠르게 발전하지만 그 안에서 아동 · 청소년의 권리는 제대로 보장받지 못하고 있다. 기술 발전 속도에 비해 윤리적 · 제도적 고민이 부족한 탓이다. 디지털 플랫폼에서 아동 · 청소년은 유해 콘텐츠에 무분별하게 노출되거나 범죄의 타깃이 되기도 한다. 아동·청소년을 형상화하면서 편견과 혐오를 부추기는 경우도 허다하다. 경향신문은 한국의 유엔 아동권리협약 비준 30주년(20일)을 앞두고 미디어에 관한 아동·청소년들의 이야기를 들었다.

가. 보기 싫어도 보이는 유해 콘텐츠

경향신문이 만난 아동·청소년은 디지털 미디어 환경이 자신에게 호의적이지 않다고 느꼈다. 곳곳에 널려 있는 유해 콘텐츠 때문이다. 김시후군(중 3)은 특히 폭력적이고 선정적인 유튜브 광고가 거슬린다. 콘텐츠는 연령 제한이 있지만 광고는 무방비로 모두에게 노출된다.

박양의 경우처럼 모르는 사람에게 피해를 입는 경우도 잦았다. 하나의 사회처럼 기능하는 사회관계망서비스(SNS) 공간에서 아동·청소년을 상대로 부적절한 언행을 하는 이들이 늘어난 것이다.

고등학생 A양은 인스타그램이 해킹돼 난감한 상황을 겪었다. A양은 "한 번은 모르는 사람한테 '누구신데 욕하세요' 라는 인스타그램 메시지가 왔다. 누구시냐고 물었더니, 내가 그 사람에게 욕을 했다는 거였다" 며 "상대방이 보낸 캡처본을 보니 실제로 내 계정이 욕을 보냈다. 말로만 듣던 해킹이었다" 고 했다.

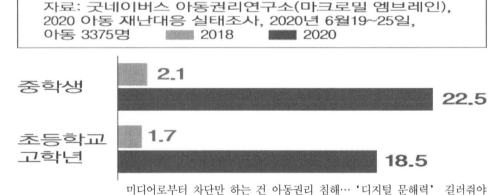

"온라인 폭력을 경험했다" 응답 비율

자료: 굿네이버스 아동권리연구소(마크로밀 엠브레인), 2020 아동 재난대응 실태조사, 2020년 6월19~25일, 아동 3375명   ▨ 2018   ■ 2020

	2018	2020
중학생	2.1	22.5
초등학교 고학년	1.7	18.5

미디어로부터 차단만 하는 건 아동권리 침해… '디지털 문해력' 길러줘야

미디어가 아동을 다룰 때 드러나는 편견에 불쾌해지기도 한다. 김예진양에게는 '○린이' 라는 표현이 그렇다. "고등학생이라 제가 기분이 나쁘지는 않았지만 어린이들이 들으면 기분이 나쁠 것 같았다" 며 "어린이들을 낮게 보고 얕잡아 보는 말인데, 급식충이라는 단어도 그런 단어라 기분이 좋지 않다" 고 했다.

코로나19로 디지털 미디어 이용 시간이 늘면서 그 안에서 아동권리 침해도 따라 늘었다. 굿네이버스 아동권리연구소가 지난해 아동 3375명을 대상으로 실시한 '2020년 아동 재난대응 실태조사' 결과를 보면, 지난해 온라인 폭력을 경험했다고 응답한 중학생은 22.5%로 2018년 조사 때(2.1%)보다 10배 이상 늘었다. 같은 기간 온라인 폭력을 경험한 초등학교 고학년도 2018년 1.7%에서 2020년 18.5%로 폭증했다. 고완석 굿네이버스 아동권리옹호팀장은 18일 "미디어 생산자와 소비자가 아동권리에 대한 감수성이 있는지, 아동을 어떤 존재로 생각하는지가 가장 중요하다"며 "아동을 성인과 동등한 권리 주체가 아니라 희화화해도 되는 존재로 여기는 경향이 있다"고 했다.

국제사회도 같은 문제의식을 갖고 대응하고 있다. 유엔 아동권리위원회는 지난 2월 디지털 환경에서의 아동권리를 다룬 '일반 논평 제25호'를 채택했다. 1989년 채택된 유엔 아동권리협약이 오늘날 디지털 사회의 현실을 제대로 반영하지 못한다고 판단한 결과이다. 이 지침에는 '모든 어린이의 디지털 환경 접근 보장' '기회 보장과 위험으로부터의 보호' '어린이 당사자의 견해 존중' 등의 내용이 담겼다.

나. 위험하니 일단 보호, 최선일까

청소년 권리 보장 지원하는 국내법 유해정보 차단 등 보호책에 집중 아동을 미숙한 존재로 보는 관점정보 접근·표현의 자유 위축 우려.

위험한 미디어 환경으로부터 아동·청소년을 '보호'하면 그것으로 끝날까. 당사자와 전문가는 그렇지 않다고 말한다. 오늘날 디지털 공간은 정보 이용의 주된 통로이기 때문이다. "유튜브에서 짧은 시간에 지식을 재밌고 쉽게 알 수 있다"(김예진), "내가 좋아하는 취미를 편하게 즐기고, 시사 이슈에 대한 내 생각도 정리할 수 있고"(김시후), "코로나19에도 원격으로 친구들과 공부를 함께하거나 온라인 수업을 들을 수 있다"(박지호)는 것이다. 국제기구에서 일하는 것이 꿈인 김예진양에게 미디어는 세계 다른 지역의 상황을 쉽게 알 수 있는 창이기도 하다.

미디어의 장점을 '잘' 이용하기 위한 미디어 리터러시(문해력) 교육은 제대로 이뤄지지 않고 있다. 경향신문이 만난 아동·청소년은 최근 한 연예인의 사생활 논란에서 혼란을 겪었다고 말했다. 어떤 매체가 믿을 만한지, 기사와 가짜뉴스를 어떻게 구분해야 하는지 배운 적이 없다는 것이다. 박양은 "나도 미디어 리터러시라는 단어를 고등학교 와서야 알게 됐다. 어릴 때부터 그런 교육들을 많이 받을 수 있으면 좋겠다"고 했다.

한국의 미디어 리터러시 교육은 국어·사회 등 과목의 단원을 통해 이뤄진다. 문제는 교육 내용이 단편적이라는 것이다. 정현선 경인교대 미디어리터러시연구소장(국어교육과 교수)은 "기기, 플랫폼, 콘텐츠 등 미디어를 종합적으로 이해할 수 있는 교육이 필요한데, 지금의 미디어 리터러시 교육은 단편적이고 분절적"이라며 "스마트폰을 쓰지 말라는 식의 교육도 문제다. 수학을 배울 때 계산하지 말라는 것과 같은 말"이라고 했다. 또 "디지털 미디어가 어떻게 작동하는지, 기회는 무엇이고 위기는 무엇인지, 우리의 민주주의와 삶에 어떤 연관이 있는지 등 시민성에 중심을 둔 교육이 필요하다"고 했다.

정부의 지나친 보호주의가 디지털 시대 아동권리의 발목을 잡고 있다는 지적도 나온다. 국내 법은 개인정보보호법과 교육기본법, 청소년보호법 등을 통해 디지털 아동권리의 보장을 지원하지만 대부분 유해 정보 차단 등 보호책에 집중돼 있다. 정해린 굿네이버스 아동권리연구소 연구원은 '아동과 디지털 환경에 관한 기초연구'에서 "정보통신기기에 대한 아동의 접근 및 활용을 과도하게 차단하는 법제들이 주축"이라며 "평등권, 최선의 이익, 의견 표명권, 정보 접근, 표현의 자유 등이 저해되거나 위축된다"고 분석했다.

다. 아동 보호에 그들 목소리 반영돼야

미디어의 장점 활용 위한 교육은 단편적이고 기술적 부분 치우쳐 아동의 목소리 반영해 개선 필요.

미디어는 우리가 사는 사회를 반영한다. 디지털 미디어 환경에서 아동에게 쏟아지는 각종 위험은 아동에 대한 사회적 시선이 투영돼 있다. 고완석 팀장은 "아동은 발전 과정에 있는 인간으로서 특별히 보호받아야 하지만, 그와 함께 동등한 사회 구성원으로 보고 존중하는 태도도 필요하다"며 "오프라인 세상에서도 아이들에 대한 존중이나 감수성이 있어야 미디어에서도 존중할 수 있다"고 했다.

어른들의 '보호주의' 역시 아동·청소년을 미숙한 존재로만 바라보는 편협한 관점의 발로라는 비판이 있다. 박양은 등교하면 학교에 휴대전화를 내야 한다. 중학교 때 급식실에서는 선생님들이 학생들의 화장 여부를 검사했다. 화장한 학생은 밥을 못 먹게 하기도 했다. 박양은 "화장한다고 나쁜 사람인 것도 아닌데 상

처를 받았다. 겉으로 판단하는 게 아니라 내면을 봐주면 좋겠다"고 했다. 김시후
군은 "어른들이 생각하는 아동의 이미지와 실제 아동은 너무 다르다. 좀 더 현
실적인 아동으로 우리를 대해 주면 좋겠다"고 했다.

아동권리 보호 정책이나 미디어 리터러시 교육 관련 논의에 아동의 목소리가
반영돼야 한다는 이야기도 나온다. 김시후군은 "아동을 위한 법을 만들 때 아
동·청소년의 의견도 들어봐야 하는 것 아니냐"고 했다. 고완석 팀장은 "한국
은 아동을 권리의 주체가 아니라 보호의 대상으로만 생각하고 어른들이 (정책 등
을) 만들어줘야 한다는 인식이 크다"며 "특히 디지털 미디어와 관련해서는 어
른이 생각하는 문제와 아이들이 겪는 문제가 다를 수 있다. 입법과정이나 정책
수립에 아동이 직접 참여할 기회를 늘려야 한다"고 말했다.[198]

81. '달빛내륙철도' 구체화에 영호남 '남중권' 구상까지…힘 실리는 '남부권 통합'

문재인 대통령의 선거 공약이던 '달빛내륙철도' (광주~대구 198.8km 일반철도)
가 지난달 25일 국토교통부 제4차 국가철도망계획의 사전타당성 조사 사업에 포
함됐다. 지난 4월22일 제4차 국가철도망구축계획 공청회에서 검토 사업으로 분류
돼 사업 추진 여부가 불투명해졌다가 우여곡절 끝에 포함된 것이다.

달빛내륙철도 노선도

‘달빛’ 은 대구의 옛 지명인 ‘달구벌’ 과 광주의 순우리말인 ‘빛고을’ 의 머리글자를 딴 말이다. 달빛내륙철도는 전남 담양과 전북 순창·남원, 경남 함양·거창·해인사와 경북 고령을 중간역으로 두고 있어 6개 광역자치단체가 연결되고, 인근 자치단체를 포함하면 17개 자치단체 970만명이 잠재적 이용자가 된다. 완공되면 광주~대구 간 이동시간이 2시간49분에서 1시간28분으로 반으로 줄어든다. 달빛내륙철도는 수도권 종축 위주의 개발 구도를 탈피할 교통 인프라로 기대를 모으고 있다.

달빛내륙철도는 영호남 갈등을 완화하고, 남부권의 통합을 촉진하는 효과도 기대된다. 1970년대 이후 심화된 영호남 갈등을 완화하기 위해 역대 정부가 여러 조치를 내놨으나 실효는 적었다. 그러다 광주와 대구가 2009년 ‘달빛동맹’ 을 맺고 자발적인 화해·협력 방안을 모색했다. 두 자치단체는 광주~대구 내륙철도 추진에 한목소리를 내왔고, 이번에 성과를 거두게 됐다. 진장원 한국교통대 교통정책과 교수는 “정치적으로 대립해온 양 지역을 철도로 이어 교류를 늘리면 이해의 폭도 넓어지고 편견도 줄어들 것” 이라고 했다.

남해안에서는 영호남 기초자치단체들이 경계를 넘어 협력하는 ‘남중권’ 구상에 탄력이 붙고 있다. 전남 여수·순천·광양·고흥·보성과 경남 진주·사천·남해·하동 등 9개 시군은 2011년 남해안남중권발전협의회를 구성했다. 남해안권 발전종합계획, 동서통합지대 공동사업을 통해 자강(自彊)을 꾀하자는 취지다.

관광 측면에서는 지역 대표 축제 농·특산물 공동판매장 운영, 시군 간 관광지 입장료 감면, 남중권 생활 문화예술제 개최 등을 통해 연계를 강화하고 있다. 연내 기본계획 수립에 착수할 남해~여수 해저터널도 남중권 교류의 인프라다. 해저터널이 조성되면 1시간30분 걸리던 남해~여수 이동시간이 10분으로 단축돼 여수·순천권과 남해·하동·사천권의 연계관광이 활성화될 수 있다. 여러 시군이 영호남을 연계하는 관광코스를 만들기 위한 움직임도 나타나고 있다. 자치단체가 축제 스케줄을 겹치지 않도록 조정하고 관광코스와 배합하면 관광객들이 축제도 즐기고 지역탐방도 하며 ‘한 달 살기’ 가 가능해지는 것이다.

한국농촌경제연구원 ‘농촌축제 실태와 지역활성화 효과 제고 방안’ 에 따르면 2018~2019년 경남 하동군 화개면 일대에서 개최된 야생차문화축제 방문객 중 10% 가량이 전남 구례군을 방문한 것으로 나타났다. 김광선 연구위원은 “자치단체들이 행정경계에 구애받지 말고 축제 등 행사가 열리는 곳과 여타 관광지를 잇는 관광 프로그램을 함께 짤 필요가 있다” 며 “매력적인 이벤트에 교통편이 뒷받침된다면 지역 간 교류에도 시너지 효과를 낼 수 있을 것” 이라고 말했다.[199]

82. 필사적 보수, 이대남 결집, 오미크론

여론조사에서 드러나는 이번 대선의 가장 큰 특징은 두 가지이다. 첫째, 보수 유권자가 그 어느 때보다 필사적이다. 어떻게든 정권교체를 해야만 한다는 결기가 데이터의 흐름에서 여러 차례 읽힌다. 둘째, 이대남의 결집이 강력한 변수가 되었다. 지금까지의 흐름은 이 두 가지로 거의 다 설명이 된다. 남은 한 달 동안 판을 뒤집을 수도 있는 새 변수는 오미크론이다. 단일화를 비롯해 막판 변수들이 작동하겠지만 게임 체인저가 되기는 어려워 보인다.

필사적 보수와 결집한 이대남이라는 최대 변수 두 개를 제대로 이해한 유일한 정치인은 이준석 국민의힘 대표이다. 그의 정치를 한마디로 정의하기는 어렵다. 이준석이 옳으냐고 묻는다면 그렇다고 답할 자신이 없다. 옳으냐 그르냐는 도의적 기준이다. 이준석이 맞냐고 묻는다면 그렇다고 답할 수밖에 없다. 맞냐 틀리냐는 전략적 기준이다.

정권교체를 위해 필사적인 유권자는 윤석열 지지자의 3분의 1 정도로 보인다. 정권교체를 위해서는 뭐든 하겠다는 사람들이다. 선거운동 초기 윤 후보의 잇따른 실언과 선거대책위원회 갈등이 불거지자 어쩌면 정권교체를 못할지도 모른다는 불안감에 이들은 즉시 대안을 찾기 시작했고, 윤 지지자의 3분의 1인 10~12% 포인트 정도가 안철수 후보로 옮겨갔다. 윤석열로 정권교체를 못한다면 안철수로라도 하겠다는 것이다. 국민의힘 선대위 갈등 수습과 함께 선거 캠페인이 자리를 잡기 시작하자 "그렇다면 윤석열로 정권교체를 하는 게 더 확실하지"라는 판단을 내리고 상당수가 다시 윤석열 지지로 복귀했다. 그래서 윤석열 지지율은 변동 폭이 크다. 안 될 것 같으면 크게 떨어지고 될 것 같으면 크게 오른다.

이대남의 결집은 이미 예고된 것이었는데, 정치판의 주류인 86세대 정치인 중에 이것을 제대로 이해한 사람은 아무도 없다. 본인이 30대이면서 제1야당 대표가 됨으로써 86세대가 만든 제도권 정치를 점령한 이준석이 대체 불가능하게 된 이유이다.

2019년에 시사IN에 연재되어 큰 주목을 받았던 20대 남자 기획기사는 20대 남성의 무려 25.9%가 안티 페미니즘 전사(戰士)에 가깝다는 사실을 발견했다. 안티 페미니즘 성향이 25.9%라는 게 아니라 페미니즘 비슷한 것은 어느 것 하나 용납할 수 없다는 똘똘 뭉친 투사들이 25.9%라는 것이니, 20대 남성에서 그 외연은 훨씬 넓을 것이다. 분위기 파악 못하는 86세대 정치인들은 청년에게 수당을 지급하고 임대주택을 제공한다 하고 선대위 자리를 나눠주고 장관을 시켜준다고 약속하면 될 줄 알았지만, 그걸로 해결될 문제가 아니다. 평창 동계올림픽과 조국 사태 때 이들이 공정을 외쳤다고 해서 너도나도 공정이 시대정신이라 했지만 게으르기 짝이 없는 현실 인식이었다. 대통령 선거가 한 달 남은 지금 과연 누가 공정을 말하나.

최대 변수 두 개를 합치면? '세대포위론'이라는 논리적 귀결이 얻어진다. 여야를 막론하고 아무도 비슷한 수준의 큰 전략을 내놓은 바 없다. 선대위 자리를 내던진 이준석이 궁지에 몰릴 때조차 "그렇다면 대전략을 내놓으라"고 큰소리칠 수 있었던 이유이다. 같은 논리의 연장선에서 단일화 협상의 전략이 나온다. 필사적인 보수들이 정권교체를 위해 안철수에게 옮겨갔을 때가 그의 협상력이 정점에 이르렀을 때인데, 시간이 지날수록 그들이 복귀하면서 안철수의 카드는 줄어들고 있다. 그는 두 자릿수 득표율 유지에 사력을 다하든가 아니면 별로 얻는 것 없는 단일화에 응해야 할 가능성이 커지고 있다.

이재명 더불어민주당 후보의 지지율은 오를 때도 내릴 때도 미세하게 움직일 뿐이다. 가장 낮았던 조사에서도 30% 밑으로 간 적은 없고, 가장 높았던 결과도 40% 턱걸이를 했다.

윤석열 지지율이 최저 20%대 중반, 최고 40%대 중반을 찍은 것과는 큰 대조를 보인다. 그의 고민은 지지층 결집이냐 과감한 중도 확장이냐이다. 지금까지의 데이터는 지지층 결집의 최대치가 40% 전후일 가능성을 말해준다. 흔히 당선 가능한 변곡점이 43%라고 예측하는 것을 감안하면 부족한 수치이다. 과감한 중도 확장은 진정성을 인정받아야 할 텐데, 선대위 해체 수준의 후보의 결단이 필요할 것이다.

지금부터 떠오를 변수는 오미크론이다. 상대적으로 접종률이 낮은 20대에서 확진으로 인해 투표를 못하는 유권자가 많아질 경우, 방역지침 변화와 확진자 폭증으로 정부 책임론이 커질 경우, 투표 못하게 되는 유권자가 너무 많아져서 선거 무효 논란으로 번질 경우 등에 따라 대선에 미치는 영향은 크게 달라질 것이다.[200]

83. 과기정통부에 필요한 건 눈치가 아닌 결단이다

우리 모두 5G(5세대 이동통신)에 속았다. 과학기술정보통신부와 3개 이통사는 2019년 5G 상용화 당시 'LTE(4G)보다 20배 빠르다'고 했다. 2GB 용량의 영화한 편을 다운로드하는 데 4G에서 16초가 걸렸다면 5G에서는 0.8초로 줄어든다고 설명했다. 하지만 이는 '이론'에서만 가능한 속도였다. 그나마 5G가 잘 터진다는 서울에서 지금 2GB를 다운받는 데 걸리는 시간은 20초 안팎이다. 전송속도가 4G보다 빨라지긴 했어도 20배가 아니라 5배를 약간 웃도는 수준이다.

지난해 이동 3사의 합산 영업이익이 10년 만에 4조원을 넘어섰다. 전년에 비해 18%가량 늘었다. 상대적으로 고가인 5G 요금제 효과가 컸다. 상용화 4년차인 5G 가입자는 2091만5176명으로 전체의 28.7%에 이른다. 이통사들은 여전히 과장 광고로 5G 가입자를 늘려 이익을 불려나가면서 품질 개선은 뒷전이다. 2030년쯤 등장한다는 6G는 전송속도가 5G보다 50배 빨라진다고 한다. 또 속아야 하나.

5G 주파수 추가 할당 경매를 놓고 이통사 간 진흙탕 싸움이 한창이다. 과기정통부는 지난달 초 3.4~3.42㎓ 대역의 20㎒ 폭 주파수 추가 할당 경매를 2월 중 진행하겠다고 밝혔다. LG유플러스가 지난해 7월 과기정통부에 추가 할당을 요청하면서 절차가 시작됐다. 과기정통부는 주파수 간섭 문제가 해결됐고, 이통사 이해관계와 관련 산업 영향, 소비자 편익 등을 종합적으로 고려한 결과 주파수를 추가 할당하는 게 적절하다고 판단했다. 그러나 SK텔레콤과 KT 등 경쟁사들은 LG유플러스에 대한 특혜라며 반발한다. 업계 1위 SK텔레콤은 굳이 경매를 하겠다면, 3.7㎓ 초과 대역의 40㎒(20㎒×2개) 폭 주파수도 추가 경매에 내놓으라고 요청하고 있다.

LG유플러스가 보유한 5G 주파수 폭은 80㎒이고, SK텔레콤과 KT는 100㎒씩을 갖고 있다. LG유플러스로서는 다른 통신사는 10차로인데 자기만 8차로에 그치는 셈이다. LG유플러스는 인접한 구간의 주파수를 추가로 받으면 5G 속도와 품질을 높일 수 있다고 한다. 반면 SK텔레콤과 KT는 자신들이 사용하는 주파수 대역과 동떨어져 현재 기술로는 사용하기 불가능한 주파수를 경매에 부치는 것은 공정하지 않다고 맞선다.

소비자 입장에서만 득실을 따져보자. LG유플러스 주장대로라면 20㎒ 폭 주파수를 추가해 5G 품질이 개선된다고 한다. 거꾸로 얘기하면 지금까지 LG유플러스 5G 가입자는 같은 요금을 내고도 다른 통신사에 비해 낮은 서비스를 받아온 셈이다. 그나마 앞으로 비슷한 서비스를 받을 수 있다면 전체적인 소비자 후생이 증가하는 효과를 볼 수 있다.

3개 회사가 과점하고 있는 국내 이동통신 시장의 전체 규모는 큰 변화가 없다. 한 이통사 가입자가 늘면 다른 이통사는 줄어드는 제로섬 게임과 비슷하다. 4G는 감소하고 5G는 늘어나는 추세다. 5G 가입자를 더 많이 확보할수록 점유율이 높아지고 이익도 늘어난다. 5G 가입자는 SK텔레콤 987만여명, KT 637만여명, LG유플러스 461만여명 순이다. '이대로'를 원하는 1·2위로서는 3위가 치고 올라오는 게 불편할 수밖에 없다. 3위가 주파수 대역을 추가해 서비스를 개선하겠다고 하니 1·2위는 가입자를 **빼앗길** 수 있다며 우려하는 것이다.

경매에 반대하는 이동사의 한 관계자는 '국내 산업 보호론'을 들기도 한다. 그는 "5G 품질은 주파수에만 달린 게 아니다. 기지국·단말기·운용기술 등에 의해서도 좌우된다. LG유플러스는 다른 두 회사에는 없는 중국산 화웨이를 기지국 장비로 사용한다. 주파수 대역 추가에 따라 화웨이가 국산 장비를 더 많이 대체한다면 국내 산업생태계를 심각하게 훼손할 수 있다"고 말했다. 반면 LG유플러스 관계자는 "기지국 장비는 다른 회사들과 마찬가지로 삼성, 노키아, 에릭슨을 쓰는데 우리는 화웨이를 하나 더 쓸 뿐이다. 3분의 1이 안 되는 화웨이 비중이 주파수 확대로 더 늘어나는 것도 아니다"라고 해명했다.

주파수 추가 할당이 표류하자 임혜숙 과기정통부 장관은 17일 이통 3사 최고경영자(CEO)와 간담회를 열기로 했다. 간담회가 업계 의견을 듣는 데 그쳐서는 안 된다. 일부 우려대로 주파수 경매가 대선 이후로 미뤄진다면 실제 경매는 올해 안에 진행되지 못할 우려가 크다. 4년째 5G에 속고 있는 2000만명 가입자를 위해서라도 합의를 도출해야 할 것이다. 시장경제에서 기업 간 경쟁을 유도해 소비자 후생을 극대화하는 것은 정부의 역할이다.[201]

84. 정부, '오미크론 긴장' 풀렸나

코로나19 자가진단키트가 품귀현상을 보이고 있다는 소식을 듣고 부랴부랴 집 앞 약국에 들렀다. 아니나 다를까 입구부터 '진단키트 품절'이라는 안내문이 대문짝만하게 붙어 있었다. 차를 몰고 한 시간가량 약국들을 둘러봤다. 결과는 허탕이었다. 온라인쇼핑에서 자가진단키트를 검색했다. 다행히 물량은 있었다. 그런데 가격이 이상하다. '진단키트 2개 1세트 2만5000원', '25개 1세트 26만원', 그야말로 입이 떡 벌어지는 가격이다.

정부는 자가진단키트 검사를 독려하는데, 정작 시장에서는 구할 수가 없다. '마스크 대란'처럼 '자가진단키트 대란'이 벌어지는 양상이다. "물량은 충분하다"고 장담하던 정부도 부랴부랴 태세를 바꿨다. 최고가격제 도입, 온라인 판매 금지 등 뒤늦게 대책을 요란하게 쏟아내고 있다. 마스크, 요소수 대란 때와 판박이다.

오미크론 변이 대유행에 적극적으로 대비해야 한다는 경고는 전문가 집단을 중심으로 꾸준히 나왔다. 지난해 11월 델타 변이 대확산으로 위드 코로나 정책이 실패한 후 정부도 오미크론 대응 전략을 세우는 데 장고를 거듭했다. 하지만 뚜껑을 열어보니 어째 여기저기 구멍이 숭숭 뚫려 있는 모습이다. 하루가 멀다하고 뒤집히는 정책부터 스트레스다. 올 들어 발표된 지침만 벌써 몇 번째인지 셀 수가 없을 정도다. 모니터링 대상, 전화 상담 관련 지침이 몇 번씩 바뀌는가 하면, 확진자 동거 가족의 활동 지침 등도 계속 변하고 있다.

확진자 폭증으로 현장의 피로는 극에 달했는데 방역당국은 코로나에 확진된 의료진이 경증이면 3일만 격리한 뒤, 신속항원검사로 음성이 나오면 근무하라는 지침을 내렸다. 신학기 등교를 앞두고 학교에서 확진자가 발생하면 학교가 별도의 접촉자 선별을 거쳐, 신속항원검사를 자체적으로 실시한 뒤 학생들을 등교시키라는 지침도 나왔다. 의료인들은 정부가 자신들을 소모품으로 여긴다며 불편한 심정을 감추지 않고 있다. 교원들도 학교를 방역기관화하고 있다며 반발하고 있다. 오미크론 대확산 국면에서 불가피한 선택이라고 하지만, 이쯤 되면 최소한의 의견 수렴이라도 있었는지 의문이 든다.

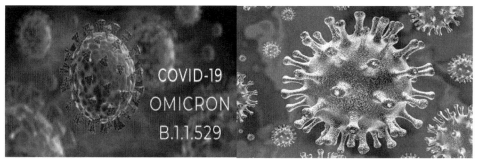

'K방역'이라 이름까지 붙여가며 홍보할 만한 것인지는 모르겠지만, 우리나라의 코로나19 방역이 성공적이었다는 데 이의를 제기할 사람은 많지 않다. 그리고 그 성공은 의료진의 헌신, 국민들의적극적인 참여, 자영업자들의 희생이 있었기에 가능한 일이었다. 그런데 지금 오미크론 국면을 맞으면서 이 모든 것이 한꺼번에 흔들리려 하고 있다. 의료진은 고갈됐고, 국민들은 무엇을 따라야 하는지 헷갈리고, 자영업자들은 여전한 영업시간 제한, 방역패스에 폭발하기 일보직전이다.

오미크론의 치명률이 다른 변이들보다 낮다는 소식이 전해지면서 정부는 방역 긴장감이 풀어질까 우려했다. 오미크론 대확산 시 의료시스템 붕괴 위기를 거듭 강조한 것도 그 때문이다. 그런데 오미크론이 우세종이 된 지 불과 3주가 지난 지금, 정부의 대응이나 지침에서 일관성 있는 메시지를 찾기 어렵다. 매일같이 아랫돌 **빼서** 윗돌 괴는 식의 **땜질** 처방이 이어지고 있다. 오미크론 국면에서 정부가 가장 먼저 긴장감을 잃은 게 아닌지 돌이켜볼 때다.[202]

85. "길이 없으면 길을 내는 것, 그게 바로 진보야!"

백기완 선생(1932~2021)은 정말이지 특별했다. 젊은 시절의 그는 잘났다고 한다. 1980년대 말에 처음 뵀을 때, 범접할 수 없는 풍모가 매력을 넘어 매혹처럼 다가왔다. 그리고 이제 1주기를 맞이하여 선생의 삶에서 옷깃을 여미게 하는 어떤 위대함이 묻어난다. 그의 빈자리가 견딜 수 없는 섭섭함으로 가슴을 먹먹하게 하지만, 선생의 뜻을 잇고 실천에 옮기자는 '노나메기 재단'의 발족에 즈음하여 그 뜻을 우리의 현실에 견줘 가늠해보자.

먼저 선생의 삶의 궤적을 짚어보자. 그는 황해도 은율의 구월산 자락에서 500년을 이어온 집안에서 태어났지만, 독립운동으로 가산이 몰락하여 가난한 어린 시절을 살았다. 아버지는 신식 고등교육을 받았지만, 정작 선생은 초등학교를 고향에서 졸업하고 해방 직후 서울로 왔음에도 더 이상의 제도교육을 받지 못했다. 그는 10대 후반 독학 중에 집안과 인연을 가진 백범 김구를 만났고, 부산 피란 중에 군복무를 마쳤다. 전쟁으로 분단이 굳어졌고, 그의 부모와 형제는 반반씩 나뉘어 이산가족이 됐다. 돌이켜 볼 때, 선생의 사회·문화적 자산과 제도교육의 결손 사이의 비대칭은 동년배의 선각자들과 비교하여 매우 이례적일 뿐만 아니라 이로써 역설적으로 전통 및 민중과의 공감대를 그야말로 삶 속에서 이루는 기틀이 되었다는 점에서 가히 독보적이었다. 아울러 가족 구성원의 분단이라는 아픔은 통일이라는 지향을 세워주었다.

선생은 종전 후 상경하면서 도시빈민운동, 농촌운동 등을 벌이면서 운동가로서 입신하였다. 당시 운동의 내용은 계몽의 차원을 넘지 못했지만, 민중적 지향은 드문 면모였다. 그가 사회·정치운동의 전면에 나서기 시작한 것은 5·16 군사쿠데타 이후이며, 1964년 한일회담 반대투쟁과 장준하와의 만남이 결정적인 계기가 됐다. 이후 그는 군부독재에 맞서 목숨을 건 장기투쟁에서 저항의 상징으로 우뚝 섰다. 주목할 것은 그의 저항적 민족주의가 민주화운동에 그치지 않고 통일운동, 노동운동, 문화운동 등을 아우를 뿐만 아니라 그가 그것을 민중미학에 입각하여 시, 이야기, 시나리오, 우리말 지킴이 등의 예술 행위로 승화시켰다는 점이다. 특히 그가 전두환의 신군부에 맞서 사선을 넘나들면서 이룩한 문학적 성취는 저항문학의 차원을 넘는 영웅적 거사였다. 선생의 '불쌈'은 이른바 '절차적 민주주의'의 제도화로 그치지 않았다. 그는 두 번의 대통령 선거에 민중후보와 진보진영 독자후보로 출마한 뒤에 정치 일선에서는 물러났지만, 신자유주의와 부패정권에 맞서는 잇단 투쟁에서 거리싸움, 강연, 저술 등을 통해 비정규직, 해고노동자, 철거민, 여성노동자, 세월호 유가족, 뭇 약자들의 든든한 뒷배 구실을 하였다. 선생은 이렇게 80줄에도 늙지 않았고, 끝내 죽어서도 새로운 삶을 열고자 했다.

선생이 살았던 시기는 물리적으로는 한 세기가 채 못 되지만, 문명사적으로는 200년이 넘는 크기를 가진다. 산업문명이라는 세계사의 잣대에서 그렇다는 말이다. 선생의 시간대에 우리 사회는 '식민지'에서 '후진국'으로, 급기야는 '선진국'으로, 그러니까 세계체제론의 어법을 빌리면 '주변부'에서 '반주변부'로, 끝내 '중심부'로 진입했다. 이런 변신은 전 지구적으로 최초이자 적어도 현재까지는 유일하며, '압축근대화'가 끌어모은 숱한 모순과 왜곡에도 불구하고 외면할 수 없는 성취임은 인정하지 않을 수 없다. 이 현기증 나는 변화의 크기와 깊이를 아직 측량할 길 없으며, 그렇기에 그것을 살아낸 우리 또래는 그것만으로도 인간문화재감이라고 할 수 있다. 그런데 선생은 단지 살아낸 것이 아니라, 그것에 맞서 싸우고 어우르고 길들이려고 했다. 우리 현대사를 세단뛰기로 넘은 이로는 선생이 유일하다고 감히 주장한다.

어떻게 해서 가능했을까? 먼저 선생이 필생의 화두로 삼았던 '통일'의 넉넉한 품새를 꼽을 만하다. "해방이란 말이 있지. 해방이란 자유야. 사람의 자유, 목숨의 자유, 자연의 자유야, 이런 자유를 온 사회, 온 지구적으로 누리는 게 통일이야." 외국 한번 가본 적이 없는 선생이 우주적 상상력을 발동한다. 이는 전통과의 소통이라는 뒷배가 없었다면 가능할 수 없는 경지이다. 우리 사회는 어디로 가는가? 들춰봐야 할 지침서란 이제 없다. 일상의 구석까지 내면화하여 구조적 폭력을 보이지 않게 하는 자본주의, 모든 것을 사법적 정의로 재단하여 결국 강자의 손을 들어주는 절차적 민주주의, 우리의 상상력을 차단하는 투명막들이다. 정녕 선생의 자취를 돌아봐야 하는 까닭이다.[203]

86. 선거에 필요한 정보는?

선거는 직접, 보통, 평등, 비밀의 원칙에 따라 유권자가 가장 '선호'하는 후보를 선출하기만 하면 되는 민주주의의 의례적 행사에 불과한 것일까? 주권을 위임받은 당선자는 임기 동안 우리의 삶에 지대한 영향을 미칠 권력을 행사할 것이다. 한 번의 투표로 우리의 5년의 미래가 좌우된다는 뜻이다. 그런데 작금의 선거에서는 위임자를 뽑는 행위가 마치 인기투표 하듯이 전개되고 있다. 여론조사 결과가 각 후보 선거대책위원회가 꼭 알고 싶은 정보일지 모르지만 유권자에게는 아니다. 물론 내가 선호하는 후보가 당선할 가능성이 있는지 궁금할 수 있다. 하지만 그게 거의 매일 접하는 가장 중요한 선거 관련 기사여야 할지는 의문이다. 여론 조사 결과를 참조하여 나의 선호를 결정하는 부화뇌동이 바람직한 주권 행사라 생각할 사람은 없을 것이다. 그래서 수십년 동안 여론조사에 근거한 경마 저널리즘식 보도가 가장 문제 있는 기사 행태라 비판받아 왔다. 그런데 호기심을 자극하여 클릭을 노리는 여론조사 보도는 외려 더욱 만연해졌다.

더군다나 의견을 형성하기에 충분한 정보 없이 판단한 의견의 집합이 민주주의 사회를 유지시키는 진정한 여론이라 할 수 없다. 이번 대선에서 '비호감 선거'라는 말이 유행한다. 그 프레임에 동의하지 않지만, 정말 비호감 선거라면 언론은 비호감을 만들어내는 유력 후보 이외의 후보 관련 정보를 충분히 제공하려 노력해야 한다. 그게 주권자인 유권자에게 꼭 필요한 정보이니까. 만약 비호감의 원인 제공자들이 워낙 유력한 후보라서 이 후보들 사이에서 당락이 결정될 것이 확실하다면 언론은 상대적으로 더 나은 후보를 판단할 수 있는 정보 제공에 노력해야 한다. 정책을 소개하고, 검증하고, 후보자의 이력과 역량에 근거하여 실천 가능성을 판단하는 기사를 제공해야 한다. 지금 한국 사회에는 차기 대통령이 헤쳐 나가야 할 중대사들이 참으로 많다. 코로나19 팬데믹 이후 한국 사회의 지향, 미·중 열강의 패권 다툼 속에서 주권 수호, 기술 혁명 시대가 야기하는 각자도생의 현실 등등. 이와 관련하여 유권자가 정말 알아야 한 후보들의 생각을 전달해야 한다. 후보자가 관련 공약을 내놓지 않았다면 묻고 또 물어야 한다. 그게 민주주의 기제로서 언론이 존재하는 이유다. 그런데 언론은 '비호감 선거' 프레임에 매몰됐다. 각 후보 진영, 지지 세력이 무책임하게 터트리는 폭로만으로 기사를 생산하기 바쁘다. 그럼 유권자는 무엇으로 판단할까!

물론 일부 언론이 대선 공약 탐구, 유권자 의제 중심의 공약 기사 등 유용한 기사를 생산해 내고 있다. 문제는 일반인이 그 기사를 접하기 참 어렵다는 점이다. 뜻있는 언론인들은 좋은 기사를 내보내도 보는 사람이 없다고 한탄할 수도 있다. 하지만 시민 대다수가 기사를 접하는 포털이나 새로운 플랫폼에 의미 있는 기사가 전면에 노출되지 않는 것을, 그래서 사람들이 보지 않는 것을 시민 탓으로 돌리는 건 적절치 않다. 더 중요한, 더 의미 있는 기사를 더 많이 생산하고 그 기사들을 전면에 배치해야 한다고 요구하는 것은 '언론이기를 원하는' 언론 스스로의 몫이다. '삼프로 현상'이라는 말이 생겼다. 유튜브니까 할 수 있는 형식의 참신성이 작용했을 수도 있지만 후보자의 생각을 깊이 있게 확인할 수 있었기에 시민들이 호응한 것이다. 그런데 그 점은 기존 언론의 강점 아닐까? 경륜 있는 기자들이 존재하는 기존 언론은 스스로의 강점을 포기하고 인터넷에서 쉽게 접할 수 있는 단순하고 자극적인 정보 생산에 동참하고 있다. 스스로 무덤을 파고 있는 것은 아닌지 되돌아봐야 한다.

언론사 또는 언론인에게 묻고 싶다. 당신들은 지금 당신들이 생산하는 기사나 콘텐츠만으로 유권자가 이번 선거에서 정말 현명한 선택을 할 수 있다고 믿는지 묻고 싶다. 대선 후보들이 공약집을 내기 시작했다. 이제라도 언론이 필요한 정보를 제공하기 바란다.[204]

87. 자랑하고 싶은 거 있으면 얼마든지 해-왜냐면 나는 부럽지가 않어-

나는 제법 오랜 세월 PC의 적극적 지지자였다. 특히 '지방' 관련 언어의 감시자 역할을 자청하면서 책을 통해 내 생각을 밝히곤 했다. 예컨대, 지방에서조차 "지방방송 꺼"라는 말이 사용되고 있는 걸 개탄하면서 그런 몹쓸 말을 쓰면 안된다고 역설했고, '지잡대' 같은 표현을 쓰는 사람들을 '학벌에 목숨 거는 지지리 못난 인간'으로 비난하기도 했다. 물론 지방 폄하가 너무 심한데다 특정인을 겨냥해 하는 말이 아니었기에 일종의 충격요법으로 그렇게 거칠게 말했다는 걸 이해해 주시기 바란다.

천재같다는 생각을 했다. 어쩜 이렇게도 이 시대의 '자랑중독', '자랑 연쇄고리', '부러움 연쇄고리'에 빠진 우리들의 삶을 그대로 압축하여 노래를 읊을 수 있나.

화려한 수식어 없이도 그저 순수 한글로 빚어낸 이 노래는 한 번이라도 '부러우니까 자랑을 하고 자랑을 하니까 부러워진' 경험을 한 사람에게 '흠칫'한 느낌을 선사한다. 그게 누구냐면 바로 나다.

　풍경이 좋은 곳에 약속이 있는 날 사진이라도 찍게 될 것 같면 '의도적으로 오늘의 모습을 뽐내기 위해' 의상과 스타일을 계획하곤 했던 나에게, 장기하는 이렇게 말하고 있었다. "야, 너네 자랑하고 싶은 거 있으면 얼마든지 해. 난 괜찮아. 왜냐면 나는 부럽지가 않어. 한~개도 부럽지가 않어. "

[노래] 장기하 - 부럽지가 않어 '유희열의 스케치북'편

너네 자랑하고 싶은 거 있으면 얼마든지 해

난 괜찮어
왜냐면 나는 부럽지가 않어
한 개도 부럽지가 않어

어?
너네 자랑하고 싶은 거 있으면 얼마든지 해
난 괜찮어
왜냐면 나는 부럽지가 않어
전혀 부럽지가 않어
니가 가진 게 많겠니

내가 가진 게 많겠니
난 잘 모르겠지만
한번 우리가 이렇게 한번
머리를 맞대고 생각을 해보자고

너한테 십만원이 있고
나한테 백만원이 있어
그러면 상당히 너는 내가 부럽겠지
짜증나겠지
근데 입장을 한번 바꿔서
우리가 생각을 해보자고
나는 과연 니 덕분에 행복할까
내가 더 많이 가져서 만족할까

아니지
세상에는 천만원을 가진 놈도 있지
난 그놈을 부러워하는 거야
짜증나는 거야

누가 더 짜증날까
널까 날까 몰라 나는
근데 세상에는 말이야
부러움이란 거를 모르는 놈도 있거든
그게 누구냐면 바로 나야

너네 자랑하고 싶은 거 있으면 얼마든지 해
난 괜찮아
왜냐면 나는 부럽지가 않어
한 개도 부럽지가 않어
어?

너네 자랑하고 싶은 거 있으면 얼마든지 해

난 괜찮어
왜냐면 나는 부럽지가 않어
전혀 부럽지가 않어

아 그게 다
부러워서 그러는 거지 뭐
아니 괜히 그러는 게 아니라
그게 다 부러워서 그러는 거야

부러우니까 자랑을 하고
자랑을 하니까 부러워지고
부러우니까 자랑을 하고
자랑을 하니까 부러워지고

아주 뭐 너무 부러울 테니까

너네 자랑하고 싶은 거 있으면 얼마든지 해

난 괜찮어
왜냐면 나는 부럽지가 않어
한 개도 부럽지가 않어

어?
너네 자랑하고 싶은 거 있으면 얼마든지 해
난 괜찮어
왜냐면 나는 부럽지가 않어
전혀 부럽지가 않어

이 노래를 듣고 한동안 충격에 빠졌다. 몇 번이고 반복해서 이 노래를 쭈욱 들어보고는 '지구상에 이런 인간상이 있다니'라는 생각이 들었다. 수천 마리의 흰 양들 속에서 때묻지 않은 검은 양처럼 그 자신의 유일하고도 개성있는 색깔을 드러내는 아티스트 장기하의 노래, '부럽지가 않어'다.

"난 부럽지가 않어."

어? 너네 자랑하고 싶은 거 있으면 얼마든지 해.

바야흐로 '자랑의 시대' 다. 아마 지구 46억년의 역사상 이 시대는 처음일 것이다. 전세계 모든 사람들의 일거수일투족을 실시간으로 공유하고 확인하고, 매순간 자랑하거나 부러워하고, 또 다시 자랑하면 부러워지는 이 현상은 전무후무하다.

우리는 끊임없이 자랑을 한다. 특히나 전체공개가 된 소셜미디어 채널에서 더욱더 그렇다. 나도, 너도 자랑을 한다. 남들은 나의 자랑을 확인하고, 나도 똑같은 경로로 남들의 자랑을 확인한다. 예컨대 이런 것이다. '나 지금 맛있는 거 먹어', '우리집 강아지 귀여워(특히 신뭉말티푸, 5개월을 자랑하는 내가 그렇다), 너무 멋진 곳에 왔어', '나 친구 또는 연인이랑 놀러왔어'. 장기하가 쓴 가사대로 '자랑하고 싶은 거 있으면 얼마든지 하고 있다'.

실로 자랑하고 싶은, 자랑하고 있는 것들은 어려움과 고민, 밋밋한 감정, 검은색과 회색처럼 느껴지는 그러한 순간들은 '쏙' 빼고 가장 밝거나 즐거운 순간만을 전시하는 것이다. 그리고 이것을 얼굴도 모르는 사람, 이름은 알지만 한번도 제대로된 대화를 나눈 적 없는 사람, 그냥 파도타기해서 들어와 무작정 팔로우를 누르는 사람, 딱 한번 봤다고 맞팔로우를 한 사람 모두에게 무턱대고 내놓는다.

그런데 장기하의 이 가사가 너무 거슬린다. 그렇게 말하지 않아도 원래 자랑하고 싶으면 원없이 했다. 사진을 잘 찍고 싶어서 용을 쓰고, 썩 마음에 드는 사진을 신나서 올리고, 칭찬해주는 댓글을 보면 쑥스러우면서도 에이 뭘-하면서 고마워했다. 그런데 "어? 너네 자랑하고 싶은 거 있으면 얼마든지 해." 라는 말 뒤에 다음 가사가 마음에 돌을 얹었다. '난 괜찮어. 왜냐면 부럽지가 않어. 전혀 부럽지가 않어' 난 괜찮어 왜냐면 부럽지가 않어. 전혀 부럽지가 않어.

지금껏 용을 쓰고 정성스럽게 자랑을 '얼마든지' 했던 나에게, 장기하는 '괜찮어. 부럽지가 않어. 전-혀 부럽지가 않어' 라고 단호하게 말한다. 여기서 포인트는 '전혀'라는 부사의 억양이다. 그냥 전혀도 아니고. '전—혀' 부럽지가 않다고 한다.

생각해보니 웃긴다. 남들이 나에게 부러워하길 바라는 마음으로 자랑을 한 건 아니었다. 그렇다고 내게 '전혀' 부럽지가 않다고, 전혀라는 "완전히"의 의미를 강조하며 말을 건네니 머쓱해진다. 그리고 다음과 같은 생각이 든다. '지금까지 의미도 없는 자랑들을 했었나?', '나도 그(장기하)처럼 누군가를 전-혀 부러워하지 않을 수 있나?', '내가 누군가를 부러워했기에 나도 지지 않으려고 자랑을 하나?', '사소한 자랑이라도 했던 날 보고, 누군가가 부러워서 또 다시 자랑이 반복되었을까?'

골치 아팠다. 그리고 이 노래가 있던 같은 앨범인 [공중부양]의 또다른 곡을 무심코 틀었다. 제목은 〈가만 있으면 되는데 자꾸만 뭘 그렇게 할라 그래〉다. 신기하게도 이 노래는 처음부터 제목과 똑같은 내용의 가사가 수없이 반복된다. 장기하 특유의 억양과 박자감으로 곡이 재생되는 내내 '가~~만 있으면 되는데! 자~꾸만 뭘! 그렇게 할라! 그래!' 가 울려퍼진다.

그러게, 내가 뭘 하든 누구랑 만나든 무얼 먹든 '가만 있으면 되는데 자꾸만 뭘 그렇게 할라' 그랬을까.

근데 세상에는 말이야 '부러움이라는 거를 모르는 놈' 도 있거든.

이 가사를 보고 한번 더 부러워졌다. 근데 세상에는 부러움이라는 거를 모르는 놈도 있댄다. 그리고 장기하는 "그게 바로 나" 라고도 했다. 난 속으로 생각했다. '우와, 저게 정말 솔직한 말이라면 부러워하지 않아서 부럽다!'

사실 얼마전 남들이 눈물나게 부러웠던 적이 있었다. 때는 벚꽃이 한 창 필 때인 4월 초였는데, 원인모를 감기에 걸려 몸 상태가 자이로드롭처럼 수직 하강해 버려서 모든 약속을 취소하고 비자발적&자발적 콜라보의 집순이가 됐다. 3월 중순에 코로나 확진으로 충분히 쉬었고, 이제 바깥에서 예쁜 추억을 쌓을 생각에 부풀어있었다. 하지만 컨디션의 원망스러운 저하로 그렇게 품어온 기대들을 와장창 깨트려버렸다.

보지 말았어야 했다. 수많은 벚꽃 인증샷과, 내가 '갔어야 했던' 약속 현장의 즐거운 분위기와, 내가 '있어야만 했던' 휘황찬란하고도 아름다운 봄날의 인증샷이 가득한 걸. 업친 데 덮친 격으로 그 당시는 동생까지 코로나 확진이 된 상태라, 내 몸이 안 좋은 상황에서 무턱대고 밖에 나가 사람을 만날 수도 없는 노릇이었다. 겨울부터 정말 기대해온 데이트 약속도 모조리 무산되고, 보고 싶었던 친구들과의 만남도, 리드하고 있던 모임을 주도하지 못한 것도 모두 억울했다. 그래서 좁은 화면 창으로 보이는 수많은 '부러운' 순간들을 보고 한없이 작아지는 기분을 느꼈다. 이럴 일이 아닌데, 왜 이리 억울하고 서러웠을까. '부러워. 너무 부럽다고!!'

그리고 2주가 지난 지금, 장기하의 노래 〈부럽지가 않어〉를 만나고 이 글을 쓰고 있다. 나는 이제 '부러움이라는 거를 모르는 놈'에 대한 영감을 받게 됐다. 이제는 부러움을 모르는 사람을 부러워하게 됐다. 이런 '부러움의 대생'에 대한 변화가 일어난 것이 꽤 좋은 것 같아 글을 쓰기 시작했다.

남이 나를 알아주지 않아도 서운해하지 아니하니 군자가 아니겠는가.

장기하가 그의 앨범 [공중부양]을 소개한 내용에서, 〈부럽지가 않어〉의 기획의도를 이렇게 전하곤 했다. '모든 자랑을 다 이기는 최고의 자랑은 뭘까? 자랑계의 로열 스트레이트 플러시는? 아하, 부럽지가 않다는 자랑이군!' 내 안의 중심을 확고히 잡아야겠다는 생각을 했다. 이 세상이 온갖 수단과 방법으로 자랑을 할 지언정, 괜찮을 준비를 해야 한다. 앞으로 살 날이 얼마나 많고, 만날 사람이 얼마나 많은가. 우리가 태어난 이유가 수많은 확률을 뚫고 '유전적 다양성' 속에서 이 세상에 나와 다채로움을 뽐내는 것처럼, 남들이 보내는 최고의 순간을 나의 '현재'와 비교할 이유가 전혀 없다. 각자만의 길을 가는 것이고, 그저 우리는 우리 스스로의 존재 자체로 충분하면 된다.

사실 이 세상에 태어난 것 자체가 이미 축복인걸. 이제는 끊임없이 '증명'하지 않아도 될 것만 같다. 그저 주어진 오늘을 잘 살면 되는걸. 내가 무엇이 될 거라고, 이만큼의 계획을 세웠다고 해도 결국 인생은 흐르는 파도처럼 예상할 수 없는 일이 벌어질 때가 더 많은 걸. 그래서 한낱 지구상의 유한한 기간을 사는 작고 소중한 우리가 굳이 '자랑하지 않아도' 살아있다는 존재만으로 자랑이 되는 걸.[205)]

☞ 쉬었다 갑시다

닭

닭은 현실에서 볼 수 있는 동물로, 우리 문화 속에 나타나는 닭은 현실의 재앙을 막고 소원하는 바를 이루고자 하는 마음을 담은 길상과 벽사를 상징하고 있다. 그래서 닭 그림은 전통적으로 호랑이 그림과 함께 정초에 벽사초복(邪招福)의 뜻을 담아 대문이나 집안에 붙였던 세화(歲畵)의 일종으로서 애용되어, 직접 그리거나 목판으로 찍어서 사용하였다. 또한 닭은 새벽을 알리는 울음소리로 어둠을 쫓고 동이 트는 때를 알려 주는 존재이기도 하다. 그래서 사람들은 여명이 시작되는 방향을 관장하고 밤과 새벽을 나누어 새벽을 밝히는 신비로운 동물이 바로 닭이라고 믿었다. 여기에 빛의 도래를 예고하는 태양의 새라는 신령한 의미가 더해져 금계 또는 황계라는 상상의 존재가 되었다.

금계는 봉황, 주작 등 상상의 새가 지닌 길상적 역할만을 모아 만들어졌으며, 오방색 중 정중앙에 해당하는 황금색의 신령한 형상을 하고 있다. 또한 닭의 신비스러운 속성에 더해 문(文), 무(武), 용(勇), 인(仁), 신(信)의 다섯 가지 덕을 지니고 있다고 하여, 고귀존영(高貴尊榮)의 상징으로도 애호되었다.

실제 금계를 주제로 한 8폭 연폭 병풍 등을 살펴보면 이러한 상징을 잘 엿볼 수 있다. 볏과 꼬리가 크고 화려한 금빛 수탉 한 마리가 큰 화면 중앙에 있는 바위 위에 올라 저 멀리 동이 터 오는 붉은 빛을 바라보고 있다. 바위 아래에는 노란색과 흰색, 붉은색의 국화꽃과 수탉보다 볏이 작은 암탉 한 마리가 있다. 화면 왼편에는 부채처럼 넓게 퍼진 형태의 붉은 단풍나무가 서 있고, 그 앞을 기러기가 떼 지어 날아가고 있다. 금계가 울어 밤과 낮의 경계를 짓고 깊은 가을 새벽 시간을 알리는 그림으로 표현한 것이다.

예로부터 물고기는 민간에서 벽사의 상징으로 이해되어 왔다. 사람들은 물고기가 항상 눈을 뜨고 있기 때문에 우리가 보지 못하는 중에도 삿된 것을 경계할 수 있다고 생각하였다. 벽장문이나 미닫이문에 물고기 그림을 장식하거나, 돈이나 귀금속이 들어 있는 궤짝이나 뒤주에 잉어 모양 자물쇠를 채우기도 하였다.

항상 눈을 뜨고 있는 물고기는 학문 정진의 상징으로도 여겨졌다. 민화에는 세 마리의 물고기가 그려진 그림이 종종 보이는데, 이는 독서삼여(讀書三餘)에서 유래한 것이다. 독문화재청서삼여는 책 읽기 좋은 세 가지 여가시간이란 뜻으로 겨울철, 밤 시간, 비올 때 학문하는 태도를 가리키는 말이다. 여기에서 삼여(三餘)의음이 삼어(三魚)와 유사하여, 세 마리의 물고기를 그린 그림은 사람들에게 학문 정진의 상징으로 여겨졌다. 물고기는 불교에서도 정진의 상징으로 활용된다. 목어 (木魚)는 속이 빈 물고기 형태로, 이를 두드리는 소리를 듣고 수행에 정진하라는 의미가 담겨 있다. 또 사찰의 처마 밑 풍경(風磬)에 눈을 감지 못하는 물고기 조 각을 달아두는 것도 경종을 울려 선정하라는 맥락으로 이해할 수 있다.

우리나라의 도깨비는 동요와 속담, 설화와 민담 등 구전되는 이야기뿐만 아니 라 그림이나 조각, 공예품 등을 통해서도 다양하게 나타나고 있다. 우리 문화 속 도깨비는 호랑이만큼 두려운 존재인 동시에 친숙하고 장난기 넘치며 인간을 도와 주는 존재로서 다양한 면모를 보여주고 있다.

삼국시대 귀면와는 집안에 화재, 잡귀의 침입을 막기 위한 용도임에도 불구하 고, 그 형상이 무섭기보다는 위엄이 가득하면서도 정감과 웃음이 넘치는 익살스 러운 얼굴이다.

도깨비는 불교미술에서도 나타난다. 사찰의 중심인 대웅전 기단(基壇)을 오르는 돌계단 난간에는 주로 물의 상징인 용이 조각되는데, 부산 범어사에는 특이하게 듬직하고 잘생긴 도깨비 한 쌍이 대웅전 가는 길을 지키고 있다. 범어사 돌계단 난간의 혀가 보이도록 웃는 도깨비는 사자나 용처럼 큰 귀에 늘어진 갈기가 있고 위엄의 상징인 귀치가 잘 드러나 있다.

다섯 개의 발톱을 접고 엎드린 자세는 복종하는 개나 고양이처럼 친근해 보이 지만 강한 인상으로 잡귀를 물리치는 위엄을 보이고 있다. 불교에서 도깨비는 세 개의 얼굴과 여덟 개의 팔을 가진 귀왕(鬼王)이었으나, 점차 불교에 습합되어 불 법을 수호하고 악귀나 역신을 막는 문신(門神)으로 변하게 된다. 이러한 이유로 불교미술에 용이 있어야 할 자리에 도깨비 형상이면서, 용의 얼굴을 닮은 도깨비 가 나타나게 되었다.

조선시대 후기의 도깨비는 목조 건축에 많이 남아 있는데, 여기에 표현된 도깨 비들은 지역, 건축물의 특성, 장인의 솜씨에 따라 각기 다른 개성을 지닌 모습으 로 나타난다. 조선 후기 서민 예술이 민중의 심성을 익살과 해학으로 표현하였던 것과 같이 다양한 도깨비의 형상에도 감출 수 없는 웃음과 익살이 숨어 있다.

우리 문화에 나타나는 다양한 도상은 사용되는 장소에 따라 다양한 상징체계를 지니게 되었다. 그리고 선조들은 도상의 모방과 변용, 전파를 통해 자신들의 경험 과 인식을 공유해 왔다. 이제 우리는 선조들이 남긴 문화재를 바라보면서 그들이 전하고자 했던 경험과 인식을 어떻게 후손들에게 전할 것인지 생각해 보아야 할 것이다.[206)]

88. 민주주의 위기의 실체

　민주주의, 한국에서 정치를 논할 때 정치인과 학자를 위시로 한 정치관계자들이 가장 흔하게 입에 올리는 용어다. 대체로 민주주의가 잘되고 있다는 것보다는 잘 안되고 있다는 차원에서 사용된다. 이때 꼭 '위기'라는 말이 함께 쓰인다. 즉, '민주주의의 위기'라고 일컬어진다. 현 윤석열 정권의 지지기반인 보수세력의 경우, 그냥 민주주의의 위기가 아니라 꼭 자유민주주의의 위기라고 한다. 민주주의가 무엇인지에 대한 진보세력과의 이념적 시각 차이를 반영한 것이다. 하지만 그게 자유민주주의든, 그냥 민주주의든 진보세력과 보수세력 모두 정치 현실에 대한 문제의식을 '민주주의의 위기'라고 표현한다. 왜 그런 걸까? 민주주의가 진짜 위기에 처해 있기 때문인 걸까?

　흥미로운 것은 보수세력과 진보세력 모두 당시의 집권세력을 독재라고 칭하는 데에서 민주주의 위기 진단을 끌어내고 있다는 것이다. 보수세력은 지난 문재인 정권을 독재정권이라고 했고, 진보세력은 현 윤석열 정권을 독재정권이라고 부른다. 주말의 광화문 태극기 집회 현장이나 더불어민주당 정치인들의 윤석열 정권에 대한 비판적 언사를 통해 쉽게 확인할 수 있다. 문재인 정권과 윤석열 정권 모두 진짜 독재정권인 것일까?

　일단 한국의 보수 진보 간의 정치·사회적 쟁투 과정에서 민주주의는 좋은 것, 독재는 나쁜 것이다. 가끔 박정희 유신 정권을 미화하며 독재가 필요하다는 주장을 하는 이들도 있긴 하지만. 또 최근 정치학 관련 수업을 하다보면 더 효율적이라는 이유로 독재를 지지하는 학생들도 볼 수 있지만. 여하튼 민주주의는 좋은 것이고, 독재는 나쁜 것이라는 전제하에 자기는 민주주의의 쟁취자 및 수호자이고, 상대는 민주주의의 파괴자 및 독재자다. 즉, 민주주의와 독재는 주로 자신과 상대방의 정체성을 규정하고 차별성을 드러내는 용어로 쓰이고 있는 것이다. 왜 이리 되었을까?

원칙적으로 민주주의가 진짜 위기에 처해 있는지 아닌지를 가늠하기 위해서는 민주주의가 뭔지에 대한 사유와 규정이 필요하다. 특정 정권을 독재정권이라고 규정하기 위해서도 마찬가지다. 이뿐만 아니라 독재 규정을 위해서는 민주주의에 더해 독재가 무엇인지에 대해서도 밝혀야 한다. 민주주의는 직관적으로 쉽게 파악할 수 있는 일상의 용어라기보다는 이론적으로 구성된 개념어이기 때문이다. 정치학자의 수만큼이나 많다는 정치에 대한 개념 규정만큼은 아니어도, 민주주의 역시 그것이 무엇인지는 여전히 논쟁적이다.

몇년 전 박근혜 정권 때 국내 한 연구기관이 주최한 '민주주의 국제포럼' 참석차 한국을 방문했던 스웨덴의 한 정치학자는 민주주의는 물론, 민주주의의 위기라는 말을 쉽게 해서는 안 된다고 조언하기까지 했다. 자기가 보기에 한국의 정치인과 학자, 사회운동가 등은 민주주의의 위기라는 말을 너무나 쉽게 한다면서. 당시 그는 포럼 주최 측과 한국 참가자 상당수가 스웨덴은 좋은 민주주의 국가이고, 박근혜 정권은 그에 비추어 볼 때 독재까지는 아니어도 민주주의 정권이라고 하기 어렵다는 말을 듣고 싶어 한다고 여겼던 것 같다. 그게 사실이든 아니든 간에 민주주의와 독재를 논할 때, 특히 현존하는 정치사회 세력을 민주주의나 독재라고 규정하는 데 보다 신중할 필요가 있다는 그의 주장에 귀기울일 필요가 있다.

하지만 민주주의든 독재든 그 개념이 먼저 있고 정치·사회적 현실이 있는 게 아니다. 민주주의와 독재 모두 특정 시대의 정치·사회적 현실에 기초해 생겨난 개념이다. 그게 뭔지에 대해 여전히 논쟁적인 이유다. 특히 민주주의와 독재같이 정치·사회적 쟁투와 갈등의 현장에서 흔히 쓰이는 용어의 경우는 이론보다 특수한 역사적 경험이 더 크게 영향을 끼친다.

가. '난 민주주의, 넌 독재'의 차별성

한국에서 민주화 이후 시기에도 정치·사회적 쟁투 과정에서 실제 그런지의 여부를 떠나 자신을 민주주의로 규정하고, 상대방을 독재로 몰아 비난하고 공격하는 이유는 이승만-박정희-전두환-노태우 정권에 이르는 40여년에 걸친 독재 정권의 경험 때문이기도 하다. 이승만 정권은 경찰독재, 박정희-전두환-노태우 정권은 군부독재였다. 이런 독재 정권들이 자행한 국가폭력으로 목숨을 잃고 차별받고 배제되는 경우를 목격하거나 겪어오면서 독재는 저항하고 무찔러야 할 악임을 인식하게 되었다. 그런데 이러한 경험과 인식이 민주화 이후 지금에 이르기까지 영향을 끼치는 두 가지 유산을 낳았다. 하나는 권력을 차지한 세력, 특히 집권 세력의 바람직하지 못하다고 여겨지는 부정적인 정치·사회적 행태를 독재라는 관점에서 바라보고 이해하고 인식하게 하는 민감함을 심어 놓았다. 다른 하나는 그런 민감함 때문에 경쟁자와 상대방을 가장 거세게, 또 효과적으로 비난하고 공격할 수 있는 방법이 독재라고 낙인을 찍는 것임을 알게 되었다. 독재를 염려하는 예민한 감수성, 그리고 상대방을 독재로 규정하는 것의 정략적 활용성에 대한 인지가 민주화 이후의 정치·사회적 현실과 쟁투와 갈등 현장에서 작용해 온 것이다.

그런 중에 이명박 정권은 미국산 쇠고기 수입과 4대강 정비사업의 독단적 감행 그리고 문화예술계 블랙리스트 작성 등을 이유로 유사파시즘 정권으로까지 명명되기도 했으며, 박근혜 정권은 최순실 게이트 발발 이전에 이미 박정희 독재정권의 계승자라는 의미에서 신유신 정권으로 불리기도 했다. 노무현, 문재인 정권은 주도 세력의 과거 이력에 타깃을 맞춰 386 운동권 독재 혹은 좌빨 독재 정권 등으로 불렀다. 현 윤석열 정권은 통치의 조직기반 때문에 검찰독재정권으로 불린다. 이런 식의 용례에서 민주주의의 위기는 독재로 규정되는 정권의 등장과 집권 그 자체이다.

역사적 경험과 유산에 따른 것이기 때문에 계속 이리 사용해도 문제가 없는 것일까? 그렇지는 않다. 부정적 효과가 크기 때문이다. 그리고 이를 극복하기 위해서는 시대 상황에 부합하는 방식으로 재개념화가 필요하기 때문이다. 어떻게 재규정해야 할까? 민주주의를 독재에 대비해 그저 좋은 것으로, 그 위기를 독재로 명명한 세력의 집권으로 보는 것을 넘어서야 한다. 이때 여러 이론들이 다 같이 인정할 수밖에 없는 공통성과 작금의 삶의 현실에 기초해야 한다.

나. 약자의 주권 마련에 초점 둬야

이때 상기할 게 있다. 민주주의 개념 규정의 중요성을 알려준 미국의 정치학자이자 <절반의 인민주권>의 저자인 샷츠슈나이더가 강조했던 것처럼, 민주주의를 위해 사람들이 있는 게 아니라, 사람들을 위해 민주주의가 있는 것임을. 그래서 민주주의를 모든 사람들에게 죄의식을 심어줄 뿐 실현할 수 없는 규범으로 정의해선 안 된다는 것을.

민주주의는 그것의 형식과 절차를 중시하든 아니든 간에, 그 작동의 결과가 인구의 다수를 차지하는 소수자와 약자의 주권을 증진하는 것이어야 한다. 민주주의라는 말 자체가 그것을 의미하는 것이기도 하지만, 현재 강자와 약자 간의 힘의 관계의 불균형이 너무나 크기 때문이다. 단지 사회경제적 불평등의 심화를 말하는 게 아니다. 그것과 동반한 소수자와 약자에 대한 차별과 배제의 문제를 말하는 것이다. 이런 점에서 현재 민주주의의 위기는 특정 세력의 집권이 아니라, 그와 같은 힘의 관계의 불균형이 시정되지 못하고 있는 데에서 찾아져야 한다. 자신을 민주주의자라고 또 상대방을 독재자라고 명명하는 이들 간의 치열한 쟁투와 갈등에도 불구하고 말이다. 이것이 민주주의 위기의 실체이다.

그래서 민주주의 위기의 극복은 결코 자기와 타자에 대한 네이밍에 불과한 '민주 vs 독재' 구도의 조성을 주도하는 기성 정치세력들 간의 선거 게임으로 이루어질 일이 아니다. 선거제도의 이런저런 개편으로 군소정당의 의석수를 늘리거나 원내 의석을 차지하는 군소정당의 수가 늘어나는 것으로 이루어질 일도 아니다. 그 구도가 실제 소수자와 약자의 주권을 증진하기 위한 내용들로 채워지고 전 사회에 걸쳐 만들어질 때, 그리고 일련의 결과들이 축적될 때 가능할 일이다. 지금 우리 사는 세계의 핵심 문제인 기후 위기와 (탈)성장 그리고 전쟁과 평화의 문제 역시 그러한 관점에서 다뤄져야 할 것이다. 단지 우리 모두 기후위기를 극복해야 하고, 탈성장의 노선을 택해야 하고, 전쟁을 중단하고 평화를 지키자는 주장의 옳음을 강변하는 데 머물러서는 안 된다. 그것들이 소수자와 약자에게 고통을 전가시키는 구조, 그럼에도 이들의 정책결정권을 박탈하거나 보장하지 못하는 제도와 운용 방식에 주목해야 한다. 일상적 정치와 정책결정과정에서 소수자와 약자들이 스스로 결정할 수 있는 힘과 자리를 마련하는 것에 초점을 둬야 한다. 이를 위해서도 민주주의의 의미가 무엇이고, 그 위기의 실체가 무엇인지 유념할 필요가 있다.[207]

89. 아이들 유전자에 어떤 경험을 새길 것인가

'복제(複製)'의 한자를 풀이하면 '겹옷(複)을 짓다(製)'는 뜻이다. 그래서 복제란 마치 옷 두 벌을 겹쳐서 똑같은 옷을 한 벌 더 짓는 것처럼 '본디의 것과 똑같은 것을 만드는 행위 또는 그렇게 만든 것'을 의미하는 단어가 되었다. 생물도 예외가 아니기에, 체세포핵치환을 통해 어떤 생물의 유전적 정보를 복제하면 그 생명체와 똑같이 생긴 존재가 태어나기 마련이다. 그런데 2001년 세계 최초의 복제 고양이가 태어났을 때, 사람들은 고개를 갸웃거렸다. 복제의 대상이던 암컷 고양이 레인보는 오렌지색과 검은색 털이 알록달록 섞인 삼색털 고양이였지만, 복제하여 태어난 암고양이 CC는 흔히 '고등어'라고 불리는 특징적인 검은색 줄무늬를 가지고 있었기 때문이다.

그 비밀은 고양이에게서 털색을 나타내는 유전자의 발현 패턴에 있었다. 고양이의 털빛을 결정짓는 유전자는 X 염색체 위에 있다. 그런데 암컷의 경우 두 개의 X 염색체 중 한쪽만 기능하고, 다른 한쪽은 발생 과정에서 불활성화되며 쪼그라든다. 이를 바소체(Barr body)라고 하는데, 두 개의 X 염색체 중 어떤 쪽이 바소체가 되는지는 순전히 우연에 의해 결정된다. 암컷 삼색털 고양이는 양친으로부터 각각 오렌지색 털과 검은색 털 유전자가 든 X 염색체를 물려받지만, 어느 쪽 유전자가 든 X 염색체가 바소체가 될지는 세포마다 무작위적이다. 그래서 아무리 유전적 쌍둥이라 해도 최종적인 털빛과 패턴은 같을 수가 없는 것이다. 다만 결정은 무작위적이라 해도, 한번 결정된 패턴은 평생 지속된다. 그래서 한번 결정된 고양이의 털색은 자란다고 바뀌지 않는다.

생물의 특성이 수정 시 양친에게서 부여받은 유전자의 유무에 의해서만 확정되는 것이 아니며, 발생 과정에서 그 발현 정도가 조절되어 최종 표현형이 달라질 수 있다는 사실은 '후생유전학(epigentics)'의 기본 개념이 되었다. 전등을 설치했다고 늘 불이 켜지는 게 아니라 스위치로 온·오프를 조절하는 것처럼, 생물의 유전자도 가지고 있다고 모두 발현되는 게 아니라, 유전자 스위치로 조절할 수 있다는 것이다. 유전자에 메틸기(-CH3)가 붙으면 불활성화되고, 아세틸기(-COCH3)가 붙으면 활성이 촉진된다. 다만 필요에 따라 쉽게 켜고 끌 수 있는 전등과는 달리 유전자 스위치는 한번 결정되면 고정되는 경향이 강하다는 차이가 있다.

이후 연구가 지속됨에 따라 고양이의 털빛처럼 무작위로 일어나는 경우도 있지만, 개체가 자라면서 겪는 환경과의 상호 소통이 유전자 스위치의 온·오프를 조절할 수 있음이 밝혀진다. 대표적인 것이 어미 쥐의 모성 행동이다. 어미 쥐는 어린 쥐를 본능적으로 핥아주고 털을 골라주며 보듬는다. 하지만 그 행동의 빈도와 지속 시간은 쥐마다 다르다.

흥미로운 것은 냉담한 어미의 손에서 자란 쥐들은 낯선 환경을 더 두려워하고 잘 놀라는 겁 많은 쥐로 자라났지만, 다정한 어미의 자손들은 반대의 행동을 보였다는 점이다. 이들은 자라서 자신이 받은 대로 자손에게 행했고, 그러다 보니 세대가 지날수록 두 그룹의 쥐들은 전혀 다른 성향을 보여주었다. 이들은 배워서 아는 것이 아니었다. 어미의 다정한 행동이 갓 태어난 새끼 쥐의 뇌에서 스트레스 저항성 호르몬 유전자의 스위치를 켠 것이었다. 이는 어미가 누군지와는, 다시 말해 어린 쥐의 유전적 특성과는 상관없었다.

모든 쥐들은 동일하게 스트레스 저항성 호르몬 유전자를 가지고 태어나지만, 그 스위치를 켜거나 끄는 건 그들이 경험한 어미의 다정한 행동이었다. 최고로 냉담한 어미에게서 태어난 새끼 쥐라 하더라도, 다정한 유모에게 맡겨지면 그들의 스트레스 저항성 호르몬 유전자는 반짝반짝 켜지고 이는 평생 지속되어 훗날 자신의 자식들에도 다정하게 대했다. 충분히 보살핌을 받은 경험이 유전자의 스위치를 켜고, 대를 물려 이어지는 것이다. 이런 이유로 후생유전학자들은 '경험은 유전자에 새겨진다'라는 표현을 쓰기도 한다.

같은 유전자를 가지고 태어나더라도 출생 이후 경험에 따라 유전자 스위치의 온·오프가 결정되고, 일단 결정된 유전자 스위치가 개체의 평생을 넘어 대물림된다는 사실은 다음 세대를 대함에 있어 시사하는 바가 크다. 다정하게 대우받은 아이는 그 다정함을 물려준다. 아이의 경험이란 일차적으로는 부모와 가정이 담당하는 일이지만, 모든 아이가 적합한 환경에서 태어나는 건 아니다. 그리고 그 모자란 경험을 공동체가, 국가가, 기존의 세대들이 나누어 줄 수 있는 사회가 진정으로 '인간다운' 사회일 것이다.[208]

90. '지역정당'에 대한 잔인한 오해

(1) "한국의 지방선거 제도를 한마디로 표현한다면 '거대 양당에 의한, 거대 양당을 위한 지방선거 제도'라고 할 수 있다. 거대 양당의 공천을 받아야 지방

의원이라도 할 수 있는 상황이다. 그렇다 보니 지방의원이 주민 눈치를 보는 것이 아니라, 공천권자의 눈치를 본다." (세금도둑잡아라 공동대표 하승수, 〈황해문화〉, 2022년 가을)

(2) "우리나라를 제외한 모든 OECD 국가에서는 이른바 '지역정당'이라는 정치조직을 자유롭게 만들 수 있다. (중략) 지역정당들은 지방선거에서 이른바 '대선 2차전'이니 하는 구호를 내걸지 않는다. 그런 구호는 중앙권력을 목적으로 하는 전국정당이 한다." (인천대 경제학과 교수 양준호, 〈황해문화〉, 2022년 가을)

(3) "정당에 대한 군사정부의 국가주의적 규정이 남아 있는 유일한 이유는 거대 양당의 패권 유지에 그것이 훨씬 유리하기 때문이다. (중략) 그 대가로 우리의 지방정치는 중앙을 향한 '민원정치'가 되어버렸다. (중략) 우리의 정치구조는 지방이 생존할 최소한의 정치적 활력의 공간조차 남겨놓지 않았다." (서울대 정치외교학부 교수 박원호, 경향신문, 2022년 4월5일)

이상 소개한 세 가지 견해는 서울의 정치적 식민지로 전락한 지방의 현실을 잘 말해주고 있다. 전 세계적으로 민주주의 체제에서 지역정당이 인정되지 않는 나라는 한국이 거의 유일하다는데, 이를 자랑스럽게 생각해야 하나? 아니면 수치로 여겨야 하나?

가. 60년 넘게 시대착오적 차별

박원호는 우리 지방정치의 비극은 사실 우리의 정당법이 "정당은 수도에 소재하는 중앙당과 특별시·광역시·도에 각각 소재하는 시·도당으로 구성한다(제3조)"고 선언한 순간 시작되었다고 말한다. "다르게 말하자면, 한국의 모든 정당들은 서울에 중앙당을 둔 전국정당만이 존재할 가치가 있으며, 이들만이 후보자들을 공천하고 국고보조금을 받을 수 있는 독점적인 지위를 부여받고 있는 것이다.”

이상하지 않은가? 세계에서 둘째가라면 서러워할 정도로 민주주의적 정의감과 실천력이 강하고 뛰어난 데다 국민의 정치적 효능감마저 충만한 한국에서 그런 시대착오적인 차별이 60년 넘게 저질러져 왔다는 게 기이하지 않은가? 뒤늦게나마 지역정당 설립을 막고 있는 정당법에 대한 위헌소송이 제기되었는데, 그 결과 역시 기이했다.

지난 10월4일 헌법재판소는 정당법 위헌법률심판·헌법소원심판에서 문제의 관련 조항이 헌법에 위반되지 않는다고 판단했다고 밝혔다. 재판관 9명 중 5명이 위헌이라고 판단했지만 위헌 결정을 위한 심판정족수인 6명을 채우지 못해 합헌 결정이 내려진 것이다.

유남석·문형배·정정미 재판관은 “거대 양당에 의해 정치가 이루어지는 현실에서 전국정당 조항은 지역정당이나 군소정당, 신생정당이 정치영역에 진입할 수 없도록 높은 장벽을 세우고 있다”며 “각 지역 현안에 대한 정치적 의사를 적극적으로 반영할 수 있는 정당의 출현을 배제해 풀뿌리 민주주의를 차단할 위험이 있다”고 봤다. 김기영·이미선 재판관은 “국민의 정치적 의사 형성에의 참여라는 정당의 핵심적 기능을 수행하기 위해 반드시 전국 규모의 조직이 필요하다고 볼 수 없고 헌법이 전국 규모의 조직을 요구하는 것도 아니다”라며 “정당의 자유를 부정하는 것으로 입법목적의 정당성, 수단의 적합성을 인정하기 어렵다”고 덧붙였다.

반면 이은애·이종석·이영진·김형두 재판관은 “지역적 연고에 지나치게 의존하는 정당정치 풍토가 다른 나라와 달리 우리의 정치현실에서는 특히 문제시되고 있다”며 “지역정당을 허용할 경우 지역주의를 심화시키고 지역 간 이익갈등이 커지는 부작용을 야기할 수도 있다”고 설명했다. 기사에 달린 댓글 하나가 눈길을 끌었다. “와 이게 합헌이야? 지역주의 정당으로 문제 일으키는 게 국민의 힘과 민주당이지 지역의 풀뿌리 운동 하던 사람들이던가?”

“지역주의를 심화시키고 지역 간 이익갈등이 커지는 부작용을 야기할 수도 있다”는 말이 몹시 안타깝게 여겨졌다. 일부 관련 기사에 소개된 법률 전문가들도 그와 비슷한 말을 하고 있어서 더욱 그랬다. 그런 우려가 지역정당에 대한 잔인한 오해라는 생각이 들면서 엉뚱하게도 셰익스피어의 명언 하나가 떠올랐다. “이름에 무엇이 있는가? 장미를 무엇이라 부르건 달콤한 향기는 여전하다.”

나. '잔인한 오해' 다시 생각해봐야

지역정당을 무엇이라 부르건 달라질 건 없는 걸까? 그건 아닌 것 같다. 셰익스피어가 그 말을 한 취지는 이해하거니와 동의하지만, 정색을 하고 말하자면 그건 과학적으론 옳지 않은 생각이다. 영국 옥스퍼드대 에드먼드 롤스 교수 연구팀의 연구에 따르면, 사물의 이름이 불러일으키는 연상 작용이 실제로 냄새를 느끼는 데에 영향을 미친다는 사실이 밝혀졌다. 장미를 호박꽃이라고 부르면 덜 향기롭게 느껴지지만 고약한 냄새를 풍기는 사물에 그럴듯한 이름을 붙이면 냄새도 나아진다는 것이다.

지역정당은 'local party'를 그대로 번역한 것으로, "특정지역에서 지지 기반을 갖고 지역문제 해결 내지 지역적 의사 형성에 참여하는 것을 주목적으로 하는 정치적 결사체 또는 정치 주체로서의 정당"이다(서원대 교수 조규호). 활동 무대가 지역이라는 의미에서 지역정당일 뿐인데, 다수 한국인들의 뇌리엔 이미 지역정당이란 단어에 대한 강한 이미지가 형성돼 있다. 정당 관련 기사에서 무작위로 발췌한 다음과 같은 일련의 용법을 감상해보자.

"호남과 영남 모두 하층으로부터 재벌까지 계급을 초월해 자신들의 지역정당을 지지하는 '초계급적 지역정당체제'가 한국정치의 현실이다." "정치가 국민의 삶과 무관하게 된 데에는 지역정당의 책임이 매우 크다." "'호남의 저항적 지역주의와 영남의 패권적 지역주의'는 구별되어야 마땅하다. 하지만 호남의 이런 선택이 결과적으로 '지역정당 구조'의 한 축을 떠받쳐온 것을 부인하기는 어렵다." "기존의 '영남당'과 '호남당' 외에 추가적으로 '충청당'이나 '강원당' 등 군소 지역정당들이 부상할 공산이 커진다." "인구편차의 허용기준이 클수록 지역정당 구조를 심화시킬 수 있다." "과거 자민련처럼 TK(대구·경북) 지역정당이 될 수도 있을 것이다."

이런 용법들은 전국정당임에도 지역주의에 의존하는 정당들이 결과적으로 갖게 되는 성격을 비판적 의미로 평가한 것이다. 지방자치를 서울에서의 패권 경쟁의 도구로 악용하는 몹쓸 정치와 결별한다는 의미에서 쓰는 '지역정당'과는 정반대되는 현상임에도 일반 유권자들, 아니 심지어 헌법재판관들마저 그 중요한 차이를 제대로 평가해주지 않은 채 같은 이름에 휩쓸려버리는 '이미지 사고'를 했을 가능성이 있는 게 아닐까?

서울대 한국정치연구소 연구원 윤왕희는 '한국에서 지역정당은 어떻게 가능할 수 있을까?'(2022)라는 논문에서 기존의 부정적 지역주의를 연상시킬 수 있는 오해에서 벗어나기 위해 '지역정당' 대신 '주민자치정당'으로 부를 것을 제안한 바 있다. 그는 지역에서 '밥그릇(일자리)'을 만들기 위한 호구지책 오해(혐의)도 떨쳐내기 위해 주민자치정당에는 전국정당과 달리 국고보조금을 아예 지급하지 말자고 제안했다. 윤왕희의 선견지명에 새삼 놀라게 된다. 실제로 그 두 가지 이유 때문에 주민자치정당을 부정적·비판적으로 보는 이들이 적지 않으니 말이다.

차분하게 잘 생각해보자. 두 거대 전국정당이야말로 지금도 지역주의로 장사를 하는 정당이다. 지방언론의 주요 기사 제목만 살펴봐도 지방 정치권이 가장 신경 쓰는 게 무엇인지 쉽게 알 수 있다. 그건 바로 중앙 권력과의 관계다. 지역발전을 위한 창의력과 혁신은 아예 지역 의제에 오르지도 못한다. 중앙의 한정된 부와 자원의 배분을 둘러싸고 벌어지는 지역 간 경쟁에서 우위를 점하기 위한 정권장악 기여도, 이게 바로 지방정치의 알파요 오메가다. 주민자치정당은 바로 이런 행태에 정면 도전하는 풀뿌리운동이다.

나는 그 풀뿌리운동에 찬물을 끼얹은 헌재의 합헌 결정과 관련해 세 번 놀랐다. 첫째, 거대 양당의 망국적인 지역주의 정치에 정면 도전하는 운동에 지역주의 심화 가능성을 제기한 게 놀라웠다. 둘째, 거의 모든 언론이 관련 사설이나 칼럼조차 싣지 않을 정도로 이 결정의 의미를 외면하는 걸 보고 놀랐다. 셋째, 분노하거나 심각한 문제의식을 갖는 유권자들이 거의 없다는 게 놀라웠다. 지역정당 또는 주민자치정당에 대한 과도한 기대는 경계하는 게 좋겠지만 잔인한 오해만큼은 다시 생각해보면 좋겠다.[209]

91. 조화와 균형의 대외전략을 추구하자

대통령은 외유 중이다. 윤석열 대통령은 취임 이후 16개월 동안 13차례 해외 순방을 다녀왔다고 한다. 거의 매달 한 번꼴로 해외 순방을 한 것이다. 과거에는 대부분 대통령 임기 후반부에서야 해외 순방의 횟수가 늘어났다. 김대중 대통령 이후 거의 모든 대통령들은 국가급의 지도자라기보다는 국내 정파적인 지도자에 머물렀다. 본인들은 동의하지 않을 수도 있겠지만, 국제정치에 대한 이해도는 크게 낮았고, 국가 장래를 위한 비전과 철학은 미흡했다. 그나마 임기 초반부에는 위세로 권위를 세울 수는 있었겠지만, 임기 후반으로 갈수록 나라는 어지러워지고, 대통령의 국정수행 평가는 긍정보다는 부정적인 평가가 크게 확대되었다. 국내정치에 지치고, 권위는 크게 떨어진 상황에서 해외 순방은 이들에게 큰 위안이 되었음직하다. 국제정세에 밝지 못했던 그들이지만, 해외에서 대한민국의 위상을 재발견하고, 극진한 대접에 감동했을 것이다.

윤석열 대통령은 취임 직후부터 긍정보다는 부정적인 평가가 높은 예외적인 경우이다. 임기 중반을 넘지 않는 상황에서 이처럼 빈번한 해외 순방도 예외적일 것이다. 글로벌 중추국가 구상을 표방한 윤석열 정부로서는 비정상적인 일이 아닐 수 있다. 윤 정부는 과거 한반도와 동북아에 머물렀던 우리의 외교 지평을 범지구적으로 확대하겠다는 비전을 가지고 출범했다. 그리고 대한민국이 선진국이라는 전제를 그 어느 정부보다 강하게 자부하고 있다. 윤 정부는 새로운 비전의 대표적인 성과로 2030년 부산 세계박람회 개최를 성사시키고자 전력을 다하고 있다. 대통령을 포함한 대한민국 외교, 경제계의 주요 인사들이 모두 팔을 걷어붙이며 뛰고 있다. 만일 성공하지 못한다면, 글로벌 중추국가 구상이나 윤 정부의 외교적 역량에 대한 타격은 불가피하다. 이런 측면에서 윤 대통령의 빈번한 외유는 아마 이해될 수 있을 것이다.

부산 세계박람회 개최의 가장 큰 경쟁자는 사우디아라비아의 리야드이다. 윤석열 정부는 포석부터 쉽지 않은 게임을 택했다. 한·미 동맹과 한·미·일 협력을 근간으로 글로벌 중추국가 구상을 실현한다는 복안을 제시했다. 북한과의 관계에 집중했던 문재인 정부에 대한 안티테제 성격을 띤다. 민주주의와 권위주의의 대결에서 민주주의는 반드시 승리한다는 역사적 낙관론에 신념을 가지고 가치외교를 표방하였다. 새로이 형성될 공급망 구조가 가치에 기반한 세력 간의 구조로 재편될 것이며, 이 체계에서 소외되어서는 안 된다는 절박한 인식도 담고 있었다.

2022년 발간한 'A World Divided'라는 영국 케임브리지대학의 한 보고서에 따르면 현재 세계에서 가장 많은 지지를 받는 국가는 러시아, 중국, 미국 순이다. 이는 우리의 일반 인식과는 사뭇 다르다. 윤 정부의 가치중심 외교는 러시아와 충돌하고, 중국과는 비우호적인 관계를 불러왔다. APEC에서 한·중 정상회담이 불발된 것은 이를 상징적으로 보여준다. 러시아, 중국과의 갈등을 전제한 외교 포석은 세계박람회 유치경쟁에서 중·러가 사우디를 지지할 것이라는 전제에서 성취해야 한다는 점을 말해준다. 포석부터 골리앗과 다윗의 경쟁을 선택한 것이다. 최근 중동 전쟁의 여파로 기회의 공간이 좀 더 창출되었다는 평가도 있다. 그럼에도 윤 정부는 현재 온 국력을 쏟아 막바지 기적의 역전을 기대하는 것과 같은 어려운 경쟁을 수행하고 있다.

세계 박람회 개최를 위한 대결은 민주주의인 대한민국과 권위주의인 사우디 간의 대결처럼 보일 수도 있다. 그러나 우크라이나·러시아 전쟁, 이스라엘·하마스 전쟁, 미·중 전략경쟁의 완화와 개선 움직임 등은 세계가 윤석열 정부의 외교안보 라인이 상정한 것처럼 이분법적인 세계관으로 설명하기는 어렵다는 것을 잘 보여준다. 누가 선이고 누가 악인지, 누가 정의이고 누가 불의인지 구분도 어렵고, 또한 정의가 반드시 승리한다는 것을 보장할 수 없는 속(俗)의 세계에 우리는 살고 있다. 미국이나 일본을 포함한 세계는 정의와 가치를 가리는 성(聖)의 세계보다는 자국의 경제적 이익을 최우선으로 하고, 민생에 외교·안보 역량을 집중하고 있다. 현재 한국의 안보 위기는 북한의 핵미사일 도발과 같은 전통적인 안보 위기도 있지만, 더 시급한 안보 위협은 글로벌 공급망 단절, 불황의 늪, 시장 불안정이라는 3각 파도에서 온다. 이 문제를 제대로 대처하지 못한다면, 전통적인 안보 역량을 확대할 기회와 역량도 소멸되는 것이다.

한국 정부는 이왕휘 아주대 교수가 제안한 것처럼, 안보 대 경제, 이념 대 이익, 미국 대 중국에서 전자에 대한 지나친 편향성을 극복해야 한다. 윤석열 정부의 정책 기조를 중국에 대한 디커플링에서 디리스킹으로, 이념과 가치의 과잉화를 경계하고 기업의 수익성을 적극 지원해야 한다. 미국의 AFK 오르간스키 교수는 국력을 단순히 GDP나 외양적인 수량으로 평가하는 것이 아니라 국내 정치비용을 고려할 것을 주장한 바 있다. 아무리 생산성과 생산력이 높다고 해도, 국내가 분열되고 역량이 결집되지 않는다면 그 나라의 국력은 표면에 나타나는 것보다 현저히 낮을 것이다. 국력은 정책 경쟁력, 지도자의 자질과도 깊은 연관성이 있다는 것을 말해준다. 나는 여기에 국제 정치비용도 포함해야 한다고 생각한다. 외교·안보 정책에 대한 파당화나 불필요한 국가 간 갈등을 초래하여 비용을 증가시키는 것은 지정학적 중간국가이자, 세력 사이에 낀 국가이고, 통상국가인 한국에는 치명적인 결과를 가져올 수 있다.

지난 18일 플라자 프로젝트(사) 창립 총회에서 현오석 전 부총리가 한국에 긴히 필요하다고 지적한 '새로운 혁신' '경제 안보의 중시' '균형성의 회복'은 세계에 대한 새로운 인식, 전략, 접근방식을 요구한다.

부산 박람회 유치경쟁이 지나가면, 윤석열 대통령은 이후 국정의 성공을 위해 차분히 객관적으로 기존의 정책방식을 재평가할 필요가 있다. 이제 가치의 균형보다는 이익의 균형을 가져오는 전략 재조정이 필요하다. 대한민국 현자들의 목소리를 경청하고, 민의의 조화를 추구해야 한다. 자유민주주의 국가라는 자부심을 지니면서도 더욱 신중하고 겸허히, 실용적인 대외 전략과 정책으로 전환하는 것이 이후 윤석열 정부 외교안보 정책의 성패를 좌우할 것이다. 이러한 방안들이 정의를 추구하고, 확신한 바를 사심 없이 과감하게 실행에 옮기는 윤 대통령의 성정에는 비록 탐탁지 않을 수는 있다. 그러나 국가의 생존과 이익을 책임지고 있는 윤 대통령에게 시대가 요구하는 과감한 변신이다.[210]

92. 초록 낙엽, 나무 시계를 고장 낸 범인은 누구인가

며칠 전에 길을 걷다가 놀라운 광경을 목격했다. 길에 떨어진 은행나무 낙엽이 노란색이 아니라 초록색이었다. 눈을 의심할 정도로 푸르른 나뭇잎들이 바닥에 떨어져 있었다. 아마 많은 분이 나처럼 당황했을 것으로 생각한다. 단풍의 시작 시기가 늦어져 11월 초가 되었음에도 은행나무 잎이 노란색으로 변하지 않은 것도 신기한데 이제는 초록색 은행나무 낙엽이 바닥에 깔린 것이다. 도대체 나무에 무슨 일이 일어난 것일까. 누가 나무의 시계를 망가트린 것일까. 지금부터 나무의 시계를 고장 낸 주범을 찾아보려 한다.

한국이 위치한 온대지역의 낙엽활엽수(계절 변화를 하는 잎이 있는 나무)는 일정량의 추위를 경험하면 단풍이 시작되고 이어서 낙엽을 떨어트린다. 보통 종마다 다르지만, 여름에서 가을로 넘어가면서 일조량이 줄어드는 시점부터 특정 기온 이하의 추위를 감지하기 시작하고 일정량의 누적된 추위까지 견디다 본인의 한계를 넘어가면 광합성을 멈추고 색이 변하기 시작하는 것이다. 이렇게 나무가

인지하는 추위를 Cooling degree day(냉방도일)라고 한다. 사실 냉방도일이란 용어는 에너지 분야에서 여름철 에어컨 이용과 관련한 수요예측에 많이 사용되어 헷갈릴 수도 있지만 영어가 같기에 여기서는 같은 용어로 표기하겠다. 더위를 식혀주는 에어컨 같은 경우 특정 온도보다 높은 날이 많으면 결국 에너지를 많이 쓰는 것이지만, 나무의 냉방도일 같은 경우 특정 온도보다 낮은 경우만 고려하는 개념이라 정반대이지만 용어가 같다. 하나의 용어이지만 인간과 나무는 다르게 사용하고 있어야 한다.

그럼 나무의 단풍이 시작되는 시기에 대해 좀 더 살펴보겠다. 예를 들어 특정 나무가 3도 이하의 추위를 기피하고 단풍에 필요한 총 냉방도일이 -50이라고 했을 때, 나무는 3도보다 낮은 날 기온을 감지하여 누적하기 시작한다. 일조시간이 특정 시간 이하로 줄어드는 날(예 8월20일)부터 매일 3도보다 낮을 경우를 인지하기 시작하는데, 만약 다음날(8월21일)이 2도면 2-3=-1, 그리고 다음날(8월23일)이 4도면 3도보다 크기 때문에 0, 또 다음날(8월24일)이 -1도면 -1-3=-4, 그래서 지금 3일간 -5가 냉방도일로 축적되었고 이렇게 하루하루가 지나가면서 더해지는 값이 -50에 도달되면 단풍이 시작되는 것이다. 그래서 만약 늦여름이나 가을에 기온이 높으면 3도 이하인 날의 수가 줄어든다는 뜻이기 때문에 단풍이 필요한 냉방도일에 늦게 도달하게 된다. 그래서 온난화와 같은 기후변화가 단풍의 시작 시기를 늦추고 있다. 최근 들어 왜 이렇게 단풍 시작이 늦은지 궁금했던 분들은 이제 답을 찾았을 것이다.

가. 나무시계, 평균·변동성 변화로 고장

그렇다면 이제 다음 단계로 넘어가 왜 초록색 낙엽이 바닥에 있는지를 유추해 볼 수 있다. 나무가 추위를 인지하고 단풍이 시작되어 잎의 색깔이 변하고 잎이 떨어지는 과정에서 급격하게 추워지는 날씨의 영향을 받았을 수 있다. 실제로 초가을 기온이 높았기에 단풍의 시작 시기가 늦어져 잎은 여전히 초록색으로 달려 있었지만, 최근 들어 급격히 추워진 날씨로 단 며칠 만에 너무 빨리 냉방도일에 도달한 것이다. 즉 나무는 종마다 조금씩 다르지만, 기후학적으로 단풍이 시작되고 나무 내부의 수분 공급을 차단하고 색깔이 점점 바뀌는 시간 그리고 완벽히 수분을 차단하기 위해 나뭇잎을 떨어트려 낙엽이 되는 시간이 있다. 그런데 급격히 추워진 날로 인해 너무 빨리 냉방도일에 도달하면서 나무의 생체시계가 망가져 버린 것이다. -50이라는 숫자를 향해 마라톤처럼 서서히 달려가야 하는데 100m 달리기처럼 너무 빨리 뛰다 넘어져 버린 것이다.

결국 나무의 시계는 기후변화의 속성인 평균과 변동성의 변화 두 가지 모두에 영향을 받아서 고장이 났다. 여기서 이 두 가지 속성을 좀 더 구체적으로 이해할 필요가 있는데, 평균의 변화란 예를 들어 20년 전에는 초등학교 1학년의 학생이 보통 한 반에 약 20명이었는데 최근에는 보통 한 반에 약 30명이다. 그래서 평균이 약 10명 늘었다. 이런 의미다. 반면에 변동성 같은 경우, 20년 전에는 매해 18명 또는 22명으로 해마다 4명 정도의 차이를 보이며 평균 20명이었지만, 최근에는 한 해는 15명 또 다른 해는 45명으로 평균은 30명이지만 해마다 30명 가까운 차이를 보일 만큼 변동성이 커지고 있다. 이렇게 가정해 본다면 평균뿐만 아니라 변동성의 변화에도 크게 신경을 써야 하는 상황이 되는 것이다. 왜냐하면 평균은 분명히 증가했지만, 특정 해에는 입학생이 15명으로 오히려 20년 전보다 적었기 때문이다. 사실 이렇게 되면 평균이 변하는 것보다 학교에 더 큰 영향을 끼칠 수 있다. 평균의 변화에 대한 대처와 변동성의 변화에 대한 대처는 다를 수밖에 없기 때문이다.

다시 본론으로 돌아오면, 매해 가을 기온이 조금씩 상승하면서 가을의 계절 기후가 바뀐 것이 '평균의 변화'이다. 평균의 변화에 따라 결국 나무의 단풍 시기가 늦어지고 있다.

그리고 갑자기 너무 추운 날이 급격하게 자주 발생하면서 미처 준비가 안 된 나무가 낙엽을 떨어트리는 것은 '변동성의 변화'의 영향 때문이다. 그래서 이번 초록색 낙엽 사건의 주범은 기후변화일 수밖에 없는 것이다.

나. 사계절 변화로 삶의 방식 대전환

이러한 평균과 변동성의 변화로 인한 영향은 겨울에도 똑같이 나타나고 있다. 2019년 도널드 트럼프 대통령 재임 시 미국에 영하 50도의 한파가 불어닥친 적이 있다. 그때 트럼프는 지구온난화는 허구라고 외치고, 지금 너무 추워서 우리에게 가장 필요한 것은 지구온난화라고 떠들어낸 적이 있다. 하지만 그때 미국 한파도 위에서 설명한 것처럼 겨울이 너무 따뜻해져(평균의 변화) 극 지역의 얼음이 녹고 그로 인해 영향을 받은 대기의 공기막이 약해지면서(변동성의 변화) 차가운 극지의 바람이 미국으로 불어닥친 것이었다. 트럼프는 공부 좀 해야 할 것 같다. 기회가 된다면 누가 이 글을 그에게 읽어주면 좋겠다.

지금까지 살펴본 것처럼 초록색 낙엽을 통해 기후변화가 나무에 미치는 영향, 더 나아가 생태계 취약성을 파악할 수 있었다. 그리고 이러한 생태계 취약성은 결국 인간 또한 취약해질 수 있다는 것을 암시한다.

그런데 왜 우리는 이토록 무딘 것일까. 눈으로 초록 단풍을 보기 전까지 왜 인지를 못하는 것일까. 어쩌면 우리가 기후변화를 둔감하게 느끼는 것은 우리에게 사계절이 있기 때문일지 모르겠다. 사계절이 존재한다는 것은 봄, 여름, 가을, 겨울 기온의 변화에 따라 갈아입을 옷이 준비되어 있고 건조한 계절에는 가습기를, 습윤한 계절에는 제습기를, 너무 더울 때는 에어컨을, 너무 추울 때는 난방장치를 가동하여 쉽게 날씨의 변화에 대응할 수 있다는 뜻이다. 이번 가을처럼 너무 더워 반소매를 입다가 단 하루 만에 영하로 떨어져도 그냥 장롱 속 두꺼운 재킷을 꺼내 입으면 전혀 문제가 없기 때문이다. 정확히 인간은 할 수 있지만 나무는 하지 못하는 일이다.

정리해보면, 온난화가 없었다면 단풍의 시작 시기가 늦춰지지 않았을 것이고 초록색 단풍을 볼 일 또한 없었을 것이다. 계절의 변화는 위에서 아래로 물이 흘러가듯 자연스러운 것이 맞다. 그러나 지금 우리가 마주하는 생태계의 변화는 사계절의 경계가 사라지는 것처럼 보인다. 이렇게 계속 가다 사계절의 경계가 무너진다면 단순히 옷을 갈아입는 것만으로 문제가 해결되지 않을 것이다. 이미 우리가 사는 한국은 뚜렷한 사계절의 변화에 맞추어 의식주가 결정되었기에 사계절의 변화가 사라진다는 것은 사회, 경제, 문화 시스템 등 우리 삶의 모든 방식을 통으로 바꾸어야 한다는 것을 의미한다. 그래서 이런 일이 없도록 우리는 반드시 기후변화를 막기 위해 탄소중립을 이루어야 한다. 그러지 않으면 결국 우리는 삶의 방식을 전환해야 하는 더 큰 대가를 치를 수밖에 없을 것이다.[211][212]

93. 김치를 먹는 뜻은

촌수로는 멀지만 사는 곳은 지척이라 집에 자주 들렀던 형은 복성스럽게 밥 먹기로 소문이 났었다. 보리 섞인 고봉밥을 젓가락으로 꾹꾹 누른 다음 길게 자른 김치를 똬리 틀 듯 얹고 아삭 소리 나게 먹어치우는 모습을 구경 삼아 보던 어머니는 숭늉 한 그릇 슬며시 마루턱에 가져다 두곤 했다. 소비량은 줄었다지만 여전히 밥상 한 귀퉁이를 차지하는 김치에는 어떤 영양소가 들었을까?

농촌진흥청 자료를 보면 김치 주재료인 배추에는 단백질과 탄수화물 말고도 비타민과 무기 염류가 풍부하다. 햇볕 세례를 적게 받은 배춧속은 비타민A 함량이 높을수록 더 노란빛을 띤다. 그리고 우리 소화기관이 미처 처리하지 못하는 섬유가 배추 100g당 1g이 넘는다. 이 배추를 소금에 절여 물기를 쫙 **빼면** 그 비율은 더욱 커질 것이다.

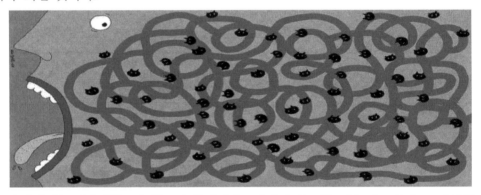

사람의 몸 가운데를 지나는 소화기관은 길이가 8m를 넘는다. 밥과 고기처럼 우리 입에 찰싹 붙는 음식물의 소화와 흡수는 대개 소장에서 끝난다. 소장은 긴 데다 표면적은 왕청뜨게 넓어서 영양소 단 한 분자도 놓치지 않겠다는 해부학적 의지를 드러낸다. 탄수화물은 소장의 앞과 중간, 지방은 소장 끝에서 흡수된다.

옛말에 '이밥에 고깃국'은 과연 소장을 염두에 둔 속담이 아닐 수 없다. 그러나 우리 소화기관에는 엄연히 대장도 있다. 길이 1.5m가량인 대장은 빛도 들지 않고 산소도 적은 험한 곳이지만 거기에도 생명체가 살아간다. 그것도 아주 많이.

한때 '10% 인간'이란 말이 유행했다. 당시 생리학자들이 우리 몸에 상주하는 미생물 숫자가 인간을 구성하는 세포의 10배가 넘으리라 추정해서 나온 말이다. 수에 천착함으로써 생물학을 새롭게 바라보려는 이스라엘 바이츠만 연구소, 론 밀로는 여러 논문을 자세히 분석한 뒤 인간 세포와 장 미생물 숫자가 얼추 비슷하다고 결론지었다. 그렇게 따져도 장 미생물의 무게는 0.2kg이 넘는다. 2012년 미국 보건원 인간 미생물 프로젝트를 진행했던 과학자들은 건조한 미생물 무게가 0.3kg이 넘는다고 보았다. 장에 사는 세균도 엄연한 생명체다. 이들도 먹어야 산다.

캘리포니아 대학 생물학과 테렌스 화는 소장을 지나 대장으로 들어오는 음식물 찌꺼기의 부피가 1.5ℓ에 이른다고 분석했다. 이를 둘러싼 저간의 사정을 좀 더 살펴보자. 끼니때마다 나오는 침과 위산, 췌장 소화액, 마시는 물을 전부 합치면 하루 10ℓ다. 혈액이 5ℓ라는 점을 참작하면 소화하는 데 상당한 양의 물이 필요하다는 점을 한눈에 알 수 있다. 이 물 대부분은 영양소와 함께 흡수되어 먼저 간을 통과한다. 서둘러 '입국 절차'를 밟아야 하기 때문이다.

이런 대차대조표를 따라 대장에 도달한 음식물 찌꺼기 중 똥으로 몸 밖을 나서는 양은 약 150㎖다. '쌀이 시신으로 변하기(똥)' 전에 미생물은 앞다투어 대장 입구로 와 자신의 몫을 냉큼 챙겨야 한다. 그게 우리가 김치를 먹는 행위에 정당성을 부여한다. 현미처럼 가공을 덜 한 곡물이나 고구마, 쑥갓 같은 채소 혹은 제철 과일에 든 식이 섬유는 온통 미생물 차지다. 미생물이 배를 곯지 않아야 대장 점막이 무사하다.

당단백질로 구성된 탓에 점막 표면은 쉽게 미생물의 표적이 되기 때문이다. 본의는 아닐지라도 인간이 혹 소장만 귀히 여겨 달고 가루로 만든 음식물로만 배를 채운다면 대장 미생물은 언제든 분연히 일어설 것이다.

문제는 그것만이 아니다. 입으로 들어오는 신관에게 벼슬자리를 내주는 구관(舊官)은 홀로 행차를 꾸리지 않는다. 놀랍게도 똥을 따라 매일 몸 밖으로 나가는 장 미생물은 전체의 절반에 이른다. 이에 세균은 대장에 도달하는 음식물 찌끼에서 영양소를 얻어 절반이 성세를 회복해야 한다. 이들은 소장에서 소화가 덜된 저항성 전분이나 섬유를 발효하여 주로 짧은 사슬 지방산으로 바꾼다. 대장 벽에서 흡수되어 혈액 안으로 들어온 이들 지방산은 숙주의 영양소이자 면역 조절 물질로 쓰인다.

최근 들어 뇌과학자들은 지방 화합물이 뇌의 기능까지도 조절한다는 결과를 거푸 쏟아내고 있다. 지방산을 몸 안으로 들여오는 대신 숙주는 중탄산을 장으로 방출한다. 대장이 산성 환경으로 변하는 것이다. 이 상황을 반기는 세균 무리가 대장 생태계를 점령한다.

대장 안에 물의 양이 많아 산성도가 떨어지면 장 미생물 분포가 달라진다. 그러므로 대장 환경을 일정하게 유지하면서 그 안의 주인인 미생물을 든든히 먹여야 한다. 그들이 곧 귀인(貴人)이다.[213]

Ⅳ. 나가는 글

인간에 관한 논의는 철학적 인간학의 중심이다. 현대의 철학적 인간학은 막스 셸러에 의해 기초가 마련되었는데, 그는 〈우주에서 인간의 지위 Die Stellung des Menschen im Kosmos〉(1928)에서 인간과 동물의 행동을 비교하고 인간의 '세계 개방성'을 동물의 '환경에 구속됨'과 구별하여 인간의 지위를 정신에서 찾는다.

아르놀트 겔렌은 경험과학을 인간학 관점에서 종합하여 동물이 고도로 전문화되어 있고 확고한 본능을 지닌 데 비해 인간은 전문화되어 있지 않은 '결핍 존재'임을 밝히려고 했다. 인간은 자신의 행위로 그 결핍을 보충해야 했고 그리하여 높은 정신적·문화적 성취를 이루었다고 본다. 이와 달리 아돌프 포르트만은 생물학과 비교행동 연구에서 인간이 이미 생물학적으로 정신적·문화적 성취와 인격적·사회적 관계, 즉 '인간적인' 것을 목표로 삼고 있으며 고도로 '전문화'되어 있음을 보여준다.

헬무트 플레스너는 인간이 자기 삶의 중심을 거듭 반성하고 이를 초월해서 '탈중심'으로 존재하기 때문에 동물의 '중심성'과는 다르다고 본다.

문화라는 용어를 한 마디로 정의하기란 불가능하다. 문화는 그것이 속한 담론의 맥락에 따라 매우 다양한 의미를 갖고 있는 다담론적 개념이다. 서양에서 문화(culture)라는 말은 경작이나 재배 등을 뜻하는 라틴어(cultus)에서 유래했다. 즉, 문화란 자연 상태의 사물에 인간의 작용을 가하여 그것을 변화시키거나 새롭게 창조해 낸 것을 의미한다. 자연 사물에는 문화라는 말이 어울리지 않지만, 인위적인 사물이나 현상이라면 어떤 것이든 문화라는 말을 붙여도 말이 되는 것은 그 때문이다. 예를 들어, 야생화 문화라는 말은 성립하지 않지만 원예 문화라는 말은 성립한다. 즉 가장 넓은 의미에서 문화는 자연에 대립되는 말이라 할 수 있고, 인류가 유인원의 단계를 벗어나 인간으로 진화하면서부터 이루어낸 모든 역사를 담고 있는 말이라 할 수 있다. 여기에는 정치나 경제, 법과 제도, 문학과 예술, 도덕, 종교, 풍속 등 모든 인간의 산물이 포함되며, 이는 인간이 속한 집단에 의해 공유된다. 문화를 인간 집단의 생활양식이라고 정의하는 인류학의 관점이 이런 문화의 본래 의미를 가장 폭넓게 담은 것이라 할 수 있다.

내전으로 폐허가 된 시리아의 다라야에는 지하 비밀 도서관이 있었다. 서로를 죽고 죽이는 대상으로만 여기는 전쟁터에서 청년들은 버려진 책들을 모아 도서관을 만들었다. '인간성을 유지하기 위해서'였다. 인간이 서로를 죽이는 존재가 아니라는 것과 세계의 평화를 염원하는 것이 인간의 본성이라는 것을 믿기 위해서였고, 새로운 세계가 가능하다고 상상하기 위해서였다. 폐허가 된 튀르키예에도 건물의 잔해들을 모아 쌓아 올리며 천진난만하게 놀고 있는 아이들이 있다. 모든 것이 무너져 내린 절망 속에서도 살고자 하는 의지, 희망을 꿈꾸는 것이 인간이다.

인간의 힘으로 어찌할 수 없는 일에 대해서 우리가 할 수 있는 일은 현실을 직시하고, 그 속에서도 희망을 찾기 위해 '인간으로서 우리는 무엇을 해야 하는가'라는 통렬한 사유와 그에 따른 행동이다. 인간의 본성을 지키기 위해, 희망을 꺼트리지 않기 위해 튀르키예와 시리아를 돕는 게 아니라, 인간이 인간을 구하는 일로 여겨야 한다. 인간이라면, 이성을 가진 인간이라면 이 거대한 지진을 대하는 자세는 그래야 하지 않을까.[214]

참고문헌

강만준(2008). 『지방은 식민지다: 지방자치·지방 문화·지방 언론의 정치학』, 서울: 개마 고원.

강준만(2009). 『한국인 코드』, 서울: 인물과사상사.

강준만(2013). 『갑과 을의 나라』, 서울: 인물과 사상사.

강인(2003). 성공적 노화의 지각에 관한 연구. 노인복지연구. 20, 95-116.

고영복(2001). 『한국인의 성격: 그 변혁을 위한 과제』, 서울: 사회문화연구소.

공종원(2005). 벼랑 끝에 몰린 노인-한국 노인문제의 현황-, 서울: 나무.

구본형(2010). 『구본형의 필살기』, 서울: 다산라이프.

권민(2012). 『자기다움』, 서울: 유니타스브랜드.

김누리(2020). 『우리의 불행은 당연하지 않습니다』, 서울: 해냄출판사.

김문영, 이현주(2001). 노년기 성의 중요성 인지도에 관한 연구. 전신간호학회. 10(4), 675-685.

김병수(2014). 흔들리지 않고 피어나는 마흔은 없다, 경기: 프롬북스,

김상규(2005). 『속담으로 풀어보는 이야기 경제학』, 서울: 오늘의 책.

김영례, 김상훈, 원영신, 이수영, 주성순(2012). 노인시설의 체육프로그램 현황 분석 및 활성화 방안. 국민체육진흥공단 체육과학연구원.

김영훈(2002). 『문화와 영상 : 영상인류학의 이해』, 서울: 일조각.

김용수(2018). 『삶 속의 담론(談論)과 논쟁(論爭) 1』, 서울: 부크크.

김용수(2018). 『삶 속의 담론(談論)과 논쟁(論爭) 2』, 서울: 부크크.

김용수(2018). 『인류사회, 문화와 삶』, 서울: 부크크.

김용수(2019). 『인간 문화의 겉과 속』, 서울: 부크크.

김용수(2020). 『인간 문화의 겉과 속 2』, 서울: 부크크.

김용수(2022). 『흐르는 물처럼 살자』, 서울: 부크크.

김용수(2022). 『갈팡질팡 인간 세상 이야기』, 서울: 부크크.

김용수(2023). 『흐르는 물처럼 살자 2』, 서울: 부크크.

김용수(2023). 『갈팡질팡 인간 세상 이야기 2』, 서울: 부크크.

김용수(2023). 『이 시대의 담론(談論)』, 서울: 부크크.

김용학(2003). 『사회구조와 행위』, 서울: 나남.

김은실(2001). 『여성의 몸, 몸의 문화정치학』, 서울: 또하나의 문화

김은희, 함한희, 윤택림(1999). 『문화에 발목잡힌 한국 경제』, 서울: 현민시스템.

김주환(2011). 『회복탄력성』, 서울: 위즈덤하우스.

김중순(2001). 『문화를 알면 경영 전략이 선다』, 서울: 일조각.

김찬호(2010). 『생애의 발견』, 서울: 인물과사상사.

김찬호(2010). 생애의 발견, 서울: 인물과사상사,

김현미(2005). 『글로벌 시대의 문화 번역』, 서울: 또하나의 문화.

문요한(2007). 『굿바이 게으름』, 서울: 더난.

박성수(1999). 『조선의 부정부패 그 멸망에 이른 역사』, 서울: 규장각.

박노자(2003). 『나를 배반한 역사』, 서울: 인물과 사상사.

박용후(2013). 『관점을 디자인 하라』, 서울: 프롬북스.

박정순(2019). 『존 롤즈의 정의론: 전개와 변천』, 서울: 철학과현실사.

박해광(2002). 개급, 문화, 언어, 서울: 한올아카데미.

보건사회연구원(2017). 노인실태조사. 보건복지부.

백기복(2011). 『미래형 리더의 조건』, 서울: 21세기북스.

서기원(2003). 『설득의 기술』, 서울: 현대미디어.

신광영(2004). 『한국의 계급과 불평등』, 서울: 을유문화사.

안순태, 임유진, 정순돌(2020). 건강정보행동을 통한 심리적 건강 노인의 디지털리터러시 효과. 한국노년학회지, 40)5), 833-854.

엄기호(2010). 『이것은 왜 청춘이 아니란 말인가: 20대와 함께 쓴 성장의 인문학』, 서울: 푸른숲.

오종윤(2004). 20년 벌어 50년 먹고사는 인생설계, 서울: 더난출판.

오진주(1998). 노인의 성생활 경험에 대한 서술적 연구. 대한보건간호학회지, 12(2), 236-251.

유경(2009). 마흔에서 아흔까지, 경기: 서해문집.

유재언(2018). 미국 노인의 성생활 건강과 성적 권리 보호. 국제사회보장리뷰, 4, 71-80.

유지혜, 강창현(2019). 노인 성 건강의 유형과 특성에 관한 연구. 오토피어, 34(2), 157-197.

유지혜, 강창현(2021). WHO 성 건강에 근거한 노인 성 건강 특성과 영향 요인. 한국노년학회지, 41(1), 69-83.

윤석철(2011). 『삶의 정도』, 서울: 위즈덤하우스.

윤평중(1998). 『담론이론의 사회철학』, 서울: 문예출판사.

이성용(2004). 『한국을 버려라: 한국, 한국인이 살아남을 수 있는 길』, 서울: 청림출판.

이정우(2005). 『개념-뿌리들』, 서울: 철학아카데미.

이진경(2002). 『철학의 외부』, 서울: 그린비.

이진희(2016). 지역적 건강불평등과 개인 및 지역 수준의 건강 결정 욘인,보건사회연구, 36(2), 345-358.

이현정, 김현경(2017). 서울시 노인종합복지관의 스포츠 시설 및 체육프로그램 현황에 관

한 연구. 한국체육과학회지. 22(1), 473-488.

이진희(2016). 「지역적 건강불평등과 개인 및 지역 수준의 건강 결정 요인」, 보건사회연구, 36(2), 345-358.

이현우(2005). 『한국인에게 가장 잘 통하는 설득 전략』, 서울: 더난출판.

정호원(2004). 『갑과 을의 왜곡된 문화』, 서울: 디지털타임스.

정형기(2013). 『네 인생을 성형하라』, 서울: 행복에너지.

조현용(2005). 『우리말 깨달음 사전』, 서울: 하늘연못.

조희연 외(2010). 『내 인생의 한 권의 책』, 서울: 경향신문사.

주강현(1999). 『21세기 우리 문화』, 서울: 한겨레출판사.

채인선(2005). 『아름다운 가치 사전』, 서울: 한울림어린이.

최봉영(1997). 『한국문화의 성격』, 서울: 사계절.

최유호, 권천달(2017). 노인의 체육활동 참여가 생활 및 여가 만족에 미치는 영향에 대한 체계적 분석. 한국노인체육학회지. 4(1), 13-21.

최희주(2012). 고령사회대비정책현황 및 추진방향. 감사 가을호 특집(3). 서울: 감사원.

최준석(2000). 『한국미, 그 자유분방함의 미학』, 서울: 효형출판.

한봉주(2014). 어떻게 자신을 변화시킬 것인가, 서울: 미래지식.

한국문화인류학회(2009). 『낯선 곳에서 나를 만나다』, 서울: 일조각.

한봉주(2014). 『어떻게 자신을 변화시킬 것인가』, 서울: 미래지식.

한자경(2008). 유식불교의 욕망이해: 욕망 세계의 실상과 그 너머로의 해탈. 욕망: 삶의 동력인가 괴로움의 시작인가, 서울: 운주사.

함규정(2011). 『감정을 다스리는 사람, 감정에 휘둘리는 사람』, 서울: 청림출판.

홍성욱(2002). 『네트워크 혁명, 그 열림과 닫힘:지식기반사회의 비판과 대안』, 서울: 들녘.

마이클 샌델/함규진 역(2020). 『공정하다는 착각』, 서울: 와이즈베리.

버드런드 러셀/송은경 옮김(2005). 『인간과 그 밖의 것들』, 서울: 오늘의 책.

윌리암 번스타인/김현구 옮김(2005). 『부의 탄생』, 서울: 시아출판사.

에드워드 홀/최효선 옮김(2000). 『침묵의 언어』, 서울: 한길사.

에이미 거트먼, 조너선 D. 모레노/박종주 옮김. 『죽기는 싫으면서 천국엔 가고 싶은』, 서울: 후마니타스.

밀스 사라(Mills, Sara)/ 이부영 역(2001). 『Discourse, 담론』, 서울: 인간사랑.

존 누넌(John T. Noonan)/이순영 옮김(1996). 『뇌물의 역사』, 서울: 한세.

윌리엄 새들러(William Sadler)/김경숙 옮김(2010). 『서드 에이지(The third age), 마흔 이후 30년』, 서울: 사이.

Hensel D.J., et al(2016). The Association Between Sexual Health and Physical, Mental, and Social Health in Adolescent Women. *Journal of Adolesecent Health*, 59(4), 416-421.

(주석)

1) 한 압력으로 추출한 이탈리아식 커피. 에스프레소는 이탈리아어로 '빠르다, 신속하다'의 뜻이다. '에스프레소'라는 용어는 현대의 에스프레소 머신이 존재하기 전인 1880년대에 이미 사용되기 시작했다. 처음의 뜻은, 고객의 주문에 맞추어(expressly) 추출한 신선한 커피라는 의미였다. 오늘날 에스프레소는 '곱게 갈아 압축한 커피가루에 에스프레소 머신이 9~11bar의 압력으로 뜨거운 물을 가하여 짧은 시간 동안 추출한 고농축 커피'를 의미한다.
2) 프랑스인과 관련된 역설을 이르는 말. 본래는 문화적·사회적 차원에서 프랑스인의 비상식적인 생활이나 사고방식을 일컫는 말로 사용되었는데, 1980년대 이후 프랑스인들이 동물성 지방을 다른 나라의 국민들에 비하여 많이 섭취함에도 불구하고 심장 질환에 의한 사망률이 오히려 낮다는 연구 결과가 나오면서 이런 현상을 표현하는 데 사용되었다.
3) 프랑스의 작가 라블레(Rabelais, F.)가 지어 1534년에 간행된 풍자 소설. 전 5권으로 된, 프랑스 르네상스의 걸작인 〈가르강튀아와 팡타그뤼엘〉 1권으로, 체력과 식욕, 지식욕이 뛰어난 거인 가르강튀아가 중세 말기의 봉건주의와 가톨릭교회를 흥미진진하게 풍자·비판한 작품이다.
4) 유재경. 「탐식의 겉과 속」, 『매일신문』, 2022년 2월 22일.
5) 정착 생활 이전 수렵 시대에서는 바로 식량을 얻을 수 있기 때문에 직접적이고 1차원적인 사고가 주를 이루었다. 농경 사회에 들어서자 농사는 단시간 만에 되는 것이 아니라는 것을 사람들이 알게된다. 따라서 미래를 생각하게 되면서 점점 직접적인 사고에서 상징(간접)적인 사고를 하게 된다. 밑에 문화라는 용어가 경작에서 파생된 이유는 이 때문이다.
6) 이윤영. 「인간으로서 우리는 무엇을 해야 하는가」, 『국제신문』 2023년 2월 12일, 21면.
7) 이경식. 「수도권 중심주의라는 자충수」, 『경향신문』, 2021년 11월 2일.
8) 이 글은 경향신문 창간 75주년 기획 '절반의 한국' 연재와 관련해 '수도권 중심주의'를 비판하는 지역 언론의 특별기고입니다.
9) 강은·이두리·반기웅. 「"그래도 인권위" …인권이 기댈 제도적 언덕」, 『경향신문』, 2021년 11월 18일.
10) 남경아, 3. 「60플러스 위한 소소한 작당」, 『경향신문』, 2021년 12월 16일.
11) 송현수. 「과학과 예술은 하나」, 『인천일보』, 2022년 1월 21일, 14면.
12) 강옥엽. 「알렌 골짜기(AllenDale)」, 『기호일보』, 2022년 1월 28일, 9면.
13) 이명희. 「너는 우리와 달라」, 『경향신문』, 2022년 3월 17일.
14) 박정순. 「100년을 잇는 어린이날의 약속」, 『경향신문』, 2022년 4월 28일.
15) 조용철. 「'어린이날 100주년' 굿네이버스, '100년을 잇는 약속' 캠페인」, 『파이낸셜뉴스』, 2022년 5월 2일.
16) 이서영. 「100년이 지난 지금도 유효한 과제, '어린이 존중'」, 『경향신문』, 2022년 5월 5일.
17) 김중미. 「지금도 유효한 100년 전 선언, "다시 어린이를 높이자"」, 『시사IN』, 2022년 5월 15일.
18) 박지윤. 「어린이가 행복한 나라」, 『국제신문』, 2022년 4월 20일, 18면.
19) 김태희. 「텅텅 비고 허허벌판…공공기관뿐인 도시에 '정착'할 삶은 없다」, 『경향신문』, 2022년 5월 3일.
20) 김하늘. 「보챈다고 쌀이 밥이 되나요」, 『서울신문』, 2022년 3월 23일, 30면.
21) 김유진. 「어린이의 마음에서 언어가 터진다, 번진다…나를 찾는 그 길이 환하다」, 『경향신문』, 2022년 5월 9일.
22) 김유진은 아동문학평론가·동시인. 서강대 국어국문학과를 졸업하고 인하대 대학원에서 아동문학 연구로 문학박사 학위를 받았다. '어린이와 문학'에서 동시를 추천받고, 창비어린이 신인문학상 동시 부문(2009)과 평론 부문(2012)을 수상했다. 연구, 창작, 평론 등 다양한 시선으로 아동문학을 탐색 중이다. 동시집 〈나는 보라〉〈뽀뽀의 힘〉, 청소년시집 〈그때부터 사랑〉, 아동문학평론집 〈언젠가는 어린이가 되겠지〉를 출간했고, '토닥토닥 잠자리 그림책' 시리즈를 썼다. 아동문학 작품 속에서 어른과 어린이가 좀 더 자주 만나고 좀 더 가깝게 이어지는 날이 올 수 있기를 바란다.

23) 김민지.「활동가의 첫 월급봉투」,『경향신문』, 2023년 6월 24일.
24) 오찬호.「나는 너보다 더 힘들어야 한다」,『경향신문』, 2023년 6월 26일.
25) 백영경.「오염수 방류, 우리가 들어야 할 목소리」,『경향신문』, 2023년 6월 27일.
26) 추혜인.「‘안심’을 처방하기」,『경향신문』, 2023년 6월 28일.
27) 김진균.「시름에 겨운 강사들…오로지 아프기만 할 수 있기를」,『경향신문』, 2023년 6월 29일.
28) 임경선.「쉼의 어려움」,『경향신문』, 2023년 6월 29일.
29) 김기석.「함께 살기 위해 필요한 것」,『경향신문』, 2023년 7월 1일.
30) 이슬아.「그리움으로 해내는 일들」,『경향신문』, 2023년 7월 3일.
31) 박정훈.「“인간답게 살고 싶다”는 외침」,『경향신문』, 2023년 7월 4일.
32) 송경호.「임금 노릇 하기도 어렵고 신하 노릇 하기도 쉽지 않다」,『경향신문』, 2023년 7월 5일.
33) 박래군.「현장에는 시민단체 활동가들이 있다」,『경향신문』, 2023년 7월 11일.
34) 이정철.「세종이 문필가를 키운 까닭은」,『경향신문』, 2023년 7월 13일.
35) 이관후.「정치는 왜 존재하는가」,『경향신문』, 2023년 7월 14일.
36) 부안.「정치는 국민을 위해 존재하는가?」, 2023년 8월 27일.
37) 신예슬.「다른 소리를 위한 장소들」,『경향신문』, 2023년 9월 15일.
38) 김명희.「환상 속의 그대」,『경향신문』, 2023년 7월 17일.
39) 박선화.「예민함에 대한 오해와 이해」,『경향신문』, 2023년 7월 19일.
40) 김성일.「행복한 순간은 왜 짧을까」,『강원일보』, 2023년 7월 19일, 18면.
41) 이규희.「저출생 극복 노력하면 성평등상?」,『세계일보』, 2023년 5월 26일.
42) 이희경.「K장녀의 ‘독박 돌봄’」,『경향신문』, 2023년 7월 27일.
43) 남경아.「피·땀·눈물 어린 쌈짓돈」,『경향신문』, 2023년 7월 27일.
44) 복길.「한 번도 꾸지 않은 꿈」,『경향신문』, 2023년 7월 27일.
45) 이슬아.「두 엄마 밑에서 자랄 아이에게」,『경향신문』, 2023년 7월 31일.
46) 김관욱.「홍수에 휩쓸린 파블로프의 강아지」,『경향신문』, 2023년 8월 1일.
47) 박훈.「아! 1898년」,『경향신문』, 2023년 8월 2일.
48) 부희령.「비밀의 완성」,『경향신문』, 2023년 8월 2일.
49) 원현린.「배신(背信)」,『기호일보』, 2023년 7월 21일, 15면.
50) 김해자.「흔들린다」,『경향신문』, 2023년 8월 3일.
51) 이규철.「행복한 사람들의 8가지 습관」,『충청일보』, 2023년 7월 31일.
52) 이범.「이민이냐, 혁신이냐」,『경향신문』, 2023년 8월 4일.
53) 황규관.「시골 병실에서」,『경향신문』, 2023년 8월 6일.
54) 정희진.「북극곰과 나의 공통점, ‘지구를 구할 수 없다’」,『경향신문』, 2023년 8월 8일.
55) 안용주.「엄마, 그만!(Mom, stop!)」,『충청일보』, 2023년 8월 8일.
56) 김재윤.「나의 외로움이 널 부를 때」,『경향신문』, 2023년 8월 9일.
57) 홍혜은.「권위란 무엇인가」,『경향신문』, 2023년 8월 11일.
58) 장대익.「‘내 새끼 지상주의’와 온 마을」,『경향신문』, 2023년 8월 14일.
59) 장대익은 진화학자이며 과학철학자. 인간 본성과 기술의 진화를 연결시키는 연구와 개발을 병행하고 있다. 과학과 인문의 경계를 오가며 인간, 기술, 사회의 진화를 이야기해왔다. 서울대학교 자유전공학부 교수를 거쳐 현재 가천대학교 창업대학 석좌교수(학장)로 재직하고 있다. 저서로는 〈다윈의 식탁〉〈다윈의 정원〉〈울트라 소셜〉 등이 있으며, 역서로는 〈종의 기원〉〈통섭〉〈공역〉 등이 있다.
60) 오수경.「사과의 위기」,『경향신문』, 2023년 10월 6일.
61) 송지원.「브렉시트와 영국의 가족 해체」,『경향신문』, 2023년 10월 10일.
62) 김명희.「‘시기상조’ 뒤에 사람 있어요」,『경향신문』, 2023년 10월 15일.
63) 주은선.「국가복지 제대로 해야 서민이 산다」,『경향신문』, 2023년 10월 16일.
64) 나원준.「이류의 역사와 진보의 조건」,『경향신문』, 2023년 10월 17일.
65) 남경아.「그놈의 아침밥」,『경향신문』, 2023년 10월 18일.
66) 정유진.「고통은 장벽으로 분리될 수 없다」,『경향신문』, 2023년 10월 22일.
67) 성현아.「평론하는 마음」,『경향신문』, 2023년 10월 25일.
68) 서정홍.「기적은 여기서부터」,『경향신문』, 2023년 10월 29일.
69) 송경동.「뭐라도 해야 하지 않을까요?」,『경향신문』, 2023년 10월 30일.
70) 이호준.「짜장면과 금반지」,『경향신문』, 2023년 11월 1일.
71) 조홍민.「국민은 바보가 아니다」,『경향신문』, 2023년 11월 2일.
72) 채석진.「세탁기의 가정화」,『경향신문』, 2023년 11월 3일.
73) 김민지.「나는 당신 엄마가 아닙니다」,『경향신문』, 2023년 11월 17일.
74) 하승우.「좋은 삶과 메가도시」,『경향신문』, 2023년 11월 20일.
75) 부희령.「눈보라」,『경향신문』, 2023년 11월 22일.
76) 김예선.「누구에게나 가을이 와요」,『경향신문』, 2023년 11월 24일.
77) 김민섭.「이야기를 만들어내는 삶」,『경향신문』, 2023년 11월 24일.

78) 이슬아. 「덜 사는 기쁨을 찾아서」, 『경향신문』, 2023년 11월 26일.
79) 김예원. 「정신병동에 진짜 아침이 오려면」, 『경향신문』, 2023년 11월 26일.
80) 김재윤. 「있을 때 잘해」, 『경향신문』, 2023년 11월 29일.
81) 오은. 「여행의 이유는 여유다」, 『경향신문』, 2023년 11월 29일.
82) 김해자. 「꽉 껴안는다」, 『경향신문』, 2023년 11월 30일.
83) 박선화. 「친절과 미소 뒤에 있는 것들」, 『경향신문』. 2023년 12월 5일.
84) 이상호. 「진상의 역설」, 『경향신문』, 2023년 12월 6일.
85) 노승영. 「균근과 선물」, 『경향신문』, 2023년 12월 6일.
86) 홍혜은. 「비자폐인의 '결핍'」, 『경향신문』, 2023년 12월 8일.
87) 박은미. 「산다는 것은」, 『국민일보』, 2023년 9월 16일.
88) 우석훈. 「진짜 '서울의 봄'」, 『경향신문』, 2023년 12월 10일.
89) 문주영. 「새로운 가족의 탄생」, 『경향신문』, 2023년 12월 10일.
90) 나원준. 「조양한울분회의 끝나지 않은 투쟁」, 『경향신문』, 2023년 12월 12일.
91) 연합뉴스. 「재일 조선학교와의 문화교류까지 막겠다는 통일부의 역주행」, 2023년 12월 12일.
92) 홍혜진. 「미움받을 용기」, 『매일경제』, 2023년 12월 8일.
93) 장지연. 「김장과 낙천성」, 『경향신문』, 2023년 12월 13일.
94) 이용균. 「실패 혐오의 시대」, 『경향신문』, 2023년 12월 13일.
95) 고병권. 「다시, 정상운행」, 『경향신문』, 2023년 12월 14일.
96) 김민지. 「함께 상을 차리자」, 『경향신문』, 2023년 12월 15일.
97) 김지은. 「최대한의 기적을 어린이에게」, 『경향신문』, 2023년 12월 15일.
98) 공정규. 「일이란 우리에게 어떤 의미인가?」, 『매일신문』, 2023년 12월 8일.
99) 부성현. 「30년에 300년을 산 사람은 어떻게 자기 자신일 수 있을까」, 『인천일보』, 2023년 12월 13일.
100) 전남일보, 89. 「울컥 올라오는 울음을 미소로 다독여주는 영화-육상효 감독 '3일의 휴가'-」 2023년 12월 17일.
101) 장용석. 「다문화 자녀의 건강한 정체성 형성을 위한 준비가 필요하다」, 『제주도민일보』, 2023년 6월 1일.
102) 양길주. 「쓸데없는 것들의 반전」, 『제주일보』, 2023년 12월 12일.
103) 김형태. 「고독은 나의 친구」, 『중부일보』, 2023년 11월 28일.
104) 조현철. 「나의 게으른 텃밭 일지」, 『경향신문』, 2023년 12월 17일.
105) 채효정. 「목소리의 목소리가 되자」, 『경향신문』, 2023년 12월 17일.
106) 구기연. 「노벨 평화상 시상식, 빈 의자에 피어난 수선화」, [플랫], 『경향신문』, 2023년 12월 20일.
107) 부희령. 「명예의 전당」, 『경향신문』, 2023년 12월 20일.
108) 임석진 외 21인. 「인간」, 철학사전, 중원문화, 2009. 네이버, 2023년 2월 14일.
109) 백종현 「문화」, 철학의 주요개념, 서울대학교 철학사상연구소, 2004. 네이버, 2023년 2월 14일.
110) 백종현, 「인간의 본질로서 문화: 인간은 문화적 동물(철학의 주요개념)」, 2004. 네이버 지식백과, 2023년 2월 14일.
111) 보일. 「미래로 가는 문턱에서」, 『경향신문』, 2023년 12월 22일.
112) 정인진. 「재판 지연의 해소 방책」, 『경향신문』, 2023년 12월 24일.
113) 엄치용. 「아직도 왕으로 살고 싶나요?」, 『경향신문』, 2023년 12월 26일.
114) 송경동. 「나의 직업은 텔레마케터였다」, 『경향신문』, 2023년 12월 28일.
115) 김해자. 「나란히」, 『경향신문』, 2023년 12월 28일.
116) 오수경. 「어떤 이야기를 원하십니까?」, 『경향신문』, 2023년 12월 29일.
117) 김기석. 「모든 인간은 시작이다」, 『경향신문』, 2023년 12월 29일.
118) 변재원. 「그럴수록 앞을 보세요」, 『경향신문』, 2024년 1월 1일.
119) 이종석. 「대통령이라는 자리」, 『경향신문』, 2024년 1월 2일.
120) 하미나. 「벽 너머로 낯선 소리가 들려올 때」, 『경향신문』, 2024년 1월 2일.
121) 임지선. 「혁신」, 『경향신문』, 2024년 1월 9일.
122) 복길. 「'조폭 마누라'를 찾아서」, 『경향신문』, 2024년 1월 10일.
123) 고병권. 「어떤 동행」, 『경향신문』, 2024년 1월 11일.
124) 송경모. 「고통도, 갈등도 없는 유토피아는 없다」, 『한국경제』, 2021년 12월 9일, A33.
125) 전중환. 「음모론과 가짜뉴스」, 『경향신문』, 2024년 1월 17일.
126) 김기석. 「정말 두려워해야 할 것들」, 『경향신문』, 2024년 1월 25일.
127) 권혁범. 「오디션과 이데올로기」, 『경향신문』, 2024년 1월 29일.
128) 하종강. 「중대재해기업처벌법을 둘러싼 역학 관계」, 『한겨레』, 2020년 5월 27일.
129) 송화선, 승효상. 「"건축은 공공재, 개인은 사용권만 가질 뿐"」, 신동아 2021년 10월호, 2021년 10월 7일.
130) 김혜인 기자. 「'강릉 소녀들의 그 후'」, 『미디어스』, 2021년 10월 8일.
131) 최민지. 동창생 추적으로 풀어낸 경향신문 '절반의 한국' 시리즈[인터뷰] '강릉 소녀들의 그

후', "졸업사진이 떠올랐고 추적해 보기로 했다"
132) 이환기.「새벽형 인간과 저녁형 인간」,『인천일보』, 2022년 1월 19일, 18면.
133) 이소영 제주대 사회교육과 교수,「적어도 한 사람은」,『경향신문』, 2022년 4월 28일.
134) 김금희.「어디로 돌아갈까요?」『동아일보』, 2022년 4월 27일.
135) 김태희, 강은.「살려고 뭉친다는데…소도시·농촌도 살림살이 좀 나아집니까」,『경향신문』, 2022년 5월 9일.
136) 김유진.「'가족'이란…함께 시간을 보내고 감정을 나누며 있는 그대로의 '나'를 받아주는 것」,『경향신문』, 2022년 5월 9일.
137) 김유진은 아동문학평론가·동시인. 동시집〈나는 보라〉〈뽀뽀의 힘〉, 청소년시집〈그때부터 사랑〉, 아동문학평론집〈언젠가는 어린이가 되겠지〉를 출간했고, '토닥토닥 잠자리 그림책' 시리즈를 썼다.
138) 아동문학 작품 속에서 어른과 어린이가 좀 더 자주 만나고, 좀 더 가깝게 이어지는 날이 올 수 있기를 바란다.
139) 남상선, 김의화.「전화위복은 나에게도」,『중도일보』, 2022년 5월 13일.
140) 진영탁.「행복한 가정을 만들어가는 비결」,『중부일보』, 2022년 5월 11일.
141) 최자운.「건강의 첫걸음, 안전한 먹거리 생활」,『충북일보』, 2022년 5월 12일.
142) 장하나.「두 청년의 '도전, 검정고시'」,『경향신문』, 2022년 7월 19일.
143) 미류.「이대로 살 순 없지 않습니까」,『경향신문』, 2022년 7월 19일.
144) 정은정.「컨트리클럽에 농촌이 없다」,『경향신문』, 2022년 9월 2일.
145) 이명희.「대통령과 서울시장은 상상력을 발휘하시라」,『경향신문』, 2022년 9월 8일.
146) 김원석.「감사를 통한 삶의 변화」,『강원일보』, 2022년 9월 7일, 18면.
147) 김종광.「머슴들의 잔머리 굴리기」,『시니어매일』, 2022년 9월 2일.
148) 장유승.「명절 갈등 해소하는 방법」,『경향신문』, 2022년 9월 15일.
149) 김지은.「내 아이와 남의 아이」,『경향신문』, 2022년 9월 17일.
150) 이용춘.「'묵비사염(墨悲絲染)'의 교훈」,『강원일보』, 2022년 9월 23일, 24면.
151) 정애.「혐오의 시대」,『경향신문』, 2022년 9월 24일.
152) 조영관.「감옥에서도 차별받는 외국인」,『강원도민일보』, 2022년 9월 26일.
153) 김성일.「자기중심적 사고를 하게 되는 이유」,『강원도민일보』, 2022년 9월 27일, 18면.
154) 강희정.「세상 모든 것이 변한다지만」,『서울신문』, 2021년 3월 16일, 30면.
155) 김유진은 아동문학평론가·동시인. 동시집〈나는 보라〉〈뽀뽀의 힘〉, 청소년시집〈그때부터 사랑〉, 아동문학평론집〈언젠가는 어린이가 되겠지〉를 출간했고, '토닥토닥 잠자리 그림책' 시리즈를 썼다.
156) 김유진.「그려본다…소수자들이 힘겹지 않은 세상을」,『경향신문』, 2022년 9월 26일.
157) 박래군.「경총이 먼저 해야 할 일」,『경향신문』, 2022년 9월 27일.
158) 백승찬.「문화와 정치」,『경향신문』, 2022년 9월 29일.
159) 한윤정.「폐허에서 살아가기」,『경향신문』, 2022년 10월 1일.
160) 박산호.「구두와 가난」,『서울신문』, 2022년 9월 30일, 26면.
161) 장석주.「삶이라는 기적」,『광주일보』, 2022년 9월 30일.
162) 정희진.「'김건희 논문', 논란 종식을 바란다」,『경향신문』, 2022년 10월 5일.
163) 홍혜은.「인구가족양성평등본부라니」,『경향신문』, 2022년 10월 8일.
164) 손진은.「윤동주를 생각함」,『매일신문』, 2022년 10월 7일.
165) 권헌영.「디지털 전략과 국민 참여」,『경향신문』, 2022년 10월 7일.
166) 김현호.「언어로 예술을 오염시키는 방법」,『경향신문』, 2022년 10월 10일.
167) 김세원.「종교의 영역까지 넘보는 인공지능」,『강원도민일보』, 2022년 10월 11일, 19면.
168) 장하나.「여전히 2018」,『경향신문』, 2022년 10월 11일.
169) 소진형..「차별 정당화하는 신문 논설에 대한 시골 부인의 반박」,『경향신문』, 2022년 10월 26일.
170) 조광희.「말이 안 통하는 세상」,『경향신문』, 2022년 10월 24일.
171) 장지연.「수학여행과 쇼트커트」,『경향신문』, 2022년 11월 17일.
172) 소진형.「파리를 조문하는 글」,『경향신문』, 2022년 11월 23일.
173) 김종락.「공부, 쉽게 시작해 가볍게 그만두기」,『경향신문』, 2022년 11월 24일.
174) 이주윤.「아이고, 내 팔자야!」,『국민일보』, 2022년 11월 26일.
175) 이종섭.「달라진 민심, 숫자에 담긴 해법」,『경향신문』, 2022년 11월 30일.
176) 홍혜은.「전체를 보는 눈」,『경향신문』, 2022년 12월 3일.
177) 이슬아.「태양처럼 가릴 수 없는 말들」,『경향신문』, 2022년 12월 12일.
178) 박태근.「좋은 책인데 왜 알려지지 않죠」,『경향신문』, 2022년 12월 22일.
179) 조희원.「내 편의 감각」,『경향신문』, 2022년 12월 27일.
180) 이범.「의대 정원, '좋빠가'에 맡길 것인가」,『경향신문』, 2024년 2월 13일.
181) 이범.「정시의 종말」,『경향신문』, 2024년 1월 9일.

182) 이범은 서울대 학부에서 생물학, 대학원에서 과학사·과학철학을 전공했다. 박사과정 수료 후 수능 과학탐구 강사가 돼 '메가스터디' 창업에 참여했다. 2003년 '일타강사' 시절에 은퇴한 드문 기록을 갖고 있다. 이후 교육평론가, 정책전문가로 변신했다. 서울시교육청 정책보좌관, 민주연구원 부원장, 한겨레신문·시사인·허핑턴포스트 칼럼니스트로 활동했다. 현재 영국 케임브리지대에서 박사과정을 밟고 있다. 지난 40년간의 한국 교육정책에 대한 비판적 분석을 주제로 연구를 시작했다. 저서로 〈문재인 이후의 교육〉 등이 있다.
183) 김관욱. 「역겨운 것은 바퀴벌레가 아니다」, 『경향신문』, 2024년 2월 12일.
184) 배정원, 최민영. 「포괄적 성교육이 '무분별한 섹스'를 부추길 것이라는 어른들에게」, 『경향신문』, 2023년 1월 5일.
185) '인간의 내밀한 역사', 시어도어 젤딘.
186) 히브리서 11장 1절.
187) 부희령. 「왕의 독백」, 『경향신문』, 2023년 1월 26일.
188) 이희경. 「어느 날 밀양, 그리고 잔소리와 밥」, 『경향신문』, 2024년 2월 2일.
189) 김현수. 「도덕 손상 사회, 어른이 필요하다」, 『경향신문』, 2024년 2월 13일.
190) 보일. 「깨달음도 다운로드할 수 있을까」, 『경향신문』, 2024년 2월 15일.
191) 조현철. 「기술이 우리를 건져낼 수 있을까」, 『경향신문』, 2021년 11월 22일.
192) 김수아. 「이젠, '너절한 연애' 직시해야」, 『경향신문』, 2021년 11월 22일.
193) 심윤경. 「당신에게 웃을 용기」, 『경인일보』, 2022년 1월 14일, 15면.
194) 이소영. 「문화와 삶」, 『경향신문』, 2022년 2월 3일.
195) 서정일. 「사진과 독심술」, 『경향신문』, 2022년 2월 4일.
196) 박상진. 「시대정신 외면하고 행동 않는 지성은 곧 '인간다움'을 잃은 죄인」, 『경향신문』, 2021년 11월 19일.
197) 박상진은 영국 옥스퍼드대 문학박사. 이탈리아 문학 및 비교문학 전공. 미국 하버드대와 UC버클리 방문교수를 지냈고, 현재 부산외대 교수로 재직하고 있다. 〈신곡〉 〈데카메론〉 등의 역서와 〈단테 '신곡' 연구〉 〈사랑의 지성: 단테의 세계, 언어, 얼굴〉 〈단테〉 〈단테가 읽어주는 '신곡'〉 〈A Comparative Study of Korean Literature: Literary Migration〉 등의 저서가 있다.
198) 조해람. 「유해 콘텐츠·범죄 위험 널린 온라인… "청소년 '방어막' 만들어야"」, 경향신문』, 2021년 11월 18일.
199) 문광호. 「'달빛내륙철도' 구체화에 영호남 '남중권' 구상까지…힘 실리는 '남부권 통합'」, 『경향신문』, 2021년 11월 2일.
200) 장덕진. 「필사적 보수, 이대남 결집, 오미크론」, 『경향신문』, 2022년 2월 8일.
201) 안호기. 「과기정통부에 필요한 건 눈치가 아닌 결단이다」, 『경향신문』, 2022년 2월 10일.
202) 이호준. 「정부, '오미크론 긴장' 풀렸나」, 『경향신문』, 2022년 2월 15일.
203) 최갑수. 「"길이 없으면 길을 내는 것, 그게 바로 진보야!"」, 『경향신문』, 2022년 2월 22일.
204) 김서중. 「선거에 필요한 정보는?」, 『경향신문』, 2022년 2월 28일.
205) 신지혜, 「자랑하고 싶은 거 있으면 얼마든지 해-왜냐면 나는 부럽지가 않어- 」. 『아트인사이트』, 2022년 4월 23일.
206) 윤열수. 「우리 문화의 겉과 속, 상징을 통해 미를 탐하다」, 『Books &Movies - Screen Saver』, 2020년 12월 9일.
207) 김윤철. 「민주주의 위기의 실체」, 『경향신문』, 2023년 11월 20일.
208) 이은희. 「아이들 유전자에 어떤 경험을 새길 것인가」, 『경향신문』, 2023년 11월 22일.
209) 강준만. 「'지역정당'에 대한 잔인한 오해」, 『경향신문』, 2023년 11월 21일.
210) 김홍규. 「조화와 균형의 대외전략을 추구하자」, 『경향신문』, 2023년 11월 23.
211) 정수종. 「초록 낙엽, 나무 시계를 고장 낸 범인은 누구인가」, 『경향신문』, 2023년 11월 27일.
212) 정수종은 서울대학교 지구환경과학부에서 박사학위를 받고 미국 프린스턴대 연구원, 미국 항공우주국(NASA) 제트추진연구소 연구원, 중국 남방과기대 교수를 거쳐 2018년부터 서울대 환경대학원 교수로 근무 중이다. 연구팀을 꾸려 기후변화의 원인과 영향을 밝히기 위한 관측 및 모델링 연구를 진행 중이며, Global Carbon Project, 유럽 항공우주국 기후 모니터링, NASA 온실가스 및 생태계 모니터링 등 국제 공동연구를 수행 중이다. 2018년부터 서울 남산타워 꼭대기에서 도시의 이산화탄소를 측정한 정보를 매일 공개하고 있다.
213) 김홍표. 「김치를 먹는 뜻은」, 『경향신문』. 2023년 11월 29일
214) 이윤영. 「인간으로서 우리는 무엇을 해야 하는가」, 『국제신문』, 2023년 2월 12일, 21면.